Les
SERVICES
DE GARDE
pour votre
ENFANT

October 1, 1993

Dear Lou,
Let this remind you
that it's worth all the hard
work that goes into a book!

D1207827

Barbara Kaiser
Judy Sklar Rasminsky

Les
SERVICES
DE GARDE
pour votre
ENFANT

Traduit de l'anglais par
Jean Chapdelaine Gagnon

Collection
Parents avertis

Libre Expression

Données de catalogage avant publication (Canada)

Kaiser, Barbara

Les services de garde pour votre enfant: tout pour choisir, trouver
et partir heureux tous les matins!

Traduction de: The Daycare Handbook.
Comprend des réf. bibliogr.
ISBN: 2-89111-564-3

1. Garderies — Canada. 2. Garderies familiales — Canada.
3. Garde des enfants d'âge scolaire — Canada. I. Rasminsky,
Judy Sklar. II. Titre.

HV861.C2K3414 1993   362.7'12'0971   C93-097091-8

TITRE ORIGINAL
The Daycare Handbook
publié par Little, Brown & Company Ltd.

Traduit de l'anglais par
JEAN CHAPDELAINE GAGNON

La traduction française de *The Daycare Handbook* a été rendue possible
grâce à l'assistance financière de la Caisse d'aide aux projets en matière
de garde des enfants, un service de Santé et Bien-être Canada, et grâce à
l'appui de la section québécoise de l'Association canadienne pour jeunes
enfants qui a parrainé le projet.

On tiendra seuls les auteurs responsables des opinions émises dans ces
pages, qui ne reflètent pas nécessairement la politique officielle de Santé
et Bien-être Canada, ni celle de l'Association canadienne pour jeunes
enfants.

Photographie de la couverture:
Photographie Quatre Par Cinq Inc.

Maquette de la couverture:
FRANCE LAFOND

Photocomposition et mise en pages:
COMPOSITION MONIKA, Québec

© Éditions Libre Expression,
2016, rue Saint-Hubert,
Montréal H2L 3Z5

Dépôt légal:
3ᵉ trimestre 1993
ISBN 2-89111-564-3

NOTE DE L'ÉDITEUR

À travers ce livre, le genre féminin a été employé pour désigner la personne à la recherche d'un service de garde, ainsi que celle œuvrant à l'intérieur d'un tel service. Toutefois, dans l'esprit des auteurs et de l'éditeur, ces personnes peuvent aussi bien être de sexe masculin! Ce choix a été fait dans le but de simplifier la construction des phrases dont la lecture aurait été très lourde si les deux genres avaient été employés simultanément.

Enfin, des termes de plus en plus spécialisés désignent les personnes qui œuvrent au sein des services de garde. Au fil du texte, nous avons choisi d'employer les termes d'usage courant, mais nous vous encourageons à consulter le glossaire qui complète ce livre afin de vous familiariser avec les termes nouveaux qui rendent bien compte du dynamisme et du professionnalisme de tous ceux et celles qui se consacrent à la garde des enfants.

À Sonya, Jessika, Abigail et Maita,
à qui nous devons d'avoir saisi
toute l'importance de bons services
de garde.

Table des matières

CHAPITRE 10

La visite d'une garderie (deuxième partie)........ 227

CHAPITRE 11

Le moment de l'évaluation: attribuer des cotes aux garderies................................... 289

CHAPITRE 12

L'admission 299

CHAPITRE 15

La routine administrative 361

CHAPITRE 16

Les services de garde et la santé de l'enfant. 367

Remerciements

De très nombreuses personnes ont contribué à la réalisation de ce livre — trop nombreuses, en fait, pour que nous les nommions toutes ici. Viennent en tête de liste les parents et les membres du personnel, présents et passés, de la Garderie Narnia: sans l'apport de leur expérience du milieu — les problèmes qu'ils y ont rencontrés et les solutions qu'ils y ont apportées — nous n'aurions écrit aucune des pages qui suivent. Parmi ces personnes, Liane Beauchesne mérite une mention spéciale.

Des éducatrices, des chercheurs et des administrateurs de plusieurs autres services de garde nous ont inestimablement aidées en nous ouvrant les portes de leurs garderies ou services de garde en milieu familial et en milieu scolaire, et en partageant avec nous leur expérience sur le terrain. Nous tenons ici à remercier nommément Jane Bertrand, Janet Davis, Maria de Wit, Elizabeth Dunn, Karen Glass, Astrid Hilgren, Johanne Husereau, Jackie Jackson, Margot Janzen, Maureen Landry, Janice May, Nabila Mohktar, Marilyn Neuman, Pam Perry, Avril Pike, Adele Rosen, Kelly Schmidt, Karen Thorpe, Ellen Unkrig Staton, Wally Weng-Garrety, Donna White et Jean Wise.

Zsolt Alapi, Lamya Amleh, Kathy Bloydel, Mary Buckland, Kevin Dunbar, Penny Glickman, Matthew Lennig, Lucille Moskalewski, Laura Petitto, Myra Sourkes, Manuel Vidal-Sanz, Maria Paz Villegas-Pérez, Kitty et Russell Wilkins et Judy Zucker nous ont, pour leur part, confié leurs réflexions de parents sur la question.

Plusieurs spécialistes se sont montrés prodigues de leur temps et de leurs connaissances: le docteur Julio C. Soto, médecin conseil en santé publique à l'hôpital Saint-Luc, pour ce qui concerne la santé en service de garde; David Singleton, en ce qui a trait aux abus sexuels dont sont victimes les enfants; Richard Lewin, en matière de financement et Paul Schrodt, de comités de parents. Si l'information en ce sens dispensée dans ces pages est correcte, tout le crédit leur en revient; le lecteur tiendra seuls les auteurs responsables des erreurs qui auraient pu s'y glisser.

De main de maître, Sandra Tooze, Sarah MacLachlan et Kim McArthur ont dirigé les opérations, depuis la rédaction du manuscrit jusqu'à l'arrivée du livre dans les librairies canadiennes; Anna Aguayo nous a aidées à ne pas perdre de vue les questions anthropologiques; Beverly Chandler a retracé tous les renvois des citations; Ilana Aronoff a pris de merveilleuses photographies qui seront peut-être rendues publiques dans un ouvrage ultérieur.

Frances Hanna a cru en notre projet dès les premières heures et nous a soutenues jusqu'à la fin; et Martha Friendly nous a dirigées vers des mines d'information, nous a servi de guide d'un océan à l'autre et nous a livré des commentaires pénétrants et stimulants sur le manuscrit.

Le soutien et l'affection de Daniel et Zachary Sklar, de même que de Joan et Margot Kaiser, nous ont empêchées de céder à la panique.

Enfin, Martin Hallett et Michael Rasminsky ont pris la relève à la maison, en veillant à ce que nous ne perdions jamais une citation ni un fichier d'ordinateur. Leur patience, leurs encouragements et leur empressement à relever leurs manches auront fait toute la différence.

Une édition québécoise

L'édition française de *The Daycare Handbook* n'est pas qu'une banale traduction de l'anglais.

Nous avons élu domicile au Québec, il y a vingt ans, et nous voulions que notre ouvrage reflète les réalités complexes des services de garde que nous avons connus, et dont nous avons fait l'expérience, en tant que parents ou éducatrices, au fil de toutes ces années.

Grâce à l'assistance financière de la Caisse d'aide aux projets en matière de garde des enfants, organisme qui relève de Santé et Bien-être Canada, et à l'appui de la section québécoise de l'Association canadienne pour jeunes enfants, qui a parrainé notre projet, il nous a été possible de réécrire plusieurs chapitres de cet ouvrage pour y inclure des données essentielles aux parents québécois.

Plusieurs personnes ont contribué de leur temps, de leurs efforts et de leurs connaissances à la réalisation de ce projet. Nous avons été impressionnées et aiguillonnées par leur incroyable générosité, leur ouverture d'esprit, leur empressement à partager avec nous leur expérience, et nous attendons impatiemment que se présente l'occasion de futures collaborations. Par bonheur, leur engagement à l'égard des enfants ne se borne pas à de bonnes paroles d'encouragement!

Nous désirons exprimer tout spécialement notre gratitude à Louise Gélinas et Margaret De Serres, de l'Office des services de garde à l'enfance; à Jocelyne Tougas, du Regroupement des Agences de services de garde en milieu familial du Québec; à Lise Baillargeon et Brigitte Guy, de l'Association des services de garde en milieu scolaire du Québec; à Raquel Betsalel-Presser et Maryse Joncas, de l'Université de Montréal; à Luc Rainville, de la Commission des écoles catholiques de Montréal; à Danielle Paiement, du ministère de l'Éducation du Québec; à Marie-France Lemieux, de la Garderie Les Minis de Montréal; à Marie-Thé Leblanc, de La Petite École de Daveluyville; à Linda Henri, de l'Agence À la Bonne Garde de Lac-Etchemin; et à Dominique Leclerc Catala, de la Garderie Narnia de Westmount.

Nos recherchistes Darlene Henderson et Luce Marquis, notre amie bilingue Danielle Frattaroli, notre éditrice Carole Levert, notre réviseure Louise Chabalier et le personnel des Éditions Libre Expression, de même que notre traducteur, Jean Chapdelaine Gagnon, ont aussi grandement collaboré à ce que cet ouvrage représente bien la réalité québécoise en matière de services de garde.

Claude Choquette s'est montré d'une persévérance extraordinaire et d'une bonne humeur constante; Paul Globus,

Morri Mostow, Doug Long, Pauline Clift, Nadia Bechirian-Tiseo et Lesley Wynne Pechter ont été prodigues de leurs conseils pratiques, dès les premières heures; Ron Yzerman, Hélène Cloutier et Carol Levesque, de la Caisse d'aide aux projets en matière de garde des enfants, n'ont jamais perdu de vue notre objectif final, malgré les nombreuses embûches semées sur notre route.

Enfin, le président Carol Jonas et la trésorière Mona Farrell, de l'Association canadienne pour jeunes enfants — section Québec, nous ont accordé leur soutien indéfectible. À ce titre, Carol mériterait certainement une médaille.

Préface

Nous ne prétendons pas jouer les arbitres. L'enfant confié à un service de garde est à vous et à personne d'autre. Lorsque vous déciderez de l'endroit où il passera ses heures d'éveil au cours des quelques prochaines années, le plus important sera que vous agissiez en accord avec vos valeurs personnelles et que vous vous sentiez pleinement en accord avec vous-même.

Nous n'en aimerions pas moins vous aider à faire le meilleur choix possible.

Depuis près de deux décennies — l'une à titre de directrice de garderie depuis plus de quinze ans; l'autre, de journaliste intéressée aux questions familiales — nous nous débattons pour mener de front une carrière et éduquer nos enfants. Au fil des années, l'une de nous a guidé des milliers d'enfants et de parents dans le dédale des services de garde et, pendant la rédaction de cet ouvrage, nous nous sommes entretenues avec des dizaines de parents, d'éducatrices et de spécialistes en service de garde; nous avons visité des garderies et des services de garde en milieu familial et en milieu scolaire; nous avons assisté à des congrès et nous avons lu d'innombrables livres et articles. Les pages qui suivent en témoignent sous une forme ou une autre.

Deux convictions passionnément entretenues — l'une, primordiale; l'autre, accessoire — auront présidé à la rédaction de cet ouvrage.

La première veut qu'il existe une corrélation entre la disponibilité de services de garde de première qualité et la prise de conscience, par les parents, de ce à quoi ils sont en droit de s'attendre. Trop de services de garde, qui constituent pourtant une menace à la sécurité des enfants, restent ouverts parce que des parents qui ne connaissent pas mieux continuent de leur confier leur progéniture. En connaissant mieux les services de garde, nous serons mieux à même de formuler des demandes plus précises et plus exigeantes et nous éviterons que des services de garde de qualité inférieure obtiennent un permis ou poursuivent leurs activités.

Notre deuxième conviction est qu'un livre destiné à servir de guide aux gens se doit d'être absolument clair et limpide, au risque d'affirmer parfois des évidences. La marche à suivre décrite par le docteur Spock pour donner le bain à bébé («Retirez d'abord votre montre», prenait-il la peine de préciser!), telle que pouvait la lire, il y a vingt ans de cela, une nouvelle maman paralysée de peur, nous aura servi de modèle!

Pour le besoin de cette essentielle clarté, nous avons arbitrairement attribué aux intervenants le *genre féminin* et aux enfants, le *masculin*. D'autre part, bien que nous ayons rédigé ce livre tout autant pour les pères que pour les mères, nous avons le sentiment que la majorité des lecteurs seront... des lectrices, et nous nous adressons donc plus directement à elles en utilisant la forme féminine. Mais nous invitons évidemment les pères à en continuer la lecture! Précisons enfin que nous avons changé les noms des enfants, des parents et des éducatrices en cause pour protéger leur anonymat.

Introduction

Il était une fois...

Conte de fées

Parce que nous avons tous fréquenté l'école, chacun de nous a sa petite idée sur ce que devraient être les écoles. Fort de cette expérience, nous nous sentons rassurés quant à notre capacité de choisir l'école qui convienne le mieux à nos enfants. Il en va tout autrement quand il nous faut choisir un service de garde!

Peu d'entre nous ont été confiés à un service de garde lorsque nous étions enfants. En cette matière, nous ne pouvons nous appuyer ni sur une expérience personnelle ni sur une tradition. Comment alors pouvons-nous intelligemment choisir un service de garde pour nos enfants?

L'expérise de nos parents, qui se caractérise par le fait qu'ils n'ont en général pas eu recours aux services de garde, nous inciterait plutôt à écouter la petite voix qui murmure à notre oreille: «Si maman ne l'a pas fait, est-ce que ça peut vraiment être une bonne chose?» Il arrive donc que nos parents nous entraînent plus sur la voie de la culpabilité qu'ils nous fournissent des avis ou des conseils éclairés.

Pour les parents que nous sommes, il est donc tentant d'agir comme si le nuage menaçant du service de garde n'existait pas. Si nous l'ignorons, peut-être se dispersera-t-il à l'horizon à l'heure fatidique, ou alors nous fera-t-il don de la solution miracle comme du plus parfait flocon de neige. Peut-être qu'à la dernière minute, par hasard, nous découvrirons une solution acceptable. Mais, soyons réalistes: il y a fort à parier que le service de garde choisi de cette manière ne convienne pas et, parce que nous saurons si peu à quoi il devrait ressembler, nous ne nous en rendrons même pas compte...

On ne trouve pas un bon service de garde comme on achète un lit d'enfant, en magasinant par un beau samedi matin! La garde d'enfant est un sujet à la fois compliqué et complexe, et les enjeux en cause, le bien être de votre enfant et votre tranquillité d'esprit, sont des plus importants.

Mais si vous vous y mettez sérieusement, trouver le service de garde qui convienne à votre famille ne sera pas une tâche impossible. Pour y parvenir, il vous faudra une bonne dose de réflexion, du temps, de l'énergie et des sources d'information pertinentes.

Au début de vos recherches, vous aurez l'impression que vous faites face à une tâche impossible, insurmontable. Mais plus vous y consacrerez de temps, plus vous visiterez de services de garde, moins vous vous sentirez dépassée. Soudain, tout s'éclairera, la solution vous paraîtra évidente et vous serez très heureuse d'avoir consenti les efforts nécessaires.

De toute façon, rien ne sert de vouloir les éviter: les services de garde sont devenus des nécessités dans nos existences. Les femmes d'aujourd'hui ont en général une carrière avant d'avoir une famille. Elles retirent bénéfices et satisfactions des revenus qu'elles génèrent et de leur participation au marché du travail. Au lieu d'abandonner emploi et carrière lorsqu'elles mettent un enfant au monde, elles choisissent plutôt de prendre un congé de maternité. À partir du moment où nous constatons que la majorité des femmes qui sont mères d'enfants d'âge scolaire aussi bien que d'âge préscolaire font carrière[1], où nous voyons se multiplier autour de nous le nombre de familles monoparentales, il faut bien admettre que le besoin pour de tels services ne peut que croître. De plus, si par le passé les conjoints ayant un travail à l'extérieur pouvaient compter sur la collaboration de plusieurs parents pour les aider à prendre soin de leurs enfants, de nos jours, il est extrêmement rare de pouvoir ainsi faire

---

1. Margie I. Mayfield, *Les garderies en milieu de travail au Canada*, Ottawa, Bureau de la main-d'œuvre féminine, Travail, Canada, 1990.

appel à des proches. Nous avons transformé notre façon de vivre de telle sorte que nous avons nécessairement besoin de services de garde. Sans quoi il nous faut renoncer soit au travail, soit aux enfants, ce que nous ne sommes pas prêts d'accepter!

Dans l'affolement qui s'empare souvent de nous alors que nous apprivoisons l'idée de faire garder notre enfant, nous oublions souvent que les services de garde ne sont pas une idée totalement nouvelle et que nous ne sommes pas les premiers parents à faire appel à des étrangers pour prendre soin de nos petits. Les anthropologues avancent que, dans les temps primitifs, les familles laissaient leurs enfants aux soins de tantes et de sœurs pendant que les jeunes mères s'éloignaient pour faire la cueillette de noix, de fruits et de baies[2]. Dans l'Antiquité et au Moyen Âge, des nourrices allaitaient les enfants des riches, et les familles occidentales de classe supérieure ont leurs gouvernantes et leurs bonnes d'enfants depuis plus de deux siècles!

Tous ces exemples sont des formes de services de garde; une personne, autre que la mère ou le père, assure la garde d'un enfant, pour une période plus ou moins longue, au domicile de l'enfant ou ailleurs.

Les études démontrent clairement qu'un bon service de garde est profitable aux enfants. Un mauvais service, par contre, leur est préjudiciable. En conséquence, vous souhaiterez confier votre enfant à un bon service de garde, et c'est justement de cela que traite ce livre: de la façon de trouver des services de garde de qualité.

Lorsque votre enfant profite d'un excellent service de garde, vous pouvez vous rendre au travail sans inquiétude, en sachant qu'il se trouve dans un environnement sûr, sain, chaleureux et stimulant où la personne merveilleuse qu'il est déjà pourra continuer de s'épanouir.

La connaissance est la clef du succès quand il s'agit de trouver un service de garde. Une fois que vous saurez ce qui est bon pour votre enfant, vous saurez le reconnaître et l'exiger, et vous réussirez à le trouver si vous commencez vos recherches assez tôt.

---

2. *The First Man*, New York, Time-Life Books, 1973, p. 15 et 130.

Ce livre vous aidera à acquérir cette connaissance. Parce qu'on peut facilement être trompé par des directrices souriantes ou par des murs fraîchement repeints, nous décrirons avec minutie en quoi consiste un service de grande qualité. Nous vous entretiendrons des différentes options qui s'offrent à vous: garderies, gardiennes, services de garde en milieu familial et en milieu scolaire. Nous vous informerons de ce que disent les études en ce domaine et de la réglementation. Nous vous aiderons à identifier les critères qui sont primordiaux pour vous; nous vous fournirons même des listes de questions à poser afin que vous puissiez bien évaluer les services qui s'offrent à vous, sans oublier des points importants. Puis, nous envisagerons avec vous des solutions d'appoint pour parer aux imprévus.

Même après que votre enfant se sera bien adapté au service de garde de votre choix, il se peut que vous ayiez à faire face à d'autres problèmes. Les services de garde changent, les directrices et les éducatrices quittent leur poste, les enfants grandissent. Il faut savoir comment réagir à de telles situations. D'autre part, vous devez être attentive à votre enfant, car c'est lorsqu'on ne prête pas suffisamment attention à leur environnement que les enfants courent davantage le risque d'être blessés physiquement ou psychologiquement.

Nous vous guiderons afin que vous deveniez un parent averti d'enfant confié à un service de garde. Nous vous suggérerons des trucs pour favoriser la communication entre vous et l'éducatrice de votre enfant. Nous aborderons aussi la question de la santé. Nous vous aiderons à déterminer quand est venu le moment de changer de service de garde.

Dans le monde qui nous entoure, il y a quantité de bons services de garde, et autant de mauvais. Si nous exigeons la qualité et refusons de nous contenter de peu ou du «moins mauvais», nous aiderons à la création et au maintien d'excellents services en ce domaine. Si nous refusons de nous accommoder de piètres ou de mauvais services de garde, ils seront obligés de s'améliorer. Les gouvernements, qui font la réglementation et qui tiennent les cordons de la bourse, devront également réagir et prendre position.

Un parent bien informé est un parent qui a du pouvoir. C'est en faisant ces démarches en toute connaissance de cause que vous trouverez et ferez des choix valables pour vous-même ainsi que pour votre enfant.

CHAPITRE 1

Les services de garde: comment et quand commencer à y réfléchir

— Qui es-tu?
— Je... Je... ne sais pas très bien, madame, du
moins pour l'instant... Je sais qui j'étais quand je
me suis levée ce matin, mais je crois qu'on a dû me
changer plusieurs fois depuis ce moment-là.

Lewis Carroll
Alice au pays des merveilles

Choisir la personne qui prendra soin de votre enfant pendant que vous êtes au travail est probablement l'une des décisions les plus importantes que vous aurez à prendre au cours de ses cinq premières années de vie. Cette décision peut éventuellement affecter votre enfant de plusieurs façons: elle peut favoriser son épanouissement ou, au contraire, le traumatiser au point de lui donner des cauchemars qui le poursuivront jusqu'à son adolescence!

En tant que parent au travail, vous passez environ 2 300 heures par année loin de votre enfant, à un moment crucial de sa vie pour son développement psychologique, physique et intellectuel. Pour déterminer s'il est heureux ou non, vous devrez vous en remettre à la personne à qui vous le confiez, à votre enfant lui-même et, jusqu'à ce qu'il puisse s'exprimer clairement et franchement, à votre propre habileté à lire entre les lignes. Peu importe la solution que vous choisirez, ce sera toujours vous le patron, toujours vous qui porterez la responsabilité du bien-être de votre enfant. Il n'y a pas de doute, donc, que la décision concernant la garde de votre enfant jouera un rôle primordial dans votre existence.

Imaginez comment vous vous sentiriez au travail si vous aviez des inquiétudes quant au bien-être ou au confort de votre enfant. Il vous serait difficile d'accorder à votre activité professionnelle toute l'attention requise et encore plus difficile de le faire en toute sérénité. C'est pour cela qu'il est très important que vous preniez tout le temps nécessaire pour faire une recherche exhaustive des services de garde disponibles et prendre la meilleure décision possible.

Comment amorcer votre réflexion?

Dans la plupart des familles, l'on constate que la mère choisit elle-même le type de service de garde. Mais les pères peuvent aussi jouer un rôle important en cette matière. D'ailleurs, les recherches suggèrent que les enfants dont le père a joué un rôle actif dans son éducation et dans les soins prodigués atteignent l'âge scolaire avec de meilleures chances de succès, plus de confiance en eux-mêmes et avec de meilleures aptitudes pour développer des relations saines avec leurs camarades. Enfin, si jamais un nouveau papa, en se rappelant sans doute sa propre enfance, préfère que sa femme reste à la maison avec le bébé, rien de mieux que de le faire participer à la recherche d'un service de garde pour lui permettre, à lui aussi, de se sentir rassuré.

Les chefs de familles monoparentales qui doivent faire seuls ces choix difficiles seront bien avisés de se confier à une personne de leur entourage. Si une amie ou un parent est disposé à leur prêter une oreille attentive, leur fardeau s'en trouvera allégé et il se tissera ainsi un lien plus étroit entre l'enfant et une personne qui sera proche de lui.

L'importance de bien se connaître

Quel que soit le type de service de garde que vous choisissiez pour votre enfant, il devrait refléter votre façon de penser, vos valeurs ainsi que votre mode de vie. Il faut trouver un accommodement qui vous plaise, parce que si ses parents sont heureux, votre enfant le sera aussi. Si la vie au foyer et celle au service de garde se complètent et n'entrent pas en conflit l'une avec l'autre, l'enfant ne sera que plus heureux. Les services de garde ont, en général, des philosophies de vie nettement définies. Leurs représentants en parlent d'ailleurs abondamment lorsque vous les rencontrez. Ils ont eu le temps nécessaire pour réfléchir aux valeurs auxquelles ils croient et ils engagent leur personnel, créent des programmes, aménagent des pièces, achètent des aliments et éduquent les enfants en fonction de principes qui s'harmonisent avec leur système de valeurs. S'il vous arrive d'interroger la responsable d'un service de garde en milieu familial ou une gardienne sur ses valeurs, et que cette personne vous rétorque que cela n'a que peu de rapports avec son travail, sachez que ce n'est pas le cas. Un système de valeurs sous-tend chaque geste de tout éducateur.

En conséquence, le choix d'un service de garde est une décision extrêmement personnelle. Il faut vous connaître vous-même, connaître votre enfant et les projets que vous caressez pour lui. Dans les faits, le service de garde que vous choisirez sera une extension de vous-même.

Votre première tâche consiste donc à vous interroger quant aux valeurs qui sont importantes pour vous. Votre philosophie de vie s'exprime dans tous vos gestes. Elle se reflète dans vos habitudes, comme lorsque vous décidez, par exemple, de vous réserver pour la fin la meilleure partie d'un morceau de gâteau, ou lorsque, au contraire, vous commencez plutôt par ce qui vous plaît davantage. Nous vous invitons à réfléchir à certaines questions auxquelles vous n'avez peut-être pas été obligée de répondre avec précision jusqu'à maintenant. Mais il s'agit de choses qui sans doute évoqueront en vous des souvenirs, car vous vous rappellerez ce que vous en pensiez lorsque vous étiez vous-même un enfant. Nous sommes tous le produit de nos expériences passées et de notre éducation. Ce que nous sommes et ce que nous pensons provient pour une très large part de notre enfance et de la façon dont nous l'avons vécue au sein de notre famille.

À titre d'auteurs, loin de nous l'idée de vous suggérer *quoi* penser. Nous voulons seulement vous indiquer les choses auxquelles il est pertinent de réfléchir.

• La «mosaïque culturelle» (pour reprendre une expression connue!) au sein de laquelle nous évoluons place les parents devant un dilemme réel: comment renforcer l'enfant dans son identité culturelle et sociale et, en même temps, l'encourager à prendre sa place dans une société multiculturelle? Souhaitez-vous que votre petit fasse la connaissance d'enfants de races et de religions différentes, qui parlent d'autres langues et viennent d'horizons socio-économiques divers? Souhaitez-vous que le service de garde choisi devienne le terreau d'un réseau de vieux copains qui fréquenteront plus tard une université prestigieuse? Croyez-vous que toutes les familles qui y placent un enfant devraient ressembler à la vôtre ou, au contraire, être absolument différentes?

Au Québec, la langue est extrêmement importante. Plusieurs parents choisiront un service de garde en fonction de la maîtrise que l'enfant pourra y acquérir de sa langue maternelle. D'autres, jugeant qu'ils auront peu l'occasion de plonger leur enfant dans une situation d'immersion plus tard, opteront plutôt pour un service de langue anglaise, par exemple, où l'enfant aura l'occasion d'apprendre cette langue par un contact quotidien avec des éducatrices et des camarades qui s'exprimeront en anglais.

• Si protéger la Terre est pour vous une priorité, vous souhaiterez sans doute que votre enfant reçoive des soins qui tiendront compte des préoccupations environnementales. Des parents qui ont une préférence marquée pour les aliments naturels seront sans doute décontenancés par les menus de certains services de garde. De passionnés féministes choisiront plutôt un service de garde où l'on encourage filles et garçons à développer également leurs talents et leurs émotions à titre d'individu.

• Quelle place occupe la religion dans votre vie? Quel rôle l'école a-t-elle joué dans votre éducation religieuse et comment envisagez-vous celui du service de garde en cette matière auprès de votre enfant? Préféreriez-vous une institution confessionnelle ou non confessionnelle? Une gardienne, ou une responsable de service de garde en milieu familial, peut aussi communiquer ses croyances religieuses à votre enfant. Cela vous gênerait-il si ses croyances étaient différentes des vôtres?

• Comment évaluez-vous l'importance de l'individu par rapport à un groupe? Certaines personnes considèrent que la valeur que représente le groupe doit avoir préséance dans la vie de ses membres. Par exemple, pour certains, il est évident que tous les membres de la famille doivent être réunis au moment des repas, ou encore que toute la famille doit passer ses vacances ensemble. Dans certaines familles, on acceptera facilement qu'une adolescente aille passer la veille de Noël chez son petit ami, alors que dans d'autres on s'attendra plutôt à ce qu'elle assiste à la messe de minuit avec sa famille.

Dans un service de garde, l'individu pourra être considéré comme plus ou moins important par rapport au groupe, selon la philosophie de l'institution. Si un enfant n'a pas envie de participer à un jeu, lui permettra-t-on de faire une autre activité?

• Quelle est votre perception de l'enfant? Diriez-vous qu'il reçoit en héritage, dès la naissance, sa personnalité, ses talents et ses défauts ou, qu'au contraire, il s'agit d'un être encore intouché et vierge dont les caractéristiques seraient déterminées par son éducation? Quel rôle les adultes et le milieu de l'enfant devraient-ils jouer dans son éducation? Jusqu'à quel point croyez-vous qu'il faille l'encadrer?

Vos convictions en ce domaine auront une énorme influence sur la nature des soins que vous rechercherez parce que l'éducatrice prendra quotidiennement des décisions sur la façon dont votre enfant explorera le monde et en fera l'expérience. Si votre enfant démontre des aptitudes qui vous font croire qu'il pourrait bien devenir le prochain Wayne Gretzky, chercherez-vous pour lui un service de garde qui offre des cours de patinage, ou l'enverrez-vous à la garderie la plus proche de chez vous?

• À quoi correspond chez vous la notion de discipline? La philosophie que vous avez à cet égard définit à elle seule et de beaucoup la façon dont vous envisagez votre rôle en tant que parent. Lorsque nous employons le terme discipline, celui-ci n'implique pas l'idée de punition. Il est plutôt question d'autodiscipline, c'est-à-dire qu'il faut apprendre à l'enfant à développer son propre contrôle de lui-même.

Lorsqu'une autre personne exerce l'autorité en votre absence, vous aimerez que votre substitut agisse autant que possible de la manière dont vous le feriez vous-même. Si vous croyez fermement au respect intégral des règlements, vous aurez besoin d'une gardienne ou d'un service de garde qui les applique à la lettre (qui insistera pour que votre fils s'assoie dans sa chaise haute à l'heure des repas et qui ne le suivra pas à la trace, une cuillerée de céréales à la main!). Si vous croyez au conditionnement positif comme méthode d'éducation, vous rechercherez une gardienne ou mère de famille de garde qui félicitera votre enfant pour ses efforts quand il reconstituera un casse-tête au lieu de le reprendre s'il choisit la mauvaise pièce.

Fait intéressant, en raison même de leurs structures conventionnelles et institutionnalisées, les garderies assurent souvent une plus grande rigueur en matière de discipline qu'une personne seule.

• Est-ce que vous vous accommodez bien des imprévus ou préférez-vous des horaires bien établis? Par exemple, lorsque vous partez en voyage, établissez-vous à l'avance votre itinéraire et savez-vous déjà dans quels hôtels vous vous arrêterez, ou préférez-vous aller à l'aventure? Une certaine planification est essentielle dans la vie (et dans les services de garde) mais chacun a besoin d'une dose différente.

De façon générale, les gardiennes ou les responsables de services de garde en milieu familial peuvent se permettre de peu organiser leurs journées et de s'adapter plutôt aux besoins de chaque enfant. Une gardienne qui travaille au foyer de son employeur peut vraisemblablement modifier son horaire pour tenir compte d'un petit qui tient à terminer une gouache. Mais dès que s'accroît le nombre d'enfants, il devient impraticable de faire preuve d'autant de souplesse. Pour éviter le chaos, les garderies ont absolument besoin d'une organisation du temps très stricte.

Mais l'organisation, qui se caractérise par des activités programmées, par la fidélité à une routine et par le choix d'activités qu'elle autorise, peut être imposée à des degrés divers et de manières différentes. Lorsqu'est terminée l'heure du déjeuner, encourage-t-on tout spécialement le lambin à terminer sa pomme ou est-ce qu'on le presse de venir faire la sieste?

Une précision s'impose toutefois: il se peut que votre enfant ne vous laisse même pas le choix de vous attarder à la question de votre système de valeurs. Certains bébés sont très capricieux et refusent tout effort pour régler leurs habitudes de vie. D'autres adoptent rapidement d'eux-mêmes un horaire, sans même vous consulter. Quel que soit le modèle de comportement de votre bébé, vous n'aurez d'autre choix que de vous y adapter.

Quand entreprendre la recherche d'un service de garde?

Si nous ne pouvons vous dire exactement à quel moment retourner au travail ou vous mettre en quête d'un service de garde, nous pouvons au moins vous fournir quelques lignes directrices et des conseils afin que vous puissiez faire le meilleur choix pour votre famille et pour vous-même. Nous pourrons aussi vous aider à comprendre pourquoi vous trouverez peut-être difficile le retour au travail. Notre but est de vous aider à franchir cette étape avec succès et à vous épargner les sentiments de culpabilité qui y sont souvent associés! Dans cette réflexion entrent en ligne de compte des considérations d'ordre pécuniaire, d'autres qui sont liées à la nature même de votre travail, aux besoins des frères et sœurs plus âgés ou plus jeunes, et, plus souvent qu'on voudrait bien le croire, aux moments de crise occasionnés, par exemple, par un changement d'état civil, une mise à pied, une mutation, la perte soudaine d'un accommodement idéal de service de garde ou, plus simplement encore, le manque d'organisation.

Mary Poppins frappera-t-elle à votre porte?

À titre de directrice d'une garderie de Montréal, Barbara reçoit chaque mois des dizaines d'appels téléphoniques désespérés de parents en quête d'un service de garde. Ces parents jouent presque invariablement de malchance, spécialement au mois d'août alors que les services de garde, comme les écoles, sont sur le point d'entamer la nouvelle année scolaire.

On ne peut décider, une bonne journée, de retourner au travail et trouver, dès le lendemain, une place pour son enfant dans une bonne garderie. On ne peut espérer non plus qu'une Mary Poppins se pointe chez soi avec son parapluie sous le bras! Il y a peu de chance également qu'un service de garde en milieu familial ouvre ses portes, comme par enchantement, de l'autre côté de la rue!

Cette réalité jouera donc un rôle dans la détermination du moment où l'on se mettra en quête d'un service de garde. Au Canada, en 1990, on dénombrait approximativement 1 275 000 enfants, de 5 ans et moins, dont la mère travaillait hors du foyer, mais seulement environ 225 000 d'entre eux avaient trouvé refuge dans des services de garde reconnus. Des plus de 300 000 enfants âgés de moins de 18 mois, 5,4 % avaient aussi été accueillis dans le même type de service[1].

Il faut donc se rendre à l'évidence: en tant que parents, il vous faudra jouer des pieds et des mains pour obtenir une place, même si vous êtes extrêmement bien préparés. Dynamisme et prévoyance sont donc de mise. Surtout, rendez-vous le service de ne pas attendre à la toute dernière minute, si vous le pouvez!

Ne remettez pas à demain

Même s'il est difficile de se représenter concrètement à l'avance les besoins d'un enfant, surtout d'un premier-né, il faudrait que vous vous efforciez à penser, pendant votre grossesse même, aux arrangements qu'il faudra prendre au sujet de la garde de votre bébé. Bien sûr, la grossesse est un moment exceptionnel que l'on hésite presque à gâcher en pensant à l'enfant réel. Au cours de la grossesse, le bébé devient qui l'on veut qu'il (ou qu'elle) soit. Et il est difficile, particulièrement dans le cas d'un premier enfant, de se faire à l'idée qu'on sera bientôt responsable d'un autre être. On ignore comment on se sentira lorsque l'enfant sera né et on n'a évidemment aucune idée du temps qu'il faudra lui consacrer, ni de tout le travail — et de tout le plaisir! — que cela représentera. Mais, de nos jours, on ne peut pas se payer le luxe d'attendre d'avoir pris conscience que l'enfant est vraiment là. Il faut dresser des plans pour préparer son éducation et pour parer à toute éventualité, avant même sa naissance.

Si vous êtes à la recherche d'un service de garde pour un nourrisson de moins de 1 an, il n'y a pas une minute à perdre.

---

1. *Situation de la garde de jour au Canada*, Ottawa, Santé et Bien-être social Canada, 1991.

Bien que vous disposiez de plus de temps pour prendre une décision éclairée dans le cas où vous ne songez pas à le placer en service de garde avant l'âge de 3 ans, ce n'est pas une raison pour attendre. Plusieurs garderies de qualité acceptent les demandes d'inscription de mères enceintes pour des enfants qu'elles n'accueilleront que dans deux ou trois ans.

La période de grossesse est le moment opportun pour vous informer des services de garde disponibles, près de votre foyer et de votre travail. Même s'il vous est présentement impossible de vous imaginer en train d'y inscrire votre enfant, faites la tournée des garderies, recueillez de l'information sur les services de garde en milieu familial et sur les gardiennes, cherchez qui s'occupe d'enfants dans votre voisinage, et inscrivez votre nom sans tarder sur des listes d'attente. Assurez-vous de sonder le plus grand nombre de possibilités: ce n'est que de cette manière que vous trouverez celle qui vous conviendra le mieux.

Si vous travaillez dans une entreprise ou une institution à laquelle est affiliée une garderie, communiquez par téléphone avec sa directrice dès que vous aurez annoncé à votre partenaire que vous êtes enceinte! Marie-France Lemieux, directrice de la garderie Les Minis de Loto-Québec, conseille aux parents de s'inscrire dès que la grossesse est confirmée. Même alors il se peut que votre enfant ne puisse se retrouver au haut de la liste d'attente que lorsqu'il aura atteint 8, 10 ou même 15 mois. Vous ne serez donc jamais trop à l'avance.

Congé et allocations de maternité

Quand on pense à retourner au travail, c'est qu'une dure réalité s'impose: le besoin d'argent! Si vous comptez sur votre salaire pour payer le loyer ou l'hypothèque, vous voudrez sans doute retourner au travail le plus rapidement possible.

Vous souhaitez sans doute aussi que les prestations que vous recevrez pendant votre congé de maternité vous permettent de traverser toute la période du congé. Soyez prudente, et même, n'y comptez pas trop: les règlements sont complexes et ils ont tendance à changer.

Au Québec, vous avez droit à un congé de maternité totalisant dix-huit semaines, auxquelles s'ajoutent trente-quatre semaines de congé parental après la naissance de l'enfant (ou lorsque vous adoptez un enfant.) Ceci veut dire qu'au moment où vous reviendrez au travail, vous retrouverez le même emploi ou un emploi équivalent.

Par contre, cela ne signifie pas que tout ce temps vous sera payé. Contrairement au congé, qui est de compétence provinciale, les allocations, c'est-à-dire les sommes d'argent que vous recevez, sont régies par le gouvernement fédéral. En vertu de la *Loi de l'assurance-chômage*, vous recevrez un pourcentage de votre salaire pendant une période maximale de quinze semaines. Ensuite, le père ou la mère peut réclamer dix semaines supplémentaires d'allocations, pour un total de vingt-cinq semaines.

Vous serez admissible à ces allocations seulement si vous avez travaillé et cotisé au régime d'assurance-chômage pendant au moins vingt semaines au cours de la dernière année.

Donc, si vous décidez de prendre un congé d'une durée plus longue que celle prévue pour les allocations, tel que le permet la législation québécoise, n'oubliez pas qu'une partie de ce congé sera à vos frais.

Quand vous parlerez à votre employeur du long congé que vous voulez prendre, faites-le avec diplomatie, car les entreprises ne se réjouissent pas toutes de voir partir une employée pendant toute une année, même si vous avez le droit de le faire...

Pendant que vous y êtes, demandez-lui si son entreprise fournit certains services spéciaux en matière de garde d'enfant. Même s'il n'y a pas sur place une garderie, il se peut qu'on y offre un service d'information et de consultation qui vous aidera à en trouver une à proximité de votre foyer ou de votre lieu de travail.

Consultez aussi votre syndicat, s'il y a lieu. Au Québec, comme dans d'autres provinces, des groupes de femmes ont négocié, dans des conventions collectives, des congés de maternité avec plein salaire; des pères ont aussi droit à certains bénéfices en ce sens.

Pour vérifier votre admissibilité à un congé, et la durée de celui-ci, adressez-vous à la Commission des normes du travail du Québec dont le numéro figure dans les pages bleues de l'annuaire du téléphone. Puis, communiquez avec votre bureau régional d'Emploi et Immigration Canada, celui-là même qui traite les demandes courantes d'assurance-chômage, dont vous trouverez le numéro sous la rubrique Gouvernement du Canada, aussi dans les pages bleues. La ligne vous semblera continuellement occupée, mais lorsque vous aurez obtenu la communication, on vous fera parvenir une brochure traitant des allocations et un formulaire que vous remplirez et retournerez avec la fiche de cessation d'emploi que vous aura remise votre employeur, sans oublier un certificat médical confirmant votre grossesse. Vous pouvez vous inscrire dès que vous quittez votre emploi, c'est-à-dire jusqu'à dix semaines avant la date prévue pour la naissance. Assurez-vous de l'avoir fait au plus tard une semaine avant la naissance du bébé, sinon vous ne pourrez peut-être pas encaisser tout l'argent auquel vous auriez normalement droit.

Selon le type d'emploi que vous occupez et votre état de santé pendant la grossesse, vous pourriez être admissible à d'autres allocations gouvernementales, dont des indemnités de la Commission des accidents du travail. Demandez conseil à votre obstétricien.

Considérations professionnelles

La nature de l'emploi que vous occupez peut être un autre facteur qui entrera en ligne de compte quant au moment de votre retour au travail. Si vous preniez un congé plus long que le minimum permis, risqueriez-vous de perdre votre emploi? Si vous êtes avocate, par exemple, et que vous pourriez perdre des clients si vous vous absentez trop longtemps de votre bureau, vous voudrez peut-être reprendre vos fonctions très peu de temps après l'accouchement. D'autres professions, par contre, permettent plus de latitude, comme l'enseignement.

Le nombre d'heures travaillées peut faire l'objet d'une négociation avec votre patron. Vous pourriez revenir au travail à temps partiel pendant une certaine période, ou encore organiser votre travail selon une formule de temps partagé avec le concours d'un autre employé.

Depuis l'avènement des ordinateurs, travailler à la maison est une solution de plus en plus souvent envisagée. Bien sûr, le travail que vous faites doit pouvoir s'y adapter. Votre employeur doit également être d'accord, et vous devez aussi avoir assez d'autodiscipline pour résister à toutes les distractions qui vous assailliront à la maison, d'autant plus que votre nouveau-né sera là, tout près de vous!

Vous pouvez aussi profiter de la naissance de votre enfant pour faire le point sur votre travail ou l'orientation de votre carrière. Avez-vous envie de changer d'emploi? Aimeriez-vous retourner aux études? Les décisions que vous prendrez à cet égard vous laisseront peut-être plus de latitude.

Retourner aux études à temps partiel peut être difficile financièrement, mais beaucoup d'étudiants se débrouillent grâce au système des prêts et bourses.

Par contre, si vous choisissez de vous diriger vers une nouvelle carrière ou un nouvel emploi, qu'est-ce que vous ferez en premier lieu: vous mettre à la recherche de ce nouvel emploi, ou vous mettre à la recherche d'un bon service de garde? Comment feriez-vous pour assumer les coûts d'une gardienne ou d'une garderie si vous n'avez pas de revenus? En revanche, si un employeur vous demandait de commencer dès le lundi suivant, que feriez-vous de votre enfant?

Dans un tel cas, nous croyons qu'il est plus sage de chercher d'abord un bon service de garde. Lorsque vous en aurez trouvé un, accordez-vous le temps d'aider votre enfant à s'adapter à sa nouvelle situation. Ensuite, vous vous sentirez tout à fait à l'aise pour chercher le travail qui vous convient.

Avez-vous plus d'un enfant?

Votre décision de retourner au travail peut aussi être influencée par le nombre d'enfants que vous avez.

Quand on a un premier enfant, on ébauche des plans à la lumière de ce que l'on imagine que sera désormais la vie quotidienne avec lui. Nous savons tous cependant à quel point devenir parent peut modifier profondément notre vision des choses... Lorsque vous avez un deuxième enfant, votre évaluation est nécessairement plus réaliste.

Le venue d'un deuxième enfant peut aussi remettre en question la rentabilité de votre travail. Si la majeure partie de votre salaire est employée à défrayer le coût d'un service de garde, votre partenaire et vous pouvez finir par vous demander si le jeu en vaut la chandelle. Vous devrez alors vous interroger sur la valeur que vous accordez à votre travail et au fait même de travailler. Est-ce que vous y tenez surtout pour des raisons financières, ou est-ce qu'il représente quelque chose auquel vous tenez beaucoup sur le plan personnel? Dans certains cas, un parent, après une telle évaluation, peut choisir de prendre congé du marché du travail pour une période indéfinie.

Les moments de crise

Il serait tentant, mais illusoire, de penser que tout se déroulera comme vous l'avez prévu, même si vous suivez scrupuleusement les étapes que vous vous êtes fixées. La vérité, c'est que la vie trouve toujours le moyen de déjouer nos plans. Les imprévus sont infinis et nous n'aurons jamais assez d'imagination pour les prédire tous!

Vous aviez prévu rester à la maison pendant les cinq premières années d'existence de votre enfant et voilà que la situation change. Votre partenaire perd son emploi et vous devez rapidement retourner au travail, ou vous êtes déjà retournée au travail et voilà que votre belle-mère, qui s'était révélée une gardienne idéale, ne peut plus, soudainement, continuer à s'occuper de votre enfant.

Les études démontrent qu'en état de crise les familles ne font pas de bons choix en matière de service de garde[2]. Quand on n'arrive pas à joindre les deux bouts, ou que sa vie personnelle est en déséquilibre, il est difficile de consacrer suffisamment d'énergie à résoudre le problème de la garde des enfants; on est alors tenté de s'accommoder de la première solution qui se présente. Parce que les services de garde de qualité ne sont pas légion, on se retrouve le plus souvent aux prises avec un service de piètre qualité.

---

2. Carollee Howes, «Quality Indicators in Infant and Toddler Child Care: The Los Angeles Study», *Quality in Child Care: What Does Research Tell Us?*, sous la direction de Deborah A. Phillips, Washington (D.C.), National Association for the Education of Young Children, 1987, p. 86; Hillel Goelman et Alan R. Pence, «Effects of Child Care, Family, and Individual Characteristics on Children's Language Development: The Victoria Day Care Research Project», *Quality in Child Care: What Does Research Tell Us?, ibid.*, p. 89.

Il est important de ne pas oublier ce fait lorsque survient une crise. On optera alors pour une solution temporaire, comme l'embauche d'une gardienne, et on se rappellera qu'on peut en changer. Aucune réponse à un problème n'est coulée dans le béton.

Aussi improbable que cela vous paraisse sur le moment, sachez que vous réussirez toujours à vous tirer d'affaire, d'une manière ou d'une autre. Il y a fort à parier que vous vous débrouillerez mieux que vous ne l'imaginiez pour la simple raison que vous prenez déjà des décisions chaque jour. Vous êtes parvenue à vous sortir d'un mauvais pas lorsque vous aviez une importante réunion matinale et que votre réveille-matin n'a pas sonné, et vous avez pu blaguer lorsque le talon de votre chaussure s'est décollé au moment même où vous vous rendiez à une entrevue pour un emploi. Pensez-y bien. Il y a toujours de la lumière au bout du tunnel, même lorsque le tunnel semble interminable.

Vous ne trouverez probablement pas une place en garderie au moment précis où vous en auriez besoin, mais les services de garde de qualité valent le temps que l'on y consacre pour les dénicher. Même si votre situation semble sans espoir, n'hésitez pas à inscrire votre nom sur la liste d'attente, à passer en revue toutes les possibilités et à choisir finalement un service qui vous satisfasse pleinement. Pour obtenir ce que vous voulez, ne renoncez pas à vous battre et ne vous sentez pas coupable si vous devez vous résigner à moins en attendant que se présente la solution rêvée.

Le retour au travail

Le retour au travail peut aussi constituer un moment de crise. Que votre décision ait été prise à la dernière minute ou que vous ayez planifié votre retour jusque dans les moindres détails, tout peut encore dérailler.

Il vous faut être consciente que ce sera beaucoup plus difficile que vous ne l'aviez prévu, que vous soyez chef de famille monoparentale, membre d'un couple ou d'une famille élargie, que vous confiiez votre enfant à votre mère, à une gardienne, à un service de garde en milieu familial ou à une garderie, que vous adoriez votre travail ou que vous le détestiez, que vous aimiez ou non rester à la maison auprès de votre bébé...

Les sentiments que vous éprouverez différeront de ceux que vous aviez prévus. Vous serez peut-être transportée de joie après la venue de votre bébé et désirerez rester pour toujours avec lui, même si vous aviez projeté de retourner au travail deux semaines après l'accouchement. Vous serez peut-être déprimée et incapable de trouver en vous la force de travailler même si vous savez qu'ainsi vous vous sentiriez mieux. Vous pourrez détester rester à la maison et désirer en sortir, même si vous aviez prévu y rester une année complète.

Au travail, tout se déroulera autrement que vous ne l'aviez escompté. Vous serez une personne différente parce que vous aurez connu un changement capital dans votre existence. Vous vous êtes absentée pendant des mois et la vie a continué sans vous. Vous serez distraite et vous aurez du mal à vous concentrer parce que vous penserez à ce qui se passe à la maison. Dès 11 h, la fatigue provoquée par le manque chronique de sommeil vous fera flancher. Vous vous sentirez bousculée parce que vous devrez quitter le travail à 17 h 30 alors que vous aviez l'habitude d'y rester jusqu'à ce que vous ayez terminé ce que vous aviez entrepris ou de prendre un verre avec vos collègues. Vous pourrez même douter de vos capacités.

Et quand vous rentrerez à la maison, tout sera différent. Il vous arrivera d'éclater en sanglots lorsque vous ouvrirez la porte. Une étrangère aura été témoin des premiers pas de votre bébé et vous en concevrez de la jalousie et du ressentiment. Cependant, vous serez peut-être trop épuisée pour même dorloter votre enfant. La préparation des repas, la lessive et les travaux d'entretien ménager vous paraîtront des tâches insurmontables.

Tout cela est parfaitement normal. Mais pour le supporter, vous aurez besoin de soutien. Partagez votre martyre avec votre conjoint, votre mère ou une amie. Cherchez la compagnie de personnes qui ont survécu au retour au travail et qui offriront de vous apporter à souper, demain soir. Évitez les gens qui disent: «Je t'avais prévenue», même s'il s'agit de vos parents. Facilitez-vous le plus possible la vie. Préparez des plats simples pour le repas du soir et réduisez au minimum vos obligations. C'est à vous, et à vous seule, que doit convenir cette décision.

Plus vous vous connaîtrez et connaîtrez les solutions qui s'offrent à vous, les obstacles et les crises qui vous attendent, mieux vous serez outillée pour faire face à la musique et plus avisé sera le choix que vous ferez en matière de services de garde.

CHAPITRE 2

Quel est l'âge idéal pour confier un enfant à un service de garde?

À petits pas
J'irai très loin
Un jour
Demain
Ou l'an prochain.*

Anne-Marie Chapouton
«À petits pas»

Maintenant que vous avez décidé du meilleur moment de retourner au travail, compte tenu de vos besoins personnels, reposez-vous la même question en fonction des besoins de votre enfant.

Quel est l'âge idéal pour confier un enfant à un service de garde?

Parce que, au Canada, plus de la moitié des mères d'enfants âgés de moins de 3 ans retournent sur le marché du travail[1], il s'agit d'une question de très grande importance. Mais qu'on nous permette d'affirmer dès à présent qu'il est probablement impossible d'y trouver une réponse. Les spécialistes en développement de l'enfant et en service de garde à l'enfance en débattent depuis des décennies.

Certains parents hésitent à placer leurs enfants en service de garde, de crainte que leurs liens avec eux en souffrent. Tous s'accordent à dire que l'attachement — la création d'un

---

1. Mayfield, *Les garderies en milieu de travail au Canada, ibid.*

lien étroit avec une autre personne — est extrêmement important dans le développement de l'être humain. Les bébés ont besoin de développer des liens privilégiés; ils acquièrent ainsi une sécurité émotive qui leur permettra en retour de s'ouvrir aux autres et d'explorer le monde. On ne peut toutefois affirmer péremptoirement que ce lien d'affection doive se tisser exclusivement avec la mère, ni non plus prévoir ce qui adviendra de ce lien si la mère retourne au travail au cours de la première année d'existence de l'enfant[2].

En 1987, quand la controverse à ce propos tourna à la confusion, seize chercheurs américains de haute réputation convoquèrent une «conférence au sommet sur la garde des nourrissons», pour parvenir à un consensus et rassurer parents et hauts fonctionnaires désorientés. Après de longs débats, ils émirent le communiqué suivant: «Lorsque les parents ont la possibilité de choisir et d'utiliser, pour leurs nourrissons et leurs tout-petits, des services de garde stables, ayant à leur emploi des éducatrices qualifiées, attentives et motivées, il y a tout lieu de croire que les enfants comme leurs familles en tireront profit[3].»

En résumé, si le service de garde est de qualité supérieure, s'il est stable et si les parents l'ont choisi en toute liberté, les bébés et les tout-petits pourront s'y débrouiller aussi bien que les enfants plus âgés.

Comment décider maintenant quand votre enfant devrait entrer en garderie?

Qui est votre enfant?

Le caractère de votre enfant influencera certainement votre décision. Chaque enfant — nourrisson, tout-petit ou enfant d'âge préscolaire — est un individu à part entière, qui a sa personnalité propre et unique. Il peut être un individu heureux, d'humeur égale, qui sourit et s'adapte virtuellement

---

2. Sandra Scarr, *Mother Care/Other Care*, New York, Warner Books Inc., 1984, p. 92-105; Alison Clarke-Stewart, *Daycare*, Cambridge (Massachussetts), Harvard University Press, 1982, p. 71-74.

3. National Center for Clinical Infant Programs, «Consensus on Infant/Toddler Day Care Reached by Researchers at NCCIP Meeting», Washington (D.C.), 23 octobre 1987.

à toutes les situations. Ou une petite fleur sensible, qui dépérit à la moindre contradiction et qui ne consent à sourire qu'après de persistantes cajoleries.

Sa personnalité vous guidera certainement lorsqu'il s'agira de déterminer le moment où vous passererez à l'action et le type de service pour lequel vous opterez: pour votre fleur délicate, vous préférerez probablement un milieu plus calme à une garderie turbulente.

Vous aurez peut-être le sentiment que votre joyeux luron, qui se plaît n'importe où, est prêt à entrer en garderie à n'importe quel moment. D'autre part, vous le trouverez peut-être trop attachant pour vous en séparer. Si votre enfant est plutôt nerveux et vulnérable, il pourra avoir plus longtemps besoin de vous parce que vous êtes le seul adulte qui réussisse à sécher ses larmes et à le calmer — mais il se peut que vous le trouviez aussi beaucoup trop exaspérant pour vous en occuper à temps plein. Le docteur Constance Keefer du Child Development Unit, au Children's Hospital de Boston, a constaté que les mères de bébés difficiles, inconsolables et d'humeur changeante retournaient au travail plus tôt qu'elles n'avaient envisagé de le faire, alors que les mères de bébés sans problèmes, qui leur apportent de grandes satisfactions, remettaient à plus tard leur retour sur le marché du travail[4]. La personnalité de leur bébé avait modifié leurs plans!

Enfin, en plus de son caractère, le rythme du développement de votre enfant aura une influence certaine dans la détermination du meilleur moment de le placer en garderie. Chaque bébé grandit à son propre rythme, et aucun enfant n'a lu de livre lui indiquant à quel moment il est censé franchir chacune des étapes de son développement.

Stratégie

L'obtention du service de garde de votre choix dépend en partie de votre habileté à tirer parti des cartes que vous tenez en main: les questions de stratégie prévaudront parfois sur d'autres considérations. Si vous optez pour une gardienne

---

4. T. Berry Brazelton, *Working and Caring,* Reading (Massachussetts) Addison-Wesley Publishing Company, Inc., 1985, p. 21.

à la maison ou une responsable de service de garde en milieu familial qui dispense des soins chez elle, vous pourrez habituellement choisir la date à laquelle vous lui confierez pour de bon votre enfant. Mais si la garderie est votre meilleure ou votre unique option, alors cette possibilité vous échappera souvent. Si vous remplissez un formulaire d'inscription en garderie pendant que vous êtes enceinte, il se peut qu'une place ne se libère pour votre enfant que lorsqu'il aura 8, 12 ou 16 mois et vous devrez accepter cette place dès qu'elle se présentera — que le moment convienne ou non à votre enfant — ou, sinon, courir le risque de devoir attendre plusieurs mois avant que ne s'ouvre une autre place. Si vous songez à recourir aux services d'une garderie, vous accroîtrez vos chances de réussite en déposant une demande d'inscription au sein du groupe d'âge le plus jeune. Vous pouvez aussi décider d'attendre, parce qu'on dénombre, au Canada, beaucoup plus de places et d'options en matière de services de garde pour les enfants d'âge préscolaire — c'est-à-dire de 2$^1/2$ ans à 5 ans. Vos chances d'obtenir pour votre enfant le service désiré, au moment où vous le souhaitez, seront alors plus élevées, en raison même du nombre de places disponibles.

À certains âges,
les enfants s'adaptent plus facilement

Facteurs à considérer, de la naissance à 5$^1/2$ ans

Il est plus facile d'entrer en garderie à certains âges qu'à d'autres. Il y a des périodes pendant lesquelles les enfants se sentent suffisamment sûrs d'eux-mêmes pour s'aventurer dans le monde, et d'autres périodes où ils ne supportent pas la présence d'étrangers.

Mais ne vous laissez pas effaroucher par ce détail concernant les étrangers, ni par l'angoisse de la séparation. L'enfant qui éprouve l'angoisse de la séparation n'en souffre pas indéfiniment. Il peut être blessé lorsque vous le laissez, mais dès qu'une personne bienveillante, affectueuse et attentionnée s'approchera de lui, il s'en remettra et il acceptera graduellement cette situation. Quand nous avons visité des garderies et des services de garde en milieu familial de qualité supérieure, nous y avons trouvé des enfants heureux, une fois qu'ils avaient eu le temps de s'installer.

Si votre enfant continue d'être triste, une éducatrice de bonne formation souhaitera s'en entretenir avec vous. Lorsqu'elle aura compris que vous n'avez pas d'autre option que de le laisser dans cette garderie, elle collaborera avec vous pour faire en sorte que votre enfant s'y sente davantage chez lui.

Si votre situation ne vous permet pas de choisir le moment où vous confierez votre enfant à un tiers, ne vous en faites pas. En procédant graduellement et délicatement, vous pourrez initier votre fils ou votre fille à un service de garde, *quel que soit* son âge.

Suivent quelques indications élémentaires concernant les âges et les étapes du développement de l'enfant. Considérez-les en gardant à l'esprit une sérieuse mise en garde: elles pourraient ne pas s'appliquer dans le cas précis de votre enfant. Mais elles vous préviendront à tout le moins de certaines difficultés que pourrait rencontrer votre enfant, à différentes périodes de sa croissance, et vous donner ainsi une longueur d'avance pour l'aider à y faire face, le cas échéant.

Jusqu'à 4 mois

Bien que les Canadiennes aient droit à quinze semaines d'allocations de maternité et à dix semaines supplémentaires d'allocations parentales (au Québec, les nouvelles mères peuvent aussi prendre un congé de maternité sans solde d'un an), il est possible que vous ne puissiez les obtenir: votre province ou votre employeur pourraient ne pas vous permettre de les utiliser toutes; vous pourriez aussi avoir besoin de prendre quelques semaines de congé avant la naissance du bébé, ou désirer retourner au travail plus tôt, pour des raisons d'ordre pécuniaire ou professionnel.

Si vous devez rentrer au travail tandis que votre enfant n'a encore que quelques semaines, vous aurez besoin de courage et de détermination. Votre bébé n'aura peut-être pas encore adopté de routine. Il pourra être coliqueux, le soir, et se réveiller la nuit pour que vous le nourrissiez. Parce qu'il sera encore imprévisible, vous vous sentirez moins maître de la situation qu'en temps ordinaire et vous serez totalement épuisée.

Au moins votre bébé ne protestera-t-il pas lorsque vous vous séparerez de lui, le matin. Si une éducatrice ou une gardienne chaleureuse et attentionnée comprend ses besoins et y répond promptement, il se portera bien[5]. Et le fait de se retrouver sous la garde d'une étrangère ne l'empêchera pas de continuer à vous aimer et à vous considérer comme la personne la plus importante dans sa vie. Spécialiste en service de garde, Alison Clarke-Stewart résume ainsi la recherche sur le sujet: «Les enfants confiés à un service de garde restent évidemment attachés à leur mère et... ce sentiment n'est en rien entaché par leurs rapports avec une autre éducatrice[6].»

Dès la fin du quatrième mois, la désorganisation qui caractérise les journées de votre bébé se sera résorbée d'elle-même. Il mangera et dormira plus régulièrement et ses humeurs coliqueuses auront disparu. Vous aussi, vous vous sentirez mieux. Devenue plus compétente et plus sûre de vous-même, vous le traiterez moins comme un fragile vase de porcelaine et vous serez plus rassurée sur son aptitude (et la vôtre!) à survivre aux durs moments. Parce que vous le connaîtrez mieux, vous serez en mesure de juger s'il est heureux et vous saurez plus clairement ce qu'il vous faut montrer et dire à une autre éducatrice — et ce à quoi vous attendre d'elle. Pour cette raison, T. Berry Brazelton, professeur à Harvard en développement de l'enfant, presse les mères de rester à la maison et d'apprendre à connaître leurs bébés pendant au moins les quatre premiers mois après la naissance[7].

De 5 à 7 mois

Vers l'âge d'environ 5 mois, votre bébé commence à savoir ce à quoi il peut s'attendre de vous et des autres membres de sa famille, ainsi qu'à apprécier votre compagnie et à vouloir être auprès de vous — il sait que ces personnes aux visages familiers répondent à ses besoins. Quand il était

---

5. Scarr, *ibid.*, p. 152.
6. Clarke-Stewart, *Daycare, ibid.*, p. 72.
7. Brazelton, *ibid.*, p. 60.

plus petit, il pleurait lorsqu'il avait faim ou ressentait de la douleur. Il est maintenant plus développé: il peut vous faire comprendre qu'il ne se sent pas bien avec une personne qui ne lui est pas familière et qui ne sait pas le tenir dans une position confortable.

On appelle ce sentiment «l'angoisse de l'inconnu». Lorsqu'un étranger (y compris grand-maman, si elle ne vient pas souvent à la maison) s'approche trop de lui, votre bébé se raidit et éclate même en sanglots. Comme il a très envie de votre présence, il peut élever des protestations lorsque vous disparaissez dans la salle de bains, ou le couchez pour la sieste. Il ne s'agit là que de la première manifestation d'angoisse de l'inconnu qu'éprouvera votre bébé pendant les quelques mois suivants — et qui parfois persistera au-delà de cette période. À partir de ce moment et jusqu'à beaucoup plus tard, il sera difficile de trouver le moment parfaitement approprié pour introduire à son chevet une nouvelle éducatrice ou gardienne.

La détermination de ce moment est en outre compliquée du fait que chaque enfant est unique. La mère de Lucie est retournée au travail lorsqu'elle a cru sa fillette prête à entrer sans traumatisme en garderie, à 3³/4 mois. Mais pendant une semaine entière, à la consternation de tous, elle hurla à pleins poumons chaque fois qu'une éducatrice s'approchait d'elle. De toute évidence, en dépit de son jeune âge, Lucie reconnaissait déjà la présence de sa mère et se calmait dès qu'elle s'approchait.

Pour vous aider à repérer le moment idéal, T. Berry Brazelton suggère une autre méthode: initier le bébé au service de garde tout juste après qu'il a appris à maîtriser des habiletés importantes et avant qu'il n'en acquière de nouvelles. Au cours d'une période de consolidation, lorsqu'il se sait capable de faire ce qu'il désire, il supportera mieux la tension, en dépit de ses modestes ressources.

Il est important de se rappeler qu'un bébé qui reconnaît les membres de sa famille est aussi capable de reconnaître des objets familiers et qu'il reconnaîtra bientôt la personne qui s'occupe de lui. Parce qu'il est plus facile d'établir une relation avec une nouvelle personne à la fois, on sera bien avisé de ne retenir les services que d'une seule éducatrice, gardienne ou responsable de famille de garde. Votre bébé

finira certainement par connaître plusieurs personnes —
comme ce sera inévitablement le cas en garderie — mais il y
mettra vraisemblablement plus de temps. Pour favoriser le
développement de ce lien d'affection, les garderies confient
souvent chaque enfant aux soins d'une éducatrice détermi-
née, bien que de toute manière ce dernier s'attachera probablement à l'une d'elles, par simple affinité.

De 8 à 11 mois

Les bébés acquièrent une multitude de compétences
essentielles à environ 8 mois, alors qu'ils commencent à se
nourrir eux-mêmes, à se tenir debout, à s'asseoir et à se
traîner à quatre pattes. Outre le sentiment de fragilité habituellement associé à ses nouvelles compétences, votre bébé
éprouve cette fois un véritable choc: il découvre qu'il peut
physiquement s'éloigner de vous. Cette constatation le ravit
et le terrifie à la fois, ce qui provoque un nouvel accès
d'angoisse de l'inconnu. Avec pour conséquence qu'il s'accrochera parfois maladivement à sa mère[8].

C'est une période très difficile pour initier l'enfant à un
service de garde. Même si vous avez veillé à le soustraire à
l'angoisse de l'inconnu en le confiant à une merveilleuse
éducatrice lorsqu'il n'avait que 3 mois, il pourra maintenant
soudainement s'effondrer à sa seule apparition. Toutefois, il
se calmera plus vite auprès d'elle qu'auprès d'une étrangère.
(Encore une fois, ce malaise devrait se dissiper assez rapidement.)

À cet âge, les enfants pleurent souvent et se cramponnent à la porte de la garderie. À la vue de la garderie et des
membres du personnel, ils détournent simplement les yeux,
comme des autruches qui se plongent la tête dans le sable,
croyant ainsi disparaître. Mais dans un environnement affectueux et attentionné, on n'aura pas de mal à les calmer et à les
distraire, une fois que leurs parents seront repartis. Après
qu'ils auront maîtrisé la position assise et les déplacements à
quatre pattes, dit Brazelton, ils devraient gagner en assu-

---

8. Frank Caplan (sous la direction de), *Les douze premiers mois de votre
enfant,* Montréal, Les Éditions de l'Homme, 1986.

rance, ce qui les incitera à mieux accepter la présence d'une éducatrice[9].

De 12 à 17 mois

Une troisième crise d'angoisse de l'inconnu se manifeste au moment où l'enfant commence à marcher, soit à environ 1 an; elle aussi pourra persister des mois durant. Après avoir observé, chaque matin, l'arrivée en garderie des enfants de 1 an, Ellen Unkrig, directrice de la garderie de l'hôpital Royal Victoria, à Montréal, a décidé de ne pas prolonger de quelques mois son congé de maternité, de manière à éviter que son fils Patrick n'y fasse ses premiers pas à ce moment difficile et de l'y initier plutôt sans douleur, à l'âge de 6 mois. Paradoxalement, bien qu'un bébé de cet âge affirme son indépendance, il vous veut aussi plus souvent près de lui et il a davantage besoin de vous. Il ne fait que commencer à comprendre que vous lui reviendrez à la fin de la journée. Il lui arrivera même parfois de régresser à un stade antérieur de développement[10].

D'autre part, ces habiletés nouvellement acquises, qui ont tant bouleversé l'enfant, lui permettent aussi de mieux apprécier son environnement. Il peut se déplacer sans aide pour atteindre le jouet qu'il désire. Il peut signifier à son éducatrice le moment où il désire manger, s'amuser avec un autre jouet, se trouver dans un autre lieu. Il exerce un meilleur contrôle sur le monde qui l'entoure.

De 18 à 30 mois

Pendant la petite enfance, l'angoisse de la séparation pourra aussi se remanifester brutalement. À 18 mois, les enfants acquièrent normalement la notion de «l'existence indépendante de l'objet», c'est-à-dire qu'ils comprennent que vous continuez d'exister quand vous n'êtes pas en fait dans la même pièce qu'eux. Cette simple idée porte en elle des conséquences troublantes. Votre bébé se console à la pensée que vous lui reviendrez, mais il comprend aussi — et c'est là l'envers de la médaille — qu'il pourrait vous perdre.

---

9. Brazelton, *ibid.*, p. 61.
10. Caplan, *ibid.*.

Plus tard, lui traversera même l'esprit l'idée que vous pourriez l'abandonner parce qu'il s'est montré méchant — parce
qu'il n'a pas avalé son petit déjeuner ou parce qu'il s'est
opposé à ce que vous boucliez la ceinture de sécurité de son
siège d'enfant, dans la voiture, pour vous rendre à la garderie[11].

Il sait maintenant exactement ce qu'il veut — sa mère
— et il se fiche éperdument qu'on voie clair dans son jeu. De
plus, il refuse qu'on le distraie, aussi ses pleurs se prolon-
gent-ils plus longtemps. Une éducatrice nous a raconté à ce
sujet un épisode, qui perdura deux années entières, au quart
de 7 h: sept des dix tout-petits pleuraient immanquablement
de cinq à dix minutes, chaque matin, quelles que soient les
activités ou les jeux qui battaient leur plein.

Une fois qu'un groupe de tout-petits a survécu à un
début de journée aussi tumultueux, la garderie leur offre
néanmoins tout ce qu'il faut pour les distraire: des activités
de gouache à main nue, des jeux dans l'eau ou le sable, de la
danse et, plus particulièrement, des espaces où courir et grimper. Dans un excellent service de garde en milieu familial, ou
une garderie de qualité supérieure, les enfants peuvent
s'amuser à des multitudes d'activités.

Les adultes occupent néanmoins toujours la première
place dans leur existence. Ils assurent aux enfants une sécurité qui leur permet de se livrer à leurs explorations; ils leur
expliquent le monde et donnent un sens à leurs diverses
expériences[12]. En leur parlant et en les écoutant, les adultes
aident les tout-petits à développer leurs techniques vitales de
communication.

Même s'ils jouent souvent seuls au milieu d'un groupe,
les enfants de cet âge peuvent en réalité se faire des amis[13],
et ils commencent à apprendre à vivre en groupe. Ils se
battent parfois pour la possession d'un jouet, mais ils se
montrent habituellement amicaux, s'entraidant à explorer

---

11. Sally Provence, Audrey Naylor et June Patterson, *The Challenge of Daycare*, New Haven et Londres, Yale University Press, 1977, p. 64.

12. Scarr, *ibid.*, p. 160-161.

13. Ellen Galinsky et Judy David, *The Preschool Years*, New York, Times
Books, 1988, p. 117.

leur environnement avec plus d'imagination qu'ils ne le font avec un adulte.

Parce que les tout-petits peuvent surveiller leurs intérêts jusqu'à un certain point, en s'exprimant verbalement et en prononçant souvent un «non» vigoureux, les parents se sentent alors plus rassurés de les confier à un service de garde. Et dès qu'ils marchent et courent avec assurance, ils se montreront parfois encore moins réfractaires à la présence d'une éducatrice.

De 2 ^{1}/2 ans à 3 ^{1}/2 ans

À 2 ^{1}/2 ans, votre enfant est disposé à rester éloigné de vous et du foyer familial. Il peut supporter votre départ, parce qu'il comprend qu'il n'est que temporaire. Il est aussi prêt à explorer le monde sans aide et à jouer avec d'autres enfants.

On pourra commencer par emmener l'enfant au terrain de jeux du voisinage, mais il est important qu'il s'amuse chaque jour avec les mêmes compagnons. Comme les adultes, les enfants tissent avec le temps des liens entre eux. Une garderie, un service de garde en milieu familial, une bande de copains de jeux ou une prématernelle leur assurera un groupe stable de pairs et un lieu où savourer les plaisirs de l'amitié.

Contrairement aux institutions conventionnelles d'éducation, la garderie fournit les meilleures conditions possible à l'acquisition de l'estime de soi: une rigoureuse application des règlements s'y associe à l'acceptation d'un nécessaire développement de l'autonomie. À 2 ^{1}/2 ans, les enfants se sentent généralement à l'aise dans ce cadre de vie. Ce sont des individus actifs, des expérimentateurs nés; ils aiment prendre des risques et posent des questions sur leur rôle dans le monde. Un service de garde de qualité supérieure regorge de gens, d'activités et d'objets à explorer; c'est un endroit merveilleux pour répondre à leurs questions. Les enfants de 2 ^{1}/2 ans sont prêts à apprendre que chaque individu réagit différemment et a des attentes différentes, et qu'un comportement jugé acceptable à la maison ne l'est pas nécessairement ailleurs.

Physiquement habile, le petit de 2 ^{1}/2 ans peut marcher, courir et jouer sans crainte de tomber; il peut grimper sur les chaises et s'asseoir à table. Sa maîtrise de la motricité fine, combinée à sa capacité grandissante de concentration, lui permet d'éprouver du plaisir à gribouiller, à faire des casse-tête et à feuilleter des livres. La plupart des enfants de cet âge sont propres, une autre étape vers l'indépendance. Sans couches, un enfant ne se sent plus un bébé, mais plutôt un grand garçon, prêt à passer quelque temps avec des amis, loin de maman et de papa.

Par-dessus tout, l'enfant peut parler. Il peut dire à ses éducatrices et à ses copains de jeu comment il se sent, ce qu'il veut et ce dont il a besoin. Il peut enfin communiquer sans avoir à pleurer ni à se débattre! Il peut aussi comprendre ce qu'on lui dit. Il peut même accepter de se plier à des règles, si on les lui explique clairement et si elles ne sont pas trop nombreuses. Lorsque Catherine voit son amie Stéphanie dans l'aire de jeux de la garderie, les éducatrices n'éprouvent aucune difficulté à la persuader de respecter le règlement stipulant qu'elle remise son ours en peluche dans son casier jusqu'à l'heure de la sieste. Elle saisit d'elle-même qu'elle aura plus de plaisir si elle a les deux mains libres pour manipuler des blocs, ou se hisser dans la cage à grimper avec son amie.

Même s'il grandit, vous ne pouvez vous attendre à ce que votre bambin de 2$^{1}/_{2}$ ans prenne ses distances comme un individu totalement indépendant. Il lui faudra s'habituer au service de garde, particulièrement s'il ne s'est jamais retrouvé loin du foyer familial, ni dans un lieu où se côtoient de très nombreuses personnes. La transition à quelque forme de service de garde que ce soit nécessitera beaucoup d'attention et d'amour. (Voir le chapitre 13, «L'adaptation de la famille à la toute nouvelle réalité des services de garde».)

De 3$^{1}/_{2}$ ans à 5$^{1}/_{2}$ ans

Les enfants d'âge préscolaire sont des êtres aux tendances grégaires, qui s'épanouissent au contact de leurs pairs. Les week-ends, leur garderie, leur bande de copains ou leurs compagnons de jeux du service de garde en milieu familial leur manquent cruellement; ils ne songent qu'à les retrouver et à participer avec eux à des activités. À cet âge, ils se prennent en charge. Ils savent à quelle heure ils désirent arriver sur place, avec qui ils veulent jouer, les activités auxquelles ils souhaitent s'adonner et à quel moment ils veulent que vous passiez les reprendre.

CHAPITRE 3

Un mot sur les coûts

Hélas, je dois filer la paille en or, et je ne sais pas
comment faire.

Grimm
«Rumpelstilzchin»

Pour presque chaque famille qui compte de très jeunes enfants, les frais de garde constituent une préoccupation constante — et une réalité incontournable. Quels qu'en soient les coûts, il faut trouver d'une façon ou d'une autre les sommes nécessaires. À combien s'élèvera la facture? Est-il pécuniairement rentable de retourner au travail? Peut-on compter sur une aide quelconque du gouvernement?

Les coûts

Parce qu'il en coûte très cher pour créer des services de garde de qualité supérieure, en trouver pourra sembler une tâche herculéenne. Les services de garde *sont* dispendieux — en fait, leurs coûts grimpent en flèche comme ceux du logement, des aliments, et grèvent lourdement le budget de la plupart des jeunes parents.

Mais les services de garde les plus chers ne sont pas nécessairement meilleurs que les moins dispendieux. Lorsque des gouvernements, des universités, des collèges, des entreprises, des paroisses ou des commissions scolaires y apportent leur concours, des services de très haute qualité peuvent en fait coûter moins cher que des services d'une qualité plus que douteuse. Vous pourriez même être admissible à une subvention gouvernementale pour en défrayer les coûts.

Les frais de garde varient énormément. Nous avons trouvé des services à 16 $ par jour et d'autres à 50 $. Vous pourrez sans nul doute en dénicher qui soient bien moins chers ou, au contraire, bien plus.

Bien qu'un service offert par une famille de garde non reconnue du voisinage puisse coûter moins cher, il vous faudra évaluer si c'est vraiment une bonne affaire. Il se peut qu'on ne vous y remette pas de reçus pour déductions d'impôts; la responsable d'un tel service n'aura probablement pas d'assurance responsabilité et, fait encore plus important, il se peut que les soins offerts ne présentent pas la qualité que vous recherchez.

Vous tenez à vos enfants. La personne qu'ils deviendront sera en grande partie modelée par les services de garde qu'ils fréquentent aujourd'hui. Les cinq premières années de vie d'un enfant sont déterminantes pour son avenir. Vous tenez à ce que votre enfant soit heureux, en sécurité et éveillé. À combien un parent peut-il évaluer ces aspirations légitimes?

Diverses formes d'aide financière

Les divers paliers de gouvernement, depuis le fédéral jusqu'au municipal, contribuent au financement des services de garde de trois manières différentes.

La première d'entre elles est extrêmement importante, mais la plupart du temps les parents n'en ont aucune idée: les gouvernements viennent en aide aux garderies, aux agences de services de garde en milieu familial reconnus et aux services de garde en milieu scolaire qui répondent à certains critères, en défrayant le coût de leurs rénovations, de leurs dépenses d'opération, de leurs achats d'équipements, du perfectionnement de leur personnel et même, dans certaines provinces, des salaires versés aux employés. Le Québec accorde des subventions à la mise sur pied et au fonctionnement des garderies sans but lucratif qui ont leur permis et qui sont gérées par un conseil d'administration formé de parents, des services de garde en milieu familial reconnus et des services de garde en milieu scolaire. Il lui arrive aussi d'attribuer des sommes beaucoup moins importantes à d'autres services qui ont un permis — en leur imposant toutefois davantage de conditions — pour l'achat d'équipement, la formation du personnel et la garde de nourrissons et d'enfants handicapés (si le service concerné en accueille).

Les deux autres formes d'aide touchent directement les parents: il s'agit des déductions d'impôts et des subventions allouées aux parents.

Les déductions d'impôts

Les frais de garde d'enfant donnent droit à une déduction lorsque vous calculez votre impôt sur le revenu. Mais il vous faudra pour cela d'abord répondre à certaines exigences.

1. *Peu importe ce qu'il vous en coûte pour vos services de garde et quel que soit votre revenu, les gouvernements fixent des limites aux déductions autorisées.*

Comme celles-ci peuvent varier d'une année à l'autre, il est préférable de s'en informer auprès des ministères du Revenu fédéral et provincial. Vous pouvez réclamer une déduction jusqu'à ce que votre enfant atteigne l'âge de 15 ans.

2. *Vous devez avoir en main un reçu ou une pièce justificative.*

Vous pouvez déclarer des frais de garde d'enfant, quel que soit le type de service utilisé. Toute garderie, tout service de garde en milieu scolaire ou toute responsable de service de garde en milieu familial reconnu vous remettra automatiquement des reçus. On ne peut en attendre autant d'une responsable d'un service de garde non reconnu. Assurez-vous d'aborder avec elle la question des reçus.

Lorsque vous embauchez une gardienne, vous devenez officiellement un employeur et, à ce titre, vous devez obligatoirement vous inscrire au ministère du Revenu du Québec et au bureau de Revenu Canada de votre région administrative. (Vous devrez aussi verser des contributions à l'assurance-maladie, à l'assurance-chômage et à la Régie des rentes du Québec, ce qui pourra augmenter vos déboursés de près de 12 %.)

Même si vous vous acquittez de ces responsabilités, vous ne serez pas dispensée de l'obligation de fournir des reçus à la fin de l'année. Votre tâche sera probablement simplifiée si vous remettez à votre gardienne un carnet de reçus, et si vous prenez l'habitude d'échanger chèque et reçu à chaque jour de paye. Assurez-vous que chaque reçu porte son numéro d'assurance sociale, son adresse et sa signature. Vous devez inclure cette preuve de paiement dans votre déclaration d'impôts.

3. *Dans le cas d'une famille non monoparentale, les deux parents doivent avoir un revenu d'emploi (ou étudier à temps plein).*

Vous serez admissible à cette déduction même si l'un des parents ne travaille qu'à mi-temps, mais vous ne le serez pas si l'un de vous deux n'occupe aucun emploi.

4. *Au Québec, l'un ou l'autre des conjoints peut réclamer cette déduction, mais la législation fédérale exige qu'elle soit réclamée par le parent qui a le plus bas revenu.*

Toutefois, lorsqu'un parent étudie à temps plein, ou est invalide, le conjoint qui occupe un emploi pourra la réclamer, même s'il a le revenu le plus élevé.

Si vous avez convolé en secondes noces, le conjoint qui a le revenu le plus bas devra en faire la réclamation dans sa déclaration fédérale d'impôts, même s'il n'est pas le parent naturel de l'enfant concerné. Au Québec, l'un ou l'autre des conjoints peut se prévaloir de cette déduction.

5. *Un chef de famille monoparentale qui occupe un emploi peut évidemment réclamer la déduction pour frais de garde d'enfants.*

6. *Tant au Québec qu'au fédéral, lorsqu'un couple divorce ou se sépare, seul le parent qui a la garde des enfants peut réclamer cette déduction.*

Si le parent qui n'a pas la garde des enfants assume les frais de garde, dans le cadre d'une entente intervenue en ce qui a trait à la pension alimentaire, ces frais deviendront des revenus taxables pour le parent qui a la garde des enfants et au nom de qui sont émis les reçus, au moment de la déclaration d'impôts.

Subventions aux familles

Les familles peuvent demander de l'assistance gouvernementale pour assumer les frais de service de garde. C'est ce qu'on appelle une subvention. Le montant alloué et les conditions d'admissibilité varient largement d'une province à une autre, mais les subventions sont normalement établies sur la base d'une échelle mobile.

Toutes les provinces, à l'exception de l'Ontario, procèdent à une évaluation des revenus et accordent des subventions aux familles dont les revenus nets sont inférieurs à un certain seuil (qui varie selon la province en cause). Le Québec considère en outre, dans ce calcul, le nombre d'adultes et d'enfants que compte la famille et les coûts réels du service de garde.

Au Québec, les parents peuvent déposer une demande de subvention si leur enfant fréquente une garderie, un service de garde en milieu familial reconnu ou un service de garde en milieu scolaire dûment autorisé. Mais on ne pourra pas obtenir ce type d'aide dans toutes les garderies; il faudra donc que les parents, auxquels cette aide financière est absolument nécessaire, recherchent un endroit où ils y seront admissibles. Cette subvention ne défraiera cependant pas le coût total des services de garde.

La directrice du service vous aidera à remplir et à adresser les formulaires, dès l'admission de votre enfant. Vous devrez y inclure l'acte de naissance et des preuves de citoyenneté canadienne, ou d'immigrant reçu, de tous les membres de la famille; une attestation d'emploi, de statut d'étudiant ou de prestations d'assurance-chômage; sans oublier des documents officiels de divorce ou de séparation (le cas échéant).

Remplissez le formulaire de demande au moment de l'admission de votre enfant au service de garde. Il faudra parfois des mois avant que le processus ne soit complété, bien que la subvention puisse s'appliquer rétroactivement jusqu'à trente jours avant la date de votre requête. (Si votre enfant doit entrer au service de garde le 1er septembre et que vous remplissiez le formulaire de demande le 1er octobre, vous pourriez obtenir une subvention rétroactive au 1er septembre.)

Dans certaines provinces, les parents doivent déposer leur demande de subvention au bureau régional de l'office des services de garde à l'enfance ou du ministère de la Sécurité du revenu de leur province, et les listes d'attente sont parfois interminables. Parce que de nombreux Canadiens semblent attendre au moins une année complète avant d'obtenir une «place subventionnée» en service de garde, nous vous recommandons d'agir promptement.

CHAPITRE 4

Une première solution:
les gardiennes

Y'a du soleil dans ma maison
Y'a du soleil dans mes chansons
J'ai du soleil plein mon cœur
Quand tu es là ma vie est en fleur.

Suzanne Pinel
«J'ai du soleil»

Quel est le meilleur type de service de garde? Vous sentirez-vous plus rassurée en optant pour une gardienne qui se consacrera uniquement à votre petit, à un service de garde en milieu familial, ou à une garderie où des employés spécialement formés s'occupent de groupes relativement nombreux? Comment un parent arrête-t-il son choix?

Il n'y a pas de réponse toute faite à cette question. Cela dépend de la région que vous habitez, des exigences de votre emploi, du caractère de votre enfant et du prix que vous pouvez payer. Il faut aussi compter sur le hasard — sur ce qui se présente quand vous en avez besoin.

Mais, fait plus important encore que ces considérations plus ou moins rationnelles, la plupart d'entre nous entretenons des idées bien arrêtées sur le type de service que nous préférerions. Nous les tenons de parents et d'amis, et il faut généralement une crise — un divorce, une gardienne fiable qui annonce son départ — pour que nous soyons forcés d'envisager une autre solution. De grâce, n'agissez pas à l'encontre de vos préconceptions, mais ne les laissez pas non plus vous aveugler.

Dans les chapitres qui suivent, nous décrirons plusieurs types de services de garde et nous vous suggérons de jeter un coup d'œil à au moins deux d'entre eux, simplement pour vous informer des solutions qui s'offrent à vous. Vous pourriez vous étonner vous-même. Quand elle repense aux années consacrées à l'éducation de sa progéniture, Carole, mère de deux enfants âgés de 12 et 9 ans, les résume en ces mots: «En vieillissant, je suis de moins en moins sûre d'avoir eu raison, parce que je vois des enfants qui ont grandi dans différents services de garde et qui semblent très bien s'en porter.»

N'importe quel type de service de garde peut s'avérer bénéfique — et n'importe lequel d'entre eux peut s'avérer néfaste. Ce n'est pas tant le type de service choisi qui importe, que sa qualité.

En conséquence, la première étape consiste à bien s'informer, de manière à reconnaître un bon service quand il s'en présente un. La seconde étape consiste à se mettre en quête d'un service semblable — en gardant à l'esprit l'idée que vous vous en faites et en tenant mordicus à votre objectif tant que vous n'aurez pas trouvé exactement ce que vous recherchiez.

Gardiennes, bonnes d'enfant ou...

En matière de service de garde, la gardienne à domicile constitue le premier choix de nombreux parents[1]. En effet, certaines mères en quête de services de garde adéquats et fiables, de manière à se rendre au travail ou aux études, embauchent une gardienne qui viendra chez elles, sur une base régulière, pour s'occuper spécifiquement de leur enfant. Cette personne pourra avoir ou non reçu une formation spéciale; elle pourra ou non vaquer aussi à des tâches ménagères.

Il n'y a pas si longtemps, lorsque nous parlions de gouvernante, nous songions à une personne formée dans un collège, généralement en Angleterre, pour éduquer les enfants, et nous l'imaginions parfaite en tout point, comme Mary Poppins. Le nom de gardienne était alors réservé à l'adolescente du voisinage qui surveillait les enfants pendant

---

que leurs parents sortaient, en soirée, et qui pouvait ne pas avoir la moindre notion en matière d'éducation des enfants.

Aujourd'hui, divers mots sont employés pour désigner la personne qui s'occupe d'enfants dans la maison des parents. Bien entendu, on emploie couramment le terme «gardienne», quel que soit le contexte. Mais il arrive qu'on utilise aussi les mots «gouvernante» — lorsque la personne loge chez ses employeurs — ou «bonne d'enfant». Comme la plupart des gens, nous emploierons le plus souvent le terme gardienne.

Les avantages

Pourquoi certains parents préfèrent-ils retenir les services d'une gardienne?

Le ratio 1/1

D'abord et avant tout, il y a l'avantage que nous avons mentionné plus haut: la gardienne n'est là que pour votre seul enfant. Elle peut lui consacrer toute l'attention dont il a besoin et qu'il mérite. Elle peut le consoler lorsqu'il pleure, jouer avec lui quand il est éveillé, bavarder avec lui, l'écouter et l'initier à toutes les merveilles de ce monde. Suzanne résume ainsi sa pensée: «Je préférais avoir une personne qui n'ait sous sa responsabilité que mon enfant. Je ne voulais rien savoir de quelqu'un qui aurait été responsable de trois enfants et qui aurait eu, un jour, à se demander lequel était le plus important.»

Dans le cas des nourrissons, qui ne sont pas encore prêts à profiter du commerce de leurs pairs et qui dépendent encore d'un adulte capable de répondre rapidement et infailliblement à leurs besoins, de manière à ce que se développent leur estime de soi et leur confiance dans le monde qui les entoure, une gardienne exclusive semble la solution idéale — à la condition qu'elle soit attentive, aimante, chaleureuse, fiable, etc., etc., etc.

Les aises du foyer

À la maison, dans son environnement personnel, un petit enfant se sent à l'aise et rassuré. Il n'a à se plier qu'à une routine, à s'accoutumer à très peu de changements et n'est soumis qu'à une quantité minimale de stress. Il est le roi du château.

Il s'agit aussi d'un excellent accommodement pour un enfant d'âge scolaire qui pourra revenir à la maison, y prendre une collation et y faire ses devoirs — ou sortir pour jouer au hockey, faire de la gymnastique ou flâner avec les copains.

L'absence de déplacements

Il n'y a pas de doute qu'une aide à la maison est commode. De cette façon, vous n'avez pas à réveiller les enfants, à les nourrir, à leur enfiler leurs habits de neige et à les installer dans leurs sièges de voiture, puis à les détacher et à leur retirer leurs habits, lorsque vous arrivez à la garderie ou au service de garde en milieu familial. Désormais, une seule personne a besoin de se préparer: vous-même; et vous êtes aussi la seule à faire le trajet de retour. Comme vous n'avez qu'une destination — votre lieu de travail —, vous sauvez aussi bien du temps.

Une solution faite sur mesure

Autre avantage d'une gardienne à la maison, vous pouvez choisir la personne taillée sur mesure pour répondre aux besoins de votre enfant et de votre famille: le type de la grand-mère qui couvrira de baisers un bébé qui pousse de petits gloussements; le type énergique et solide qui saura tenir la bride à votre tout-petit athlétique; l'âme artistique qui passera des heures à recueillir patiemment des matériaux pour votre artiste en herbe; ou la tendre nourrice qui permettra à votre enfant timide de progresser à son propre rythme, tout en lui fournissant la possibilité de sortir de sa coquille.

L'autorité

Si vous optez pour une gardienne, vous aurez davantage votre mot à dire sur l'horaire quotidien de votre enfant. Ensemble, vous pourrez décider de lui faire prendre l'air avant que le soleil ne devienne trop brûlant; vous pourrez laisser, pour le déjeuner, une soupe de légumes que vous aurez vous-même apprêtée; vous pourrez vous assurer que l'enfant et la gardienne retrouvent une bande de copains tous les mardis matins. Et parce qu'elle n'a pas sous sa garde trois (ou même sept) autres enfants et n'a pas de comptes à rendre à trois (ou sept) autres couples de parents, la gardienne aura davantage le temps et de plus nombreuses occasions de s'entretenir avec vous de votre enfant, de petits détails d'ordre pratique, des moments difficiles et des grands moments de chaque journée.

La disponibilité

Pour les parents tenus par leur travail à de longues journées, à un horaire irrégulier ou à des voyages, une gardienne à la maison apparaîtra comme une planche de salut. «Robert travaille à des heures très irrégulières et on ne sait jamais à quoi s'attendre, explique Lorraine, elle-même médecin; quant à moi, j'ai parfois des journées très longues. Je ne voulais pas me retrouver à la merci d'une garderie qui ferme ses portes à 18 h, puisque j'ai rarement terminé mon travail à cette heure.» Le spectacle de l'angoisse qui étreignait ses amis, lorsqu'ils ne réussissaient pas à se libérer à l'heure, l'incita à opter pour une aide au foyer.

Les gardiennes sont aussi généralement plus disposées à accepter de travailler le soir et les week-ends.

L'allégement des tâches ménagères

Les gardiennes offrent une deuxième forme de disponibilité: elles peuvent souvent accomplir certaines tâches ménagères simples, bien que votre enfant doive rester leur priorité. Si vous vous expliquez clairement avec elle, lorsque vous embauchez votre gardienne, vous pourrez lui demander d'entretenir les chambres des enfants et de faire leur lessive, de mettre de l'ordre dans la maison et de préparer une salade. Comme le dit Suzanne: «Quand je rentre à la maison à 17 h 30, et qu'on me questionne de toutes parts, c'est merveilleux de ne pas avoir à mettre la table. C'est une corvée de moins.»

Des soins pour l'enfant aussi bien malade qu'en santé

Parce qu'il côtoie relativement peu de gens, l'enfant gardé au foyer familial est exposé à moins de germes et, par conséquent, est moins souvent malade qu'un enfant qui fréquente la garderie. Même lorsqu'il tombe malade, la gardienne — qu'il connaît bien et en qui il a confiance — le soignera. Sachant qu'elle les informera promptement de toute aggravation alarmante de l'état de santé de leur enfant, les parents peuvent se rendre au travail l'esprit tranquille.

Le prix

Avoir une gardienne à son service exclusif est évidemment dispendieux. Mais dès que vous avez plus d'un enfant, cela devient une solution économique. Caroline, qui travaille comme chercheur dans un grand hôpital, estime qu'elle épargnerait près de 500 $ par mois en retirant ses deux fillettes de sa garderie en milieu de travail et en embauchant en lieu et place une gardienne au foyer pour veiller sur elles.

Les désavantages

Le prix

La plupart des gens éliminent d'emblée l'option des gardiennes pour la raison qui sert de titre à cette rubrique: peu importe la manière dont ils refont leurs calculs, leur budget ne leur permet pas cette dépense. À raison de dix heures, cinq jours par semaine, les dollars s'accumulent rapidement. Et les gouvernements offrent peu d'assistance en ce domaine. Les familles à faible revenu, qui pourraient être admissibles à une forme d'aide en garderie ou en service de garde en milieu familial reconnu, n'auront pas droit à un cent si elles optent pour une gardienne. Les familles à revenu moyen ou à revenu supérieur n'obtiendront de compensation que sous forme de déduction d'impôts, au chapitre de la garde d'enfants.

En outre, quand vous embauchez une gardienne, vous devenez un employeur et vous héritez des mêmes obligations que tout autre employeur. Vous êtes tenue de procéder vous-même aux déductions requises en matière d'impôts sur le revenu, d'assurance-chômage, de Régime des rentes, d'assurance-maladie et de santé et sécurité au travail pour le compte de votre gardienne, sans oublier d'y verser votre quote-part, en tant qu'employeur. En plus des déboursés qui vous échoiront ainsi (environ une centaine de dollars par mois, compte tenu du salaire de votre gardienne), vous serez obligée de tenir des livres comptables, de remplir des formulaires et d'observer les lois et règlements provinciaux et fédéraux en ces matières — toutes tâches qui exigent une patience d'ange. Pour obtenir de l'aide en ce qui a trait à cette paperasse, communiquez avec Revenu Canada ou avec le ministère du Travail du Québec.

Les familles qui n'ont besoin que d'un service de garde à mi-temps pourront réduire les coûts de ce service en partageant une gardienne; de cette façon, elles accroîtront leurs chances de trouver une personne bien qualifiée. Rita, psychologue qui travaille trois jours par semaine, et Johanne, infirmière que son travail occupe deux jours par semaine, se sont associées pour embaucher une gardienne à temps plein, qui veille sur leurs deux nourrissons.

L'absence de surveillance

La deuxième objection — et la plus grave — à l'option des gardiennes tient au fait que, lorsque vous quittez la maison, personne n'est là pour voir ce qui s'y passe réellement. Votre gardienne n'est pas reconnue. Aucun représentant du gouvernement ne viendra chez vous évaluer son travail. Vous en êtes le seul et unique superviseur et vous n'êtes même pas sur les lieux. Vous pouvez bien vous imaginer que votre gardienne conduit votre enfant au terrain de jeux; mais si elle reste à la maison à regarder plutôt les romans-feuilletons, vous n'en saurez jamais rien — surtout si votre enfant ne parle pas encore. Suzanne, qui a eu à son service une gardienne hors pair des années durant, n'en conclut pas moins: «Je suis heureuse de n'avoir plus à le faire. Laisser son enfant à la maison avec une étrangère, ça déchire le cœur et ça noue les tripes.»

Qui a le contrôle de la situation?

L'option de la gardienne soulève un autre problème: le fait que votre enfant s'attachera à une autre personne. Qui est la mère, en fin de compte? Même si des études démontrent clairement que les enfants préfèrent leur mère à leur gardienne, vous vous sentirez inévitablement en concurrence avec elle. Elle sera peut-être bien là lorsqu'il fera ses pre-

miers pas; et — qui sait? — il vous arrivera peut-être de vous
demander s'il la préfère à vous. Même après dix-huit mois
d'expérience, Lorraine confesse que le plus difficile dans le
fait d'avoir embauché une gardienne se résume à ceci: «J'ai
peur que Pierre ne fasse pas bien la différence entre elle et
moi, qu'il ne sache pas avec certitude que je suis la meilleure.»

Le fait qu'un enfant aime une autre personne que sa
mère témoigne de l'attachement qu'il lui voue, mais cette
réalité vous blessera néanmoins. Spécialiste en développement de l'enfant, T. Berry Brazelton exhorte les parents à ne
pas laisser ces sentiments miner leur relation avec une gardienne[2].

Un autre sujet de préoccupation découle de cette première réalité: qui détient en fait l'autorité? Il faut déléguer à
sa gardienne l'autorité nécessaire pour traiter avec son enfant
— cela, si l'on désire, bien sûr, qu'elle reste à son emploi plus
de dix minutes! Peu importe le soin avec lequel vous choisissez votre gardienne, il se peut que vous ne soyez pas toujours
d'accord avec elle, et il vous faudra néanmoins céder une part
de vos responsabilités. Suzanne croit que c'est là l'une des
raisons pour lesquelles sa gardienne lui a été si loyale: «Il
faut déléguer certains pouvoirs. Il faut faire confiance à la
personne et lui laisser une certaine latitude.»

Vous commencez sans doute maintenant à comprendre
qu'avoir à son service une gardienne n'est pas nécessairement de tout repos. Il ne faut surtout jamais oublier que la
garde d'enfant remue des sentiments profonds et vifs: dans ce
contexte, les personnes en cause s'emportent facilement et
adoptent alors parfois des comportements irrationnels. Vous
entretiendrez une relation très particulière avec votre gardienne. Vous êtes son employeur. Vous devez lui donner des
directives. Elle travaille chez vous, sur votre territoire, et
prend soin de votre enfant — l'être qui vous est le plus
précieux au monde. Pour que tous soient heureux, pour ménager les susceptibilités de chacun, il faudra de la réflexion,
du tact, de la confiance et beaucoup de sang-froid. Une
femme avertie en vaut deux!

---

2. Brazelton, *ibid.*, p. 115.

L'isolement

Le petit univers limité d'un bambin confié à une gardienne est idéal pour un bébé ou un tout-petit; à mesure qu'il grandit, il aura toutefois besoin de plus de stimuli. Il lui faudra des contacts avec le monde extérieur; il lui faudra des pairs — qu'il s'agisse d'enfants du voisinage, d'une bande de copains, de compagnons à la pouponnière, à la prématernelle ou dans un service de garde. Vous pourrez pallier dans une certaine mesure l'isolement de votre gardienne en la conduisant à la bibliothèque ou à un centre communautaire du quartier où elle trouvera elle aussi des amis et des ressources.

L'équipement

Aucun foyer ne peut humainement se procurer ni abriter autant d'équipements qu'une garderie. Votre gardienne personnelle pourra emprunter des jouets et des livres à la bibliothèque, utiliser l'énorme glissoire du terrain de jeux et proposer à l'enfant des jeux dans l'eau de l'évier, mais elle ne pourra lui offrir tout ce qui est disponible dans une garderie bien pourvue.

Aime-moi ou quitte-moi

La solution de la gardienne présente un dernier inconvénient: vous dépendrez totalement d'elle. Quand elle arrivera en retard, le matin, vous serez vous aussi en retard au travail. Lorsqu'elle sera souffrante, peut-être même perdrez-vous votre journée de travail. Qui sait? il se peut que vous soyez forcée d'utiliser tous vos congés de maladie pour remplacer votre gardienne, les jours où elle s'absentera.

Pire encore: les gardiennes quittent leur emploi. Vous pouvez leur demander de s'engager pour une année complète — ou même deux, dans le cas d'une gardienne venue d'un autre pays et qui habitera chez vous, par exemple — mais vous aurez de la chance si elle reste plus longtemps à votre service. Quand vous aurez remué ciel et terre pour trouver la perle précieuse tant convoitée et que votre enfant se sera vraiment attaché à elle, son départ marquera un coup pénible à encaisser.

Vous pourrez vous aussi juger qu'est venu le moment d'un changement. Une gardienne aimante et attentionnée, parfaite pour votre nourrisson, pourra manquer d'énergie, de spontanéité, et même de patience, pour prendre soin d'un tout-petit que tout passionne. Dans une garderie, il pourrait changer de groupe, mais si la gardienne ne réussit pas à répondre aux besoins de l'enfant qui grandit, il vous faudra peut-être songer à en trouver une autre.

Quelle sorte de personne recherchez-vous?

Si vous pensez qu'une gardienne vous offre le type de service qui vous convient, prenez maintenant le temps de déterminer avec précision le genre de personne que vous recherchez.

Qualités personnelles

Tout enfant a besoin d'une gardienne chaleureuse et sensible, qui aime et adore les enfants, et qui les respecte en tant qu'individus. (Nous vous expliquerons en détail ce à quoi vous devriez vous montrer attentive au chapitre 10.) Vous rechercherez d'abord ces qualités. Mais quelles autres qualités sont également importantes pour le bien de votre enfant et celui de votre famille? Votre enfant appréciera-t-il la stimulation d'une personne pleine d'entrain et loquace; ou s'épanouira-t-il aux côtés d'une personne de nature contemplative et qui sait lui prêter une oreille attentive? Devrait-elle aimer patiner, jouer de la guitare ou cuisiner? Le sens de l'humour est-il essentiel dans votre foyer? Devrait-elle se montrer obsessivement ordonnée, ou tolérer le désordre? Laissez-vous guider par vos valeurs et vos besoins.

Parente ou étrangère?

Certaines familles trouvent une parente pour prendre soin de leur bébé. Parce qu'elle partage votre culture, votre langue et vos valeurs, une grand-mère, une sœur ou une cousine constitue une solution tentante. Elle aimera certainement votre enfant comme s'il était le sien, et elle refusera peut-être même d'accepter un véritable salaire, considérant que c'est là pour elle une occasion exceptionnelle de développer un lien privilégié avec son petit-fils, neveu ou cousin.

Mais l'embauche de proches peut être semé d'embûches. Caroline a confié à sa belle-mère la garde de sa fillette, encore bébé, deux jours par semaine; elle a poussé un soupir de soulagement le jour où un service de garde a enfin ouvert ses portes dans son milieu de travail. «Pour ma belle-mère, rien n'était aussi bien qu'il y a trente ans et, parce qu'elle me rendait service, je ne pouvais pas lui donner de directives.» Cette situation a provoqué de part et d'autre du ressentiment et laissé de profondes blessures. Il est plus facile de diriger, et bien plus facile de remercier, des étrangers, si cela s'avère nécessaire — mais on ne sait jamais exactement à quoi s'attendre de leur part. Quand il s'agit de proches, on sait au moins à quel démon on a affaire.

Gîte et pension?

La gardienne logée au domicile de ses employeurs est certainement plus disponible; c'est un don du ciel pour les parents qui voyagent ou travaillent à des heures irrégulières. France, qui habite la banlieue, aime éviter les embouteillages et quitte donc la maison pour le travail à 6 h 30. Comme la gardienne habite chez elle, elle peut se glisser dehors sans bruit, avant que ses filles ne se réveillent, et passer plus de temps avec elles, l'après-midi, alors qu'elles sont réveillées. Et la gardienne est disponible pour garder à l'occasion les petites, le soir.

Mais quand la gardienne habite chez ses employeurs, tous les problèmes inhérents aux rapports humains s'en trouvent exacerbés. Pour que l'accommodement convienne à tous, chacun doit disposer d'un espace suffisant pour respirer et se distraire. Personne dans la maisonnée n'aimera faire la queue, le matin, pour aller aux toilettes. Emploi et Immigration Canada exige qu'une gardienne venue d'un autre pays dispose de sa chambre et d'une salle de bains raisonnablement privée. Si elle a sa propre salle de bains, son téléphone personnel et son poste de télévision, la tension dans la maison s'en trouvera diminuée.

Mais l'espace n'est pas tout; vous devrez consentir à d'autres concessions pour avoir une aide à domicile. Il est tout aussi important que vous renonciez à une partie de votre intimité et que vous vous adaptiez à la présence d'une étrangère dans votre vie quotidienne. Si vous souhaitez que votre gardienne à domicile soit heureuse, vous la traiterez comme un être humain dont vous appréciez la présence, plutôt que comme un importun que vous souhaiteriez voir se retirer au sous-sol. Dans ce cas-ci, la configuration des lieux peut faire toute la différence. Lorraine attribue à la localisation des appartements de la gardienne — au sous-sol, loin de Robert et d'elle — sa faculté de supporter la perte d'intimité. Caroline a adopté un point de vue différent: comme elle a deux enfants, se dit-elle, son mari et elle n'avaient de toute manière déjà plus d'intimité.

Vous pourriez trouver plus difficile de nouer une relation avec votre enfant si la gardienne est là en tout temps; et si vous vous sentez menacée et jalouse, peut-être une gardienne qui loge ailleurs vous conviendrait-elle mieux. Cela dépend largement de votre caractère. La vie en groupe réussit à certaines gens, alors que d'autres ne la supportent pas.

La sauvegarde de son intimité est le premier avantage de la gardienne qui n'est présente que le jour. Elle retournera chaque soir chez elle et à sa vie personnelle, et vous laissera heureuse et libre de flâner en sous-vêtements. Vous serez déchargée de la responsabilité de son bien-être pendant au moins quatorze heures. Mais n'en négligez pas les désavantages. Vous jouirez de moins de liberté (pourrez-vous trouver quelqu'un qui acceptera de venir à la maison dès 6 h 30?). Il sera plus difficile d'obtenir ses services le soir et le weekend. Elle se déclarera malade probablement plus souvent. Et elle vous coûtera aussi plus cher.

Immigrante ou citoyenne reçue?

Bien qu'il existe au Canada quelques cours de formation dans le domaine, la gardienne canadienne diplômée est un oiseau rare, difficile à dénicher, et plus difficile encore à saisir au vol. Mais les femmes de pays étrangers sont heureuses d'occuper cet emploi, souvent parce qu'elles peuvent ainsi entrer au Canada.

L'un des moyens de trouver une gouvernante consiste à la parrainer — à la faire venir au pays, à l'employer et à la loger pendant deux années, de manière à ce qu'elle obtienne son statut d'immigrante reçue.

Avant d'entamer vos recherches, assurez-vous de vous armer de patience, de diplomatie et de tolérance, en raison de la rareté de ce type de personnel. Selon le pays d'origine de votre gardienne, il vous faudra de six mois à deux ans pour venir à bout des tracasseries bureaucratiques. Que ferez-vous si elle n'est pas arrivée au moment où vous devrez retourner au travail? Vous aurez alors besoin d'un employeur compréhensif ou d'une solution de rechange à toute épreuve.

Il vous faudra aussi une bonne dose de foi, parce que vous ne ferez pas la connaissance de votre gardienne avant qu'elle ne se présente à votre porte. La nouvelle venue n'aura peut-être pas d'amis ni de proches prêts à l'initier à la vie canadienne et il vous incombera tout naturellement de vous montrer un hôte cordial et de l'aider à s'installer — à moins que vous ne vouliez qu'elle plie bagage et retourne sur-le-champ chez sa mère. En retour, vous aurez droit à des manifestations de gratitude, à un aperçu de sa culture et votre enfant apprendra peut-être en primeur les rudiments d'une langue étrangère.

Les immigrantes entrées illégalement au pays recherchent souvent un emploi de ce genre, parce que les gouvernements ont beaucoup de mal à retracer des ententes intervenues entre particuliers. Mais cette voie n'est pas sans écueils. Parce que votre gardienne n'aura pas subi l'examen de santé imposé par les services de l'Immigration, elle pourra mettre en péril la santé de votre enfant. Et, comme de raison, vous ne pourrez déduire son salaire dans votre déclaration d'impôt. En outre, vous pourriez vous retrouver dans l'eau bouillante si les autorités de l'Immigration la repéraient.

S'exprime-t-elle dans votre langue ou dans une autre?

Les enfants sont très perméables aux langues. Votre enfant apprendra la langue dans laquelle vous vous adressez à lui, quelle qu'elle soit. Si vous désirez qu'il en apprenne une autre, trouvez-lui une gardienne dont c'est la langue maternelle.

Cependant, si la gardienne ne comprend ni ne parle votre langue, et qu'il vous soit ainsi impossible de vous entretenir avec elle, cela soulèvera des problèmes. Comment comprendra-t-elle vos instructions? Comment saurez-vous ce qu'a fait votre enfant pendant la journée? Comment obtiendra-t-elle de l'aide en cas d'urgence?

Jeune personne ou personne d'âge mûr?

En cette matière, votre enfant vous imposera parfois son choix, sans vous consulter. Élisabeth a fait ses premiers pas à 8 mois. Et au moment où Suzanne s'est finalement mise en quête d'une gardienne, elle dut en venir à la conclusion qu'elle aurait besoin d'une personne alerte — prête à monter et à descendre quatre à quatre les escaliers, et à courir jusqu'au parc.

Il faudra aussi parfois tenir compte de la configuration des lieux: une gardienne qui doit gravir trois volées d'escalier, un bébé et une poussette dans les bras, aura besoin d'une force et d'une résistance certaines.

En général, les plus jeunes gardiennes ont davantage d'énergie et s'adaptent plus facilement. Parce qu'elles n'ont pas encore pris de faux plis et parce que vous êtes plus âgée qu'elles, il vous sera plus facile de leur indiquer ce que vous attendez d'elles. Par ailleurs, elles pourront se sentir davantage le besoin d'être protégées et maternées. Ainsi, Lorraine demande à ses parents de venir à la maison lorsque son mari et elle sont en voyage, parce que sa gardienne de 19 ans, qui loge chez eux, a peur de rester seule. D'autres ont une vie sociale si active qu'elles sont épuisées le matin. Elles sont aussi plus susceptibles de nourrir des rêves chimériques et de vouloir voler de leurs propres ailes.

La gardienne d'âge mûr assure une présence plus constante et plus rassurante au foyer. Elle pallie ce qui lui fait défaut en énergie et en force physique par son autorité et son expérience. Mais si ces qualités font que vous vous sentez comme une enfant en sa présence, surveillez vos arrières. Vous seriez mieux avisée de choisir une personne moins intimidante. «Je cherchais une personne d'expérience, explique Lorraine; comme j'étais très inexpérimentée, je ne voulais pas être intimidée par elle et je me disais qu'il y avait de bonnes chances que ce soit le cas.»

Avec ou sans formation?

Les gardiennes diplômées sont extrêmement rares, mais elles possèdent certaines compétences que n'ont vraisemblablement pas les personnes sans formation: des moyens de rehausser l'estime de soi de l'enfant, de développer son sens de l'indépendance, de stimuler ses facultés cognitives, de favoriser son développement physique, social et psychologique. Elles connaîtront probablement les rudiments des premiers soins et de la réanimation cardiorespiratoire. Une gouvernante ou bonne d'enfant diplômée se considérera comme une professionnelle: elle sera dévouée à son travail — un gage certain de bonne qualité de soins de garde. Mais elle exigera à coup sûr un salaire plus élevé et pourra refuser d'accomplir certains travaux ménagers.

Une gardienne sans formation se montrera peut-être plus accommodante et acceptera plus facilement de s'acquitter de n'importe quelle besogne; en outre, ses années d'expérience lui assureront un bagage personnel de trucs pour se tirer d'affaire avec les enfants. Par ailleurs, elle pourra se montrer plus encline à regarder les romans-feuilletons, en après-midi, plutôt que de faire une deuxième promenade en plein air avec votre enfant, après sa sieste.

Chargée ou non de tâches ménagères?

Fait étonnant, cette question soulève de vives émotions. Certains parents insistent pour que la gardienne s'occupe exclusivement de leur progéniture. D'autres tiennent à ce qu'elle astique la maison. Si votre enfant est votre seule priorité, vous souhaiterez probablement que votre aide se consacre uniquement à lui. (Une gouvernante ou bonne d'enfant diplômée n'acceptera en aucun cas de vaquer à des tâches ménagères.) Mais à moins que vous n'ayez plusieurs jeunes enfants, votre gardienne aura très certainement des moments de liberté dont elle pourra profiter pour ranger l'appartement et mettre dans la laveuse une brassée de vêtements. Si vous restiez à la maison, vous vous chargeriez vous-même de ces corvées et votre enfant n'en souffrirait pas le moins du monde.

La gardienne devrait à tout le moins veiller à son propre entretien. Il n'est pas normal qu'en rentrant à la maison vous trouviez le salon embourbé de jouets ou l'évier rempli de vaisselle sale. Mais vous ne pouvez escompter qu'elle se charge de lourdes tâches ménagères, à moins que vous ne soyez prête à accepter que votre enfant en paie le prix.

Quel type d'emploi offrez-vous?

Avant que vous ne vous mettiez en quête de l'heureuse élue, vous auriez avantage à préciser pour vous-même ce que vous attendez d'une gardienne ou bonne d'enfant, et ce que vous êtes prête à lui offrir en retour.

Description des tâches

Réfléchissez longuement à ce que vous voulez que votre gardienne fasse pour votre enfant. Décrivez-lui en détail l'horaire de votre enfant: à quelle heure dort-il, mange-t-il, l'emmenez-vous à la bibliothèque ou dans un centre communautaire de jour, lui lisez-vous une histoire et lui permettez-vous de regarder la télé? Souhaitez-vous que votre gardienne tienne un journal quotidien des hauts faits de votre enfant, nettoie ses jouets, élabore ses menus, prépare ses repas et ses biberons, remette de l'ordre dans le vivoir et s'occupe de la lessive? Comptez-vous qu'elle garde l'enfant le soir? Combien de fois la semaine? Lui faut-il un permis de conduire pour s'acquitter adéquatement de son travail? Vos exigences sont-elles réalistes? Couchez par écrit une description des tâches qui répond nettement à vos attentes.

Les règlements de la maison

Il s'agit d'un exercice particulièrement important si votre gardienne doit loger chez vous. Lui permettrez-vous de fumer? En quelles circonstances pourra-t-elle emmener votre enfant chez d'autres gens ou se rendre au magasin du coin? Lui permettrez-vous d'inviter des amis à la maison? Quand pourra-t-elle se servir du téléphone? Quand pourra-t-elle regarder la télé? Une fois que vous aurez discuté de ces détails avec elle, mieux vaut mettre par écrit les accommodements convenus.

Salaire et avantages sociaux

Quel salaire verserez-vous à votre gardienne? Connaissez-vous les tarifs en vigueur dans votre ville? Pour en être informée, vous pouvez téléphoner à des agences ou consulter les petites annonces. Interrogez des amis et des collègues qui ont à leur service des gardiennes. Il faut lui verser au moins le salaire minimum — en offrant un salaire décent, on s'assure d'attirer de meilleures candidates. Plus une candidate sera expérimentée et formée, plus ses émoluments seront élevés.

Déterminez, en fonction du salaire offert, les sommes que vous devrez verser, tout comme elle, à l'impôt, à la Régie des rentes, à l'assurance-chômage, à l'assurance-maladie et à la Commission de la santé et de la sécurité du travail. Quels avantages sociaux êtes-vous en outre prête à lui offrir? Emploi et Immigration Canada et le ministère du Travail de votre province vous informeront de la réglementation en matière de salaires, d'heures de travail, d'heures supplémentaires, de congés statutaires, de vacances et de préavis; libre à vous d'ajouter à cette liste d'autres avantages. Aura-t-elle, par exemple, l'usage de la voiture familiale? Quand lui accorderez-vous une augmentation?

Comment trouver la perle rare?

Comment vous y prendrez-vous pour mettre la main sur cet être exceptionnel? Comme toujours, nous vous suggérons de vous y prendre très tôt — dès que vous vous savez enceinte.

Faire appel à son réseau de connaissances

Demandez l'aide de toutes vos connaissances: il n'y a pas meilleur moyen de trouver une gardienne qu'en ayant recours à une autre gardienne ou à ses employeurs — ce qui revient au même. Une gardienne saura si la sœur d'une de ses relations meurt d'envie de quitter Singapour, ou si la nièce d'une autre, d'origine bolivienne, de passage au pays avec un visa de visiteur, souhaite y rester. Elle saura qui, dans le voisinage, ne peut supporter une seconde de plus son emploi, ou quels enfants entreront à l'école primaire l'année prochaine. Les nouvelles de ce genre circulent rapidement dans les lieux fréquentés par les mères et les gardiennes du quartier.

Faire appel aux ressources du quartier

Les centres locaux de services communautaires (CLSC) constituent une autre source d'information. Les écoles conservent aussi parfois des listes de gardiennes. C'est aussi le cas de plusieurs cégeps et universités qui offrent des cours en techniques d'éducation en services de garde. La plupart de ces sources d'information ne se portent toutefois pas garantes des noms qu'elles fournissent — il vous reviendra d'évaluer chaque candidate.

Les agences

En théorie du moins, une agence pourra être votre planche de salut — la magicienne qui, d'un coup de baguette, transformera vos spécifications de la gardienne idéale en une personne bien réelle qui s'activera dans la chambre de votre enfant.

Les agences sont expertes en la matière. Elles savent comment évaluer vos besoins et vos attentes, sélectionner les candidates et vérifier leurs références, traiter avec Emploi et Immigration Canada, combler le fossé qui aurait pu se creuser entre vous et votre gardienne au fil des semaines, sans que vous réussissiez à vous dire l'une l'autre ce qui vous tapait sur les nerfs. Le plus difficile est de trouver une bonne agence — une agence qui s'acquitte bien de toutes ces tâches.

La réputation est importante. Interrogez vos amis et les amis de vos amis. S'ils ont été satisfaits des résultats, vous frappez probablement à la bonne porte.

Quand vous communiquez avec des agences, demandez si elles ont un permis. Au Québec, la loi les y oblige. Se spécialisent-elles dans le recrutement de gouvernantes d'une origine ou d'une formation particulière? Recrutent-elles des gardiennes qui logent aussi bien chez leurs employeurs qu'à l'extérieur? Quelle est leur politique en matière de frais et de remboursement? Offrent-elles une garantie de satisfaction, ou une période d'essai? Si la personne choisie ne fait pas l'affaire, vous trouveront-elles une autre gardienne sans frais additionnels?

Si vous aimez la manière dont on vous répond au téléphone, rendez-vous aux bureaux de l'agence. Examinez attentivement un ou deux dossiers pour évaluer la perspicacité avec laquelle sont menées les interviews et sélectionnées les candidates; passez aussi en revue les honoraires et frais d'administration exigés par l'agence, de même que le salaire, l'hébergement et les petits extras que vous êtes en mesure d'offrir. Toute agence sérieuse vous posera aussi des tas de questions sur vos exigences.

Lorsqu'on vous soumet des curriculum vitæ et des photographies d'aspirantes gardiennes, étudiez-les attentivement. Même si l'agence vérifie les références fournies par les candidates, n'hésitez pas à donner vous-même un ou deux coups de fil. S'il s'agit d'une gardienne qui verra elle-même à son logement et qui habite déjà le pays, vous aurez la chance de l'interroger en personne et de vous entretenir avec ses répondants. Vous rassemblerez finalement suffisamment d'information — et de courage — pour prendre une décision et, à moins de difficultés posées par le ministère de l'Immigration, la gardienne prendra enfin la direction de votre maison.

Les petites annonces

Votre journal de quartier vous offre un moyen plus direct de trouver une gardienne. Pour attirer des candidates qui conviennent vraiment à vos besoins, rédigez le plus clairement possible votre annonce: indiquez si vous désirez une aide qui loge ou non chez vous, si vous exigez qu'elle accomplisse des tâches ménagères, si elle doit déjà détenir un permis de travail et si vous requérez d'elle de l'expérience et des références. Incluez aussi le nombre d'enfants dont elle aura la garde — sans oublier leur âge —, le quartier que vous habitez, votre numéro de téléphone et l'heure à laquelle on pourra vous joindre.

Comment sélectionner les candidates?

Lorsque paraît l'annonce, soyez prête à rester près du téléphone, armée d'un bloc-notes, d'un crayon et d'une liste de questions pertinentes à poser. Si vous menez bien vos entretiens téléphoniques, vous vous retrouverez avec une courte liste de candidates sérieuses que vous recevrez personnellement.

L'entretien téléphonique

1. Demandez-lui son nom et son numéro de téléphone.

Il vous paraîtra ainsi un peu moins embarrassant de vous entretenir avec une pure étrangère, et ces renseignements pourront toujours vous servir plus tard, le cas échéant.

2. *Passez en revue le contenu de l'annonce.*

Un pourcentage étonnamment élevé des gens qui répondent à une annonce semblent n'avoir rien noté d'autre que le numéro de téléphone. Si vous voulez vous éviter les tracasseries de l'Immigration mais qu'elle désire cet emploi pour se garantir un visa de travail, ou si vous recherchez une personne qui construira des châteaux forts de neige et cabriolera dans la piscine municipale avec deux joyeux lurons d'âge préscolaire mais qu'elle souhaite bercer un bébé, vous pouvez immédiatement mettre fin à la conversation.

3. *Quelle sorte de formation avez-vous reçue?*

Si vous recherchez une gardienne spécialement formée, posez-lui tout de go la question. Où a-t-elle reçu sa formation? Détient-elle un diplôme? Il se peut qu'elle ait fréquenté une institution spécialisée pendant deux années, au Canada ou à l'étranger, ou qu'elle se soit inscrite à des cours du soir en développement de l'enfant ou en techniques de garde.

4. *Quelle expérience avez-vous en ce domaine?*

Vous aurez éventuellement besoin de connaître presque tous les postes qu'elle a occupés comme gardienne: combien d'enfants elle avait sous sa garde, leur âge, combien de temps elle est restée à l'emploi de la famille, pourquoi elle l'a quittée. Mais pour l'heure, ne l'interrogez que sur ses deux derniers emplois.

En lui posant ces questions sur son expérience, vous serez plus apte à déduire certains renseignements importants sur la personne qui vous appelle. Vous saurez d'abord jusqu'à quel point elle est stable. Si elle n'a pas réussi à rester au service d'un de ses employeurs pendant au moins une année, vous déduirez qu'elle risque d'être instable et vous l'éliminerez sans autre forme de procès. Plus elle est restée longtemps au service de chaque famille, mieux cela vaut. Vous saurez ainsi qu'elle est disposée à s'engager pour une période raisonnable.

En outre, si elle est restée longtemps au service du même employeur, cela signifie probablement qu'elle faisait du bon travail ou, à tout le moins, que ses employeurs étaient satisfaits d'elle. Un autre moyen d'évaluer ses compétences consiste à demander l'âge des enfants dont elle avait la garde. Quel âge avaient-ils à son départ? Si le cadet entrait alors en première année, vous saurez que la famille n'avait plus désormais besoin de ses services. S'il avait 2 ou 3 ans, il a pu également entrer en garderie ou au jardin d'enfants; vous l'interrogerez et interrogerez son ex-employeur un peu plus tard à ce propos.

En troisième lieu, vous lui demanderez quel âge a l'enfant dont elle s'occupe actuellement. Si tous ses protégés sont d'âge préscolaire, il se peut qu'elle n'aime pas beaucoup les bébés. Vous saurez également ainsi si elle est apte à répondre aux besoins de plusieurs enfants d'âges divers.

5. *Êtes-vous en bonne santé? Quand avez-vous passé votre dernier examen médical? Accepteriez-vous d'en subir un nouveau pour postuler cet emploi?*

Il est de la plus haute importance que votre enfant soit confié à une personne en santé. La loi provinciale stipule que les éducatrices en garderie et les responsables de services de garde en milieu familial reconnus doivent, comme les enseignantes, se soumettre régulièrement à un examen général; vous avez le droit d'en exiger autant. Si l'assurance-maladie ne défraie pas le coût de cet examen, n'hésitez pas à offrir de vous en charger. (Le Canada oblige les immigrants à subir un examen médical avant leur entrée au pays.)

6. *Connaissez-vous les premiers soins ou la réanimation cardiorespiratoire? Sinon, accepteriez-vous de vous inscrire à des cours si j'en assumais les frais?*

En matière de sécurité des enfants, il ne faut rien laisser au hasard.

7. *Fumez-vous?*

Tous les parents ont entendu parler des méfaits de l'inhalation de fumée passive et la plupart d'entre nous connaissons trop bien les conséquences possibles, pour un enfant ou une maison, de la négligence d'un fumeur. Si vous n'avez pas, vous-même, l'habitude de fumer, aussi bien envisager cette question dès le premier entretien.

8. *Avez-vous votre permis de conduire?*

Si, pour occuper cet emploi, la candidate doit savoir conduire une voiture, ce renseignement vous sera précieux.

Si ses réponses vous plaisent, donnez-lui une chance de vous poser à son tour quelques questions; parlez-lui un peu de vous et des exigences du poste — précisez-lui l'âge et le sexe de vos enfants, ses heures de travail, son salaire et ses vacances; résumez-lui en quelques mots ce que vous attendez d'elle; dites-lui où vous habitez et comment elle pourra s'y rendre.

Vous devriez avoir déjà noté son nom et son numéro de téléphone, mais pour plus de sûreté, redemandez-les-lui et invitez-la à venir vous rencontrer. Demandez-lui d'apporter sa carte d'assurance sociale ou ses papiers d'immigration, les noms de trois répondants et un curriculum vitæ complet faisant état de tous les postes qu'elle a occupés. S'il s'agit de son premier travail, demandez-lui de vous fournir des certificats de bonne conduite — émis par des professeurs, par exemple. Cette requête ne devrait pas poser de difficultés. Les références sont essentielles et il est imprudent d'embaucher quiconque sans en obtenir au préalable. Nous vous fournirons quelques trucs pour en vérifier l'exactitude, à la fin de ce chapitre.

L'entrevue

À moins que vous ne receviez régulièrement des gens en entrevue dans le cadre de votre travail, cet exercice pourra vous terroriser. Il vous semblera terriblement artificiel, et pourtant tant de choses en dépendent. Bien qu'elle ait trouvé une gardienne qu'elle adore, Lorraine ne peut repenser au moment de l'entrevue qu'avec un sentiment d'horreur: «La nature aléatoire de cet exercice saute aux yeux et on peut vous duper très facilement. Nous avons tout bonnement eu bien de la chance.»

Il y a plusieurs manières de conduire une entrevue. Pour les besoins de la comparaison, vous pouvez vous réserver une journée complète et recevoir des aspirantes à intervalle d'une heure. Ou vous pouvez en recevoir une ou deux par jour, sur une longue période. Mais pas trop longue, toutefois!

Si votre conjoint prend activement part à l'éducation de votre enfant, et si vous avez l'intention d'arrêter ensemble cette importante décision, il souhaitera probablement se faire lui-même une opinion. Ce qui exigera de planifier l'horaire des entrevues de manière à ce qu'il puisse être présent. Vous pouvez recevoir ensemble toutes les candidates, les voir l'une après l'autre, ou encore procéder seule à une première élimination, et inviter ensuite les plus sérieuses à rencontrer votre conjoint dans le cadre d'une deuxième entrevue.

Une mère chef de famille monoparentale pourra souhaiter qu'une amie ou un proche, en qui elle a confiance et qui lui servira alors d'oreille, assiste aux entrevues.

Vous pouvez aussi faire seule tout le travail.

Toutes les aspirantes devraient être à l'heure: la ponctualité n'est pas une qualité optionnelle en matière de garde d'enfants.

Et l'enfant dans tout cela?

Certaines gens croient qu'ils est important que l'enfant fasse la connaissance des candidates. Mais nombreux sont les enfants qui n'apprécient pas la présence d'étrangers et qui s'accrocheront à leur mère en leur présence, spécialement si on les expose à un défilé interminable d'étrangers au salon. D'autres enfants se lieront avec n'importe qui — aussi bien amis qu'ennemis. Ce que vous observerez dans cette situation particulière n'aura sans doute rien à voir avec ce dont vous serez témoin quand vous présenterez en fait votre enfant à une gardienne que vous aurez soigneusement choisie pour s'occuper de lui à temps plein.

En présence de l'enfant, il vous sera difficile d'avoir une conversation entre adultes. Il tentera à coup sûr de vous arracher à cet intrus, et vous ne voudrez pas l'ignorer, mais pour son bien vous reporterez votre attention sur la nouvelle venue plutôt que sur lui. Entre autres solutions, on pourra planifier les entrevues pendant que l'enfant dort, ou faire en sorte qu'il soit alors occupé ailleurs — à regarder «Passe-Partout» par exemple, ou à jouer avec un frère plus âgé, un adolescent du voisinage ou grand-maman. Ne vous torturez pas les méninges pour le tenir occupé: vous pourrez toujours rassembler près de lui une pile de ses jouets (ou lui en offrir deux ou trois nouveaux pour l'occasion).

Les questions à poser

1. Parlez-moi d'abord de votre expérience.

C'est le moment tout indiqué de demander à l'aspirante des références et la liste complète de ses ex-employeurs.

Vous pouvez lui poser des questions pendant qu'elle vous en parle. Demandez-lui de vous décrire chacun de ses emplois — comment y étaient les enfants, ce qu'elle leur proposait comme activités dans le cadre d'une journée type, ce qui lui plaisait et lui déplaisait dans ce travail et pourquoi elle l'a laissé. Si vous relevez des lacunes dans son curriculum vitæ — des périodes pendant lesquelles elle aurait été en chômage —, questionnez-la à ce propos.

2. *Quel genre de formation avez-vous reçue?*

Une formation en développement de l'enfant et en techniques d'éducation en services de garde démontre une volonté très nette de bien accomplir son travail. Si la candidate est très jeune, vous pouvez lui demander si on était exigeant à l'institution qu'elle a fréquentée et quelles matières elle préférait. Ses réponses vous éclaireront sur sa personnalité.

3. *Pourquoi avez-vous choisi comme métier la garde d'enfants?*

La meilleure réponse à cette question est «Parce que j'adore les enfants». Si elle s'y est engagée parce que sa famille le souhaitait, ou parce qu'elle ne savait rien faire d'autre, la qualité de son travail pourrait laisser à désirer.

4. *Jusqu'à quand prévoyez-vous rester dans ce domaine?*

La personne qui a librement choisi la garde d'enfants comme carrière aura l'intention de l'exercer indéfiniment. Elle pourrait songer à retourner un jour aux études, pour obtenir un permis d'enseignement, pour ouvrir un service de garde en milieu familial ou même une garderie. Les recherches démontrent que les gardiennes qui se perçoivent comme des professionnelles donnent de meilleurs soins.

5. *Pendant combien de temps croyez-vous pouvoir occuper cet emploi?*

Pour le bien de votre enfant et pour le vôtre, vous devez au moins obtenir un engagement d'une année.

6. *Êtes-vous mariée? Avez-vous des enfants? Quel âge ont-ils et quelle école fréquentent-ils?*

La garde d'un enfant dans la maison d'un étranger est un travail difficile et solitaire. Ces questions vous donneront un aperçu des appuis sur lesquels peut compter cette personne.

Qu'est-ce qui donne un sens à son existence? Désirez-vous qu'elle consacre principalement ses énergies à votre famille et à votre enfant? Jusqu'à quel point ses objectifs concordent-ils avec les vôtres? Suzanne était ravie que sa gardienne ait des enfants plus âgés, qu'elle ait d'autres intérêts dans la vie que la garde de sa fille et qu'elle ne dépende pas uniquement d'elle pour son équilibre émotif. «Je ne voulais vraiment pas de quelqu'un qui n'ait personne d'autre», précise-t-elle.

Elle a aussi découvert que le fait d'échanger avec une femme, à propos de ses enfants, lui dévoilait son sens des valeurs. Puisque les enfants de son employée réussissaient bien en classe et que cette dernière nourrissait pour eux des projets, Suzanne en conclut qu'«elle devait savoir s'y prendre».

En contrepartie, une femme qui connaît peu de gens dans votre ville — une immigrante, par exemple — sera plus désireuse de vivre chez vous. Vous pourrez ainsi lui fournir un solide point d'ancrage pour commencer une nouvelle vie dans votre pays.

S'il s'agit d'une célibataire, entretenez-vous avec elle de ses parents, de ses frères, sœurs et amis. Ce qui vous révéléra aussi ses aspirations. Quel genre d'éducation a-t-elle reçue? Ses parents étaient-ils stricts ou permissifs? Se sent-elle en accord avec le type d'éducation qu'elle a reçue?

7. *À quoi aimez-vous occuper vos temps libres?*

Cette question vient compléter la précédente. Nourrit-elle des intérêts à l'extérieur de sa profession et a-t-elle des amis? Ses intérêts sont-ils compatibles avec les vôtres? Quel genre d'activités préfère-t-elle pour ses loisirs?

8. *Comment organiseriez-vous la journée de mon enfant? Quels genres d'activités préférez-vous?*

Vous pouvez maintenant découvrir des indices sur la manière dont elle organise son temps; sur la latitude qu'elle laissera à l'enfant lorsqu'il s'agira de choisir des activités, ou de prendre des décisions; sur le temps qu'elle passera avec lui en plein air; sur le type de repas et de collation qu'elle lui préparera; sur l'énergie dont elle est capable et sur son sens du réalisme.

Des questions de nature hypothétique, comme celles qui suivent, vous aideront à mesurer les connaissances et la compétence de la candidate, et à sonder sa philosophie en matière d'éducation. Ses conceptions et ses méthodes s'accordent-elles avec les vôtres? Bien entendu, vous ne lui poserez pas ces questions si sa connaissance du français n'est pas suffisante pour y répondre adéquatement, ni si elle ne vous plaît pas.

9. *Que feriez-vous si mon enfant refusait de manger?*

10. *Que feriez-vous si mon enfant refusait de faire la sieste?*

11. *Quand et comment croyez-vous qu'il faille initier un enfant à la propreté?*

12. *Que feriez-vous si mon bébé n'arrêtait pas de pleurer?*

13. *Que feriez-vous si mon enfant voulait jouer dans la boue?*

Votre impression

Si elle vous semble une aspirante valable, repassez en revue avec elle la description des tâches et les règlements de la maison. Laissez-lui amplement le temps de vous poser quelques questions. Elle pourrait vous révéler plus claire-ment ses intérêts et ses préoccupations que les questions que vous lui avez posées.

Si vous souhaitez qu'elle habite chez vous, faites-lui visiter toutes les pièces de la maison, y compris sa chambre. Et si elle croise votre enfant en faisant ainsi le tour de la maison, de grâce, profitez-en pour qu'ils fassent connais-sance. Remarquez la façon dont elle s'adresse à lui. Semble-t-elle sincèrement intéressée à l'enfant? Se rappelle-t-elle son nom? (Si vous la considérez comme l'une de vos meil-leures candidates, elle pourra passer plus de temps avec lui lors de la prochaine entrevue.)

Avant son départ, demandez-lui de voir sa carte d'assu-rance sociale, pour en noter le numéro, ou son permis de travail, et dites-lui que vous recommuniquerez avec elle dès que vous aurez vérifié ses références.

À la minute où elle aura franchi la porte, notez par écrit vos impressions. Vous a-t-elle plu? Selon une école de pensée en ce domaine, vous pouvez vous pencher sur les références et l'expérience des candidates jusqu'à la nausée, mais jamais vous ne ferez de meilleur choix qu'en vous laissant purement et simplement guider par ce que vous ressentez dans vos tripes. Considérez très sérieusement toute réserve que vous entretiendriez à son sujet.

Vous inspire-t-elle confiance? Semblait-elle directe et honnête? Ses références vous seront utiles pour vérifier ses dires. Vous sentiez-vous à l'aise avec elle? Avez-vous suffisamment de points en commun pour vous entendre? Vous sentiriez-vous capable de lui donner des instructions, sans être intimidée? Les accepterait-elle sans se sentir menacée? Comme le dit Suzanne: «On ne peut pas se permettre d'avoir peur qu'elle nous quitte parce qu'on lui dit: "Je n'aime pas ça; s'il vous plaît, ne le refaites pas." Elle doit faire preuve de flexibilité.»

Une fois que vous aurez complété toutes les entrevues, assoyez-vous avec votre conjoint (sœur, mère ou meilleure amie) et procédez à une évaluation préliminaire. Quelles candidates vous ont davantage plu? Quelles sont les forces et les faiblesses de chacune d'elles? Passez ensuite à la deuxième étape: la vérification des références de toutes celles qui vous paraissent des candidates vraiment sérieuses.

La vérification des références

Il s'agit certes d'une opération terriblement délicate. Vous êtes sur le point de téléphoner à un parfait inconnu pour en apprendre le plus possible sur une autre personne qui vous est tout aussi étrangère. Et absolument rien ne vous assure que vous puissiez vous fier à ce qu'on vous dira. Pourtant, le sort de votre enfant en dépend.

La candidate a choisi de vous donner, comme référence, le nom de cette personne parce qu'elle estime que cette dernière portera sur elle un jugement favorable, mais le répondant pourra ne pas être disposé à vous dire la vérité, toute la vérité, rien que la vérité. Le répondant a entretenu avec cette candidate une relation d'affaires qui engage en un certain sens sa responsabilité. En théorie, il se sent donc plus redevable envers elle qu'envers vous. Il sait que ses réponses pourront influencer votre décision et, du même coup, affecter sérieusement le cours de l'existence de la gardienne. En conséquence, à moins qu'il ne se montre follement enthousiasste, il pourra vous sembler un peu circonspect. Il pourra ne rien reprocher ouvertement à la gardienne, mais n'en pas moins omettre certains détails, ou les escamoter subtilement.

Contre pareille attitude, vous disposez de deux armes. Vous pouvez d'entrée de jeu déclarer que cet entretien est d'une importance capitale, parce qu'il vous aidera à choisir la bonne personne pour votre enfant, et que votre conversation restera, cela va de soi, strictement confidentielle. Vos oreilles sont votre deuxième arme. Portez soigneusement attention, non seulement à ce que vous dit votre interlocutrice, mais aussi à la façon dont elle (ou il) le dit. Y a-t-il des moments d'hésitation? Est-ce que la communication est aisée ou percevez-vous un malaise?

Les questions à poser au répondant

1. Comment en êtes-vous venue à embaucher cette personne?

Vous apprendrez peut-être ainsi que votre interlocutrice est la tante de la candidate. Elle pourra, par ailleurs, avoir interviewé une trentaine d'aspirantes avant de la découvrir, ou l'avoir héritée d'une famille à l'emploi de laquelle elle était depuis des années. De cette manière, vous en saurez également davantage sur votre interlocutrice.

2. Pendant combien de temps a-t-elle été à votre emploi?

3. Quel âge avaient alors vos enfants?

4. Pourquoi vous quitte-t-elle?

Les deux parties en cause font-elles état des mêmes circonstances? À votre avis, la raison invoquée est-elle vraisemblable?

5. Quel genre de personne est-ce? Comment la décririez-vous?

Vous vous êtes déjà fait une idée en ce sens. En plus de vous informer sur la candidate, cette question vous éclairera sur la fiabilité du répondant.

6. S'est-elle souvent absentée pour la journée? Était-elle ponctuelle? Était-elle souvent malade?

7. Jusqu'à quel point pouviez-vous lui faire confiance en d'autres domaines? Se pliait-elle à toutes vos exigences?

Pour bien évaluer la réponse à cette question, vous aurez besoin de savoir un peu ce que cet employeur attendait d'elle. Conduisait-elle les enfants au parc, comme on le lui demandait? Passaient-ils plus de temps devant la télé qu'on ne le voulait? Leur préparait-elle des déjeuners et des collations nourrissants? La maison était-elle en ordre lorsque les parents rentraient du travail?

8. *S'acquittait-elle de travaux ménagers? Comment s'en tirait-elle?*

Si elle n'accomplissait pas toutes les tâches qu'on lui avait assignées, consacrait-elle tout son temps aux enfants?

9. *À votre retour à la maison, votre enfant était-il heureux? Était-il content de la voir arriver, le matin? Connaissait-elle vraiment bien votre enfant?*

Comme on s'en doute, ces questions sont primordiales.

10. *Entretenez-vous la moindre réserve sur sa manière d'éduquer votre enfant?*

Si le répondant juge que la gardienne gâtait son enfant, ne le laissait pas suffisamment se débrouiller seul, le reprenait trop souvent, le laissait regarder trop d'émissions de télé ou ne lui faisait pas assez souvent la lecture, vous devriez normalement avoir ainsi l'occasion de l'apprendre. Cette question pourra aussi vous éclairer sur la philosophie de vie du répondant et, en conséquence, sur la valeur de son témoignage.

11. *Quelles sont ses plus grandes qualités? Qu'est-ce que vous aimez le plus en elle?*

12. *Quelles sont ses faiblesses? Qu'est-ce qui vous plaît le moins en elle?*

Ces questions attirent parfois des réponses merveilleusement éclairantes et utiles.

13. *La reprendriez-vous à votre service?*

À cette étape de l'entretien, votre interlocutrice pourra se sentir suffisamment détendue pour vous répondre sans détour.

La deuxième entrevue

Avec de la chance et de la persévérance, vous aurez obtenu des répondants un nouvel éclairage et votre liste se sera raccourcie de deux ou trois noms. Comment arrêterez-vous votre décision finale?

En général, vous serez bien avisée de rencontrer une nouvelle fois les meilleures candidates. Plus vous les verrez souvent, mieux vous serez outillée pour faire le meilleur choix. Vous aurez ainsi l'occasion de dissiper des doutes, ou de clarifier des questions soulevées par les répondants, et de présenter votre conjoint aux candidates — si cela n'est pas déjà fait.

Comment présenter l'enfant aux aspirantes

Si vous n'avez pas encore fait intervenir votre enfant dans le processus, le temps est maintenant venu de le faire. Vous embaucherez l'une de ces personnes, et vous avez vraiment besoin de savoir comment chacune d'elles se comporte en présence de votre enfant. (S'ils se sont déjà rencontrés brièvement, voici l'occasion rêvée pour qu'ils apprennent à mieux se connaître.)

Présentez votre enfant à la candidate comme s'il s'agissait d'une amie en visite, de manière à ce que l'atmosphère de la rencontre soit aussi détendue et naturelle que possible. Si votre enfant est assez vieux pour comprendre ce qui se prépare, vous pourriez lui dire une phrase comme celle-ci: «Voici Louise. Il se peut qu'elle prenne soin de toi quand je retournerai travailler.» La présence d'une pile de ses jouets et de ses livres favoris facilitera grandement la rencontre.

S'approche-t-elle de l'enfant de manière dynamique, ou attend-elle qu'il fasse les premiers pas? Lui sourit-elle et, lorsqu'elle s'adresse à lui, se penche-t-elle vers lui et lui tient-elle un discours adapté à son stade de développement? Notez aussi si elle est effrayée: Diane a éliminé plusieurs aspirantes en leur flanquant son bébé de trois mois sur les genoux. Se montre-t-elle intéressée à l'enfant en lui posant des questions? A-t-elle des manières naturelles et chaleureuses, ou forcées? S'amuse-t-elle avec l'enfant? Semble-t-elle au fait de ce qui plaît à un enfant de son âge? Si l'enfant veut conserver ses distances, respecte-t-elle son désir? Demandez-lui de garder le bébé pendant deux ou trois minutes, le temps de préparer du café ou du thé. Est-elle détendue? Le prend-elle dans ses bras et lui parle-t-elle? Comment se comporte-t-elle avec lui?

Une fois seules, entre adultes, abordez toute question qui vous laisserait toujours indécise, et repassez encore en revue les détails relatifs au salaire, à l'horaire de travail, aux vacances, aux congés de maladie. Assurez-vous qu'elle vous pose aussi toute question laissée en suspens. Prévenez-la que, si vous lui accordez le poste, vous la prendrez à l'essai pendant une période de deux mois — juste par mesure de prudence. De cette manière, chaque partie pourra se désister sans mauvaise grâce, si nécessaire. Demandez-lui si elle acceptera de signer un contrat et de s'engager à rester une année complète à votre service.

Prévenez-la que vous lui ferez connaître votre décision dans un jour ou deux.

Quand l'heure du choix est arrivée!

Le grand saut

Serrez les dents, rassemblez vos notes et réfléchissez à la question jusqu'à ce que la solution vous apparaisse aussi nette qu'un motif dessiné par des feuilles de thé au fond d'une tasse. Puis prenez une bonne nuit de sommeil. Si, au matin, vous n'avez pas changé d'idée, téléphonez à la candidate et demandez à cette merveilleuse personne de venir signer le contrat, avant qu'elle ne se transforme en citrouille!

Le contrat

La signature d'un contrat rend les gens nerveux. «Pourquoi faut-il mettre ça sur papier? demandent-ils. Ne peut-on se faire mutuellement confiance?» Oui, mais vous vous ferez davantage confiance si tous les détails sont couchés par écrit. On ne peut rédiger une lettre dans laquelle sont spécifiés les jours et les heures de travail, le salaire, les heures libres, les heures supplémentaires, les jours fériés, les vacances, les déductions, les congés de maladie, la période d'essai, la durée du contrat et la manière d'y mettre fin, sans avoir déjà bien en tête tous ces détails. Quand vous les repasserez soigneusement en revue avec votre nouvelle employée, chacune de vous saura exactement ce à quoi s'attendre (à quel moment et à quel prix): il n'y a pas meilleur moyen d'entamer du bon pied cette nouvelle relation. (Voir l'exemple de lettre d'entente en appendice.)

Vous ajouterez aussi à votre lettre d'entente la description des tâches et les règlements de la maison, dont vous aurez préalablement dressé la liste. Si la personne choisie logera chez vous, assurez-vous d'inscrire les précisions nécessaires concernant sa chambre et pension, de même que l'usage de la voiture et du téléphone. Rédigez le contrat en deux exemplaires; vous les signerez toutes deux et chacune en conservera un.

Remettez-lui du même coup une lettre l'autorisant à requérir des soins médicaux pour votre enfant, en cas d'urgence. (Voir l'exemple de formulaire en appendice.)

Un dernier mot

Bien que les formalités soient complétées, ne lui abandonnez pas tout de suite la garde de l'enfant. Prenez une journée ou deux de congé et rentrez plus tôt à la maison, les premiers jours, pour initier votre gardienne aux besoins et habitudes de votre enfant, aux airs de la maison et du quartier. Quelles marques de couches, de biberons et d'aliments pour bébé utilisez-vous? Comment le bébé aime-t-il qu'on le prenne? Dans quelle position fera-t-il plus facilement son rot? Quels sont présentement ses jouets préférés? Où se trouvent tous les numéros de téléphone en cas d'urgence? Comment fonctionne le four à micro-ondes? Où se trouve le parc public? Etc., etc., etc. Vous vous assurerez qu'elle se sente en sécurité, pour qu'il en soit de même pour votre enfant.

CHAPITRE 5

Une autre solution:
le service de garde en milieu
familial

Il était une bergère,
Qui gardait ses moutons, ton ton,
Qui gardait ses moutons.

Chanson traditionnelle

Une étude récente démontre que les responsables de
famille de garde accueillent environ 43 % des enfants du
Québec placés dans un service de garde[1].
Le service de garde en milieu familial remonte en fait
aussi loin que la famille élargie elle-même; autrefois, les
grands-parents veillaient sur leurs petits-enfants; les oncles
et les tantes, sur leurs nièces et neveux; et les aînés, sur leurs
cadets. La plupart des enfants ont d'ailleurs une expérience
de la garde en milieu familial, dans la mesure où ils rendent
à l'occasion visite à grand-maman, ou passent parfois la nuit
à la maison d'oncle Daniel.
De nos jours, toutefois, la famille élargie ne rend pas ce
service aussi souvent qu'autrefois. Quelque 30 % des parents
qui occupent un emploi dans la province de Québec condui-
sent leurs enfants à la maison d'étrangers[2].

---

1. Lyse Frenette, *Enquête réalisée auprès des parents québécois sur les
modes de garde préférés et utilisés — faits saillants*, Montréal, Office des
services de garde à l'enfance, mars 1990, p. 5.

2. Frenette, *ibid.*, p. 5.

Le service de garde en milieu familial est peut-être le type de service le plus facile à dénicher. Plusieurs parents ne peuvent se payer une gardienne à la maison, et il n'existe pas suffisamment de places dans les garderies pour tout le monde, spécialement pour les enfants de moins de 18 mois. En outre, les familles préfèrent souvent le cadre d'une maison privée, particulièrement dans le cas des nourrissons et des tout-petits.

Si cette solution paraît être la plus simple de toutes — quoi de plus facile que de demander à une voisine qui reste à la maison pour élever ses enfants de s'occuper aussi des vôtres? —, elle est peut-être beaucoup plus complexe qu'elle n'y paraît. La chance pourrait vous sourire et cette solution donnera alors d'excellents résultats. Mais elle pourrait aussi s'avérer totalement désastreuse. La vérité, c'est que vous devez vous renseigner longuement avant de confier votre bébé aux soins d'une autre personne.

Services reconnus ou non?

Au Québec, on trouve deux sortes de services de garde en milieu familial: les services reconnus et ceux qui ne le sont pas.

Les services de garde en milieu familial non reconnus

La vaste majorité des services de garde ne sont pas reconnus par une agence. La responsable du service de garde en milieu familial (on l'appelle aussi responsable de famille de garde ou mère de la famille de garde) exploite alors un petit commerce dans sa maison. Elle doit respecter les règles imposées à tout propriétaire de petit commerce: tenir des livres, émettre des reçus pour usage fiscal, conserver des factures de toutes ses dépenses, remplir une déclaration de revenus, etc.[3]

---

3. Katie Cooke, Jack London, Renée Edwards et Ruth Rose-Lizée, *Rapport du groupe d'étude sur la garde des enfants*. Ottawa, Condition féminine Canada, 1986.

Elle doit aussi se conformer aux législations provinciales applicables au type de service qu'elle vend — dans ce cas-ci, un service de garde. Le Québec l'autorise à prendre soin d'au plus six enfants[4]. Certaines provinces limitent aussi le nombre de bébés qui peuvent se trouver sous sa garde; le Québec ne lui permet de veiller que sur deux enfants de moins de 18 mois[5]. Si elle se conforme à la loi, elle fournit légalement ce service, même si elle ne détient pas de permis à cette fin.

Plusieurs responsables de familles de garde ne connaissent toutefois pas la loi; d'autres décident par choix de ne pas demander d'accréditation à une agence parce qu'elles préfèrent ne pas s'y soumettre. Si la personne néglige de déclarer ses revenus, s'occupe de trop nombreux enfants, ou de trop nombreux nourrissons, elle opère illégalement son service. Aucun organisme gouvernemental n'assure toutefois la surveillance du service qu'elle rend. Personne ne vient en fait chez elle pour vérifier si elle agit conformément à la loi, ou si le service de garde qu'elle fournit est de qualité acceptable.

Les services de garde en milieu familial reconnus

Très peu de gens savent que les services de garde en milieu familial peuvent être reconnus par une agence.

La responsable du service est aussi, dans ce cas, chef d'une petite entreprise: à ce titre, elle doit se conformer aux mêmes règles fédérales et provinciales que celle qui exploite un service non reconnu. Le service qu'elle rend chez elle est cependant réglementé par la province (tout comme l'est le service offert dans les garderies). La province peut la forcer à garder hors de portée des enfants les produits dangereux, à installer des avertisseurs de fumée, à servir des collations et des repas nourrissants, à s'abstenir de châtiments corporels et à fournir un environnement favorable à l'apprentissage.

Un service de garde en milieu familial reconnu est censé respecter certaines normes minimales. Il sera à tout le moins sûr, sain et accueillant et, dans le meilleur des cas, il offrira encore bien davantage.

Certaines provinces accordent des permis directement aux foyers de garde, mais le Québec (tout comme l'Ontario, l'Alberta et la Nouvelle-Écosse) réglemente les services de garde en milieu familial en émettant des permis à des agences qui, à leur tour, approuvent, inspectent et supervisent des familles de garde, veillent à faire observer les réglementations provinciales et fournissent des ressources aux responsables.

Parce qu'elles sont si étroitement supervisées, les familles de garde reconnues par une agence fournissent généralement de meilleurs services. La supervision est essentielle à des soins de haute qualité en famille de garde.

Les avantages

Quels sont les avantages d'un service de garde en milieu familial? Qu'offre-t-il de spécial à un enfant? Comment se distingue-t-il du service offert par une gardienne à domicile et celui offert par une garderie?

Une mère suppléante

L'aspect même des lieux saute aux yeux: c'est comme à la maison.

Pour bien des gens, le service de garde en milieu familial se rapproche davantage de la situation où la mère reste au foyer pour prendre soin de son enfant. Si la vraie maman n'est pas disponible, certains parents préfèrent qu'une mère suppléante se charge d'aimer à leur place leur enfant et de veiller sur lui.

Comme le fait remarquer la directrice d'une grande agence de Montréal: «Les parents sont tellement angoissés à l'idée de laisser leur enfant, qu'ils veulent s'assurer que la responsable du service de garde répondra à tous ses besoins affectifs. Ils veulent s'assurer que quelqu'un s'intéressera vraiment à lui.»

Et de fait, quand un service de garde en milieu familial fait l'affaire, c'en est le plus grand avantage. Ainsi que le dit Nicole, dont le fils de 8 mois, Paul, fréquente un service de garde en milieu familial reconnu: «L'idée qu'on le gâte me plaît bien. Je me sens mieux en sachant qu'il reçoit beaucoup d'attention.»

Le ratio

Bien entendu, un enfant ne recevra pas beaucoup d'attention individuelle si la mère de la famille de garde s'occupe d'un trop grand nombre d'enfants; c'est d'ailleurs là l'un des autres principaux attraits d'un tel service: il ne s'y trouve que quelques enfants.

La petite taille du groupe plaira particulièrement aux nourrissons, aux tout-petits, aux enfants timides ou réservés et aux enfants qui ont des besoins particuliers. Dans ce type de service, la responsable a la possibilité d'établir des liens étroits avec un enfant qui recevrait peut-être un peu moins d'attention dans une garderie.

Des enfants d'âges variés

Au sein d'une famille de garde, qui ressemble à s'y tromper à une vraie famille, un enfant découvrira d'autres enfants à imiter, avec qui s'amuser et se chamailler. Un enfant unique y trouvera un aîné qui l'inspirera et un cadet qu'il aidera. Les enfants d'une même famille pourront s'y retrouver ensemble et y développer des liens dont une garderie aurait pu les priver.

La famille de la responsable du service

D'une certaine façon, une responsable qui a des enfants — spécialement des enfants qui vous plaisent — vous inspirera confiance, en ce qui a trait à ses capacités d'éducatrice. «Pour moi, c'était important», dit Carole, dont la fille de 18 mois, Stéphanie, a commencé à fréquenter un service de garde en milieu familial à 4 mois. «Quand vous avez des enfants, vous dispensez davantage de soins, d'attentions et d'amour. Vous comprenez mieux les enfants et ne perdez pas patience.»

Les enfants de la responsable qui se joignent à la troupe joyeuse, après l'école, ajoutent encore un attrait à ce service. Ces petites créatures exotiques considèrent avec ravissement les plus jeunes, qui leur rendent bien leur affection. Paul a adressé ses premiers mots à la fillette de 12 ans de la responsable de son service de garde, une abonnée du service. La mère de Denis considère les deux aînés de sa responsable, des garçons de 9 et 12 ans, et sa fillette de 5 ans comme de précieux atouts: «Ils s'entendent à merveille avec Denis. C'est comme s'il avait trouvé des frères et une sœur plus âgés, et c'est tellement plus amusant que de rester à la maison avec maman, ce qui peut devenir assommant et ennuyeux. Je tenais à ce qu'il soit stimulé: c'était pour moi la chose la plus importante.»

La vie de famille

Bien que vous ne puissiez l'exiger, le service de garde en milieu familial offre aussi un autre atout potentiel: la présence d'un homme dans la maison, véritable prime pour l'enfant d'un foyer monoparental. Un papa qui travaille à proximité de la maison pourra y rentrer à l'heure du midi; un père qui travaille le soir, ou de quarts, pourra apporter son concours et son aide. Quand Geneviève conduit à pied Louis à la maternelle, Jean, son mari, qui travaille de quart à l'aéroport, veille sur le reste de la marmaille: deux enfants d'âge préscolaire et deux nourrissons. Puisqu'il est le père de quatre adolescents, la surveillance d'enfants ne lui est pas inconnue.

Une journée d'activités non dirigées, dans un cadre familial

Le cadre familial d'un tel service de garde constitue un autre de ses attraits. L'enfant se sent plus à l'aise et moins tendu dans cet environnement qui lui est familier, et où il se livre à ses activités coutumières. Il dispose de plus de temps pour faire ce qui lui plaît vraiment et pour terminer ce qu'il a commencé. Il peut façonner son environnement pour satisfaire à ses besoins, le modeler à son image, et en être le maître.

Une occasion de grandir

Dans une ambiance détendue, où l'enfant et la responsable se connaissent très bien l'un l'autre, un petit se sentira plus libre d'être lui-même et de s'exprimer, d'explorer et d'affirmer ce qu'il aime et n'aime pas, de grandir en tant qu'individu.

S'il se sent bien dans sa peau et si la responsable planifie des activités appropriées et lui fournit suffisamment de matériel, il adoptera tout naturellement un bon comportement et entretiendra des rapports heureux et sains avec les autres enfants. Les enfants joueront, souriront, riront, partageront des jouets, bavarderont ensemble et s'écouteront les uns les autres.

Des valeurs semblables

L'un des merveilleux aspects du service de garde en milieu familial tient à la possibilité qu'il vous offre de trouver une mère suppléante qui partage vos valeurs et votre conception de l'éducation. Une bonne entente sur ces points profitera à tous, spécialement à l'enfant. Il apprendra ce que vous auriez aimé lui apprendre, de la manière dont vous le lui auriez enseigné[6].

Dans une petite communauté où tous se connaissent (sinon personnellement, du moins de réputation), vous n'aurez probablement aucune difficulté à trouver une famille de garde presque en tout point semblable à la vôtre. Dans une ville, ce ne sera peut-être pas si facile, mais cela reste néanmoins possible.

Des rapports étroits avec la responsable du service

Dans un service de garde en milieu familial, l'enfant n'est pas le seul à pouvoir devenir l'ami de la responsable: cette possibilité est aussi offerte aux parents[7]. Parce qu'elle veille sur votre enfant du matin au soir, elle connaît bien chaque détail de sa journée et sa personnalité. Et parce que le groupe qu'elle garde est peu nombreux, elle dispose de plus de temps pour des échanges. Enfin, parce qu'elle passe presque tout son temps avec des enfants, elle adore converser avec des adultes.

---

6. Nancy Miller Chenier, recherche de Hélène Blais Bates, «Le marché des services de garde d'enfants: Politique sur la garde d'enfants en milieu familial», *Études servant de base au rapport du groupe d'étude sur la garde des enfants*, Ottawa, Condition féminine Canada, 1986, vol. 3

7. A. Pence et H. Gœlman, «Parents of Children in Three Types of Day Care. The Victoria Day Care Research Project», Ottawa, Conseil de recherches en sciences humaines du Canada, 1985.

La fin de la journée est le moment tout désigné de s'informer des événements. Quinze minutes passées à discuter de leur sujet favori, leur enfant, permettront aux parents de rentrer à la maison davantage en harmonie avec leur progéniture et celle à qui ils l'ont confiée.

Ceci est particulièrement réconfortant les premiers temps. Comme le dit Carole, qui sevra Stéphanie et la plaça simultanément dans un service de garde en milieu familial: «Les premiers jours, elle me manquait tellement que j'étais tentée de téléphoner toutes les cinq minutes. La responsable de mon service de garde m'a rassurée.»

Quand un enfant perce ses dents, est bouleversé ou tombe malade, il est également réconfortant de savoir qu'on peut soulever le combiné et obtenir sur-le-champ un rapport personnel sur son état. Nicole considère cela comme un indéniable atout des services de garde en milieu familial: «Je peux en tout temps communiquer avec la famille de garde et savoir comment se porte Paul.»

Ces rapports entre la responsable et les parents constituent un autre gage de soins de qualité et prennent d'ailleurs beaucoup plus d'importance dans un service du genre que dans une garderie, comme le confirme Jocelyne Tougas, directrice du Regroupement des agences de services de garde en milieu familial du Québec: «Dans la maison d'une famille de garde, c'est le parent qui a le dernier mot[8].»

Un meilleur contrôle

En raison même des rapports plus étroits qu'ils entretiennent avec la responsable du service de garde, les parents peuvent exercer davantage de contrôle sur celui-ci. S'ils préfèrent que leur enfant mange du pain complet et ne consomme pas de viande, une responsable de famille de garde souple pourra accommoder plus facilement l'enfant qu'on ne le ferait dans une garderie.

L'emplacement

On peut trouver partout un service de garde en milieu familial: tant dans une grande métropole que dans un minus-

---

8. Entretien privé, 8 mai 1992.

cule village. Les parents et le CLSC de Lac-Etchemin, qui compte une population approximative de 2 500 âmes, ont d'ailleurs fondé l'Agence À la Bonne Garde, première agence de service de garde en milieu familial de la province. Elle compte maintenant 79 familles de garde qui desservent plus de 14 paroisses[9]. Il existe des familles de garde reconnues par une agence dans chaque région du Québec[10].

L'adoption d'un service de garde en milieu familial dans votre voisinage permettra à votre enfant de fréquenter les parcs et commerces du quartier, et de voir ses amis — exactement comme il le ferait s'il restait à la maison. La proximité du service de garde sera aussi extrêmement commode pour les parents, dont la durée des déplacements sera diminuée d'autant.

La santé

L'un des arguments massue en faveur du service de garde en milieu familial tient à ce qu'il est plus sain: les enfants placés dans ce type de service sont trois ou quatre fois moins susceptibles de contracter des maladies respiratoires et intestinales que les enfants fréquentant les garderies[11].

Autre avantage pour le parent dont le patron est exigeant, qui ne peut compter sur aucun congé parental ni sur des proches pour assurer la relève instantanément: les responsables de service de garde en milieu familial acceptent souvent volontiers de prendre soin d'un enfant légèrement indisposé[12]. Une personne reconnue par une agence aura même parfois une remplaçante prête à prendre la suite lorsqu'elle-même est souffrante.

---

9. Linda Henri, entretien privé, 8 mai 1992.

10. Louise Gélinas, entretien téléphonique, 11 juin 1992.

11. K. Strangert, «Respiratory Illness in Preschool Children with Different Forms of Day Care», *Pediatrics*, vol. 57, 1976, p. 191-195; M. Stahlberg, «The Influence of Form of Day Care on Occurrence of Acute Respiratory Tract Infections Among Young Children», *Acta Paediatr. Scan.*, supplément 282, 1980, p. 1-87; A. V. Bartlett *et al.*, «Diarrheal Illness among Infants and Toddlers in Day Care Centers. I. Epidemiology and Pathogens», *Journal of Pediatrics*, vol. 107, 1985, p. 495-502.

12. *Who Cares... A Study of Home-Based Child Caregivers in Ontario*, vol. 1, Ottawa, Independent Child Caregivers Association, 1990, p. xiii, 96-97.

Des heures d'ouverture flexibles et prolongées

Si vous êtes infirmière et que votre quart de travail commence à 7 h du matin, ou si vous gérez une entreprise familiale qui ferme ses portes à 21 h, les jeudis et vendredis, vos besoins sont très particuliers. Si vous l'en avisez d'avance, ou si vous parvenez à un accommodement spécial, une famille de garde pourra vous offrir un service personnalisé. Vous pourrez trouver une personne disposée à prendre charge de votre enfant aux premières lueurs de l'aube, ou à le garder deux soirs par semaine; certaines responsables de famille de garde veillent même sur des enfants pendant la nuit, ou les week-ends. Bien entendu, toutes les familles de garde n'acceptent pas de se plier à un horaire pareil, mais plus de 75 % des agences du Québec peuvent compter sur des personnes prêtes à le faire[13].

Les coûts

L'un des avantages des services de garde en milieu familial — y compris les services reconnus par une agence — tient au fait qu'ils coûtent généralement un dollar ou deux de moins, par jour, que les garderies — selon la région où vous habitez. Dans les villes, ces services coûtent habituellement plus cher qu'à la campagne[14].

Dans les services reconnus par une agence, les parents auront la possibilité d'obtenir une subvention gouvernementale et on leur remettra des reçus, de manière à ce qu'ils puissent réclamer dans leurs déclarations d'impôts, tant fédérale que provinciale, des déductions pour frais de garde d'enfants.

En outre, le service de garde en milieu familial vous causera moins de maux de tête que l'embauche d'une gardienne: cette dernière solution vous obligerait à verser des contributions d'employeur à l'assurance-chômage, à l'assurance-maladie et à la Commission de la santé et de la sécurité du travail.

---

13. Lucie Pineault, «Les garderies et les agences de A à Z», *Petit à Petit*, août 1991, p. 15.

14. Pineault, *ibid.*, p. 15.

La stabilité

En théorie, les services de garde en milieu familial sont exceptionnellement stables, spécialement s'ils sont reconnus. Votre enfant est confié toute la journée à la même mère de famille; dans les faits, la même personne pourra s'occuper de lui depuis la petite enfance jusqu'à la fin de son cours primaire. Ce lien durable et étroit avec une même personne lui fournira un point d'ancrage sûr pour l'avenir. Et ses compagnons à ce service resteront peut-être ses amis pour la vie.

Un service fait sur mesure

Les agences de services de garde en milieu familial offrent des services très personnalisés. Vous n'avez qu'à leur fournir les renseignements pertinents concernant votre enfant, vos besoins et le type de service que vous recherchez: puis, une personne formée et expérimentée trouve une responsable de service de garde qui répond à vos exigences. Si la responsable du service à laquelle vous réfère l'agence ne vous plaît pas, vous pouvez demander qu'on vous en trouve une autre. En comparaison, la quête d'une gardienne ou d'une garderie est une démarche atrocement compliquée.

Une fois que vous aurez arrêté votre choix, l'animatrice pédagogique de l'agence se rendra sur place environ une fois par mois, pour y apporter des jouets, du matériel et l'information nécessaire concernant le développement, la santé, l'alimentation et les activités de l'enfant — selon les besoins de la responsable et ceux des enfants concernés.

Les désavantages

Mais la vie est partout pareille, et à chaque avantage correspond un désavantage. Quels sont les inconvénients de la garde en milieu familial?

La mère suppléante

La présence d'une mère suppléante ne facilite pas toujours la vie. Nous avons rencontré une personne, à l'emploi d'une agence, qui met toujours en garde les parents de la manière suivante: «Personne ne prendra jamais soin de votre enfant de la façon dont vous le feriez.» Cela semble aller de soi, mais permettez-nous de vous rappeler que les gens deviennent irrationnels dès qu'il s'agit de garde d'enfant. Et voici un autre problème. Au fin fond de vous-même, vous pourriez ne pas souhaiter le moins du monde avoir affaire à une mère suppléante. La découverte d'une personne chaleureuse et aimante pourra éveiller en vous des émotions inattendues — comme la jalousie, ce monstre hideux. Si le fait que votre enfant développe des liens étroits avec une autre personne témoigne de la qualité de votre travail en tant que parent, et s'il est merveilleux de le voir heureux et bien gardé, vous en éprouverez néanmoins de l'amertume. Il faut de la maturité et une bonne dose de détachement pour pouvoir dire, comme Sylvie, mère d'un garçon de 22 mois: «C'est comme s'il avait deux mères.»

Dans un tel cas, vous courez aussi le risque de perdre toute confiance en vos qualités de parent. Les conseils et les discussions n'ont jamais fait de mal à personne, aussi longtemps que les échanges se font dans les deux sens et que vous ne rentriez pas chez vous avec le sentiment que vous ne serez jamais capable de faire aussi bien que la responsable de votre service de garde.

Et il faut aussi compter sur le sentiment de culpabilité, le terrible sentiment de culpabilité, que vous éprouverez parce que, contrairement à vous, la responsable de famille de garde reste à la maison pour veiller sur votre enfant et les siens. Les études démontrent que les parents abonnés aux services de garde en milieu familial sont enclins à se sentir plus coupables de laisser leur enfant que les parents qui optent plutôt pour une garderie[15].

Le ratio

À quoi peut bien servir la stipulation d'un ratio dans la loi si personne ne le respecte? Bien trop souvent, les responsables de services non reconnus par une agence accueillent de trop nombreux enfants. En fait, nous avons entendu parler de familles de garde qui recevaient jusqu'à quinze enfants! Une responsable peut aussi prendre soin de plus d'enfants qu'elle

---

15. Pence et Goelman, «Parents of Children in Three Types of Day Care», *ibid.*

n'en est capable, ou que sa maison n'en peut accueillir confortablement, et le résultat sera alors le même. Les situations de ce genre sont également plus susceptibles de se rencontrer dans des familles de garde non reconnues.

Des enfants d'âges variés

Dans un petit groupe d'âges variés, il est difficile pour chaque enfant d'obtenir sa juste part d'attention de la responsable. Les bébés ne peuvent attendre quand vient le temps de manger et de dormir, et ils ont davantage besoin d'elle. La présence d'un seul nourrisson peut tout chambarder. Lorsque Raymond passa prendre André, son fils de 3 ans, à son service de garde en milieu familial, par une belle journée ensoleillée, il fut consterné d'apprendre que les enfants n'étaient pas allés dehors. «Le bébé a fait des siennes», répondit la responsable, en guise d'excuse.

Une responsable d'une famille de garde ne manquera pas de boulot si elle doit veiller sur deux bébés, spécialement si elle garde aussi d'autres enfants plus vieux. Selon certains experts, trois tout-petits et une adulte suffisent à former un groupe complet[16]; d'autres sont d'avis qu'on obtient de meilleurs résultats avec des enfants dont la différence d'âge n'excède pas deux ans[17]. Certaines responsable se spécialisent dans la garde d'enfants d'un âge particulier. Chantal, par exemple, n'accepte pas les moins de 2 ans.

Dans un environnement intimiste, les personnalités s'entrechoquent toutefois davantage. Un enfant agressif pourra totalement ruiner la chimie d'un groupe.

Il faut aussi une ingéniosité et une adresse exceptionnelles pour trouver des activités qui conviennent à toute une gamme d'âges.

La famille de la responsable du service

Malheureusement, du seul fait qu'elle soit mère, une femme n'est pas automatiquement qualifiée pour exercer le

---

16. Clarke-Stewart, *Daycare, ibid.*, p. 92.
17. Clarke-Stewart, *Daycare, ibid.*, p. 93; Donna S. Lero et Irene Kyle, «La qualité des services de garde des enfants: normes et qualité», *Études servant de base au rapport du groupe d'étude sur la garde des enfants,* Ottawa, Condition féminine Canada, 1986, vol. 3.

rôle de responsable d'un service de garde en milieu familial. Plusieurs mères ne viennent pas à bout de leurs propres enfants; comment pourraient-elles mieux réussir avec ceux des autres? Quant aux enfants de la responsable, ils n'apprécieront peut-être pas que d'autres enfants fassent irruption dans leur foyer. Bien qu'ils y gagneront des compagnons de jeux, ils devront en payer le prix fort: il leur faudra partager leurs jouets, leur espace et leur mère. Ils en seront peut-être jaloux et irrités, et il faudra que leur mère fasse preuve de bon sens, de sensibilité, de tact et de patience pour qu'ils s'adaptent à cette nouvelle situation. Et elle devra y parvenir sans leur témoigner de préférence! Inutile de dire que de nombreuses personnes ont du mal à trouver ce juste équilibre. (Elles refuseront d'ailleurs de garder des enfants les soirs et les week-ends, en partie parce qu'elles auront besoin de ce temps pour s'occuper de leur progéniture.)

La vie de famille

Certains pères (et d'autres membres de la famille) prennent parfois ombrage de la présence d'enfants étrangers dans la maison et de ce que le repas du soir ne soit pas prêt lorsqu'ils rentrent à la maison, après le travail ou l'école. Il y a même risque qu'ils se transforment en abuseurs d'enfants. Encore une fois, les agences reçoivent en entrevue les candidates responsables de ces services et interrogent souvent les maris pour écarter les familles de ce genre; mais même une enquête policière (d'ailleurs non obligatoire) ne sera pas infaillible.

Bien qu'ils soient minimes, ces risques n'en sont pas moins réels.

Et il y a autre chose: vous serez soumise aux événements qui viendront bouleverser la vie de cette famille. Une responsable d'un service du genre peut déménager, devenir enceinte, faire une fausse couche ou divorcer. Ces événements auront inévitablement des répercussions sur les enfants dont elle a la garde, peu importe le sang-froid avec lequel elle y fait face.

Une journée d'activités non dirigées, dans un cadre familial

L'organisation est l'une des questions les plus controversées des services de garde en milieu familial. Une personne qui ne s'occupe que d'un enfant pourra ne pas s'imposer d'horaire. Mais dès qu'un deuxième enfant fait son apparition, elle devra organiser son temps — cela, bien sûr, si l'on escompte que les enfants sortent parfois en plein air. Toute responsable doit au moins planifier l'heure des collations, des repas et des siestes. La responsable du service de garde de Nicole, qui s'occupe de deux nourrissons, jongle avec les repas et les siestes de manière à pouvoir passer un peu de temps, seule à seul, avec chacun des bébés. Également responsable d'un tel service de garde, Yasmine sait que ses trois tout-petits s'endormiront devant leur assiette si elle ne leur sert pas le lunch dès 11 h 30.

Bien qu'elles reconnaissent qu'une mère de famille de garde puisse enseigner spontanément des tas de choses aux enfants, depuis la préparation de muffins jusqu'au tri des chaussettes, les agences de services de garde en milieu familial encouragent leurs responsables à planifier les heures qu'elles passent avec les enfants. L'horaire ne sera pas nécessairement détaillé ni complexe, mais il faudra néanmoins s'en imposer un pour assurer un environnement riche et stimulant aux enfants. Pour pouvoir tenir une activité de bricolage, la mère de famille de garde devra préparer le matériel et prévoir un moment pendant lequel elle pourra s'asseoir avec les enfants. Si le groupe dont elle assume la garde comprend un bébé, il lui faudra prévoir à quel moment il s'endormira, de manière à ce qu'il fasse la sieste dans sa poussette pendant qu'elle surveillera les autres enfants plus vieux, en train de s'ébattre dans le parc. Si elle se retrouve toujours dans la cuisine à préparer une collation pour l'un des enfants, le temps lui fuira entre les doigts et elle n'en aura plus à consacrer à des activités qui stimulent le développement intellectuel et physique, ni même à des étreintes.

Les contraintes excessives

La mère qui a la charge d'un service de garde en milieu familial est seule responsable d'absolument tout. Pour s'assurer d'une journée sans incidents, elle pourra par exemple exiger des enfants un comportement «irréprochable». Lorsqu'elle quitte momentanément la pièce pour mettre au lit un enfant épuisé, elle a besoin de savoir que le reste du groupe ne s'entre-déchirera pas ni ne démolira la maison. Une personne inexpérimentée recourra alors à de trop nombreuses mesures coercitives: un ton de voix courroucé, des critiques, des menaces, des «non!» répétés et des punitions; les enfants seront en conséquence soumis à des contraintes excessives et ils pourraient en être terrorisés. Cette atmosphère n'est définitivement pas favorable au développement de l'estime de soi.

Des valeurs semblables

«Les valeurs occupent une place de tout premier plan dans un service de garde en milieu familial, explique Jocelyne Tougas. S'il n'existe pas de bons rapports entre la responsable du service et le parent, l'enfant le sentira et la qualité des soins qui lui sont offerts en souffrira.»

Il est particulièrement important que les parents et la mère de famille de garde partagent des valeurs semblables en matière de discipline. «Ces questions sont souvent à l'origine de tensions», précise Maria de Wit, directrice générale des Family Day Care Services de Toronto, la plus importante agence de services de garde en milieu familial au Canada. «Si je crois que mon enfant doit avaler tout ce qui se trouve dans son assiette, et vous pas, nous ne verrons jamais les choses du même œil, malgré la meilleure volonté du monde de s'entendre, de part et d'autre.»

Les responsables de familles de garde, qui gagnent souvent moins que leurs clients et ont parfois moins d'instruction qu'eux, peuvent avoir des vues plutôt conservatrices et elles croient parfois encore que les mères sur le marché du travail ne font pas tout ce qu'elles devraient pour leurs enfants[18]. Quel genre de valeurs transmettra une personne qui pense de cette manière? Sans même probablement en être consciente, minera-t-elle subtilement l'autorité de la mère? Comprendra-t-elle son point de vue? Comment une mère pourra-t-elle parler ouvertement avec une personne qui désapprouve son mode de vie?

Des rapports étroits avec la responsable du service

La qualité des rapports que vous entretenez avec une responsable de service de garde en milieu familial a toutefois

---

18. *Who Cares... A Study of Home-Based Child Caregivers in Ontario*, *ibid.*, p. 150.

son revers: elle finit par exercer une forme de tyrannie. Il est si important d'entretenir avec elle de bons rapports que le parent n'osera plus dire vraiment tout ce qu'il pense. Quand Paul a souffert d'une diarrhée banale, Nicole s'est procuré des bananes et des céréales de riz pour l'en nourrir. La mère du service de garde a écarté du revers de la main ses inquiétudes: «Ne vous en faites pas, il perce simplement des dents. Je vais le nourrir comme d'habitude et, s'il y a un problème, je vous téléphonerai.» Nicole n'a pas protesté. Parce qu'elle dépend entièrement de cette personne pour la garde de son fils, Nicole préfère ne pas être en désaccord avec elle, de crainte de mettre en péril leur relation — à moins, bien sûr, qu'il ne s'agisse d'une question de vie ou de mort. Elle se sent à la merci de cette dernière.

Les parents peuvent aussi parfois se sentir l'auditoire captif de la responsable du service. Ainsi, la plaisante conversation de quinze minutes, à la fin de la journée, pourra s'allonger indûment parce qu'il semble trop impoli de partir. Les coups de fil répétés de la responsable peuvent aussi devenir lassants.

L'emplacement

Encore une fois, il faut compter sur la chance. Parfois, on pourra trouver un service de garde en milieu familial dans son voisinage; d'autres fois, non.

Mais même si la famille de garde habite la porte voisine, les choses ne seront toutefois pas aussi faciles que si vous aviez embauché une gardienne à domicile. Comme votre enfant n'est pas gardé au foyer, vous devez toujours lui enfiler ses bottes et son habit de neige, et ajouter un arrêt, matin et soir, à votre itinéraire.

La santé

Bien que votre enfant sera probablement plus en santé dans un service de garde en milieu familial que ce ne serait le cas dans une garderie, vous ne serez toutefois pas totalement épargnée. Il rentrera un jour à la maison complètement fourbu par une grippe, et aucune mère de famille de garde, si serviable soit-elle, n'acceptera de le garder. Vous devrez alors pouvoir compter sur un service d'appoint, tout comme lorsque la responsable elle-même ne se portera pas bien. Bien qu'elle puisse décider de continuer son travail malgré tout, même la personne la plus acharnée flanchera un jour ou l'autre[19]. Plusieurs agences demandent à leurs mères de famille de garde d'avoir une remplaçante prête en tout temps à prendre leur relève: elles ne peuvent cependant pas toujours vous assurer un service d'appoint. Comme le dit Linda Henri, animatrice pédagogique à l'Agence À la Bonne Garde du Lac-Etchemin: «Cela relève de la responsabilité des parents.»

Des heures d'ouverture flexibles et prolongées

Certaines familles de garde y sont disposées, mais vous aurez du mal à les dénicher.

Les coûts

Au premier abord, les services non reconnus par une agence semblent moins coûteux; à notre avis, il s'agit d'un choix très risqué pour votre enfant et d'une économie de bout de chandelle. Si vous optez pour un service non reconnu, vous ne serez pas admissible à une assistance gouvernementale susceptible de défrayer une portion substantielle des frais encourus; en outre, de nombreuses responsables de tels services ne remettent pas de reçus, ce qui signifie que vous ne pourrez réclamer, dans votre déclaration d'impôts, aucune déduction au chapitre des frais de garde.

La stabilité

Les statistiques sur ce plan ne sont guère réjouissantes: le taux de changement de personnel dans les services de garde non reconnus est, en effet, extrêmement élevé[20]. Si la responsable de votre service de garde met fin à ses activités, le changement affectera profondément votre enfant, qui souf-

---

19. *Who Cares... A Study of Home-Based Child Caregivers in Ontario, ibid.*, p. 79.

20. *Who Cares... A Study of Home-Based Child Caregivers in Ontario, ibid.*, p. 50; *Summary Report: A Survey of Private Home Day Care Services in Ontario, 1988,* Toronto, Ontario Ministry of Community and Social Services, 1989, p. 24.

frira de son absence et devra s'adapter à une toute nouvelle situation. (Voir le chapitre 18, «Le changement de service de garde».) Au Québec, votre agence vous aidera à trouver une nouvelle famille de garde. Si vous faisiez affaire avec une famille de garde non reconnue par une agence, vous vous retrouverez sans aide, vous ballotterez votre enfant d'un service à un autre, et vous perdrez du temps, que vous auriez normalement consacré à votre travail, pour trouver une solution qui vous satisfasse.

Si les enfants en milieu rural passent des années dans la même famille, ceux qui fréquentent des services de garde en milieu familial dans les centres urbains en changent souvent: à l'Agence de services de garde en milieu familial du Montréal métropolitain, la plus importante agence du genre au Québec, presque un enfant sur deux change de famille de garde au moins une fois par année[21].

Parce que les enfants y forment de petits groupes très unis, le départ, ou l'arrivée, d'un enfant dans une famille de garde a sur eux d'énormes répercussions. Lorsque le meilleur ami d'André a quitté le service de garde, il a été remplacé par un bébé. André était atterré. Il avait non seulement perdu un ami, mais un pair, et la présence du bébé signifiait que la responsable serait toujours occupée. Au début, la responsable du service de garde de Nicole reportait toute son attention sur Paul, parce qu'elle ne s'occupait d'aucun autre enfant. Six mois plus tard, après qu'elle en eut accepté quatre autres, Nicole sentit qu'elle négligeait son fils. Le groupe était loin d'être stable: il semblait plutôt se modifier constamment.

Dans les villes, les services de garde en milieu familial sont également instables d'un autre point de vue. Comme de plus en plus de mères de nourrissons occupent un emploi, ce genre de service se consacre surtout à la garde des poupons et des tout-petits, à laquelle il est d'ailleurs parfaitement adapté[22]. Mais à mesure que le nombre de bébés y augmente, celui des enfants plus âgés y diminue. Avec l'arrivée d'un bébé, les parents d'André comprirent que leur fils était devenu trop

---

21. Daniel Ariey-Jouglard, Monique Daviault, Antoine F. Pierre, *Une expérience à partager*, Montréal, Agence de services de garde en milieu familial du Montréal métropolitain, 1990, p. 134.
22. Ariey-Jouglard *et al.*, *ibid.*, p. 107.

vieux pour son service de garde en milieu familial et décidèrent de le placer plutôt dans une garderie. La moitié des familles qui quittent l'agence du Montréal métropolitain optent pour cette solution[23].

Choix et disponibilité

En 1991, on dénombrait au Québec tout juste un peu plus de 7 500 places dans les services de garde en milieu familial reconnus[24], une situation qui forçait plusieurs parents à la recherche de tels services à s'inscrire sur des listes d'attente longues de plusieurs mois. Les parents devraient s'inscrire très tôt: rappelez-vous que chaque mère de famille de garde ne peut prendre soin que de deux nourrissons. Compte tenu de la situation, les agences peuvent se trouver dans l'impossibilité d'offrir aux parents le choix entre plusieurs familles de garde.

Dans le secteur des services de garde non reconnus, où il leur faut se débrouiller tout seuls, les parents répugnent à visiter les lieux et à les comparer. Il n'est pas facile de se résoudre à envahir l'intimité d'un inconnu, même pour une raison importante[25]. Les parents ont donc plutôt tendance à opter pour la première famille de garde qu'ils visitent, spécialement si elle est située à proximité. Aussi pénible que cela soit, nous vous recommandons de visiter plusieurs familles de garde — les différences que vous y relèverez vous étonneront.

Le processus de sélection des candidats n'y est pas non plus toujours juste. Toute garderie acceptera un enfant dès que son nom parviendra au sommet de sa liste d'attente, mais une responsable de service de garde en milieu familial a le droit de choisir les enfants qu'elle accueille. Elle pourra refuser votre enfant pour une raison aussi simple qu'une tendance au vomissement, ou aussi complexe que l'incapacité de s'intégrer au groupe. Elle pourra accepter de nouveaux enfants en fonction de ses propres intérêts, plutôt que des

---

23. Ariey-Jouglard *et al., ibid.,* p. 134.

24. Office des services de garde à l'enfance, *Rapport annuel 1990-1991,* Québec, Les Publications du Québec, 1991, p. 40.

25. Clarke-Stewart, *Daycare, ibid.,* p. 125.

vôtres (et donc pas nécessairement de ceux de votre enfant). Pour joindre les deux bouts, elle sera peut-être forcée d'accepter un autre bébé, même si les enfants plus vieux dont elle a la garde pourraient en souffrir.

Des soins de qualité variable

Mais le problème le plus criant des services de garde en milieu familial tient peut-être au fait que la qualité y varie énormément. Les meilleures familles de garde présentent tous les avantages que nous avons déjà mentionnés: une responsable chaleureuse, aimante et sensible transforme alors sa maison en un lieu accueillant et détendu, qui prédispose à tous les apprentissages, avec l'aide d'une agence.

Dans le secteur des services non reconnus par une agence, les pires familles de garde sont d'une qualité indescriptiblement exécrable. Plusieurs familles de garde offrent un milieu dangereux et malsain, et les soins qu'on y prodigue se résument pour l'essentiel à un service de surveillance: la responsable croit avoir rempli ses obligations si elle nourrit les enfants, les change de couches et les met au lit, à l'heure de la sieste. Ils peuvent passer toute la journée à regarder la télé, ne jamais lire une histoire, ni dessiner ou peindre, ni même aller dehors.

Personne ne visite les familles de garde non reconnues pour en évaluer les soins ou y conseiller la responsable. Personne ne sait combien d'enfants s'y trouvent, ni ce qu'ils y font toute la journée, et les petits qui les fréquentent sont bien trop jeunes pour en témoigner.

Les familles de garde reconnues par une agence, comme celles qu'on trouve au Québec, sont plus susceptibles d'offrir des services de bonne qualité.

Comment trouver un service de garde en milieu familial?

Pour décider de l'à-propos d'avoir recours à un service de garde en milieu familial, il n'y a pas meilleur moyen que d'en visiter quelques-uns.

Avec l'aide d'une agence

Au Québec, où les agences répondent des soins offerts dans les services de garde en milieu familial reconnus, on a de la chance: vous trouverez donc assez facilement une famille de garde sûre, saine et stimulante, qui répondra à vos besoins.

En quoi consiste exactement le rôle d'une agence?

Seule une agence sans but lucratif peut obtenir un permis de services de garde en milieu familial de l'Office des services de garde à l'enfance, organisme responsable de tous les services de garde offerts dans la province. Ce permis autorise l'agence à recruter et à sélectionner des responsables de familles de garde qui favoriseront le «développement physique, intellectuel, émotif, social et moral[26]» des enfants dont elles ont la garde, et l'incite à fournir à ces mères de familles de garde la formation, le soutien et la supervision nécessaires pour bien s'acquitter de leurs tâches.

L'agence agit aussi comme un courtier: elle évalue les besoins et les attentes des familles, puis les oriente vers des personnes susceptibles d'y répondre.

En outre, l'agence peut servir de ressource aux parents comme aux responsables des services de garde, en cas de problème. Si un enfant a du mal à s'adapter, ou si un parent est toujours en retard, la responsable du service téléphonera à l'agence pour y obtenir conseil et soutien. Mais, dit Linda Henri, l'agence intervient rarement. Elle aide plutôt la responsable à résoudre elle-même le problème.

L'agence peut offrir les services d'une bibliothèque et d'une joujouthèque, et fournir des équipements comme des petits lits et des avertisseurs de fumée; elle peut même s'occuper de toute la paperasserie gouvernementale et de la perception des comptes.

En tant qu'organismes sans but lucratif, les agences sont dirigées par un conseil d'administration — et 85 % du temps des parents détiennent la majorité audit conseil[27]. Les agences sans conseil d'administration composé de parents

---

26. *Loi sur les services de garde à l'enfance*, L.R.Q., 8.
27. Jocelyne Tougas, entretien personnel, 8 mai 1992.

doivent mettre sur pied un comité de parents. Les responsables sont aussi représentées au sein du conseil d'administration et plusieurs agences ont également un comité consultatif composé de mères de familles de garde[28]. Informez-vous aussi du fonctionnement du conseil d'administration de l'agence — votre engagement à ce niveau est également important.

Les agences comptent bien que toutes leurs familles de garde dispensent des soins de haute qualité; elles peuvent toutefois s'en assurer par différents moyens. Comme les parents et les responsables des services, les agences défendent aussi certains systèmes de valeurs. Certaines croient à l'acquisition de connaissances dans le cadre des activités de routine, à la façon traditionnelle. D'autres sont plus structurées et donnent plutôt dans le type de soins offerts en garderies. (Issus d'une garderie, les services de garde La Petite École, à Daveluyville, ont intégré à différents niveaux leur service de garde en milieu familial à leur garderie, ce qui a profité d'ailleurs à l'un et à l'autre service.) Certaines offrent davantage de formation dans le feu de l'action, au foyer même de leurs responsables alors que d'autres optent plutôt pour des cours de formation plus conventionnels. Les politiques et les règlements de l'agence en feront largement état; assurez-vous donc d'en obtenir un exemplaire.

Les agences n'embauchent ni ne contrôlent leurs mères de familles de garde. La responsable est indépendante, autonome et à son compte. Elle travaille pour elle-même: dans sa maison, elle est le patron. En tant que parent, vous l'employez pour vous rendre un service, de la même manière que vous embaucheriez un peintre en bâtiments. Vous vérifiez d'abord son travail et, si ce que vous voyez vous plaît, vous lui dites ce que vous voulez et la laissez faire son boulot, non sans l'observer et discuter du travail accompli, sur une base quotidienne.

Comment s'y prendre?

La première étape consiste à téléphoner à l'Office des services de garde à l'enfance. On vous y fera parvenir le

---

28. Jocelyne Tougas, entretien personnel, 8 mai 1992.

guide des services de garde au Québec, *Où faire garder nos enfants?*: y figurent les noms des agences de services de garde en milieu familial de votre région administrative. Si vous habitez la ville, vous pourriez trouver plusieurs agences dont certaines responsables de familles de garde habitent à proximité de votre foyer ou de votre lieu de travail; dans la plupart des régions de la province, une seule agence dessert la population entière. Nous vous suggérons de visiter chaque agence qui pourrait faire l'affaire compte tenu de sa situation géographique: il vaut toujours mieux pouvoir choisir entre plusieurs.

Pour commencer, vous vous assoirez avec un membre du personnel de l'agence et passerez soigneusement en revue les besoins de votre enfant, sans oublier vos heures de travail, votre philosophie de vie et la personnalité de votre petit. On vous décrira les rouages de l'agence et, lorsqu'on aura l'impression d'avoir trouvé une mère de famille de garde qui pourrait vous convenir, vous lui rendrez visite chez elle. (Une personne de l'agence vous y accompagnera parfois; d'autres fois, on vous laissera y aller seule.) Avec un peu de chance, l'agence vous proposera plusieurs solutions parmi lesquelles vous pourrez choisir.

Si vous n'avez pas demandé qu'on vous décroche la lune et si l'agence fait bien son travail de courtier, la responsable du service en question vous plaira sans doute beaucoup et, en un tour de main, tout sera réglé. Mais si, pour une raison ou pour une autre, le déclic ne se produit pas, vous pourrez bien entendu demander qu'on vous en suggère une autre. Tôt ou tard, vous tomberez sur la perle rare.

Sans l'aide d'une agence

Si vous habitez une province dont le gouvernement délivre directement des permis aux familles de garde, demandez à votre bureau régional de services de garde à l'enfance combien d'enfants une responsable est autorisée à accueillir dans son foyer, au total et par groupes d'âge. Puis munissez-vous d'une liste des familles de garde de votre voisinage.

Si vous devez vous rabattre finalement sur des services non reconnus — que nous ne recommandons pas, sauf en dernier recours —, informez-vous d'abord du nombre d'enfants qu'une responsable de famille de garde est autorisée à accueillir sans permis, conformément à la loi. Puis commencera véritablement votre quête. Les responsables de familles de garde achètent de la publicité dans les journaux régionaux ou de quartier — en fait, vous trouverez dans les petites annonces à la fois des services reconnus et des services non reconnus —, annoncent leurs services sur les tableaux d'affichage des supermarchés et se font connaître aux organismes communautaires et aux institutions scolaires. Mais parce que le bouche à oreille aura souvent comblé les places libres dans un service de garde en milieu familial avant qu'un néophyte ait eu vent de cette disponibilité, questionnez amis et proches sur les services de garde auxquels ils ont recours, chaque fois que vous les rencontrez. On ne sait jamais qui peut nous refiler un tuyau génial.

Passer des coups de fil

Puis vous devrez vous installer au téléphone. Voici ce qu'il faut demander.

1. Votre famille de garde est-elle reconnue?

Comme nous venons tout juste de le mentionner, autant les services non reconnus que les services reconnus achètent de la publicité. Vous vous devrez donc à coup sûr de poser cette question surtout si, dans votre province, on délivre les permis directement aux familles de garde au lieu de passer par des agences.

2. Disposez-vous d'une place pour un enfant de (précisez l'âge de votre enfant) à compter du (la date à laquelle vous aurez besoin d'un service de garde)?

3. De combien d'enfants vous occupez-vous, en incluant les vôtres, et quel âge ont-ils?

Les soins de haute qualité dépendent d'un bon ratio responsable-enfants; aussi est-il crucial que vous connaissiez le nombre total d'enfants présents chaque jour chez elle. Vous désirez faire affaire avec une personne qui respecte la loi; vous tenez à ce qu'elle ait suffisamment de temps et d'énergie pour consacrer à votre enfant des attentions individuelles; vous souhaitez enfin que l'âge des enfants de ce groupe puisse répondre aux besoins de votre enfant.

4. *Songez-vous à prendre soin d'un plus grand nombre d'enfants?*

Quand elle démarre en affaires, une mère de famille de garde peut n'accueillir qu'un ou deux enfants, mais souhaiter prendre éventuellement soin du nombre maximal d'enfants auquel l'autorise la loi. Lorsque vous visiterez son foyer, vous veillerez à vous assurer qu'elle garde bien le nombre d'enfants mentionné, plus un (le vôtre); ou, au contraire: deux, trois ou quatre enfants de plus. Elle peut, sans contrevenir à la loi, continuer à accepter des enfants dans son service, aussi longtemps qu'elle se conforme aux exigences provinciales en matière de ratio. Au Québec, rappelez-vous qu'une responsable de famille de garde peut prendre en charge jusqu'à six enfants, dont deux de moins de 18 mois. Mais la plupart d'entre elles en auront alors plein les mains: un maximum de quatre enfants serait probablement plus réaliste. Tout dépend de l'âge et de la personnalité des enfants en cause, et de l'expérience de la responsable — mais vous ne pouvez pas en juger au téléphone!

5. *Acceptez-vous des enfants à mi-temps?*

Plus il y a d'allées et venues, plus il est difficile pour un enfant de rester en santé, de se faire des amis, de planifier des activités et d'obtenir toute l'attention de la responsable. Si votre enfant a besoin de soins de garde à temps plein, il se portera mieux dans un groupe d'enfants dans le même cas. Les enfants d'âge scolaire sont l'exception à cette règle: ils provoquent de l'animation à leur arrivée, à l'heure du midi et après les cours, et ils ne monopolisent pas longtemps l'attention de la responsable, parce qu'ils ont généralement de quoi s'occuper.

6. *Quelles sont vos heures d'ouverture?*

Même si vous n'avez besoin que d'un service de garde à mi-temps, recherchez une personne qui garde des enfants chez elle toute la journée, chaque jour de la semaine. Une étude récente démontre que les mères de familles de garde à temps plein ont tendance à se montrer plus professionnelles et à offrir un meilleur programme d'activités[29]. Si vous avez

---

29. *Who Cares... A Study of Home-Based Child Caregivers in Ontario, ibid.,* p. 54.

besoin d'un service à des heures irrégulières, ou en dehors des heures habituelles, signifiez-le immédiatement.

7. *Où habitez-vous?*

Si vous n'avez pas l'adresse du service de garde, ou ne connaissez pas le voisinage, demandez à la responsable précisément où elle habite et comment vous rendre chez elle. Cela se trouve-t-il sur votre trajet pour vous rendre au travail? Cela vous convient-il?

8. *Êtes-vous membre d'une association de responsables de services de garde en milieu familial ou d'un réseau d'entraide?*

«En tant que parent, vous devriez vraiment insister sur l'existence d'un réseau d'entraide», dit Jocelyne Tougas. Au Québec, les personnes qui ne sont pas affiliées à une agence n'appartiennent probablement pas à quelque autre organisme. Mais elles peuvent rencontrer régulièrement des amies qui gardent aussi des enfants. Le plus important, précise Mᵐᵉ Tougas, c'est peut-être que la responsable d'une famille de garde reconnaisse avoir besoin d'un réseau d'entraide. (Un sondage mené en 1988 a permis de constater que la principale raison pour laquelle les mères de familles de garde s'associaient à une agence tenait au fait qu'elles pouvaient ainsi régulièrement compter sur le soutien d'autres responsables de services comme le leur[30].)

9. *Avez-vous reçu une formation quelconque?*

Une formation en développement de l'enfant, en techniques de garde ou en service de garde en milieu familial — que les responsables peuvent obtenir par leurs propres moyens ou par l'entremise d'une agence — est une composante essentielle de soins de haute qualité[31].

---

30. Michèle Bilodeau, *Un regard sur le métier de gardiennes d'enfants*, Lac-Etchemin, Regroupement des associations de services de garde en milieu familial du Québec, 1988, p. 59-61.

31. Clarke-Stewart, *Daycare, ibid.*, p. 106-107; June Deller, *Family Daycare Internationally: A Literature Review*, Toronto, Ontario Ministry of Community and Social Services, 1988, p. 139; Lero et Kyle, *ibid.*.

10. *Quels sont vos tarifs? Est-ce que je dois vous payer quand mon enfant s'absente pour cause de maladie ou pendant que je suis en vacances?*

Les politiques des familles de garde sur ce dernier point varient largement. Il vous en coûtera évidemment moins cher si vous n'avez pas à payer quand votre enfant s'absente du service, mais la responsable ne pourra pas alors compter sur un revenu de base pleinement garanti; elle sera donc peut-être tentée d'accepter des enfants à mi-temps ou sur une base occasionnelle, pour combler la différence. Vous devriez vous attendre à la payer également lorsque votre enfant est malade, même s'il vous faut alors retenir les services d'une gardienne à la maison.

Pour ce qui est des vacances, la meilleure solution consiste à les prendre simultanément. La mère de votre service de garde a désespérément besoin d'une pause. Vous pouvez vous entendre avec elle sur un moment qui vous conviendrait à toutes deux, si vous vous y prenez à l'avance.

Une personne qui n'a pas des opinions fermes sur ces questions pourrait ne pas se considérer comme une professionnelle, ce qui pourrait se traduire par des soins de qualité inférieure.

11. *Remettez-vous des reçus pour usage fiscal?*

Sans reçus, vous ne pourrez réclamer de déductions au chapitre de la garde d'enfants dans votre déclaration d'impôts, ce qui accroîtra encore vos frais. Et la délivrance de reçus pour usage fiscal est aussi un indice de soins de qualité supérieure. Selon une étude menée par l'Independent Child Caregivers Association d'Ottawa, les responsables de services de garde qui émettent des reçus sont plus susceptibles d'avoir suivi des cours dans leur sphère d'activité, plus susceptibles d'appartenir à une association et plus susceptibles d'être satisfaites de leur choix de carrière[32].

12. *Détenez-vous une police d'assurance responsabilité?*

Parce que les accidents peuvent survenir n'importe où, il s'agit là d'une question extrêmement importante. De cette

---

32. *Who Cares... A Study of Home-Based Child Caregivers in Ontario, ibid.*, p. 36-39.

manière, vous saurez également si la responsable du service de garde que vous choisirez s'acquitte de son travail avec le plus grand sérieux.

La visite d'un service de garde en milieu familial

Que vous envisagiez de confier votre enfant à une famille de garde non reconnue ou à un service reconnu par une agence, vous devrez visiter les lieux.

Combien de temps devrait durer la visite?

Maria de Wit conseille aux parents de rester sur place au moins une demi-journée. «Ils me répondent alors: "Je ne peux pas me le permettre" et je leur rétorque: "Vous ne pouvez pas vous permettre de ne pas le faire."» Le personnel de l'agence L'Envol de Saint-Apollinaire, au Québec, presse les parents de prendre tout le temps nécessaire pour jeter les bases de cette importante relation[33]. Cela signifie assister à au moins une partie des activités quotidiennes avec la responsable et les enfants: une collation, un changement de couches, une activité à l'intérieur ou à l'extérieur.

L'enfant doit-il vous accompagner?

Plusieurs personnes — y compris les agences de service de garde en milieu familial — suggèrent que votre enfant vous accompagne dans le cadre de cette première visite chez la responsable d'une famille de garde. La responsable elle-même est probablement plus intéressée à faire la connaissance de votre enfant que de vous-même, et si vous ne l'emmenez pas avec vous, vous courez le risque de perdre la place disponible au profit d'une autre mère accompagnée de son enfant.

Néanmoins, nous ne le recommandons pas. Bien entendu, vous pouvez emmener un poupon qui dort dans un porte-bébé; mais un enfant qui aime explorer les lieux, et dont vous seriez forcée de surveiller les allées et venues, devrait rester

---

33. Agence de services de garde en milieu familial L'Envol, *Guide de première rencontre entre parents et R.F.G.*, Saint-Apollinaire, p. 3.

à la maison. Vous ne connaissez pas encore les règlements imposés par la responsable du service, ni les dangers que présente sa maison — et ce n'est certes pas le moment ni la manière de les mettre à l'épreuve. En outre, vous aurez besoin de vous concentrer sur la tâche qui vous occupe et non pas sur votre enfant. Vous tenez à observer comment la responsable se comporte avec les enfants sur lesquels elle veille présentement et évaluer ensuite si elle peut aussi s'occuper du vôtre. Le choix d'un service de garde est une décision d'adulte. Si la mère de famille de garde vous plaît et vous inspire confiance, vous pourrez alors emmener votre enfant pour qu'il fasse sa connaissance. Parce que vous aurez confiance en elle, votre enfant, qui prendra inévitablement exemple sur vous, lui fera aussi confiance. Il s'adaptera beaucoup plus facilement si ses parents se sentent parfaitement en accord avec leur choix. La véritable période d'essai durera quelques semaines; la responsable du service et vous-même pourrez alors encore changer d'avis.

Comment aborder la responsable du service?

La visite d'une famille de garde est une entreprise délicate. D'abord et avant tout, il s'agit du foyer d'une inconnue et vous y êtes à la fois une invitée et une totale étrangère. Malgré ce fait, votre objectif est d'apprendre à connaître suffisamment bien cette personne, et sa maison, pour lui confier l'être qui vous est le plus proche et le plus cher au monde: votre enfant. Comment peut-on mener à bien cette périlleuse mission?

Dans une garderie, vous pouvez ouvrir les portes des armoires et voir si l'eau de Javel se trouve sous l'évier; dans une maison privée, il pourra même vous paraître impoli de demander: «Où gardez-vous les médicaments?» Bien que nous ne vous suggérons pas de fouiller dans les placards, nous n'en pensons pas moins que vous devriez examiner très soigneusement les lieux, prendre votre courage à deux mains et poser, mais alors très poliment, quelques questions embarrassantes. Si une intervenante de l'agence vous accompagne, elle pourra les poser pour vous. Mais certaines agences refusent de jouer ce rôle parce qu'elles savent pertinemment qu'elles ne seront pas là pour vous représenter dans l'avenir.

De leur point de vue, mieux vaut que vous vous habituiez dès maintenant à communiquer directement avec la responsable.

Il existe au moins deux très bonnes raisons de traiter la responsable avec autant d'égards que possible. La première est qu'elle a le pouvoir de vous refuser et de refuser votre enfant, si elle ne vous aime pas. La seconde est qu'elle pourrait bien devenir votre pourvoyeur de service de garde et que vous aimeriez alors démarrer du bon pied cette nouvelle relation. Nous vous suggérons de procéder lentement. Laissez-lui un peu de temps et d'espace, pour qu'elle se sente à l'aise avec vous, et accordez-vous vous-même la chance de la découvrir un peu. Si vous vous donnez l'occasion de vous connaître l'une l'autre, vous trouverez la manière de l'aborder.

Lors de votre première visite, vous ne rencontrerez pas que la responsable, mais aussi les enfants qu'elle garde. Vous apparaîtrez à ces derniers comme une grande personne étrangère qui envahit leur territoire privé; il se peut donc qu'ils vous bombardent de questions, ou qu'ils cherchent refuge auprès de leur roc de Gibraltar, la responsable. Ces deux comportements sont parfaitement normaux. Dites-leur bonjour, répondez à leurs questions, et laissez-les vaquer à leurs occupations. En peu de temps, ils auront satisfait leur curiosité et se sentiront plus à l'aise en votre présence; ils vous oublieront et retourneront à leurs occupations. Vous aurez ensuite la chance de vérifier s'ils s'entendent bien ensemble et s'ils entretiennent de bons rapports avec la responsable du service de garde.

À moins que son époux, ou une représentante de l'agence, ne soit sur place, la mère de famille de garde ne pourra cesser de surveiller les enfants pendant qu'elle converse avec vous. C'est là d'ailleurs sa première responsabilité, et elle ne doit surtout pas la négliger. Vous ne pouvez pas non plus relever les manches et lui donner un coup de main, parce qu'alors comment pourriez-vous savoir si elle accomplit bien son travail? En observatrice avisée, vous devez la regarder travailler.

Sur quoi devriez-vous porter votre regard?

Pendant que vous êtes assise avec la responsable du service ou que vous la suivez d'une pièce à une autre, portez attention à la configuration des lieux. Vous ne pouvez vous attendre à ce qu'elle transforme toute sa maison en une aire de jeux (après tout, elle y vit; il ne s'agit pas d'une mini-garderie), mais elle devrait avoir au moins aménagé spécialement une pièce pour les enfants. Cette pièce devrait être absolument sûre et ne présenter aucun danger pour les enfants, être équipée d'un mobilier robuste et de prises de courant munies d'un couvercle, être pourvue d'un avertisseur de fumée et d'un extincteur d'incendie; enfin, aucun objet cassant ne devrait se trouver à portée de main. Une liste des numéros de téléphone essentiels — pompiers, police, médecin, ambulance, hôpital, centre antipoison, taxi, suppléante et parents — devrait être affichée près du téléphone.

Les jouets et l'équipement devraient être disposés sur des étagères basses, à la portée des enfants. Tout devrait être propre et en bon état d'usage. Y a-t-il de quoi occuper tout le monde à la fois?

L'appareil de télé ne devrait pas être en marche. Vous devriez apercevoir des livres, des disques et des cassettes; des gouaches et des photos attrayantes devraient tapisser les murs.

L'aménagement des lieux est également important. La responsable du service devrait être en mesure de changer des couches et de préparer les repas tout en surveillant du coin de l'œil et de l'oreille les enfants. Il lui est presque impossible d'être avec eux à chaque seconde de la journée, mais l'aménagement de l'espace pourra réduire au strict minimum les moments où elle est séparée d'eux. Un interphone pourra aussi s'avérer utile.

Observez la mère de famille de garde pendant qu'elle change une couche. La table à langer est-elle proche de l'évier de la salle de bains, et loin de la cuisine et de la salle à manger? Se sert-elle de serviettes humides jetables pour essuyer les fesses des enfants? Se sert-elle d'un coussin différent pour changer chaque enfant et nettoie-t-elle soigneusement la table à langer après chaque opération? Se lave-t-elle vigoureusement les mains, ou change-t-elle de gants de caoutchouc après chaque opération?

Se lave-t-elle aussi vigoureusement les mains avant de manipuler des aliments? La cuisine est-elle propre et sans danger pour les enfants? Les produits de nettoyage sont-ils hors de portée des enfants?

Avant de partir, demandez à voir toutes les pièces que les enfants utilisent — là où ils dorment, là où ils mangent, la salle de bains (vous pouvez maintenant voir si les médicaments sont conservés sous clef!). Des grilles et des portes closes interdisent-elles aux enfants l'accès aux pièces qui pourraient présenter un danger pour eux? Vérifiez aussi la cour. Est-elle clôturée? Les appareils à grimper sont-ils robustes et bien entretenus, et disposés sur une surface moelleuse qui amortira une chute?

La rencontre avec la responsable du service de garde

C'est elle que vous êtes vraiment venue voir. Est-elle chaleureuse et sensible? S'accroupit-elle, pour se placer au niveau des enfants, et les regarde-t-elle dans les yeux? Écoute-t-elle les enfants en tout temps et leur parle-t-elle? A-t-elle une voix douce et aimable? Se porte-t-elle rapidement au secours d'un enfant en détresse? Est-elle pleine d'entrain, débordante d'énergie et totalement dévouée à son travail auprès des enfants?

La salade de fruits, servie au repas du midi, donne-t-elle spontanément lieu à une leçon sur les couleurs, les formes et les dimensions? Est-elle une pédagogue-née, capable d'utiliser les activités les plus routinières pour inciter les enfants à explorer et à participer?

Incite-t-elle les enfants à se débrouiller le plus possible seuls: à choisir et à remiser leurs jouets, à endosser leurs manteaux, à mettre la table, à résoudre leurs conflits?

Vous sentez-vous en accord avec la manière dont elle règle un problème, par exemple si un enfant retire de force un jouet à un camarade?

Vous plaît-elle?

Portez attention à la façon dont elle vous parle des enfants dont elle a la garde, et comparez ce dont vous êtes témoin au discours qu'elle vous tient. Semble-t-elle bien les connaître? En parle-t-elle avec fierté? Pour décrire Jacques, un garçonnet de 22 mois, la responsable du service de garde eut ces mots: «Il est très futé, et je ne dis pas ça seulement parce que je suis sa...» Bien qu'elle se fût arrêtée à ce point, elle considérait définitivement le petit garçon avec assez de fierté et d'affection pour être sa mère.

Observez aussi les enfants. Comment se comportent-ils avec la personne qui s'occupe d'eux? Semblent-ils à leur aise et détendus en sa présence? Se sentent-ils suffisamment à leur aise pour grimper sur ses genoux? Lui posent-ils des questions? Les enfants sourient-ils, bavardent-ils et gloussent-ils? S'absorbent-ils dans leurs jeux? Ou la responsable se débat-elle pour garder le contrôle sur eux? Lui faut-il les punir ou les menacer pour éviter le chaos?

Observez aussi les enfants de la responsable de la famille de garde. La manière dont ils se comportent avec leur mère, et vice versa, vous plaît-elle? Aimez-vous ses enfants? Les traite-t-elle de la même manière que ceux dont elle a la garde, ou a-t-elle tendance à prendre leur parti? Quel genre de relation entretiennent avec sa progéniture les enfants dont elle a la garde? En faisant le tour des lieux, vérifiez si les enfants de la responsable ont leur espace et leurs jouets bien à eux. S'ils n'ont pas à partager quelques-unes de leurs possessions, ils partageront plus volontiers tout le reste, y compris leur mère.

Les enfants s'entendent-ils bien entre eux? Comment s'en tirerait votre petit dans ce milieu? Quel est l'éventail d'âge des enfants en cause? Pour un enfant de plus de 18 mois, la composition du groupe est une donnée particulièrement importante. (Deux font la paire, et trois, la guerre.)

Les questions à aborder

Dès que l'occasion se présente, posez quelques questions à la mère de famille de garde. Assurez-vous d'y ajouter celles qui figurent sur la liste de questions suggérées lors de l'entretien téléphonique, si vous n'avez pu les poser plus tôt.

1. Proposez-vous un horaire quotidien? Pouvez-vous me décrire une journée type?

Comme nous l'avons déjà mentionné, la planification rehausse la qualité des soins offerts. Cela ne signifie pas pour autant que la responsable doive planifier chaque minute de la journée; elle devrait toutefois respecter un certain horaire. Quand les enfants mangent-ils et font-ils la sieste? Prévoit-elle, chaque jour, une activité spéciale au programme?

2. *À quelle fréquence les enfants vont-ils dehors? Où les emmenez-vous?*

Bien entendu, les enfants devraient sortir tous les jours, à moins qu'il ne fasse un froid de canard ou qu'il pleuve à verse. Si elle s'occupe d'enfants qui ne marchent pas encore, a-t-elle une poussette à deux sièges? Si elle conduit un véhicule, est-il muni de sièges de sécurité pour chacun de enfants?

La plupart du temps, il est amusant de jouer dans la cour, de faire une promenade autour du pâté de maisons, de se rendre à un terrain de jeux voisin. Il est difficile, et potentiellement risqué, pour une responsable de famille de garde de s'aventurer plus loin sans l'aide d'un autre adulte. Si survenait un accident, il lui faudrait veiller toute seule sur plusieurs enfants.

3. *Avez-vous prévu des mesures en cas d'urgence?*

Un accident peut effrayer tout le monde dans un service de garde en milieu familial, mais la responsable doit garder la tête froide. Cela signifie qu'elle devrait avoir reçu une formation en premiers soins, posséder une trousse de premiers soins qu'elle gardera toujours à portée de la main et avoir établi un plan d'action en cas d'urgence. Elle ne devrait jamais conduire des enfants dans un endroit où elle ne peut facilement obtenir de l'aide — que ce soit en donnant un coup de fil ou en criant. Que fera-t-elle si un enfant se blesse? Qui s'occupera des autres enfants? Dans une petite ville, une responsable de famille de garde pourra compter sur une voisine, ou son mari, pour obtenir rapidement du secours; dans une grande ville, il lui faudra prévoir une remplaçante — connue à la fois de l'agence et des parents — disponible en tout temps, sur appel.

4. *Que servez-vous aux repas et aux collations? Avez-vous dressé un menu?*

La responsable servira sans nul doute aux enfants quelque chose à manger pendant que vous visiterez les lieux: gardez les yeux rivés sur ce qui se trouve dans les assiettes. Sa conception d'un repas sain concorde-t-elle avec la vôtre? Les agences collaborent souvent activement avec leurs mères de familles de garde en ce domaine, en leur offrant des cours de nutrition ou de planification de menu. Comme le dit Jocelyne Tougas: «Peu m'importe que la Cour suprême ait pu se prononcer sur la question; tout ce que je sais, c'est que les enfants ne mangeront pas d'épinards à moins que la responsable ne soit convaincue qu'ils le devraient.»

Notez également si la responsable du service exige que les enfants avalent jusqu'à la dernière bouchée et qu'ils restent à table jusqu'à ce que tous aient terminé leur assiette. Vos conceptions en matière d'éducation des enfants concordent-elles avec les siennes?

5. Quand vaquez-vous à vos tâches ménagères? De quelles corvées vous acquittez-vous pendant que les enfants sont sur les lieux?

Tout comme vous n'époussetteriez pas en présence d'invités, la mère de famille de garde ne s'acquittera pas de ses tâches ménagères habituelles pendant que vous vous trouvez chez elle. La seule façon de vous informer de cet important détail est de lui poser la question.

S'il s'agit d'un service reconnu par une agence, il sera entendu dès le début que la responsable se consacrera aux enfants et ne vaquera à aucune tâche ménagère. Elle fera la vaisselle, ou préparera un repas, si elle peut se servir de cette activité comme d'une occasion d'apprentissage pour les enfants, mais elle ne s'adonnera jamais à des activités dangereuses, comme le repassage ou le lavage des fenêtres.

Les responsables de services non reconnus pourront avoir une attitude différente; dans le cadre d'un sondage mené en 1988, plus de 40 % d'entre elles ont déclaré que le fait de s'occuper d'enfants n'augmentait pas leur nombre d'heures consacrées à des tâches ménagères[34]. Selon nous, cela implique qu'elles vaquent à de telles occupations pendant que les enfants se trouvent sous leur garde.

Si tous les enfants dorment simultanément, la mère de famille de garde pourra réussir à s'acquitter d'une petite corvée; mais en général, plus elle consacrera de temps à ces corvées, moins elle en passera avec les enfants.

---

34. Bilodeau, *ibid.*, p. 21.

6. *Quelle est votre politique en ce qui concerne la télé?*

Personne ne peut ignorer cette réalité de la vie moderne, mais un adulte qui garde des enfants doit se pencher sérieusement sur l'usage de cet appareil. Si on en croit une grille d'évaluation proposée, une mère de famille de garde de première qualité n'alloue aucune période de temps au visionnement de la télé, ou regarde avec les enfants quelques rares émissions éducatives qu'elle fait suivre d'activités apparentées aux sujets abordés.

Les enfants d'âge scolaire pourront aimer regarder la télé lorsqu'ils rentrent de l'école. Que leur permet-on de regarder? Les plus jeunes se joignent-ils alors à eux? Il n'est en aucun cas acceptable de les laisser regarder des émissions pour adultes.

Vous avez sans nul doute une opinion sur ce sujet. Concorde-t-elle avec celle de la responsable du service.

7. *Comment envisagez-vous votre rôle dans la vie de mon enfant? Vous voyez-vous, par exemple, comme une mère suppléante?*

Parce qu'une responsable de famille de garde est généralement seule avec les enfants dans sa propre maison, son service de garde reflétera sa personnalité et son système de valeurs. Plus que dans tout autre service de garde, la responsable d'un tel service est une figure centrale. Quel rôle se voit-elle dans la vie de votre enfant? Vous nourrissez aussi, sans nul doute, quelques attentes à ce propos. La voyez-vous comme une mère suppléante pour votre enfant? Ou lui imaginez-vous un rôle différent, plus près de celui d'une tante, ou d'une enseignante? Le personnel de l'agence L'Envol incite les parents à démêler ces questions délicates dont on ne parle pas souvent ouvertement[35].

8. *Que feriez-vous si un enfant en frappait ou en mordait un autre?*

(Vous vous sentirez peut-être ridicule de poser des questions hypothétiques, mais elles pourraient s'avérer fort utiles pour mieux cerner la philosophie de vie d'une mère de fa-

---

35. Agence de services de garde en milieu familial L'Envol, *ibid.*, p. 7.

mille de garde. N'influencez pas sa réponse par votre manière de poser la question!) Si vous n'avez pas été témoin d'une scène semblable, de grâce questionnez la responsable sur sa conception de la discipline. La loi lui interdit de recourir à des châtiments corporels et à des abus de langage, et elle ne devrait pas manquer de trucs pour aider les enfants à apprendre à se maîtriser et à résoudre leurs conflits. Elle pourrait expliquer aux plus jeunes que cela fait mal; et aider les plus vieux à régler leurs différends par la discussion. Elle pourrait demander aux enfants concernés de rester assis calmement pendant quelques minutes, se tourner vers la victime avant de s'adresser au coupable, ou encore, offrir un autre jouet. Donne-t-elle un biscuit à un enfant qui pleure? Ses méthodes s'harmonisent-elles avec les vôtres?

9. *Que feriez-vous si un enfant se sentait très triste?*

Chaque enfant, comme tout adulte, connaît de temps à autre des mauvais jours. Comment souhaitez-vous que réagisse la mère de famille de garde quand votre enfant se sent abattu? Des baisers répétés vous semblent-ils indiqués? Souhaitez-vous qu'elle vous consulte sur ce point?

10. *Que feriez-vous si mon enfant tombait malade?*

Bien entendu, la responsable devrait vous téléphoner et trouver un endroit calme où votre enfant pourra se reposer, à proximité d'elle.

Reste une autre question plus importante encore. Comment la responsable du service réagit-elle à la maladie — qu'il s'agisse de votre enfant ou de tout autre? Si elle garde des bébés, elle pourra se montrer beaucoup plus stricte sur ce point qu'elle ne le serait si elle s'occupe d'un groupe d'enfants d'âge préscolaire. Que ferait la responsable si vous deviez présenter un important exposé et que vous ne puissiez absolument pas passer prendre votre enfant malade avant 16 h? Jusqu'à quel point votre patron ferait-il preuve de souplesse? La responsable du service de garde et vous-même devrez convenir de certains accommodements sur ces questions délicates avant que vous vous engagiez, par écrit, à lui confier la garde de votre enfant.

11. Qu'est-ce qui vous plaît dans votre métier? Pourquoi l'exercez-vous?

Il n'y a pas meilleure réponse à cette question que: «J'adore les enfants.» Une personne qui s'intéresse vraiment aux enfants, qui désire passer ses journées à les aider à apprendre et à grandir, offrira inévitablement de meilleurs services qu'une autre qui n'a pu trouver d'autre emploi, ou qui recherche tout bonnement des compagnons de jeux pour ses enfants. Les agences s'efforcent d'écarter ce genre de personnes; si vous envisagez l'option d'un service non reconnu, il vous faudra pourtant obtenir, par vos propres moyens, réponse à ces importantes questions.

12. Depuis combien de temps faites-vous ce travail et jusqu'à quand prévoyez-vous vous y adonner?

Compte tenu du taux élevé de changement de personnel parmi les responsables de services de garde en milieu familial, cette question a des implications directes et pratiques: vous avez besoin de savoir pendant combien de temps vous pourrez compter sur la personne à qui vous confierez votre enfant. Sa réponse vous renseignera aussi sur la qualité de son engagement et sur l'opinion qu'elle a d'elle-même, en tant que professionnelle. Si elle a l'intention de poursuivre cette carrière, elle sera probablement plus disposée à investir temps, argent et énergie à la transformation nécessaire de sa maison et à des cours de formation.

Des références

Si ce dont vous êtes témoin vous satisfait, assurez-vous de demander à la mère de famille de garde les noms de deux couples de parents: l'un dont elle a toujours la garde de l'enfant et un autre dont l'enfant a récemment quitté son service. Avant de vous communiquer leurs numéros de téléphone, elle devra obtenir leur permission de le faire; aussi pourra-t-elle vous suggérer qu'ils vous téléphonent directement, ou vous demander de la rappeler à ce propos.

Vous entretenir avec ces parents est essentiel: ils en savent inévitablement davantage sur elle que vous ne pourriez en découvrir dans le cadre d'une visite ou deux. Il arrive que l'information ainsi recueillie soit assez troublante (un répondant nous a dit: «Je suis assez sûr qu'elle a cessé de s'adonner à la drogue»), mais cela ne se produit que très rarement. Vous êtes plus susceptible de tomber sur une responsable qui a déjà laissé les enfants sans surveillance, ou qui ne les conduit jamais dehors en hiver. Certains experts suggèrent que vous vérifiiez les références de la responsable avant de lui rendre visite. Nous préférons nous faire une idée par nous-mêmes avant de procéder à cette vérification. Quand vous vous adressez à un répondant, vous cherchez à apprendre plusieurs détails à la fois. Le plus important est celui que nous venons tout juste de mentionner: que la famille du répondant et la responsable du service de garde n'aient pas eu à mettre fin à leurs rapports pour cause d'incompétence. Vous espérez plutôt découvrir que l'enfant était devenu trop grand pour ce type de service, ou que la famille a dû déménager à l'autre bout de la ville.

Vous vous efforcerez aussi de recueillir le plus de renseignements possible. Demandez depuis combien de temps les enfants fréquentent le service, si la responsable se sent plus à son aise avec un groupe d'âge particulier, à quoi les enfants occupent leurs journées, s'ils vont souvent en plein air, combien de temps ils passent devant le téléviseur, ce qu'ils mangent, quelles mesures de discipline sont appliquées, et quel genre de lien les enfants entretiennent avec la mère de la famille de garde. Qu'est-ce qu'ils apprécient chez elle? Qu'est-ce qui leur déplaît en elle? Quelle est l'humeur des enfants quand les parents passent prendre le leur, à la fin de la journée?

Du même coup, vous vous efforcerez de confirmer vos impressions personnelles — une tâche fort difficile, parce que vous connaissez encore moins le parent à qui vous vous adressez que la responsable du service elle-même. Pour jauger la bonne foi de votre interlocuteur, posez-lui une question sur un sujet qui vous préoccupe vraiment, par exemple: «Comment la responsable du service de garde et vous-même vous y êtes-vous pris pour enseigner la propreté à votre enfant?» ou: «Que fait-elle quand votre enfant ne se sent pas bien?» De cette manière, vous serez plus à même de vous assurer que vous êtes toutes deux sur la même longueur d'ondes.

Votre entretien avec un répondant vous servira d'une autre manière: vous aurez ainsi un avant-goût de ce à quoi ressemblent les parents qui recourent aux services de cette mère de famille de garde. Un service de garde en milieu familial, c'est un peu comme une famille élargie. Vos enfants et les siens seront des intimes et, si vos horaires de travail se ressemblent, il se peut que vous fassiez aussi connaissance. Tant mieux, alors, si vous vous appréciez mutuellement. Et c'est un réel avantage que de croiser une personne connue, le tout premier jour.

Visiter les lieux une deuxième fois

Si vous vous sentez le moindrement indécise, donnez un coup de fil à la responsable et dites-lui que vous aimeriez retourner sur les lieux. Cela ne devrait le moins du monde l'importuner.

Parce que vous ne passerez pas toujours prendre votre enfant avant que tous les membres de sa famille soient rentrés à la maison, demandez à faire leur connaissance, même si votre enfant ne les verra pas souvent. Lorsque vous aurez vu interagir mari et femme, parents et enfants, parents et grand-parents, vous serez à même de décider si vous souhaitez exposer votre enfant à leur influence. Et vous aurez aussi acquis la certitude que la responsable du service n'a pas honte de vous présenter sa famille.

Dernier détail, mais non le moindre, ne vous pressez pas. «Si vous ne vous sentez pas à l'aise, précise Mme Tougas, fiez-vous à votre intuition.» Mais l'inverse est tout aussi vrai: si le service en question vous inspire confiance, après vérification des références, fiez-vous à vos impressions et faites-y admettre votre enfant. Signez alors un contrat, ou une lettre d'entente, par lequel la responsable et vous-même vous engagez mutuellement pour une période d'essai d'au moins un mois, par mesure de précaution. (Voir l'exemple en appendice.) Nous vous en dirons davantage à ce propos au chapitre 12, intitulé «L'admission».

Peu importe qui vous choisissez, vous devez suivre de près l'évolution de la situation. Pour obtenir de bons services de garde, il faut converser régulièrement avec la responsable et d'autres parents dont les enfants fréquentent le service, faire parfois un saut sur place, sans s'annoncer, téléphoner à toute heure du jour, et porter alors une attention toute spéciale aux bruits d'arrière-plan (téléviseur, pleurs d'enfant), passer prendre son enfant à différentes heures du jour et, enfin, garder l'œil ouvert lorsqu'on se trouve sur les lieux.

CHAPITRE 6

Que penser du jardin d'enfants ou de la prématernelle?

Savez-vous planter les choux
À la mode, à la mode,
Savez-vous planter les choux
À la mode de chez nous?

Chanson traditionnelle

Créés à l'origine pour mieux préparer à l'école les enfants des mieux nantis, le jardin d'enfants et la prématernelle sont fort populaires au sein de la classe moyenne depuis les années 1930. Traditionnellement, on y offrait un programme d'une demi-journée aux enfants de 3 à 5 ans; l'accent y était mis sur l'expérience de vie en groupe, l'apprentissage et l'expression créatrice, sous l'œil vigilant d'éducatrices.

Plus récemment, comme des femmes de toutes les classes sociales joignaient les rangs des travailleurs, le jardin d'enfants et la prématernelle ont endossé un second rôle: presque imperceptiblement, on s'est mis à y fournir un service de garde d'enfants. Bien que la plupart des prématernelles dispensent encore leur programme traditionnel de formation, on a parfois du mal à les distinguer des garderies. Mais, au Québec surtout, il est primordial que les parents puissent faire cette distinction.

Tout ce qu'il faut savoir sur les prématernelles

À l'heure actuelle, n'importe qui peut ouvrir un jardin d'enfants ou une prématernelle. Il n'existe en ce domaine aucune réglementation et l'Office des services de garde à l'enfance, responsable de tous les services de garde dans la province, n'émet même pas de permis à leur intention. Il ne fait aucun doute que le gouvernement comblera dans l'avenir cette lacune, comme d'autres provinces l'ont déjà fait, et exigera que les jardins d'enfants et les prématernelles détiennent un permis et se plient à des règlements, comme les garderies. Mais pour l'instant, ils occupent un créneau encore pratiquement sans balises.

La *Loi sur les services de garde à l'enfance* définit le jardin d'enfants comme un établissement qui accueille, sur une base régulière, au moins sept enfants de 2 à 5 ans. Les enfants doivent y constituer des groupes stables à qui on offre obligatoirement des activités; la loi stipule aussi qu'ils ne peuvent en aucun cas rester sur place pendant des périodes excédant quatre heures par jour[1].

Conséquence directe de cette loi: au Québec, seuls les parents qui ne travaillent pas hors du foyer, ou les parents sur le marché du travail et suffisamment nantis pour se payer les services d'une gardienne à domicile, peuvent se prévaloir de ce service. Si vous avez besoin de plus de quatre heures de service de garde par jour pour votre enfant, vous devriez plutôt rechercher une garderie qui a un permis, qui se soumet à des inspections et se conforme aux réglementations provinciales en la matière — au lieu d'exercer des pressions sur votre prématernelle pour y obtenir un service pendant de plus nombreuses heures, ou de ballotter votre enfant d'une prématernelle à une autre, dans la même journée.

Les avantages

Qu'est-ce qui, dans les jardins d'enfants et les prématernelles, attire tant les familles?

De la compagnie

De nos jours, les parents qui choisissent de rester à la maison sont si rares que leurs enfants ont parfois du mal à se faire des copains de jeux: les autres enfants sont tous placés

---

1. *Loi sur les services de garde à l'enfance*, section I (2), 11.1.

dans des garderies et des services de garde en milieu familial, ou confiés à la maison à leurs gardiennes personnelles. Si vous jugez que votre enfant est prêt à entretenir, sur une base régulière et limitée à quelques heures, des rapports avec ses pairs, alors le jardin d'enfants et la prématernelle — généralement ouverts de deux heures et demie à trois heures par jour, deux ou trois fois la semaine — pourraient bien s'avérer votre planche de salut. Après quelques heures passées à des occupations stimulantes et créatrices, votre enfant pourra rentrer à la maison pour l'heure du repas du midi et la sieste, passer un moment avec ses frères et sœurs, et jouir d'un service de garde individualisé, dispensé par un proche, une gardienne, son vrai papa ou même sa vraie maman.

Un service à mi-temps

La garderie, créée pour la garde à temps plein, n'est pas la solution idéale pour les enfants dans ce cas. Il n'est pas drôle de devoir quitter les lieux chaque jour, à midi, quand presque tout le monde reste sur place jusqu'à 17 h ou 18 h. L'enfant placé dans cette situation se sentira à l'écart. Incapables de compter sur lui, ses amis trouveront quelqu'un d'autre avec qui s'amuser. La prématernelle assure aux enfants qui ont besoin de services de garde à mi-temps un groupe constant d'amis et un programme adapté à leur situation — condensant en une demi-journée les activités qui, dans une garderie, s'étirent sur toute la journée.

Dans les régions rurales, une garderie pourra parfois assurer sa survie en dispensant, en plus de son programme à temps plein, un programme de prématernelle. Si ce type de service hybride se retrouve dans votre communauté, examinez-le soigneusement. Les enfants à mi-temps devraient former un groupe à part, sinon le personnel devra consentir des efforts particuliers pour créer une atmosphère très spéciale et proposer des activités communes à tous les enfants.

La santé

On n'est pas censé admettre dans les prématernelles des enfants de moins de 2 ans; comme aucun enfant n'y porte de couches, les germes et les maladies sont moins susceptibles de s'y propager.

Les familles qui ont recours aux services des prématernelles ont souvent à leur emploi une aide au foyer à temps plein, ou l'un des conjoints ne travaille pas; il sera alors plus facile de garder à la maison un enfant qui souffre de toux et d'écoulements nasaux. Comme il y a moins d'enfants malades présents sur les lieux, le risque de propagation de maladies s'en trouve diminué.

La disponibilité

Comme les garderies, les jardins d'enfants et les prématernelles ont parfois de longues listes d'attente; y trouver une place n'est toutefois pas généralement aussi ardu. La plupart adoptent le calendrier scolaire et recommandent aux parents d'y inscrire leurs enfants en janvier ou en février, c'est-à-dire dès que commence la période d'admission pour la rentrée suivante, en septembre.

La participation des parents

Plusieurs prématernelles dépendent, pour leur survie, du bénévolat des parents; le fait de travailler dans une salle de cours vous assurera un tout nouveau regard sur votre enfant. Les prématernelles se dotent souvent d'un conseil d'administration auquel siègent également des parents: en fait, les parents dirigent environ un tiers des prématernelles qui ont participé à une enquête menée par l'Office des services de garde à l'enfance, en 1990[2]. L'engagement des parents est un facteur clef d'un service de haute qualité.

La variété

Quel que soit votre système de valeurs, vous trouverez probablement un jardin d'enfants, ou une prématernelle, qui le partage. Il existe des prématernelles à but lucratif et d'autres sans but lucratif; des prématernelles Montessori et d'autres constituées en coopératives de parents; des prématernelles orientées vers les arts ou la musique; des prématernelles de langue française et anglaise. Si vous voulez que

---

2. Simone St-Germain Roy, *Résultats de l'enquête menée auprès des jardins d'enfants à l'automne 1990*, Montréal, Office des services de garde à l'enfance, mai 1991, p. 5.

votre enfant décide de tout par lui-même, vous trouverez une institution qui met l'accent sur l'autonomie. Si votre désir est de lui donner une longueur d'avance en matière scolaire, vous pourrez sans doute découvrir une prématernelle où on lui apprendra des rudiments de lecture, d'écriture, de sciences et de mathématiques. Si vous tenez à ce qu'il développe ses rapports avec les autres, vous l'inscrirez dans une école où l'on insistera sur la sociabilité.

La qualité

Parce que la journée de cours à la prématernelle est très courte, les enfants n'y vivent pas les plus difficiles moments de la journée, comme le déjeuner et la sieste; les transitions y sont aussi moins nombreuses et plus aisées. Les enfants n'en reviennent pas aussi fatigués et un bon programme leur proposera des tas d'activités — mais ne tenez toutefois pas cela pour acquis et gardez l'œil ouvert, sans perdre de vue votre philosophie de la vie et les besoins de votre enfant.

Les désavantages

Presque chaque rubrique de la liste qui suit découle du fait que le jardin d'enfants, ou la prématernelle, offre un service à mi-temps; en conséquence, cette option ne saurait constituer en soi une solution de service de garde acceptable.

Un service à mi-temps

Si votre partenaire et vous-même occupez des emplois à temps plein, ou si vous êtes chef de famille monoparentale et travaillez à l'extérieur, vous aurez besoin d'un service additionnel pour envisager l'option de la prématernelle. Il est donc essentiel que vous puissiez compter sur un proche, une gardienne ou une responsable de famille de garde qui prendra la relève quand votre enfant ne se trouvera pas à la prématernelle et que vous serez toujours au travail (les matins, les après-midis, les mardis et jeudis, à l'heure du midi et l'été, etc.).

Si vous êtes le parent d'un nourrisson, ou d'un tout-petit, et d'un enfant d'âge préscolaire, vous avez peut-être déjà à votre service une gardienne à domicile. Une gardienne d'enfant à mi-temps (une étudiante universitaire, par exemple) qui assure la permanence, de 12 h jusqu'à 18 h, constitue une autre solution, mais il vous faudra alors trouver une solution à d'autres types de problèmes. Que ferez-vous si votre enfant fait 39 °C (102 °F) de fièvre? Votre gardienne sera-t-elle disponible, ou vous retrouverez-vous à la case départ et serez-vous forcée d'envisager de nouvelles dispositions pour la garde de votre enfant?

Les prématernelles qui résolvent ce problème en offrant deux ou trois sessions de cours au même enfant (le matin, l'après-midi et à l'heure du midi) dispensent illégalement les mêmes services que les garderies; il faut les éviter comme la peste. Le transport des enfants, à pied ou en autobus, d'une prématernelle à une autre, constitue une solution tout aussi critiquable parce que ces changements pèseront lourd sur l'enfant et que les services qu'il recevra alors ne seront pas réglementés ou supervisés. Si vous songez à cette solution, vous devriez vous demander pourquoi vous écartez l'option des garderies.

Le manque de souplesse

La plupart des jardins d'enfants et des prématernelles ouvrent et ferment leurs portes à heures fixes. Vous devez y emmener et y reprendre votre enfant à l'heure indiquée, et non pas à votre convenance. Cette réalité incontournable suppose que vous disposiez d'un moyen de transport (ce qui vaut autant pour le parent que pour le substitut du parent). Une gardienne qui sait conduire vous sera alors d'un grand secours. Certains jardins d'enfants et prématernelles offrent un service de transport en autobus, ou en taxi, qui se traduira nécessairement par des frais additionnels. Acceptez-vous que votre enfant voyage dans une fourgonnette non pourvue de ceintures de sécurité? Et que penser du si populaire covoiturage? Êtes-vous disposée à conduire votre voiture et à vous occuper de plusieurs enfants — et cela, au beau milieu de la journée?

Mieux vaut que la prématernelle se trouve à proximité. Sinon, au moment où votre substitut ou vous-même viendrez à peine d'y déposer l'enfant et de rentrer chez vous, il sera déjà temps de retourner sur vos pas et de refaire tout le trajet

— un inconvénient non négligeable par un jour de grand froid, en février, ou lorsque le bébé fait un somme.

Interdit aux bébés

Les jardins d'enfants et les prématernelles qui se conforment à la loi n'acceptent pas d'enfants de moins de 2 ans, ou qui n'ont pas encore fait l'apprentissage de la propreté. Votre nourrisson, ou votre tout-petit, devra trouver d'autres moyens de frayer avec ses semblables.

Les coûts

Comme vous aurez besoin d'au moins une forme additionnelle de service de garde pour que la prématernelle constitue pour vous une solution acceptable, il vous en coûtera évidemment très cher. Bien que les coûts varient grandement selon la région où l'on habite, le type d'institution en cause et le nombre d'heures qu'y passe l'enfant, nous avons entendu parler de prématernelles qui coûtent autant que les garderies, même si elles n'offrent qu'un programme d'une demi-journée.

La qualité

Outre la diversité des philosophies qui les caractérise, la qualité des soins offerts en prématernelles varie largement. Une prématernelle convenable pourra offrir un excellent programme. Mais tant que les prématernelles ne seront pas soumises à une réglementation (ou tant qu'elles n'auront pas à se conformer à des normes provinciales, et à se transformer en garderies détenant un permis), les parents québécois devront faire preuve de prudence. Plusieurs des prématernelles qui dispensent plus de quatre heures de service par jour n'offrent que très peu de stimulation à de trop nombreux enfants, surveillés par trop peu d'adultes, dans un environnement qui n'est pas sans danger.

Les pièges à éviter

Une véritable prématernelle, qui offre des activités éducatives et sociales à des enfants d'âge préscolaire de 2 à 5 ans, proposera un programme de moins de quatre heures par jour. Elle fermera probablement ses portes pendant le temps des Fêtes, la pause du printemps et les vacances estivales; on n'y acceptera peut-être des enfants qu'à raison de deux ou trois jours la semaine; et on s'attendra à ce que vous y emmeniez votre enfant aux jours fixés d'avance, et que vous l'y déposiez et l'y repreniez aux heures prévues. Bref, on n'y dispensera pas de services de garde. Il existe de nombreuses prématernelles d'excellente qualité qui entrent dans cette catégorie et qui jouent un rôle important dans la vie de nombreux enfants.

Toutefois, d'autres prématernelles ne sont pas aussi consciencieuses. Se coiffant du titre ronflant de jardin d'enfants, de prématernelle, de halte-garderie, de garderie, ou de quelque combinaison des noms précédents, elles offrent illégalement un service de garde: nous disons «illégalement» parce que quiconque prend soin, sur une base régulière, de plus de six enfants, pendant plus de quatre heures par jour, doit détenir un permis émis par l'Office des services de garde à l'enfance.

À notre avis, ces pseudo-garderies ne sont pas un endroit pour un enfant — que vous soyez à la recherche d'une prématernelle ou d'un service de garde.

Pourquoi? D'abord et avant tout, parce qu'elles ne sont pas réglementées; elles peuvent ignorer toutes les règles imposées pour assurer aux jeunes enfants la sécurité, la santé et les soins stimulants auxquels ils sont en droit de s'attendre.

Elles peuvent confier à une éducatrice autant d'enfants qu'elles le désirent. En 1990, une enquête menée sur les prématernelles, pour le compte de l'Office, a permis de découvrir des ratios éducatrice-enfants de l'ordre de 1/17, chez les 3 ans; et de 1/22, chez les 4 et 5 ans[3]. La législation provinciale exige, dans les garderies, la présence d'une éducatrice pour huit enfants de 3 et 4 ans; or, un groupe *exclusivement* composé d'enfants de 5 ans (comme c'est le cas dans une classe de maternelle) ne pourra compter souvent que sur une éducatrice pour quinze enfants. Compte tenu de la courte durée de la journée dans une prématernelle et de l'aide qu'y apportent des parents bénévoles, un bon ratio éducatrice-

---

3. Roy, *ibid.*, p. 12.

enfants y est peut-être un peu moins essentiel qu'il ne l'est dans un service de garde. Néanmoins, vous voudrez avoir la certitude que les éducatrices peuvent assurer un environnement chaleureux, stimulant et agréable à tous les enfants de la classe.

Bien que les prématernelles embauchent plusieurs éducatrices qui ont reçu une formation en techniques d'éducation en services de garde ou en développement de l'enfant, elles n'y sont pas tenues. Un cours de premiers soins n'y est pas non plus obligatoire. L'enquête menée en 1990 a permis de découvrir qu'un tiers des prématernelles n'avaient pas à leur emploi une seule personne qui ait suivi récemment avec succès un cours de premiers soins[4]. La province exige que *tout* membre du personnel d'une garderie reçoive une formation usuelle en premiers soins.

Les polices d'assurance d'une prématernelle qui offre illégalement des services de garde pourraient ne pas protéger votre enfant en cas d'accident. Informez-vous donc.

Les prématernelles ne sont pas non plus tenues d'avoir accès à une cour de récréation et, en conséquence, il se peut qu'on n'y conduise pas les enfants en plein air, pour qu'ils y jouent. Les garderies doivent disposer d'une cour clôturée, ou avoir facilement accès à un parc pourvu d'un terrain de jeux clôturé. Mais si votre enfant fréquente une prématernelle pendant seulement trois heures par jour et que vous l'emmeniez chaque jour vous-même au parc, ce détail pourra n'avoir aucune importance à vos yeux.

Parce qu'une prématernelle n'est pas tenue de se conformer aux autres exigences de l'Office en matière de locaux et d'espace — en ce qui a trait, par exemple, à l'éclairage naturel et au nombre de cabinets —, ce n'est pas nécessairement l'endroit indiqué pour accueillir un enfant.

L'Office n'émet pas de permis de service de garde sans que n'ait d'abord été délivré un permis d'occupation par la municipalité concernée[5], mais l'enquête menée en 1990 a révélé que 27 % des prématernelles visitées n'en possédaient

---

4. Roy, *ibid.*, p. 14.
5. Roy, *ibid.*, p. 6.

pas. Ce permis, qui n'a rien d'une simple tracasserie bureau-cratique, assure que les services d'incendie et de police de la municipalité ont été informés de l'existence de la prémater-nelle. S'ils savent qu'un grand nombre d'enfants sont réunis dans ce lieu, ces services répondront promptement à une urgence. Parce que certaines municipalités n'émettent pas de tels permis, vous devriez leur donner un coup de fil ou télé-phoner au service des incendies de votre région pour vous assurer qu'on y a été avisé de l'existence de la prématernelle en question.

Seulement 45 % des prématernelles avaient obtenu une attestation de conformité décernée par le ministère du Tra-vail[6], attestation qui confirme que leurs locaux se conforment aux exigences du code du bâtiment du Québec; qu'ils sont munis de sorties d'urgence et d'un plan d'évacuation adé-quats; qu'ils peuvent accueillir un nombre certain d'indivi-dus, etc. Encore une fois, les garderies ne peuvent ouvrir leurs portes sans cette attestation, et les prématernelles sont également censées en détenir une.

Plusieurs prématernelles sont gérées par des individus ou des entreprises qui sont avant tout désireux de faire de l'argent, ou qui ne songent pas au premier chef aux meilleurs intérêts des enfants. Nous vous expliquerons au chapitre 8 les différences qui distinguent les services de garde à but lucratif de ceux sans but lucratif; si vous envisagez de placer votre enfant dans une prématernelle, cherchez à savoir qui la di-rige.

Dernier détail, mais non le moindre, une prématernelle qui dispense plus d'heures de services par jour qu'elle n'y est légalement autorisée transgresse la loi. Ce qui soulève une question cruciale en matière de garde d'enfant: celle de l'in-tégrité avec un grand I.

Il est impératif que vous puissiez faire confiance aux personnes qui prennent soin de votre enfant. Vous devez croire en leur totale honnêteté. Quand vous passerez prendre votre enfant, vous devez être certaine qu'on vous fera savoir s'il a connu une mauvaise journée; et lorsqu'on vous dira que ses ecchymoses sont le résultat d'une chute, vous devrez

---

6. Roy, *ibid.*, p. 6.

pouvoir le croire. Comment pourriez-vous autrement continuer à confier votre enfant aux mêmes gens?

Une prématernelle qui cherche à se faire passer pour une garderie se rend coupable de fausse représentation et ne peut vraisemblablement inspirer la confiance nécessaire pour que des parents lui abandonnent, même temporairement, la garde de leurs enfants.

Comment trouver un jardin d'enfants ou une prématernelle?

Parce que l'Office ne recense pas les prématernelles, vous devrez vous en remettre à d'autres sources d'information pour en trouver une: le bouche à oreille, les Pages jaunes de l'annuaire téléphonique, le journal de quartier, par exemple. Votre CLSC, le service de loisirs de votre municipalité, ou son bureau des permis, pourraient conserver dans leurs archives la liste des prématernelles de votre voisinage.

Passer des coups de fil

Trouver une véritable prématernelle exige parfois le flair d'un Maigret. Nous vous suggérons de donner quelques coups de fil et de poser quelques questions pertinentes. Si vous découvrez que la directrice d'une prématernelle ne vous dit pas la vérité, rayez immédiatement de votre liste le nom de son institution.

Les questions à aborder

1. Combien d'heures par jour puis-je vous laisser mon enfant?

Si la réponse est quatre heures ou moins, vous savez sur-le-champ qu'il s'agit d'une véritable prématernelle, ni plus ni moins. Vous pouvez alors poser toutes les questions auxquelles il vous faut des réponses, de manière à pouvoir décider s'il s'agit d'une institution convenable pour votre enfant: l'âge des enfants qu'on y accueille; les heures, les jours et les mois pendant lesquels l'institution est ouverte; les frais exigés; le ratio éducatrices-enfants; la dimension des groupes; la formation des éducatrices, et le taux de changement de personnel. En fait, vous poseriez alors les mêmes questions — dont vous trouverez la liste exhaustive au chapitre 8 — que dans le cas d'une garderie. Si l'endroit vous semble pouvoir convenir à votre enfant, prenez rendez-vous pour visiter les lieux.

Toutefois, si la directrice vous répond: «Bien sûr que nous pouvons nous occuper de votre enfant pendant toute la journée», ou: «Nous avons un groupe du midi» (ou des groupes d'avant-midi et d'après-midi, ou encore un groupe que l'on accueille dans un autre lieu — ou toute réponse qui suppose une période excédant quatre heures), posez-lui alors sans tarder la question suivante.

2. *Est-ce que votre prématernelle détient un permis de l'Office des services de garde à l'enfance?*

À ce moment-là, certaines directrices de pseudo-prématernelles se montrent soudain très honnêtes et admettent n'avoir pas de permis. D'autres esquivent adroitement la question en affirmant avoir déposé une demande de permis et attendre toujours son émission. C'est peut-être le cas, mais cela ne vaut guère mieux que de répondre à un policier, qui demande à voir votre permis de conduire, que vous avez déposé une demande en ce sens. Tout comme la loi ne vous autorise pas à conduire une automobile sans permis en règle de la Société de l'assurance automobile du Québec, vous n'avez pas le droit d'exploiter une garderie sans permis délivré par l'Office des services de garde à l'enfance.

Dans un cas comme dans l'autre, la prématernelle en question dispense illégalement des services de garde et doit être écartée.

Une troisième catégorie de directrices de prématernelles pourront mentir effrontément et prétendre détenir un permis qu'elles n'ont pas. Vous pouvez vérifier leurs dires en téléphonant à l'Office, ou en consultant sa brochure intitulée *Où faire garder nos enfants?*, qui recense toutes les garderies de la province.

Pour ajouter à la confusion, certaines prématernelles peuvent en fait détenir un permis émis par le ministère québécois de l'Éducation pour leur groupe d'enfants de 5 ans inscrits en maternelle. Bien que les dispositions qui les concernent en matière de ratio ne soient pas aussi strictes que celles de l'Office, les maternelles qui détiennent un permis du MEQ ont subi une inspection et répondent aux critères de base en ce qui a trait aux qualifications du personnel, aux locaux, au programme, à l'administration et à la participation des parents, etc. Mais ce permis ne s'applique pas aux autres groupes d'âge.

Comme nous l'avons mentionné plus tôt, il est important qu'une prématernelle obtienne une attestation du ministère du Travail et un permis d'occupation délivré par la municipalité. Mais ni l'un ni l'autre de ces documents ne saurait remplacer le permis de l'Office des services de garde à l'enfance autorisant l'exploitation d'une garderie.

Pour vérifier quels permis détient effectivement toute institution, vous devrez les voir de vos propres yeux. On devrait toujours les afficher en évidence, à la prématernelle. S'ils ne sont pas affichés au mur, demandez à les voir.

3. *Puis-je visiter les lieux?*

Parce qu'elles opèrent à mi-temps, les prématernelles ont moins de personnel qu'une garderie et les visiter peut soulever un peu plus de difficultés. Prenez rendez-vous à un moment où la directrice sera sur les lieux pour vous les faire visiter, mais assurez-vous d'y passer deux ou trois heures pendant que les enfants sont sur place.

En fait, vous devriez évaluer une prématernelle de la même façon dont vous vous y prendriez pour une garderie. L'endroit devrait être tout aussi sûr, propre et éclairé; les activités qu'on y propose, aussi stimulantes; et les éducatrices, aussi bien formées et attentives aux besoins des enfants. Vous pourriez peut-être à la rigueur (et à contrecœur) tolérer dans les prématernelles un petit accroc aux recommandations en matière de ratio éducatrices-enfants. Mais soyez très prudente. Votre enfant pourra-t-il supporter un groupe de neuf ou dix pairs, confiés à un seul adulte, pendant trois longues heures? L'éducatrice est-elle qualifiée et compétente? Nous considérons comme une mesure de dernier recours une prématernelle où l'on confie plus de huit enfants à chaque éducatrice. Nous vous dirons dans les chapitres 9 et 10 tout ce qu'il vous faut y observer.

Si vous habitez hors du Québec, choisissez une prématernelle qui détient un permis: vous pourrez ainsi au moins espérer qu'elle se conforme aux exigences imposées dans votre province. Si vous téléphonez aux autorités provinciales en matière de services de garde (dont le numéro figure dans les pages bleues de l'annuaire téléphonique), vous pourrez vous informer de la teneur des réglementations en application.

Que penser d'une prématernelle à temps plein?

Plusieurs écoles primaires — tant publiques que privées — offrent maintenant une prématernelle à temps plein, destinée aux enfants de 4 ans.

Comme l'expression «à temps plein» signifie dans ce cas une journée complète *d'école* — soit de 9 h à 14 h 30 ou 15 h —, ces prématernelles, logées dans une institution scolaire, ne constituent pas une alternative valable pour les parents qui occupent un emploi, à moins qu'ils ne puissent aussi compter sur l'aide d'une gardienne ou que l'un des conjoints ne soit libre à compter de 15 h.

Ces programmes donnent en quelque sorte aux parents un avant-goût de la classe de maternelle à temps plein, pour enfants de 5 ans (qu'offrent aussi ces institutions). Dans les écoles privées, ces programmes sont souvent confiés à des éducatrices diplômées et profitent des meilleures ressources financières et matérielles de l'institution, de manière à persuader les parents d'y inscrire leurs enfants pour la poursuite de leurs études.

Si vous avez besoin d'un service de garde à temps plein et que vous envisagiez de recourir à une prématernelle à temps plein, soyez franche avec vous-même quant aux motifs de votre décision. Votre objectif est-il d'assurer une place à votre enfant dans une institution privée et prestigieuse? Avez-vous pensé à la possibilité d'une bonne garderie, ou n'avez-vous écarté du revers de la main cette option qu'en raison de vos préjugés?

Cette solution est-elle la meilleure pour votre enfant? Le fait qu'il se retrouve dans une institution d'enseignement ne garantit pas une qualité supérieure de service. Vous auriez avantage à prendre une journée de congé pour comparer la prématernelle qui vous tente à une bonne garderie. Servez-vous des listes de questions proposées dans les chapitres 9 et 10 et observez étroitement les éducatrices, vérifiez le ratio éducatrices-élèves, la dimension des groupes et l'aménagement des lieux — sans oublier les coûts.

Pour l'heure, les écoles publiques n'offrent de programmes de prématernelle que dans les quartiers défavorisés. Leurs éducatrices sont aussi pleinement qualifiées, mais au milieu de la journée, à l'heure du midi, elles sont remplacées par des surveillants souvent sans aucune formation. Bien que la prématernelle soit gratuite, la longue journée et les trop nombreux changements de personnel, de salles et de groupes qu'elle impose aux enfants ne constituent pas la solution idéale. Si vous êtes tentée par un programme de prématernelle dans une école publique, mais que vous ayez besoin d'un service de garde à temps plein, vous devriez vous pencher sur l'alternative que représente la garderie. Si votre hésitation tient à une question de sous, sachez que vous pourriez être admissible à une aide gouvernementale.

Que penser des haltes-garderies?

Au premier coup d'œil, une halte-garderie semble une excellente idée: un service de garde pratique, situé là où vous faites vos courses, vous adonnez au ski ou à la danse aérobique, disponible en tout temps et sans réservation. Mais avant que vous ne vous emballiez, jetons un regard attentif à ce type de service.

Généralement situé dans des lieux publics — centre commercial ou sportif, station de sports d'hiver, hôtels —, les haltes-garderies s'adressent à des enfants qui n'ont qu'occasionnellement besoin des services d'une gardienne.

La *Loi sur les services de garde à l'enfance* les définit comme des établissements qui reçoivent au moins sept enfants sur une base occasionnelle, pour des périodes d'au plus 24 heures[7], et leur interdit formellement de dispenser des services de garde sur une base régulière[8]. En outre, la loi ne

---

7. *Loi sur les services de garde à l'enfance*, ch. 1.
8. *Loi sur les services de garde à l'enfance*, ch. 3.

les oblige pas à détenir de permis, ni ne leur impose de réglementations. Les éducatrices de tels services n'ont pas besoin de formation en premiers soins ni en techniques de garde et un nombre indéfini d'enfants d'âges variés peuvent y former un groupe.

Et ce qu'il y a de pire, c'est que la nature même de la halte-garderie l'empêche de fournir des soins de haute qualité. Parce que les enfants y débarquent sans s'annoncer, au lieu d'y venir régulièrement, personne ne sait combien d'entre eux se manifesteront, ni combien de personnel il faudra. Comme des enfants différents s'y présentent chaque jour, les enfants et les éducatrices n'ont aucune chance de se connaître mutuellement et de nouer des liens durables; il est pratiquement impossible d'y planifier et d'y mettre en application un programme d'activités; les parents n'y participent évidemment pas; enfin, les germes ont tendance à s'y propager comme une traînée de poudre. En somme, la halte-garderie n'est pas un endroit où l'enfant pourra se faire des amis ou apprendre à vivre en société; en outre, elle ne convient absolument pas aux poupons.

Le simple fait qu'un service existe ne le rend pas automatiquement propre à accueillir votre enfant.

Si vous planifiez des vacances à la montagne, réfléchissez bien à la question avant de confier votre petit de 2 ans à une étrangère chargée de surveiller quinze enfants d'âge préscolaire, qui ne se connaissent pas, dans un environnement peu recommandable. Ne serait-il pas plus sage de le laisser à la maison, aux soins d'une gardienne; ou que votre conjoint et vous-même pratiquiez le ski à tour de rôle, de manière à ce que l'un de vous deux reste à l'hôtel avec l'enfant?

Le recours à une halte-garderie dans un centre commercial vous privera, votre enfant et vous, d'une occasion de passer quelques moments ensemble à parler de couleurs, à compter les chaussures en vitrine, à découvrir ensemble un univers différent. (Apportez un jus, un jouet favori, un livre ou une couverture qui rendront l'aventure plus agréable.)

À notre avis, on ne devrait faire appel aux haltes-garderies qu'en cas d'urgence, pour éviter de laisser un enfant seul à la maison. Elles ne constituent pas une solution acceptable pour qui cherche un service de garde régulier.

Méfiez-vous: la halte-garderie et la prématernelle s'excluent réciproquement: la première accueille des enfants sur une base occasionnelle; la deuxième les reçoit sur une base régulière. Elles pourraient peut-être à la rigueur coexister dans un même immeuble, et sous une même administration, mais pas dans les mêmes locaux, ni comme services à la même clientèle. La seule perspective d'un accommodement de ce genre nous donne des frissons: la tentation serait trop grande de les réunir.

Garder l'œil ouvert

Une fois que votre enfant a commencé à fréquenter une prématernelle, surveillez de près les soins qui lui sont prodigués. Faites-y un saut pour observer ce qui s'y passe; entretenez-vous souvent avec les éducatrices et restez en communication avec les autres parents. Comme dans tout autre type de service de garde, plus les parents concernés accorderont d'attention à ce qui s'y passe, plus on sera susceptible d'y répondre aux besoins de leurs enfants.

CHAPITRE 7

La garderie

*Enfin, à la garderie, les manches de mon pyjama
sont devenues des marionnettes. Ah! qu'il était
réussi notre spectacle!*

Cécile Gagnon
Doux avec des étoiles

Même si les immigrants et les pauvres gens y ont recours depuis 1850, les garderies ont connu un regain spectaculaire de popularité au Canada pendant la Deuxième Guerre mondiale. Dans les années 1940, les petits Canadiens moyens ont fréquenté pour la première fois la garderie, de manière à ce que leurs mères puissent travailler en usine. La garderie avait alors un air patriotique et les femmes canadiennes ont ainsi pris le goût de la liberté économique et sociale que leur conférait leur chèque de paye.

Mais la démobilisation a ramené au pays les hommes qui réclamèrent leurs emplois; leur retour marqua aussi la résurgence du vieux et tenace principe victorien selon lequel la place des femmes est au foyer.

Pendant les années 1950, la plupart des femmes réintégrèrent le foyer et veillèrent sur leur progéniture; les garderies perdirent alors presque tout le terrain gagné pendant la guerre, pour se cantonner dans leur ancien rôle: celui d'un service social réservé aux familles nécessiteuses. (Même pendant les années 1960, le programme «Head Start», mis en place aux États-Unis, avait pris cette teinte particulière.)

Au cours des vingt dernières années, tout a toutefois changé pour de bon. Le travail hors du foyer est devenu, pour les femmes, une question de survie — tant du point de vue économique que personnel. Et la garderie est son nécessaire corollaire.

Les gouvernantes et les bonnes d'enfant qui travaillent chez leurs employeurs — vestiges du système de classes — avaient déjà acquis leurs lettres de noblesse. Les services de garde en milieu familial — ces accommodements personnels, privés et discrets conclus avec un proche, une amie ou une voisine — paraissaient eux aussi relativement inoffensifs et acceptables. Mais les garderies, ces regroupements institutionnels d'enfants et d'éducatrices dans des lieux publics, étaient toujours stigmatisées. «Pourquoi mets-tu ton enfant en garderie?» a reproché toute une génération de grands-parents. «C'est abominable et atroce, sans compter qu'ils y attrapent plein de maladies.»

Bien que quelques parents adhèrent encore à ces vieux préjugés, de nos jours les familles s'en sont généralement affranchies. On considère désormais les garderies comme une solution nécessaire, utile et sûre au problème de la garde des enfants — un point c'est tout. Bien des parents tiennent aussi les garderies comme des endroits merveilleux où les enfants peuvent grandir et apprendre et, dans des circonstances favorables, ils n'hésiteraient pas à recourir à leurs services s'ils pouvaient seulement y trouver une place[1].

Les avantages

Pourquoi les parents préfèrent-ils opter pour une garderie plutôt qu'une gardienne à domicile ou un service de garde en milieu familial reconnu?

La fiabilité

Les garderies sont de loin le service de garde le plus fiable qui soit. Parce que les gardiennes et les responsables de services de garde en milieu familial travaillent en solitaire, sans personne sur qui se reposer en cas de difficulté majeure, elles vous laisseront inévitablement tomber de temps à autre. Comme le reste d'entre nous, elles dépendent de leur ré-

---

1. Cooke *et al., ibid.*

veille-matin, sont grippées et font face à des urgences. Elles peuvent aussi remettre en question leur choix de carrière: la merveilleuse responsable du service de garde en milieu familial qu'avait adoptée Hélène décida un jour qu'elle se faisait trop vieille pour s'occuper de jeunes enfants et, deux semaines plus tard, fermait boutique.

On peut toujours compter sur une garderie. L'éducatrice de votre enfant pourra être malade, mais la garderie n'en fermera pas pour autant. En dehors des congés statutaires, la plupart des garderies sont ouvertes à heures régulières, habituellement de 7 h à 18 h. Si elles ferment en d'autres temps — pendant une semaine à l'époque de Noël, par exemple —, on vous en préviendra à la signature du contrat. Il n'y aura pas de mauvaises surprises.

La stabilité

La stabilité est sœur de la fiabilité. Dans la plupart des garderies auxquelles font appel les parents qui travaillent à temps plein, les mêmes enfants se retrouvent chaque jour: ainsi, les petits se retrouvent dans un milieu calme et stable, au sein d'un groupe régulier d'amis. L'année prochaine, lorsqu'ils seront prêts à faire leur entrée dans le groupe des tout-petits, la garderie pourra encore répondre à leurs besoins. La majorité des amis qu'ils se sont faits cette année quitteront avec eux la salle des nourrissons, de sorte que même si leur éducatrice n'est pas la même ils se retrouveront parmi des visages familiers. Comme vous connaîtrez déjà la directrice et les éducatrices, vous saurez à qui vous adresser et ce qu'il faut faire en cas de problème.

Le permis d'exploitation

Pour entrer en activité, toute garderie doit obtenir un permis. L'obtention de ce permis signifie qu'elle se conforme aux normes minimales et aux règlements édictés par la province où elle exerce ses activités — normes et règlements qui régissent la santé, la sécurité, l'embauche du personnel, le programme, la taille des groupes, etc. Cela signifie aussi que la province enverra occasionnellement des inspecteurs sur les lieux. Le permis d'exploitation assure aux parents un niveau de soins minimal — et la paix de l'esprit. (Une étude démontre que les parents qui optent pour les garderies se sentent moins coupables que ceux qui font appel à d'autres types de services de garde[2].)

Un personnel formé

Dans les garderies, plusieurs membres du personnel ont reçu une formation en techniques d'éducation en services de garde ou en développement de l'enfant. Les éducatrices formées savent aider les enfants dans tous les aspects de leur développement — tant physique, psychologique, cognitif que social. Elles planifient et dirigent des activités appropriées à chaque âge et à chaque stade de développement. Comme le dit si bien Lola, mère de deux enfants: «Honnêtement, je ne sais pas comment je pourrais leur donner autant que leurs éducatrices, ni avoir autant d'énergie qu'elles. Je sais que mes enfants apprennent vraiment beaucoup à la garderie.»

Les éducatrices de formation peuvent aussi déceler des problèmes auditifs, visuels et de coordination qui exigent l'attention d'un spécialiste. Annie, brillante fillette de 3 ans au vocabulaire pourtant très étendu, prononçait mal certains sons simples. Sur la suggestion de l'éducatrice, sa mère demanda une consultation à un spécialiste de l'ouïe, qui prescrivit un traitement orthophonique.

Les équipements

En garderie, les structures de jeu, les tricycles, les carrés de sable, les bacs à eau, les énormes blocs de bois, les casse-tête, les livres et les cassettes sont monnaie courante. Vous et moi ne pourrions jamais nous porter acquéreurs de tous ces jouets et équipements, même si nous savions ce qu'il faut acheter et comment nous en servir.

Le commerce de ses semblables

En garderie, les enfants rencontrent d'autres enfants — une expérience qui leur inculque des compétences sociales (leur apprend à négocier, à collaborer, à partager) et les aide à découvrir leurs forces et leurs faiblesses. Les agressifs y apprendront parfois la maîtrise de soi; les timides, à se défen-

---

2. Pence et Goelman, «Parents of Children in Three Types of Day Care», *ibid.*

dre. Parce qu'ils se retrouvent en groupe, ils y acquerront aussi des capacités d'autosuffisance (par exemple, à se laver et à endosser leur blouson sans l'aide de personne), de l'indépendance et la faculté de prendre des décisions.

La participation des parents

Une bonne garderie ne fait pas de cachotteries: n'importe quel parent peut y entrer à tout moment et observer ce qui s'y passe. Si vous êtes prête à y consacrer le temps nécessaire, vous pourrez connaître presque toutes les activités auxquelles votre enfant s'adonne pendant la journée. Les garderies de qualité supérieure encouragent les parents à se mettre au fait du programme et à s'entretenir de leur enfant avec ses éducatrices.

Les garderies sans but lucratif offrent aux parents un autre moyen de participation: la possibilité de se joindre aux comités de parent, ou au conseil d'administration, et d'avoir leur mot à dire sur la gestion de la garderie. Lola, qui a aidé à recueillir — et dépenser — des milliers de dollars pour répondre aux objectifs de la garderie où l'on garde sa fille, résume ainsi sa pensée: «L'exercice d'un tel niveau de contrôle sur la marche de la garderie constitue un réel avantage.»

La garderie en milieu de travail permet enfin un type unique de participation: l'accessibilité en tout temps. «Je n'ai pas autant l'impression d'abandonner ma fille, parce que je peux être auprès d'elle en deux minutes», explique Lola. Vous pouvez faire un saut à la garderie pour allaiter votre bébé, retrouver votre enfant à l'heure du déjeuner, lui faire connaître de l'intérieur votre milieu de travail et l'emmener à la cafétéria des employés pour le petit-déjeuner.

Une communauté

Les parents y ont aussi la chance de rencontrer d'autres parents — et de devenir membres d'une vraie communauté. Tous ceux qui doivent combiner travail et éducation des enfants connaissent les mêmes drames et les mêmes traumatismes, et la garderie est un lieu de ralliement qui favorise tout naturellement la création de réseaux et l'échange d'information de toute nature — sur la façon de s'y prendre, par exemple, avec les «petits monstres» de 2 ans; c'est aussi l'endroit tout indiqué pour acheter l'habit de neige en prévision du prochain hiver ou pour dénicher une gardienne qui prendra la relève les jours où l'enfant sera malade. Ce réseau informel d'entraide peut s'avérer spécialement utile aux chefs de famille monoparentale.

Les coûts

Bien que les frais de garderie varient de province en province, et de région en région, ils sont généralement moins élevés que le salaire d'une gardienne à domicile — au moins si on n'a qu'un enfant. (La garde d'un nourrisson sera plus chère; selon la région où l'on habite, il en coûtera toutefois vraisemblablement moins que de retenir les services d'une aide à temps plein, au foyer.)

Fait étonnant, dans certains provinces, les garderies coûtent moins cher que les services de garde en milieu familial dûment reconnus et, croyez-le ou non, ils sont souvent même moins chers que les services non reconnus[3]. Lorsque vous évaluez les coûts, ne vous en remettez pas aux simples ouï-dire. Ne vous fiez qu'à des sources autorisées.

Les familles qui ont recours à des garderies peuvent déposer une demande de subvention, et tous seront heureux d'apprendre qu'ils pourront réclamer une déduction au chapitre de la garde d'enfant, dans leur déclaration d'impôts.

Les désavantages

Il n'y a pas de ciel sans nuage. Et bien que les critiques des garderies soient devenus moins féroces avec le temps, ils trouvent néanmoins encore beaucoup à redire.

La rareté des places

Les garderies canadiennes n'offrent tout simplement pas suffisamment de places pour desservir la population d'enfants de moins de 6 ans. Les nourrissons et les tout-petits sont en particulier touchés par cette pénurie. (Plusieurs gar-

---

3. Cooke et al., ibid.; Childcare Resource and Research Unit, Information Sheets, Toronto, Centre for Urban and Community Studies, 1991.

deries n'acceptent pas les enfants de moins de 18 mois, parfois même de moins de 2 ou 3 ans.) Il faut s'inscrire sur les listes d'attente le plus tôt possible (pendant la grossesse, pour une place de nourrisson); malgré cette précaution la période d'attente vous semblera parfois s'allonger indûment, particulièrement si vous avez besoin d'une subvention. Si on ne peut espérer obtenir une place au moment précis où on en a besoin, il arrive qu'une place se libère inexplicablement; il vaut donc la peine de s'inscrire à une bonne garderie — vous pourriez bien être de celles que la chance favorisera.

Les heures d'ouverture

Les heures d'ouverture des garderies ont été conçues pour des parents qui travaillent de 9 h à 17 h. Elles causeront donc de véritables maux de tête à tous les autres. Ceux qui se rendent tôt au travail et en reviennent tard, dont les horaires sont irréguliers, ou qui travaillent à mi-temps, n'auront d'autre choix que de s'y conformer. Certaines garderies acceptent des enfants à mi-temps, mais leurs heures d'ouverture et de fermeture sont incontournables, et si vous vous présentez en retard pour prendre votre enfant, les amendes encourues vous conduiront à l'indigence.

Seules exceptions à la règle: les garderies en milieu de travail, conçues pour s'adapter aux horaires des employés. Le Labour Community Child Care Center, administré par les travailleurs canadiens de l'automobile de Windsor, en Ontario, garde ouvertes ses portes de 5 h 30 du matin à 1 h de la nuit, pour répondre aux besoins des travailleurs de l'industrie automobile et s'harmoniser avec leurs quarts de travail.

Les coûts

Dans le cadre d'un sondage mené pour le compte du Groupe d'étude sur la garde des enfants, 52 % des parents interrogés qui préféraient les garderies pour leurs enfants d'âge préscolaire disaient ne pas y avoir recours parce qu'elles sont trop coûteuses ou parce qu'ils ne sont pas admissibles à des subventions à cette fin[4]. Malheureusement, de nombreuses familles ne peuvent se payer la garderie, et

4. Cooke *et al.*, *ibid.*

celles qui réussissent à trouver les moyens d'y placer un premier-né devront souvent trouver de nouveaux accommodements lorsque naît un deuxième enfant — même si la garderie en cause offre un rabais pour la garde des frères ou sœurs du premier. Les familles de la classe moyenne sont celles qui se retrouvent le plus souvent dans un cul-de-sac en ce domaine: elles ont un revenu trop élevé pour être admissibles à une subvention, et pourtant les frais de garde encourus excèdent de loin leur capacité de payer. Les garderies font des pieds et des mains pour garder leurs tarifs à un niveau acceptable, mais les soins de haute qualité coûtent cher.

La santé

Les enfants qui fréquentent une garderie courent davantage le risque de tomber malades que ceux gardés à la maison ou dans un service de garde en milieu familial. (Ils sont encore plus vulnérables pendant la période où ils acquièrent leurs immunités, soit au cours de la première année de garde.) De manière à protéger les autres enfants et le personnel, la garderie devra donc exclure tout enfant malade, mais plusieurs garderies désireuses d'aider les parents qui travaillent les acceptent sans protester, même si leur présence compromet parfois la qualité du service.

Les parents sont censés disposer de solutions de rechange pour les situations de ce genre, mais plusieurs d'entre eux — peut-être par manque de ressources, peut-être parce qu'ils n'en saisissent pas toute l'importance — ne prennent jamais le temps de trouver un système d'appoint qui convienne à leurs besoins. Jean et Rita ont décidé de retirer leur fille de 9 mois de la garderie en milieu universitaire lorsqu'ils ont compris qu'ils étaient les seuls à se conformer aux règlements. Bien qu'ils eussent consciencieusement choisi une gardienne pour prendre soin de leur fillette à la maison quand elle était malade, personne d'autre ne les imitait et elle contractait un virus chaque fois qu'elle mettait les pieds à la garderie.

Le transport

Véhiculer chaque matin un enfant endormi jusqu'à la garderie ne constituera probablement pas le plus beau moment de votre journée. Les enfants bougent à leur propre rythme; ils ont leurs propres priorités, et revêtir leurs plus beaux atours — leur habit de neige, leurs bottes, leur tuque, leur foulard et leurs mitaines — alors qu'il fait encore nuit dehors n'est généralement pas l'une d'elles. Si vous êtes en retard pour vous rendre au travail, cette obligation pourra vous paraître frustrante, et il vous faudra donc un véritable sens de l'organisation, du temps et de la patience pour vivre harmonieusement ce moment de transition entre la maison et la garderie. Enfin, le transport de l'enfant en fin d'après-midi engendrera aussi sa part de tensions: à ce moment de la journée, tout le monde est fatigué, affamé et surexcité. (Comme vous vous en doutez, l'option du service de garde en milieu familial ne vous épargnera pas ces moments difficiles.)

Le désengagement des parents

Bien que de nombreuses garderies encouragent en théorie les parents à participer aux affaires de la garderie, il leur est en fait très facile d'y déposer leur progéniture, le matin, et de l'y reprendre en vitesse, le soir, sans jamais s'informer auprès de quiconque de la façon dont leur enfant s'en tire. Les dimensions des garderies et le niveau d'activités qui s'y déroulent les incitent souvent à agir ainsi. Les éducatrices semblent toujours occupées avec un autre enfant ou un autre parent et, même si elles sont habituellement heureuses de causer avec vous si vous flânez par là, ou si vous les approchez au moment opportun, il vous faudra pour ainsi dire provoquer cette rencontre. Cela vaut aussi pour les comités de parents et les conseils d'administration: vous devrez être prête à dépenser temps et énergie, pour des résultats parfois frustrants et exaspérants.

Les garderies privées, à but lucratif, permettent rarement aux parents d'infléchir leurs politiques, mais elles ne leur interdisent pas de s'entretenir avec les éducatrices, à titre personnel.

La qualité

Malgré l'existence de permis et d'inspections, la qualité des garderies varie énormément. Certaines sont superbes; d'autres donnent la chair de poule; la plupart d'entre elles sont de qualité tout simplement acceptable. En conséquence, il est extrêmement important d'en visiter plusieurs et de les évaluer soigneusement avant d'arrêter son choix.

La plus grande inquiétude des parents non informés des exigences de la loi sera peut-être que leur enfant ne reçoive pas suffisamment d'attention — qu'il se fonde dans le groupe et que l'éducatrice ne lui consacre pas suffisamment de temps. Dans les mauvaises garderies — où il y a trop peu d'éducatrices compte tenu du nombre d'inscrits, ou encore où les éducatrices ne sont pas formées ni compétentes — les enfants *sont de fait* négligés: les plus difficiles et les plus bruyants monopolisent l'attention des intervenantes. Ce n'est évidemment pas le genre de garderie que vous recherchez.

Les parents craignent aussi que les garderies soient trop institutionnalisées — et qu'en conséquence les besoins du groupe l'emportent sur ceux de l'individu, qu'on accorde trop d'importance à la structure et à l'observance des règlements au détriment de la quiétude, de l'intimité, de la créativité et de la liberté. Une fois de plus, cela pourra se produire dans une garderie qui ne dispense pas des soins de première qualité, mais ne devrait pas survenir dans un service de qualité supérieure.

Tout est dans la qualité des soins

Aucune des options en matière de service de garde — la gardienne à domicile, le service de garde en milieu familial, le jardin d'enfants et la garderie — n'est en soi meilleure que les autres. Choisissez ce qui convient le mieux à votre enfant et à votre famille; mais par-dessus tout, optez pour la qualité. Quelle que soit la forme qu'ils prennent, les bons services de garde, faut-il le répéter, sont profitables à l'enfant. Les mauvais lui seront préjudiciables.

Dans les prochains chapitres, nous vous expliquerons par le menu détail les moyens de trouver et de reconnaître une garderie, ou un service de garde en milieu familial, qui dispensera des soins de bonne qualité à votre enfant.

CHAPITRE 8

Comment trouver une garderie?

Pour aller au bout du monde, il suffirait alors de
rêver? Je n'y crois pas. Moi, je continue à le
chercher, le bout du monde. Peut-être que par là...

Henriette Major
Le bout du monde

Par où commencer?

Nous en arrivons maintenant à la partie délicate du
processus: le moment de trouver dans les faits une garderie
pour votre enfant. Par où diable commencer? Qui s'y connaît
en garderies? N'y a-t-il aucun organisme responsable?

Il existe d'innombrables moyens d'obtenir de l'information sur les services de garde et vous en utiliserez probablement plusieurs: s'entretenir avec des amis, des proches et
des voisins au sujet des services auxquels ils ont eu recours
et qu'ils ont appréciés; feuilleter les Pages jaunes; communiquer avec les CLSC, les autorités religieuses, les associations
ethniques et le service du personnel, là où vous travaillez;
dépouiller les petites annonces des journaux et consulter les
tableaux d'affichage des supermarchés.

Si vous êtes la première parmi vos amies à rechercher
un service de garde, vous ne pourrez vraisemblablement pas
compter sur le bouche à oreille pour vous renseigner, mais
même les rumeurs et les échanges à bâtons rompus donnent
parfois des idées et des trucs. Si vos amis ont recours à un
service de garde, assurez-vous de mettre à profit leur expérience.

Bien que cette source informelle d'information constitue un bon point de départ, vous aurez aussi besoin de quelques renseignements de nature plus officielle. Au Canada, les services de garde relèvent de la compétence des provinces et les législateurs de chaque province et territoire ont voté des lois et des réglementations pour assurer des normes minimales de qualité. Contrairement aux gardiennes, aux familles de garde, aux jardins d'enfants et aux prématernelles, les garderies doivent détenir un permis pour offrir leurs services.

Au Québec, un organisme central — l'Office des services de garde à l'enfance — répond de tous les services de garde. L'Office, qui relève du ministère d'État à la Condition féminine, surveille l'application de la loi et des réglementations, procède à des inspections et à des enquêtes en cas de plaintes, offre son soutien aux parents, aux garderies et aux gens qui veulent créer de nouvelles garderies, et fait effectuer des études et des recherches en matière de services de garde.

Un simple appel téléphonique à une ligne directe sans frais, à Montréal, vous vaudra une mine d'information, dont deux pièces essentielles: d'abord, *Où faire garder ses enfants?*, une brochure qui recense toutes les garderies de la province qui ont leur permis (sans oublier les agences de services de garde en milieu familial et les services de garde en milieu scolaire); et un opuscule expliquant le programme de subventions gouvernementales, destiné aux parents qui ont besoin d'assistance pour défrayer les coûts d'un service de garde.

Nous recommandons aussi la lecture d'une autre source d'information plus officielle encore: la *Loi sur les services de garde à l'enfance.* Pour obtenir cette plaquette, il vous faudra débourser quelques dollars et vous adresser aux Publications du Québec.

Vous trouverez en appendice les adresses et numéros de téléphone de ces organismes gouvernementaux (ou dans les pages bleues de l'annuaire téléphonique).

Ces documents valent-ils le déplacement et la dépense? À coup sûr, oui.

La plaquette concernant les subventions gouvernementales vous expliquera grosso modo si vous vous qualifiez pour ce type d'aide, les documents qu'il vous faudra produire et la manière de vous inscrire.

Le répertoire des garderies qui ont un permis est *essentiel*. Bien que l'obtention d'un permis ne garantisse pas un service de haute qualité, il vous assure en ce sens une longueur d'avance. Avant d'émettre un permis, l'Office des services de garde à l'enfance visite le demandeur pour s'assurer que les lieux se prêtent à un tel service, pour vérifier le ratio éducatrices-enfants, la formation du personnel, la philosophie de l'institution et le programme offert. Le ministère de l'Agriculture et le service municipal d'hygiène inspectent la cuisine, puis le ministère du Travail et la municipalité vérifient les sorties d'urgence et les dispositifs de sécurité. Une fois que la garderie a obtenu son permis, l'Office y procède régulièrement à des inspections — peut-être pas aussi régulières ni aussi rigoureuses que nous le souhaiterions, mais au moins quelqu'un s'y rend périodiquement pour s'assurer que la garderie respecte les normes minimales spécifiées dans les réglementations.

Et c'est là pourquoi il faut prendre connaissance des réglementations. Lorsque vous vous rendrez visiter des garderies, vous saurez à quoi vous attendre, et quel est le minimum acceptable. «Les réglementations ne proposent pas un objectif à atteindre ni à viser, explique Margaret De Serres, agent de liaison et de développement à l'Office. Il s'agit de normes minimales. Aucun service de garde ne peut opérer sans s'y conformer.»

Toute garderie est censée offrir *au minimum* ce qu'exigent la loi et les réglementations; aucune n'est censée offrir moins. Lorsque vous choisissez une garderie pour votre enfant, vous avez besoin de connaître ces normes minimales, parce que leur notification par écrit ne garantit pas qu'il en soit ainsi dans les faits. En réalité, plusieurs garderies ne répondent pas aux exigences provinciales. En visitant des garderies, vous verrez comment sont appliquées dans la vraie vie ces réglementations. Nous les évoquerons souvent dans les chapitres qui suivent.

Lorsque les parents commencent à réfléchir à un service de garde, ils découvrent un jargon qui leur est totalement étranger, mais qui ressemble tant au langage de tous les jours qu'il leur est parfois difficile de l'en distinguer. Les expressions comme «à but lucratif», «sans but lucratif», «communautaire», «en milieu de travail» et «universitaire» ont toutes une portée non négligeable lorsqu'on les applique aux services de garde.

Au moins deux de ces expressions s'appliquent à toutes et chacune des garderies au Québec. Il est essentiel que les parents en connaissent la signification. Commençons d'abord par la question des services à but lucratif, par opposition aux services sans but lucratif.

Au Québec, la plupart des garderies tombent sous l'une ou l'autre des deux catégories suivantes: elles sont des commerces, exploités par un individu, ou une entreprise, dans le but exprès de faire des profits; ou il s'agit de corporations sans but lucratif dotées d'un conseil d'administration majoritairement composé de parents.

Les garderies sans but lucratif

Bien qu'une municipalité, une commission scolaire, une coopérative ou un organisme sans but lucratif — comme un conseil de fabrique — puisse gérer une garderie sans but lucratif, plus de 96 % des garderies de ce type sont en fait gérées au Québec par des parents. Cela signifie que les parents sont majoritaires aux conseils d'administration, bien que des personnes venues de l'extérieur, des membres du personnel, des professeurs d'université, des représentants de l'entreprise privée ou des citoyens tenus en haute estime, puissent parfois y siéger. Même une garderie qui dessert un hôpital, une entreprise ou une université, et se place sous sa protection, constitue presque invariablement une corporation distincte et gérée par son propre conseil d'administration.

Le conseil d'administration est en dernier ressort le seul responsable de la garderie, et la directrice comme le personnel qui s'y dévouent sont ses employés. Le conseil doit prendre d'importantes décisions concernant l'embauche et le renvoi, la philosophie et les politiques de l'institution, l'achat de nouveaux équipements et la rénovation des installations. Parce que la garderie doit alors directement rendre des comptes aux parents, elle est plus susceptible de répondre à leurs besoins[1].

---

1. Cooke *et al.*, *ibid.*

Au Québec, seules les garderies sans but lucratif sont admissibles à des subventions à la mise sur pied, à la rénovation et au fonctionnement; cette aide peut faire une énorme différence dans un budget serré. Les sommes reçues du gouvernement serviront à améliorer la qualité des soins et à maintenir les frais de garde à un niveau abordable pour les parents.

Un important sondage, mené en 1989 auprès de 227 garderies américaines, révélait que les garderies sans but lucratif offraient des soins de meilleure qualité que les garderies à but lucratif, et même supérieurs à ceux dispensés dans les garderies à but lucratif subventionnées[2]. Les garderies sans but lucratif obtenaient toutes de meilleures notes, tant en ce qui a trait à la formation, au perfectionnement et à l'expérience des éducatrices, qu'au ratio éducatrices-enfants, au nombre d'éducatrices par groupe, à la quantité d'activités appropriées au développement des enfants et à la qualité des soins prodigués. Les garderies sans but lucratif versaient des salaires plus élevés, offraient plus d'avantages sociaux à leur personnel et consacraient une plus grande portion de leur budget aux salaires des employés; conséquemment, le taux de changement de personnel y était beaucoup moins élevé que dans les garderies à but lucratif.

Et tout cela, concluaient les chercheurs, affecte directement les enfants: «Les enfants qui fréquentent des garderies de qualité inférieure, et des garderies où le taux de changement de personnel est plus élevé, sont moins développés socialement et verbalement... Le caractère non lucratif de l'institution s'est avéré le plus sûr gage de qualité[3].»

Dans le cadre d'une étude menée, en 1986, pour le compte du Comité spécial de la Chambre des Communes sur les services de garde, des experts-conseils évaluèrent environ mille garderies canadiennes des dix provinces et des deux territoires, et conclurent que «les services sans but lucratif sont plus susceptibles d'être de bonne qualité que les services

---

2. Marcy Whitebook, Carollee Howes et Deborah Phillips, *Who Cares? Child Care Teachers and the Quality of Care in America*, Executive Summary National Care Staffing Study, Oakland (Californie), Child Care Employee Project, 1989, p. 16.

3. Whitebook, Howes et Phillips, *ibid.*, p. 4.

à but lucratif, et que cette supériorité des premiers semble se confirmer sur presque tous les plans[4]». Même l'incidence des diarrhées et des infections des voies respiratoires supérieures est plus faible dans les garderies sans but lucratif, comme l'a constaté une équipe de santé publique, dans le cadre d'un programme de surveillance de 33 garderies montréalaises, appliqué en 1986-1987[5]. Dans l'ensemble, les garderies sans but lucratif subventionnées semblent offrir des services de meilleure qualité, concluent aussi les chercheurs québécois Carole De Gagné et Marie-Patricia Gagné[6].

Les garderies à but lucratif

«La croissance et le développement sont l'affaire des jeunes enfants; faire de l'argent, celle des entreprises. Est-il possible de satisfaire aux besoins des deux parties en présence en combinant leurs objectifs réciproques?» demande Alice Lake dans *The Day Care Book*[7]. Plusieurs éducatrices nient à qui que ce soit le droit de faire des profits sur le dos des enfants.

Une garderie à but lucratif est un service de garde exploité par une entreprise, qui fait ainsi de l'argent. Un individu ou une corporation peut en être le propriétaire. Pour contrer l'apparition de garderies à succursales, la loi québécoise interdit à quiconque de détenir un permis d'opération pour plus d'une garderie. Les propriétaires contournent cette

---

4. SPR Associates Inc., *An Exploratory Review of Selected Issues in For-Profit Versus Not-For-Profit Child Care*, Rapport remis au Comité spécial de la Chambre des Communes sur les services de garde à l'enfance, Toronto, 1986, p. 4.

5. Julio C. Soto, *Un modèle de surveillance épidémiologique pour le contrôle des maladies infectieuses en garderie*, thèse de doctorat, Université de Montréal, p. 199; Larry L. Pickering *et al.*, «Acute Infectious Diarrhea Among Children in Day Care: Epidemiology and Control», *Research in Infectious Diseases*, vol. 8, 1986, p. 539-547.

6. Carole De Gagné et Marie-Patricia Gagné, «Garderies à but lucratif et garderies sans but lucratif subventionnées... Vers une évaluation de la qualité (document de travail)», Montréal, Office des services de garde à l'enfance, mars 1988, p. 4.

7. *The Day Care Book*, sous la direction de Vicki Breitbart, cité dans *The New Extended Family* de Ellen Galinsky et William H. Hooks, Boston, Houghton Mifflin, 1977, p. 128.

disposition de la loi en créant une nouvelle corporation chaque fois qu'ils déposent une demande de permis. Bien que la plupart des propriétaires ne possèdent pas plus de trois garderies, il est important de demander s'ils en possèdent plus d'une. Un propriétaire qui ne travaille pas à temps plein à sa garderie devient en quelque sorte un propriétaire absentéiste, qui se vote malgré tout un salaire. Il devra embaucher un employé supplémentaire, ou la garderie devra fonctionner sans véritable directrice. Il arrive qu'un propriétaire de plusieurs garderies utilise ses employés comme des pions, les déplaçant d'une garderie à une autre pour remplacer des absents ou pour dépanner temporairement — une pratique déconcertante pour tous.

Les garderies à but lucratif peuvent recevoir de la province des subventions pour l'équipement, pour la formation du personnel et pour le programme destiné aux poupons (si elles offrent des places pour nourrissons); les sommes en jeu sont toutefois minimes et l'usage qu'elles en font, comparé aux subventions attribuées aux garderies sans but lucratif, est étroitement contrôlé. Comme elles tentent de tirer le plus de profits possible de leurs activités, les services des garderies à but lucratif coûtent souvent plus cher[8]; elles doivent en outre souvent procéder à des coupures dans leurs coûts d'opération. Cela signifie au premier chef des coupures de salaires, qui constituent la principale dépense d'une garderie. Une étude québécoise a établi que les garderies à but lucratif offrent de plus bas salaires[9], embauchent du personnel moins qualifié et que le taux de changement de personnel y est plus élevé qu'ailleurs[10]. Pour répondre aux exigences en matière de ratio, on y embauche parfois des étudiants qui complètent ainsi leur formation et ne reçoivent pas de salaire; on y accepte aussi parfois des enfants sur une base occasionnelle, en dépit de règles qui interdisent cette pratique.

Les repas qu'on y sert pourront ne pas être aussi nourrissants ni appétissants qu'on le souhaiterait[11]. Les garderies à but lucratif choisissent souvent de s'installer dans des rues

---

8. Pineault, *ibid.*, p. 14.

9. De Gagné et Gagné, *ibid.*, p. 6; Pineault, *ibid.*, p. 14.

10. De Gagné et Gagné, *ibid.*, p. 6.

11. Kate Fillion, «The Daycare Decision», *Saturday Night*, janvier 1989, p. 24.

commerciales où les passants peuvent les voir, mais où la circulation est beaucoup trop dense et où les espaces verts font douloureusement défaut[12].

Aux termes de la loi québécoise, les parents doivent élire, dans toute garderie à but lucratif, un comité de parents qui conseillera le détenteur du permis. Mais ce comité ne réussira peut-être pas à arracher de réels pouvoirs au propriétaire, qui prendra en fin de compte toutes les décisions. Si les parents sont en désaccord avec la politique de la garderie, leur unique recours se limitera parfois à en retirer leur enfant.

Si le propriétaire le désire, il pourra trouver son profit en vendant sa garderie au plus offrant, laissant les enfants, le personnel et les parents se débattre avec le nouveau propriétaire et des conditions peut-être fort différentes.

Dans de telles conditions, il devient difficile d'obtenir des services de garde de haute qualité. Au Québec, 73,2 % des plaintes sérieuses reçues en 1986-1987 par l'Office des services de garde à l'enfance avaient été logées contre des garderies à but lucratif[13]. Les chercheurs embauchés par le Comité spécial de la Chambre des Communes sur les services de garde ont constaté que les garderies à but lucratif étaient moins susceptibles de répondre aux normes gouvernementales que les garderies sans but lucratif[14], et ont attribué à 25 % des petites garderies à but lucratif — un pourcentage effarant — une cote de piètre ou de très piètre qualité[15].

Bien sûr, outre cette différence entre services à but lucratif et services sans but lucratif, d'autres aspects sont à considérer. Où souhaitez-vous que se trouve votre garderie: près de votre foyer ou près de votre travail? Quel emplacement vaut mieux? Pouvez-vous avoir recours à une garderie en milieu de travail même s'il ne s'en trouve pas une là où vous travaillez?

Les garderies communautaires

Même si les gens ne choisissent pas encore leur logement en fonction de la proximité d'un service de garde de

---

12. De Gagné et Gagné, *ibid.*, p. 15.
13. De Gagné et Gagné, *ibid.*, p. 5.
14. SPR Associates, *ibid.*, p. 21.
15. SPR Associates, *ibid.*, p. 5.

bonne réputation, ce jour n'est probablement pas éloigné. Selon un récent sondage, les familles québécoises préfèrent les services de garde situés dans leur quartier[16]. Si vous êtes sur le point de déménager, informez-vous des garderies avoisinantes, comme vous le feriez des écoles ou des services de transport public. Vous aurez la vie plus facile si vous habitez près d'un bon service de garde.

Les garderies communautaires offrent tous les avantages d'une petite communauté. Situées là où vous habitez, elles permettent à votre enfant de lier connaissance avec d'autres enfants du quartier et lui fournissent l'occasion de se faire des amis qu'il continuera de fréquenter pendant ses années d'études. Si la population du quartier est stable, la clientèle de la garderie le sera aussi.

Les rencontres fortuites au terrain de jeux, à la piscine, à l'anneau de glace intérieur, au supermarché et, plus tard, à l'école primaire consolideront les amitiés et donneront aux enfants un sentiment d'appartenance au milieu. Parce que les enfants d'âge préscolaire ne vont nulle part seuls, une garderie communautaire aidera leurs parents, vivant aussi bien seuls qu'en couple, à se sentir intégrés à la communauté. Pendant que vous regarderez votre enfant creuser dans le sable aux côtés de Gabrielle, qui fréquente aussi la garderie, vous ferez la connaissance des parents de cette dernière et vous vous surprendrez à les chercher des yeux lorsque vous retournerez au parc. Quand les enfants vieilliront et voudront se retrouver pendant le week-end, il sera très facile d'organiser des visites, qui pourront inclure des échanges entre adultes autour d'une tasse de café. Les enfants qui jouent avec des amis du voisinage ne sont pas séparés de leurs frères et sœurs plus âgés, qui se rassemblent aussi au parc et à la bibliothèque du quartier.

Comme l'hiver dure chez nous la moitié de l'année, pouvoir compter sur une garderie à proximité de chez soi constitue un avantage considérable. Même si son enfant n'a pas le mal des transports, quel parent oserait qualifier de «moment d'échange intense» le temps passé à assurer le transport d'un enfant fatigué, affamé et d'humeur capricieuse, emmitouflé dans un habit de neige, aux heures de

16. Frenette, *ibid.*, p. 2.

pointe — que ce soit dans une automobile, un autobus ou une voiture de métro bondée. Et pendant une tempête de neige, tout parent sera soulagé de ne pas avoir avec soi son enfant dans l'auto. Les parents aiment aussi profiter de quelques moments bien à eux, avant et après le travail: le matin, pour faire la transition entre le rythme du foyer et celui du travail; le soir, pour décompresser et refaire le plein, avant de passer prendre leur enfant en garderie. Une garderie communautaire leur laissera le temps de respirer.

Les garderies en milieu de travail

Les garderies en milieu de travail ont aussi leurs inconditionnels, et il n'est absolument pas nécessaire de travailler sur place pour utiliser ce service. Au Québec, environ 45 % des garderies en milieu de travail sont ouvertes aux familles habitant et travaillant à proximité[17]. N'éliminez pas automatiquement le service de garde en milieu de travail pour la simple raison qu'il n'y en a pas un sur votre propre lieu de travail!

En 1971, l'Université Laval est devenue le premier employeur au Québec à créer une garderie en milieu de travail. Il en existe maintenant plus de 150 — plus que partout ailleurs au Canada — qui comptent pour presque 20 % de tous les services de garde de groupe de la province qui ont un permis[18].

Les services de garde en milieu de travail peuvent s'avérer une planche de salut, particulièrement pour les parents de nourrissons. Ne serait-ce que parce qu'en répondant ainsi aux besoins de leur personnel les employeurs aident à rendre disponible plus que leur juste part de places en garderies, pour nourrissons et tout-petits. Si vous cherchez une place en garderie pour un poupon, vous êtes plus susceptible de la trouver s'il se trouve un service de garde là où vous travaillez[19].

---

17. Johanne Caplette, *Liste des garderies situées en milieu de travail*, Montréal, Office des services de garde à l'enfance, janvier 1992.

18. Caplette, *ibid.*

19. Entretien privé avec Margaret De Serres et Louise Gélinas, agents de liaison et de développement à l'Office des services de garde à l'enfance.

En outre, les garderies en milieu de travail rendent moins pénible pour la mère la perspective de se séparer de son nourrisson. Lorsque vous travaillez à proximité, vous pouvez continuer à allaiter votre bébé, à l'heure du déjeuner et pendant les pauses-café. S'il se réveille plus tôt que prévu, peut-être pourrez-vous faire un saut pour l'allaiter. Vous pourrez aussi de temps à autre lui jeter un œil et le serrer dans vos bras; vous pourrez enfin le mettre au lit pour la sieste, si le moment en est venu.

En cas d'urgence, ou si l'enfant est malade, il vous sera possible de vous rendre à son chevet sans tarder.

La solution du service de garde en milieu de travail réduira le nombre de vos déplacements, bien qu'elle ne vous épargnera pas les heures de circulation intense. Vous n'aurez toutefois qu'une destination: votre enfant et vous-même vous rendrez directement à votre lieu de travail, et vous rentrerez ensemble à la maison.

À l'exemple de la garderie communautaire, le service de garde en milieu de travail permet de tisser facilement des liens et de créer un réseau d'entraide. Il est réconfortant de se faire de nouveaux amis qui connaissent exactement les mêmes épreuves que soi. En vous créant un réseau de connaissances à la garderie, vous en apprendrez aussi davantage sur ce qui se passe au bureau, et vous vous sentirez mieux et plus heureux au travail. L'employeur qui permet qu'une garderie ouvre ses portes dans son entreprise prend un visage plus humain: il manifeste ainsi son intérêt pour ses employés, qui y trouvent une existence plus pleine, parce qu'ils intègrent ainsi mieux leur vie de famille à leur vie au travail.

Les garderies en milieu de travail font face à d'énormes pressions pour dispenser des soins de haute qualité. Elles sont accessibles aux parents en tout temps — donc constamment sous surveillance —, et elles doivent rendre des comptes aussi bien aux parents qu'à l'employeur. Comme de raison, les employeurs désirent que la garderie associée à leur nom constitue un atout, plutôt qu'un poids, pour leur entreprise. En fait, un sondage mené au Canada auprès des services de garde en milieu de travail démontre que plusieurs d'entre eux offrent un ratio éducatrices-enfants supérieur aux normes provinciales et que plusieurs versent à leur personnel des salaires plus élevés que les garderies de la même région[20]. Au Québec, presque toutes les garderies en milieu de travail sont administrées par des parents[21]. Tous ces éléments contribuent à assurer des soins de bonne qualité.

Les frais encourus par les parents sont toutefois sensiblement les mêmes dans un service de garde en milieu de travail que dans une garderie communautaire[22] — en dépit du fait que le gouvernement et l'employeur garnissent souvent les coffres des premiers. (Le gouvernement leur accorde de substantielles subventions et, souvent, l'employeur renonce à leur imposer des frais de location, de services et d'entretien, ou en assume les coûts, et leur prête du personnel spécialisé en matière d'administration et de relations de travail.) Les revenus additionnels servent à améliorer la qualité des soins: à renouveler régulièrement les équipements, à servir des repas plus complets, à rénover les lieux et, par-dessus tout, à consentir des salaires et des avantages sociaux plus importants, de manière à attirer un personnel mieux formé et à maintenir un faible taux de changement.

En théorie, l'un des grands avantages de la garderie en milieu de travail tient à ce qu'elle s'adapte aux heures et quarts de travail irréguliers, imposés par l'employeur. En fait cependant, très peu de services de garde en milieu de travail ouvrent très tôt le matin, restent ouverts très tard le soir, ou prennent soin d'enfants pendant la nuit et les week-ends. Ces services coûtent simplement trop cher[23]. Toutefois, un employeur qui a besoin de ses employés pendant les Fêtes ne fermera vraisemblablement pas ce service au cours de cette période, comme le font certaines garderies communautaires ou les services de garde en milieu scolaire.

La garderie en milieu de travail présente elle aussi des désavantages. Les week-ends, vous pourriez être obligée de traverser la moitié de la ville pour permettre à votre enfant de jouer avec son meilleur ami. Et quand viendra pour lui le

20. Rothman Beach Associates, «Étude sur les garderies en milieu de travail au Canada», *Études servant de base au rapport du groupe d'étude sur la garde des enfants*, Ottawa, Condition féminine Canada, 1986, vol. 3.

21. Entretien avec Margaret De Serres et Louise Gélinas.

22. Rothman Beach Associates, *ibid.*

23. Entretien avec Margaret De Serres et Louise Gélinas.

moment d'entrer à l'école, il se retrouvera peut-être en terrain totalement inconnu: les autres enfants se connaîtront parce qu'ils auront fréquenté les mêmes garderies communautaires, les mêmes piscines publiques et les mêmes cours de ballet. Pour eux, il sera un étranger. Tous les parents ne sont pas prêts à consacrer une partie de leur précieux temps à leur enfant pour pallier cet inconvénient, mais ceux qui y sont disposés pourront songer à l'inscrire à des activités qui se tiennent le samedi, grâce auxquelles il se fera aussi quelques amis parmi les voisins.

Même si les services de garde en milieu de travail sont gérés par un conseil d'administration indépendant, composé de parents, et non pas par l'employeur, les membres dudit conseil feront parfois l'expérience de conflits d'intérêts paralysants. Si votre supérieur immédiat et vous-même êtes tous deux membres du conseil d'administration, vous ne vous sentirez peut-être pas à l'aise pour dire tout ce que vous pensez, spécialement si vous n'êtes pas d'accord avec lui. En conséquence, malgré les meilleures intentions du monde, un cadre supérieur de l'entreprise sera peut-être en mesure d'exercer beaucoup trop de pouvoir et cette situation pourra compromettre le travail de la directrice et du personnel de la garderie et, du même coup, les soins offerts aux enfants.

Mais le plus grave inconvénient de la garderie en milieu de travail est peut-être le dilemme dans lequel vous seriez enfermée s'il vous arrivait de détester votre travail. Vous hésiteriez peut-être alors à quitter votre emploi si votre enfant devait perdre du coup sa place en garderie. Il s'agit effectivement d'une situation fâcheuse. Mais elle n'est pas insurmontable. Parce que de nombreuses garderies en milieu de travail acceptent des enfants du voisinage, on permettra peut-être à votre enfant de rester, même si vous ne travaillez plus sur les lieux. Lorsque vous menez des recherches pour trouver un service de garde en milieu de travail, informez-vous de la politique de l'entreprise en ce qui a trait aux non-employés et aux ex-employés.

Si votre employeur n'offre pas sur place un service de garde, sachez que certaines entreprises proposent d'autres solutions au problème de la garde des enfants. Par l'intermédiaire d'un conseiller professionnel, ou de son bureau du personnel, une entreprise peut fournir un service d'information, de référence ou de consultation pour vous aider à dénicher un service de garde. Ce service est parfois aussi bien personnalisé que complet: un conseiller évalue alors vos besoins, vous fait des suggestions et vous dit comment prendre une décision qui vous convienne. Dans le pire des cas, on vous remettra une liste de banque d'information, traitée par ordinateur, mais vous ne saurez pas alors si se trouvent dans ces services de garde des places disponibles et vous n'aurez aucune idée de la qualité des soins qui y sont prodigués. Lorsque vous avez recours à un service comme ce dernier, assurez-vous de demander par quels moyens on en a vérifié les données. Mais dans un cas comme dans l'autre, cela va de soi, la décision finale vous appartiendra[24].

Les garderies en milieu universitaire ou collégial

Plus de quarante cégeps et universités du Québec exploitent des garderies pour accommoder les jeunes parents qui se trouvent parmi leur personnel ou leur population étudiante, et pour fournir un terrain de formation à leurs étudiants en techniques d'éducation en services de garde[25]. Parce qu'elles peuvent servir de modèles et d'ateliers d'exercices pratiques aux étudiants, les garderies universitaires et collégiales sont généralement de très haute qualité: elles sont généreusement subventionnées et équipées par le gouvernement et l'institution d'enseignement qui les parraine, bien gérées et bien pourvues en matière de personnel par des professionnels hautement qualifiés. Et elles offrent les mêmes avantages que les autres services de garde en milieu de travail: l'appartenance à une communauté au sein d'une communauté plus nombreuse, et la possibilité pour les parents de se porter au chevet de leur enfant à tout moment, pour à peu près le même prix que dans n'importe quel autre service de garde.

En raison de la proximité de stagiaires, le ratio éducatrices-enfants d'une garderie en milieu universitaire peut être extrêmement élevé. Les étudiants y mettent aussi en pratique

---

24. Mayfield, *ibid.*
25. Rothman Beach Associates, *ibid.*

des idées nouvelles et les plus récentes théories en matière de techniques de garde. Si le personnel de la garderie a l'esprit très ouvert, on pourra aussi créer un environnement stimulant, dynamique et propice à l'apprentissage. Mais la garderie doit savoir comment tirer le meilleur parti de ces troupes surnuméraires. Les étudiants sont jeunes et moins expérimentés que les éducatrices professionnelles, membres du personnel. On devrait donc avoir recours à leurs services pour *améliorer* le ratio éducatrices-enfants, et non pas pour se conformer aux normes en cette matière. Pour le bien des enfants, qui ont besoin de voir régulièrement le même petit nombre d'éducatrices, un seul étudiant devrait intervenir par semestre dans chaque groupe. Les nourrissons constituent peut-être en ce sens l'exception. Bien que chaque bébé devrait avoir idéalement en permanence sa propre éducatrice, des étudiants aimants, dont le stage se prolonge sur une période de quatre à cinq mois, seront toutefois d'une aide inestimable. Les stagiaires devraient se rendre à la garderie au moins trois fois la semaine.

Bien que les parents encore aux études débordent d'idées et d'enthousiasme, la plupart d'entre eux n'ont pas encore beaucoup d'expérience en gestion, et un conseil d'administration composé de parents bien intentionnés, mais très jeunes, donnera à l'occasion du fil à retordre à une garderie. (Une garderie universitaire de la région de Montréal a connu quinze directrices en vingt ans.) Les garderies universitaires résolvent souvent ce problème en demandant à des membres du corps enseignant ou à des cadres supérieurs de la faculté de siéger au conseil d'administration. Ils y exercent une influence pondératrice et y font valoir leur utile expérience lorsque vient le moment de prendre des décisions.

Maintenant que vous connaissez les avantages et désavantages de ce type de service de garde, vous saurez où trouver ce que vous cherchez. Vous serez bien plus susceptible d'obtenir des soins de haute qualité dans une garderie sans but lucratif, mais rien ne vous le garantit. Une garderie sans but lucratif peut être médiocre, et une garderie à but lucratif — rarement excellente — pourra s'avérer acceptable. On trouvera des institutions de bonne et de mauvaise qualité aussi bien parmi les garderies privées que publiques, communautaires ou en milieu de travail. En somme, il faut vous informer de ce qu'est un service de haute qualité et vous fier ensuite à vos facultés d'observation pour choisir la meilleure garderie possible, où qu'elle se trouve et peu importe qui la gère.

Établir une liste
des services potentiels

L'étape suivante est beaucoup plus amusante. Il est temps de dresser une liste des services de garde potentiellement acceptables. Selon le lieu où vous habitez et celui où vous travaillez, cette liste pourra ne pas être le moins du monde courte; elle pourra même être aussi longue que le bras. Mais vous serez renversée de la vitesse à laquelle elle s'abrégera dès que vous chercherez à l'adapter aux besoins de votre famille.

Feuilletez attentivement la brochure *Où faire garder nos enfants?* publiée par l'Office des services de garde à l'enfance. Elle se divise en trois sections: l'une consacrée aux services de garde en milieu familial; une deuxième, aux garderies; et une troisième aux services de garde en milieu scolaire. À la fin de chacune des sections se trouve un index où figurent, par ordre alphabétique, les services de garde répertoriés. Mais dans les faits, le classement est géographique: il est dressé par régions de la province (Estrie, Montréal, Outaouais) et, à l'intérieur de chaque grande région, par municipalité (Outremont, Anjou).

En utilisant une carte, notez sur papier les noms, adresses et numéros de téléphone de toutes les garderies à proximité de votre foyer et de votre lieu de travail. Même si le classement utilisé dans la brochure repose sur les codes postaux, il pourra parfois vous paraître arbitraire; aussi vous faudra-t-il user de patience pour les identifier toutes.

Si vous avez noté des noms de garderies suggérées par d'autres sources, c'est le moment de procéder à une vérification. Ont-elles toutes un permis? Si c'est le cas, prenez aussi en note leurs coordonnées.

La brochure *Où faire garder nos enfants?* vous indiquera en outre si une garderie est à but lucratif ou sans but lucratif. Le code 4.2 désigne «une corporation sans but lucratif dont le conseil d'administration est composé majoritairement de parents». Presque toutes les garderies de cette catégorie reçoivent une importante subvention au fonctionnement qui sert à défrayer l'achat d'équipements, les rénovations ou les salaires. Le code 4.5 désigne habituellement une garderie à but lucratif gérée par le propriétaire.

Vous trouverez un autre élément d'information utile dans cette brochure: le nombre d'enfants que chaque service de garde peut accueillir. Les bébés de 0 à 18 mois y sont désignés comme des «poupons», et les enfants de 18 mois à 6 ans, comme des «enfants».

Comment saurez-vous quelles garderies sont réellement susceptibles de répondre à vos besoins? Vous trouverez, à la fin de ce chapitre, un questionnaire que nous avons élaboré dans ce but exprès. Vous en ferez plusieurs photocopies: une pour chaque service de garde de votre liste préliminaire. Comme il est impossible de comparer des pommes et des oranges, il vous faudra poser les mêmes questions dans toutes les garderies.

Même si vous pensez connaître certaines des réponses, assurez-vous de poser toutes les questions, ne serait-ce que pour vérifier les données déjà colligées. La situation pourrait avoir changé; la directrice du service, avoir maquillé la vérité pour mieux servir ses fins. Une directrice d'une garderie à but lucratif nous a affirmé que sa garderie était sans but lucratif. Peut-être voulait-elle dire par là qu'on n'y faisait pas beaucoup d'argent, mais cela n'excuse pas sa réponse.

Passer des coups de fil

Pour trouver réponse à la plupart des questions, il vous faudra donner quelques coups de fil. Demandez à parler à la directrice; cela est important, si vous voulez avoir une idée de la personne qu'elle est. Si elle est absente, demandez à quel moment vous pourriez la joindre.

Elle vous invitera peut-être à visiter les lieux bien avant que vous n'y soyez prête, aussi armez-vous d'une excuse — vous n'en êtes qu'aux démarches préliminaires et n'êtes pas encore prête à une visite — et dites-lui que vous voulez d'abord lui poser quelques questions.

Les questions à aborder

Voici les questions en cause, assorties d'explications. (Toutes ces questions sont reprises dans le questionnaire, en fin de chapitre.) Lisez-les d'abord toutes et demandez-vous lesquelles s'appliquent dans votre cas. Rappelez-vous que vous recherchez des renseignements de base. Bien entendu, vous devriez mettre fin à la conversation dès qu'une réponse exclut une garderie: par exemple, si vous avez besoin d'une place pour un tout-petit et que l'institution concernée n'accueille que des enfants d'âge préscolaire.

1. *Votre garderie détient-elle un permis de l'Office des services de garde à l'enfance?*

Si la garderie est inscrite dans *Où faire garder nos enfants?*, il est inutile de poser cette question: toute garderie inscrite dans cette brochure en détient un. Si elle n'y figure pas (ou si vous n'avez pas en main cette brochure), vous vous *devez* de la poser. Un permis émis par l'Office des services de garde à l'enfance est absolument essentiel. Une prématernelle déguisée en garderie peut détenir un permis d'occupation émis par la municipalité, mais ce document ne saurait remplacer un permis de l'Office. Si on vous répond dans une garderie: «Nous avons demandé un permis qui ne nous a pas encore été délivré», cela signifie qu'on n'y a pas le droit d'exploiter une garderie (ce qui est pourtant le cas, si on s'y occupe chaque jour de plus de six enfants, sur une base régulière, pendant plus de quatre heures). En pareil cas, mettez immédiatement fin à la conversation.

2. *Quel âge doit avoir un enfant pour fréquenter la garderie?*

En consultant *Où faire garder nos enfants?*, vous apprendrez si la garderie en question accepte les nourrissons. Si vous n'avez pas en main cette brochure et que vous recherchez une place pour un enfant âgé entre 4 et 18 mois, il vous faudra poser cette question. Vous éliminerez ainsi d'emblée plusieurs garderies qui n'acceptent que des enfants plus âgés.

3. *Quelles sont les heures d'ouverture?*

La garderie est-elle ouverte suffisamment tôt le matin pour que vous arriviez à l'heure au travail, et serez-vous en mesure de reprendre votre enfant avant qu'elle ne ferme ses portes, le soir? Attention: les amendes imposées en cas de retard sont évidemment considérables.

4. *L'admission se fait-elle sur la base de critères particuliers?*
La plupart des garderies admettent les frères et sœurs d'enfants qui les fréquentent déjà, avant tout autre candidat, sur la base du premier arrivé, premier servi. Certaines garderies accordent la priorité aux habitants du voisinage, ou aux parents qui travaillent pour une entreprise particulière. Mais même ces garderies acceptent parfois d'autres candidats. Demandez aux garderies en milieu de travail si elles accueillent des enfants de parents qui ne sont pas à l'emploi de l'entreprise.

5. *Quels sont les tarifs?*
Les frais de garde sont sensiblement les mêmes dans toute la province, bien que les parents des grands centres urbains paient davantage que leurs semblables des régions rurales, et que les garderies à but lucratif puissent exiger un peu plus que les garderies sans but lucratif.

Consent-on une remise pour un deuxième enfant? Certaines garderies, conscientes du fait que le placement de deux enfants en service de garde peut ruiner une famille, offrent un rabais pour le deuxième enfant.

Y a-t-il des frais additionnels? En plus des frais de garde, vous pourriez devoir débourser quelques dollars supplémentaires pour l'admission, les couches, l'usage d'un ordinateur, ou pour des excursions éducatives. Cela est plus fréquent dans les garderies à but lucratif. Mieux vaut savoir dès maintenant ce qui vous attend.

Devrai-je payer pour vos services lorsque je suis en vacances? Toute garderie s'attend à ce que les parents paient même les jours où leur enfant s'absente du service pour cause de maladie; toute garderie s'attendra aussi à ce que les parents paient tous les mois de l'année — même les mois des vacances — parce que ses coûts d'opération restent alors inchangés. Certaines garderies permettront toutefois aux parents de prendre de deux à huit semaines de vacances, sans les facturer pour cette période.

6. *Est-il possible d'obtenir des subventions?*
Les familles qui éprouvent de la difficulté à défrayer les coûts d'un service de garde peuvent être admissibles à une aide gouvernementale, mais devront pour ce faire trouver une garderie qui se qualifie pour ce genre de subventions. Si c'est

votre cas et que la garderie en question n'est pas reconnue à ce titre par le gouvernement, vous devrez vous adresser ailleurs.

Les subventions du Québec ne défraient toutefois pas la totalité des coûts du service. Dans d'autres provinces, vous pourrez déposer une demande de subvention en vous adressant à votre office régional, provincial ou municipal de services de garde. Vous devriez agir sans tarder: les périodes d'attente s'allongent jusqu'à un an, même parfois deux.

7. *Acceptez-vous des enfants à mi-temps ou sur une base occasionnelle?*

Que vous soyez à la recherche de soins à mi-temps ou à temps plein, il s'agit d'une importante question. Si vous avez besoin d'une place à temps plein, mieux vaut pour votre enfant que tous les autres la fréquentent aussi chaque jour. Quelle que soit la qualité du service, les enfants gardés à mi-temps mettent toujours plus de temps à s'adapter, ce qui détourne l'attention des éducatrices de tous les enfants à temps plein. La multiplication des arrivées et des départs pourra grandement troubler les enfants et accroîtra l'incidence de maladies. Dans la plupart des garderies bien établies, les demandes d'admission à temps plein ont préséance.

Si vous recherchez un service à mi-temps, vos chances d'en trouver un seraient peut-être meilleures si vous vous adressiez à une garderie nouvellement ouverte, qui sera prête et disposée à accepter des enfants à mi-temps pour combler des places encore libres.

Seules les haltes-garderies sont autorisées à accepter des «occasionnels»: des enfants qui ne sont pas inscrits, mais qui se présentent à l'occasion, quand ils ont besoin d'un service de garde pour une heure ou deux. La halte-garderie est totalement inappropriée pour les enfants qui doivent régulièrement être confiés à un service de garde; elle ne détient d'ailleurs pas de permis de garderie de l'Office. Une garderie qui accepte des enfants sur une base occasionnelle est source de problèmes de santé et de sécurité que vous souhaiterez éviter.

8. *Votre garderie est-elle sans but lucratif ou à but lucratif?*

Dans le cas d'une garderie à but lucratif, demandez si le propriétaire y travaille à temps plein. Grâce à cette information, vous saurez s'il est sur les lieux pour surveiller les enfants et le personnel de sa garderie. Et en demandant s'il est propriétaire de plus d'une garderie, vous serez mieux renseignée sur son engagement à l'endroit des enfants.

9. *Combien d'enfants compte chaque groupe? Quel est le ratio éducatrices-enfants? Quel est le nombre total d'enfants admis dans votre garderie?*

Les chercheurs ont reconnu dans la dimension des groupes l'un des éléments les plus déterminants en ce qui a trait à la qualité des soins. «On associe immanquablement les petits groupes à de meilleurs soins, à des enfants plus sociables et à de meilleurs résultats aux tests de développement[26].»

Le ratio éducatrices-enfants, très étroitement lié à la dimension des groupes, est tout aussi important, spécialement chez les plus jeunes enfants. Une éducatrice doit avoir suffisamment de temps pour parler à chaque enfant et l'écouter, pour répondre aux questions, pour donner une étreinte et offrir un sourire, pour réconforter un enfant triste et rire avec un enfant heureux. Elle ne peut accomplir ces tâches essentielles s'il lui faut prendre soin de trop nombreux enfants.

Méfiez-vous. Comme de nombreuses autres provinces, le Québec ne réglemente pas la dimension des groupes. Il impose plutôt une limite au nombre d'enfants présents dans une salle. Mais il accepte que s'y retrouvent de si nombreux enfants qu'on peut difficilement parler de limites: dans le cas des bébés de moins de 18 mois, ce nombre est fixé à quinze; et dans celui des plus de 18 mois, à trente. Les réglementations en matière de ratio éducatrices-enfant laissent aussi beaucoup à désirer. Le Québec n'exige que la présence d'un seul adulte pour cinq nourrissons et d'un adulte pour huit tout-petits.

Nous jugeons plus acceptables les recommandations du groupe d'étude fédéral sur la garde des enfants (dont l'excellent rapport détaillé a été publié en 1986) et celles de la National Association for the Education of Young Children, prestigieuse organisation américaine.

---

26. Lero et Kyle, *ibid.*

Nourrissons de 0 à 18 mois:
ratio de 1/3 à 1/4; de 6 à 8 enfants par groupe (au Québec: 1/5; 15 par salle)

Tout-petits:
ratio de 1/3 à 1/5; de 6 à 10 enfants par groupe (au Québec: 1/8; 30 par salle)

2 et 3 ans:
ratio de 1/4 à 1/6; de 8 à 12 enfants par groupe (au Québec: 1/8; 30 par salle)

3 ans:
ratio de 1/5 à 1/8; de 10 à 16 enfants par groupe (au Québec: 1/8; 30 par salle)

4 ans:
ratio de 1/8 à 1/10; de 16 à 20 enfants par groupe (au Québec: 1/8; 30 par salle)

5 ans:
ratio de 1/10 à 1/12; de 20 à 24 enfants par groupe (au Québec: 1/15; 30 par salle)

Le nombre total d'enfants admis dans une garderie influence également la qualité des soins. Une étude a permis de constater que, lorsqu'une garderie accueille plus de soixante enfants, ses règlements et ses horaires sont plus inflexibles et plus stricts, et que les enfants ont moins la possibilité d'être les initiateurs et d'assurer la maîtrise de leurs activités. En général, dans une garderie surpeuplée, il est difficile aux individus d'apprendre à se connaître les uns les autres. Le Québec y limite les admissions à soixante, dont quinze nourrissons — sauf dans le cas des garderies qui ont ouvert leurs portes avant que n'entre en vigueur cette réglementation.

Toute garderie qui ne se plie pas aux réglementations provinciales en cette matière devrait être instantanément rayée de votre liste.

10. *Combien d'éducatrices sont à votre service? Combien d'entre elles détiennent un diplôme d'études collégiales ou un diplôme universitaire en développement de l'enfant ou en techniques de garde?*

Bien qu'il soit impossible d'imposer de bonnes méthodes d'éducation par voie législative, il est néanmoins possible d'énoncer des dispositions qui y incitent. Tous s'accordent toutefois à dire que les éducatrices qui ont reçu une formation en développement de l'enfant ou en techniques d'éducation en services de garde sont les meilleures. Expert américain en service de garde à l'enfance, Alison Clarke-Stewart résume en ces mots la recherche sur le sujet: les éducatrices de formation sont «davantage stimulantes, secourables, enjouées, positives et affectueuses... et les enfants confiés à leurs soins sont plus absorbés, plus coopératifs, plus persévérants, et apprennent davantage[27]». Une nouvelle étude démontre que les éducatrices qui ont reçu une formation particulière, et poursuivi des études avancées, pourraient être les meilleures de toutes[28]. Pour permettre aux services de garde d'offrir des soins de qualité supérieure, des éducatrices formées sont absolument essentielles.

Le Québec exige seulement qu'une éducatrice sur trois détienne un diplôme collégial ou universitaire en techniques de garde ou en développement de l'enfant; et cette personne est censée se trouver auprès des enfants «au moins la moitié du temps». Une garderie doit se conformer *au moins* à ces normes minimales, mais vous devriez en chercher une dont tous les membres du personnel aient reçu une formation. Plus le personnel est formé, mieux cela vaut.

11. *Que font les enfants pendant toute la journée? À quoi ressemble une journée type?*

Les études démontrent que les enfants apprennent davantage quand leur journée comporte à la fois des activités dirigées et d'autres libres: certaines dont l'enfant est l'initiateur et d'autres que l'éducatrice propose[29]. En outre, les experts considèrent comme un élément important du développement de l'enfant qu'on lui propose une journée équilibrée, qui comprenne des activités à l'intérieur et à l'extérieur, calmes et stimulantes, individuelles, en petits groupes et en groupes nombreux.

---

27. Clarke-Stewart, *Daycare, ibid.*, p. 107.

28. Deborah A. Phillips et Carollee Howes, «Indicators of Quality Child Care: Review of Research», *Quality in Child Care: What Does Research Tell Us?, ibid.*, p. 35.

29. Clarke-Stewart, *Daycare, ibid.*, p. 85.

On ne sait jamais à quoi s'attendre quand on pose cette question. La directrice pourra sembler vous tenir un langage articulé et clair, et vous décrire un programme excitant. Mais les propos qu'elle vous tient pourraient bien avoir été appris par cœur et son programme se retrouver à l'antithèse de tout ce en quoi vous croyez. Dans un cas comme dans l'autre, gardez à l'esprit que ce que vous entendez pourrait être pure fadaise.

12. Servez-vous un déjeuner chaud?

Environ 95 % des garderies servent maintenant un déjeuner chaud, mais un service de garde non équipé d'une cuisine vous demandera de préparer une boîte à lunch pour votre enfant. *Mon enfant doit suivre une diète. Pouvez-vous répondre à ses besoins?* Les parents d'enfants soumis à un régime alimentaire particulier doivent s'informer des moyens que prendra le cuisinier pour contourner une allergie au lait ou aux noix, ou s'adapter à une préférence pour des plats végétariens, dictée par des préceptes religieux.

13. La garderie ferme-t-elle parfois ses portes? Si oui, quand?

Si vous êtes enseignante et que vous avez congé tout l'été, ou commis-vendeuse et que votre saison la plus occupée est le temps des Fêtes, il s'agit là d'une information capitale. Les garderies qui logent dans des écoles ferment à l'époque de Noël. Certaines garderies ferment pendant une semaine à la fin d'août, pour se préparer à la rentrée de septembre; certaines garderies ferment aussi temporairement leurs portes au printemps.

14. Les parents sont-ils tenus de travailler à la garderie?

Dans certaines garderies, on s'attend à ce que les parents donnent un coup de main en s'acquittant de corvées, le samedi matin; d'autres se sont dotées d'un conseil d'administration composé de parents. Comme vous êtes à la fois parent et travailleur, ou étudiant, vous ne disposez guère de temps libres et vous voudrez vous assurer que vous pourrez remplir vos engagements avant de signer les papiers d'admission. Vous n'avez probablement que le samedi pour nettoyer la maison et faire les courses, et que le dimanche pour passer des moments d'échange intense avec votre enfant. Vous pourriez ne pas être disposée à sacrifier l'un de ces jours pour le consacrer à la garderie.

15. Avez-vous une place disponible pour la date à laquelle j'aurai besoin d'un service de garde?

Comme de raison, vous ne poserez cette question que si la garderie vous semble acceptable. Si vous entreprenez vos recherches assez tôt — dans le cas de poupons et de tout-petits, lorsque vous devenez enceinte; et dans celui d'enfants d'âge préscolaire, au moins de neuf mois à une année d'avance —, il y aura probablement une place pour votre enfant. Si vous avez besoin de ce service pour la semaine prochaine, votre marge de manœuvre sur ce point sera plus limitée.

16. Y a-t-il une liste d'attente à votre garderie?

Si vous n'avez pas immédiatement besoin d'une place, ou si la garderie n'en a aucune à vous offrir pour l'instant, mais accepte néanmoins des inscriptions sur sa liste d'attente, vous n'avez rien à perdre en y ajoutant votre nom. Parce qu'une garderie a bonne réputation, vous pourriez être encline à penser que vous n'avez aucune chance d'y obtenir une place; mais ne donnez pas dans ce panneau. La liste d'attente pourrait vous paraître bien plus longue qu'elle n'est en réalité. Souvent, les gens s'inscrivent dans plusieurs garderies, puis acceptent une place ailleurs, ce qui vous fera avancer du coup d'un rang. Demandez combien de temps il faudra pour que votre nom se retrouve en tête de liste.

17. Quand et comment puis-je m'inscrire? Y a-t-il des frais d'inscription?

Une demande d'inscription dans une garderie ne vous engage pas à y envoyer votre enfant; elle vous donne simplement la possibilité de le faire. De manière à vous assurer d'obtenir une place, nous vous suggérons de vous inscrire dès maintenant dans toutes les garderies qui vous semblent acceptables. Plus tôt vous vous inscrirez, plus vite vous vous retrouverez au premier rang. Certaines garderies vous adresseront par la poste un formulaire d'inscription et vous recommanderont de vous inscrire sans délai; d'autres insisteront pour que vous visitiez d'abord les lieux.

La plupart des garderies ne facturent pas de frais d'inscription, mais certaines le font — non pas parce qu'il est difficile de traiter une demande d'inscription, mais parce qu'elles ne veulent retenir sur leurs listes que des aspirants sérieux. Si vous vous inscrivez dans plusieurs garderies qui imposent des frais d'inscription, cela pourrait devenir assez onéreux.

Ne craignez pas de prévoir trop longtemps d'avance pour votre bébé de 3 mois, que vous n'envisagez de placer en service de garde que lorsqu'il aura 2 ans. La demande est si grande, et le nombre de places si limité, que vous avez certainement raison d'agir de la sorte.

L'évaluation de l'entretien

Après chaque appel téléphonique à une garderie, notez les impressions que vous a laissées votre conversation. La directrice s'est-elle montrée chaleureuse et patiente? A-t-elle écouté attentivement vos questions et y a-t-elle répondu intelligemment? Semblait-elle pressée et agacée? Si la directrice vous donne l'impression que vos questions sont idiotes, inutiles, et lui font perdre son temps, elle n'est probablement pas le genre de personne avec qui vous aimeriez traiter lorsque votre enfant fréquentera le service de garde. Nous avons tous nos mauvais jours; vous ne pouvez donc pas automatiquement éliminer sa garderie: son impatience pourrait signaler que vos questions l'ont mise dans l'embarras, ou qu'elle a dû abandonner une salle bondée d'enfants pour répondre au téléphone.

Bien entendu, vous vous devez de visiter les garderies pour vérifier si elles sont aussi bonnes qu'elles en ont l'air et identifier celles qui vous plaisent davantage. Voir, c'est croire.

Lorsque vous aurez communiqué par téléphone avec toutes les garderies inscrites sur votre liste préliminaire, vous saurez lesquelles visiter. Elles devront se conformer aux normes en ce qui a trait aux dimensions des groupes, aux ratios et aux qualifications du personnel, et offrir des heures d'ouverture et des conditions qui répondent aux besoins particuliers de votre famille.

VOTRE LISTE DE QUESTIONS
à poser à la garderie

Nom de la garderie:...

Adresse: ....

.... Tél.: ....

Nom de la directrice:..

1. Détenez-vous un permis de l'Office des services de garde à l'enfance?...............

2. Quel âge doit avoir un enfant pour fréquenter votre garderie?
....

3. Quelles sont vos heures d'ouverture?
De .... à. ....

4. L'admission se fait-elle sur la base de critères particuliers?
....

   S'il s'agit d'une garderie en milieu de travail, des non-employés peuvent-ils y faire une demande d'admission?.........
....

5. Quels sont les tarifs?.....................................

   Consentez-vous une remise pour un deuxième enfant?............

   Y a-t-il des frais additionnels?......................

   Devrai-je vous payer quand je suis en vacances? ....

6. Est-il possible d'obtenir des subventions? ....

7. Acceptez-vous des enfants à mi-temps ou sur une base occasionnelle?.................

8. Votre garderie est-elle sans but lucratif ou à but lucratif?.........

   S'il s'agit d'une garderie à but lucratif, le propriétaire est-il sur les lieux à temps plein? ....

   Le propriétaire possède-t-il plus d'une garderie? ....

9. Combien d'enfants compte chaque groupe? ....

....

Quel est le ratio éducatrices-enfants? ....

....

Quel est le nombre total d'enfants admis à la garderie? ....

10. Combien d'éducatrices sont à votre service? ....

Combien d'entre elles détiennent un diplôme collégial ou universitaire en développement de l'enfant ou en techniques de garde? ....

11. Que font les enfants pendant toute la journéee? À quoi ressemble une journée type? ....

....

....

12. Servez-vous un déjeuner chaud? ....

Mon enfant suit une diète. Pouvez-vous l'accommoder? ....

13. La garderie ferme-t-elle parfois ses portes? Si oui, quand? .....

....

14. Les parents sont-ils tenus de travailler à la garderie? ....

15. Y a-t-il une place disponible à compter du ....

(la date à laquelle vous aurez besoin d'un service de garde)?

....

16. Y a-t-il une liste d'attente? ....

Combien de temps faut-il pour se retrouver en tête de liste? ...

....

17. Quand et comment puis-je m'inscrire? ....

....

Y a-t-il des frais d'inscription? ....

Mes impressions:

....

....

CHAPITRE 9

La visite d'une garderie

(première partie)

Durant un court instant, il ne se passe rien.
Mais voilà que la porte s'ouvre toute grande...

Rhea Tregebov
La chambre aux trésors

La visite d'une garderie peut donner un atroce mal de tête, ou requinquer comme du champagne. Vous craignez tout naturellement de ne pouvoir trouver une garderie assez bien pour votre enfant et, en outre, vous vous demandez probablement si vous serez capable d'en reconnaître une, quand vous la verrez. Il s'agit là d'inquiétudes bien naturelles et nous vous aiderons à les surmonter dans les chapitres qui suivent.

Prendre rendez-vous pour visiter les lieux

Maintenant que vous avez procédé à un premier tamisage et réduit le nombre de garderies inscrites sur votre liste, vous savez lesquelles sont en théorie acceptables. La démarche suivante consistera à les visiter toutes et à voir laquelle est dans les faits la plus souhaitable.

Assurez-vous de visiter chaque garderie qui a retenu votre attention — au minimum, trois d'entre elles. Pour vous faire une idée du genre de garderie que vous préférez, efforcez-vous d'inclure sur votre liste une garderie d'assez grande taille et une autre de dimension plutôt réduite. Organisez votre temps de manière à pouvoir passer sur place un avant-midi complet, ou un bon moment — au minimum deux heures. Téléphonez à chaque garderie et demandez un rendez-vous avec la directrice, pour en savoir davantage sur l'institution et faire le tour du propriétaire.

Quel moment convient le mieux?

Quel est le meilleur moment de la journée pour visiter une garderie? En tout premier lieu, de manière à pouvoir faire des comparaisons valables, il faut vous organiser de manière à visiter toutes les garderies environ à la même heure. Si vous vous y rendez le matin, les personnes comme les lieux seront propres et frais; vous verrez alors la garderie sous son meilleur jour. Si vous vous y rendez en fin d'après-midi, vous la verrez sous son jour le plus défavorable.

Dans la mesure du possible, évitez les visites en début d'après-midi (de 12 h 30 à 15 h), puisque les nourrissons et les tout-petits sont parfois nourris dès 11 h et pourraient déjà être en train de faire la sieste à midi. Même les enfants plus vieux seront couchés vers 13 h. Si vous vous rendez à la garderie tôt le matin (entre 7 h et 9 h), lorsque les enfants arrivent sur les lieux, ou à la toute fin de l'après-midi (entre 17 et 18 h), heure à laquelle les parents viennent reprendre leurs petits, vous aurez l'occasion d'évaluer la qualité des rapports entre parents et éducatrices et d'être témoin de la manière dont ils échangent entre eux de l'information, sans oublier la dextérité avec laquelle le personnel aide les enfants à vivre la transition entre la garderie et le foyer. Vous pourrez aussi constater s'il y a suffisamment de personnel (certaines garderies cherchent parfois à faire des économies en libérant plus tôt quelques-unes de leurs employées).

Mais, à ces heures, vous ne pourrez pas savoir comment enfants et membres du personnel interagissent en l'absence des parents — et ce détail est *crucial*. Si vous le pouvez, essayez donc de rester à la garderie jusqu'à passé 10 h ou d'arriver avant 16 h. Pour observer les nourrissons, le meilleur moment est entre 11 h et 12 h; c'est la plus difficile période de la journée pour eux, celle qui implique le plus de travail pour le personnel. Vous verrez comment les éducatrices composent avec des bébés fatigués, l'heure du lunch, les changements de couches et la sieste.

Dans la mesure du possible, évitez les lundis. Après le week-end, période de surexcitation sans le moindre rapport avec le reste de la semaine (et qui, pour les enfants de parents divorcés ou séparés, implique souvent un changement de foyer), les petits trouvent un peu plus difficile de s'ajuster à la garderie. Certains enfants auraient souhaité rester à la maison un jour de plus; d'autres ne tiennent pas en place, tant ils sont surexcités à l'idée d'être de retour. Autant que possible, choisissez donc une autre journée.

Combien de temps accorder à la visite?

Il importe que vous preniez tout votre temps, que vous posiez les questions qui vous tracassent, et que vous soyez témoin d'une portion importante de la journée des enfants, pour vous faire une idée juste de la garderie. Après l'entrevue, qui devrait durer environ une demi-heure, la directrice vous offrira une rapide visite guidée des lieux. Demandez à rester un peu plus longtemps sur place, pour observer. (Si la directrice refuse d'acquiescer à votre requête, rayez sa garderie de votre liste.) Plus longtemps vous resterez sur les lieux, plus vous en apprendrez sur la garderie. Vous souhaiterez peut-être passer une heure dans la salle des nourrissons et une autre dans celle des tout-petits. Si l'âge des enfants de la garderie s'échelonne de 6 mois à 6 ans, il vous faudra peut-être tout l'avant-midi.

Qui devrait vous accompagner?

Parce que cette décision le concerne très directement et profondément, vous serez peut-être tentée d'emmener votre enfant avec vous pour observer ses réactions dans chaque garderie.

N'en faites rien.

Un enfant ne peut pas prendre cette décision. Il sera très intimidé, nerveux et troublé par la visite de plusieurs garderies, et incapable de se faire une idée. Il pourra vous sembler à son aise dans une garderie et mal à l'aise dans une autre — parfois pour la seule raison qu'on y sert des macaronis au déjeuner. Il sera incapable d'évaluer comment il se sentirait dans l'une ou l'autre s'il devait y passer un long moment.

Lorsque vous aurez arrêté votre choix, emmenez votre enfant visiter sa garderie; il saura par votre attitude — par l'importance que vous accorderez aux lieux et à ce qu'il s'y sente bien — qu'il y sera heureux. Si votre conjoint désire visiter avec vous les garderies et qu'il puisse trouver le temps de le faire, sans que vous vous sentiez pressée de quitter abruptement les lieux ou de prendre une décision avant que vous n'y soyez prête, de grâce laissez-le vous accompagner. S'il se montre un tant soit peu hésitant à le faire, mieux vaut ne pas le traîner de force. Visitez seule les garderies et entretenez-le plus tard de ce que vous y avez vu. Peut-être à la toute fin, lorsque vous n'hésiterez plus qu'entre deux garderies et envisagerez une deuxième visite, pourrez-vous le convaincre de vous accompagner. Mais cela n'est pas essentiel. Ce qui l'est, par contre, c'est que vous discutiez des solutions qui s'offrent à vous et que vous arrêtiez ensemble la décision finale.

Si vous êtes chef de famille monoparentale, vous visiterez vraisemblablement seule les garderies, ce qui signifie que rien ne vous distraira de votre tâche. Mais essayez de trouver une personne — une amie ou un proche — à qui confier vos impressions, à votre retour à la maison. Grâce à cette oreille attentive, vous mettrez plus facilement de l'ordre dans vos idées.

L'entrevue avec la directrice

L'objectif de la directrice, dans le cadre de cette entrevue, est de combler les places libres de sa garderie; le vôtre est de trouver la meilleure garderie possible pour votre enfant. L'entrevue avec une directrice de garderie n'a rien à voir avec celle qu'on doit subir quand on postule un poste prestigieux, ou sollicite l'admission de son enfant dans une école privée. L'admission *ne* s'y fait *pas* sur la base de critères sélectifs ou d'excellence: le premier arrivé y est le premier servi. Cette entrevue vous offre une occasion d'échanger de l'information et vous n'avez pas à chercher à impressionner la directrice, en tant que parent. Il est d'ailleurs plus probable que ce soit elle qui tente de vous épater. Si elle ne vous plaît pas, vous n'avez pas à confier votre enfant à sa garderie; une fois que votre nom sera parvenu au sommet de la liste d'attente, elle sera toutefois tenue de l'accepter. Pour préserver la réputation de sa garderie dans la communauté, elle devra respecter sa politique en matière d'admission.

Qui est la directrice?

Avant de vous entretenir avec la directrice, prenez quelques minutes pour évaluer l'importance que prendra cette personne dans votre existence. Bien qu'elle ne sera pas la toute première éducatrice de votre enfant, elle n'en restera pas moins responsable de la qualité des soins qu'il recevra: elle devra s'assurer qu'ils soient constants, dignes de confiance, chaleureux, stimulants et adéquats. En cas d'urgence, elle s'occupera sans doute personnellement de votre enfant. Si vous avez un problème à la garderie — relatif à votre enfant, à l'éducatrice de votre enfant ou à une question d'ordre familial qui affecte votre enfant —, vous souhaiterez en discuter avec elle. Dans ses rapports avec votre enfant et vous-même, elle sera appelée à endosser plusieurs rôles: celui de mère, d'éducatrice, d'administratrice, de consolatrice et de conseillère. En conséquence, il faudra qu'elle vous plaise et que vous ayez confiance en elle. En conversant avec elle, vous devrez porter un jugement sur sa personnalité, aussi bien que sur le service qu'elle dirige.

Comme tous les autres humains, les directrices de services de garde sont de silhouette, de taille et de couleur de peau diverses. Directrice de la Garderie Narnia de Montréal, Barbara pourrait presque être confondue avec la concierge. Elle préfère porter des vêtements confortables — blue-jeans, pull de coton molletonné et sandales — pour être plus à son aise avec les enfants. Dans le cadre d'une journée normale, elle doit rester longuement debout, se pencher, s'asseoir par terre et sur de minuscules chaises, soulever des enfants et les asseoir sur ses genoux: toutes activités dont il est plus facile de s'acquitter en pantalons et souliers plats. Elle aime connaître chaque enfant, en tant qu'individu, de manière à ce que tous la reconnaissent et aient également confiance en elle: cela est important si survient une urgence et qu'elle soit alors appelée à conduire un enfant à l'hôpital. D'autres directrices optent plutôt pour des vêtements plus conformes à l'idée qu'on se fait généralement d'un cadre: jupe, bas de soie et chaussures à talons hauts. Les vêtements que porte la directrice vous fourniront des indices pertinents sur la conception qu'elle se fait de son rôle et de ses rapports avec des enfants.

Vous devez à tout prix être impressionnée par son honnêteté et sa franchise, deux qualités capitales chez une personne qui veillera sur votre enfant, spécialement s'il ne parle pas encore. La plupart d'entre nous jugeons instantanément nos nouvelles connaissances, sans être vraiment conscients de la manière dont nous nous y prenons: nous savons simplement d'instinct qu'elles nous plaisent ou nous déplaisent. Faites confiance à vos instincts les plus sûrs et notez si la directrice vous regarde droit dans les yeux, ou a le regard fuyant; si elle utilise un langage que vous pouvez comprendre, ou étaie son discours de mots incompréhensibles; si elle fait un effort pour s'adresser au parent que vous êtes, ou si elle cherche à vous impressionner par ses connaissances en techniques de garde. Écoute-t-elle vos questions? Est-elle sensible à vos inquiétudes et vous répond-elle avec attention, ou vous répète-t-elle un vieille rengaine qu'elle a déjà maintes fois servie?

Il est important que la directrice vous donne le sentiment de s'acquitter adéquatement de ses fonctions les plus essentielles. Quand on travaille auprès de petits enfants, il faut souvent gérer des crises. Bien que vous ayez pris rendez-vous avec elle, elle ne peut prévoir à quel moment un enfant fera de la fièvre, ou un membre de son personnel aura d'urgence besoin de son aide. Si elle vous abandonne un moment, en raison d'un problème qui affecte un enfant, excusez-la. Elle a raison: les enfants sont sa toute première priorité. Et de la voir ainsi en action vous donnera une rare occasion d'évaluer la qualité de ses rapports avec les enfants et son personnel.

Mais vous êtes vous aussi importante et, dès qu'elle aura apporté une solution à la crise, elle devrait trouver le temps de répondre à vos questions et de vous faire visiter rapidement les lieux. Si elle ne réussit pas à vous consacrer sur-le-champ un moment, alors que vous êtes une cliente potentielle, comment trouvera-t-elle le temps de vous recevoir lorsque votre enfant fréquentera sa garderie? Vous devez avoir la conviction que vous pourrez communiquer avec elle, en cas de besoin.

Mais vous êtes aussi sur place pour évaluer le service de garde. Vous vous devrez absolument de poser certaines questions essentielles; plusieurs autres ne sont qu'accessoires. En premier lieu, nous vous expliquerons ce que vous devez savoir et pourquoi; puis, nous vous proposerons quelques questions en ce sens. Prenez le temps de lire attentivement toutes les explications avant de passer aux questions elles-mêmes, regroupées dans une liste à la fin du présent chapitre pour plus de commodité. Chacune de ces questions ne s'applique pas nécessairement à toutes les familles. (Pour des raisons de commodité, les questions relatives aux nourrissons et aux tout-petits ont été regroupées à la toute fin.) Passez-les en revue et identifiez celles qui sont les plus importantes à vos yeux; inscrivez les exigences de votre province en ce qui a trait aux ratios, groupes et dimensions des garderies, et faites-vous une photocopie de la liste de questions pour chaque garderie que vous avez l'intention de visiter. Inscrivez les réponses au fur et à mesure, pendant que vous conversez avec la directrice.

Une mise en garde s'impose toutefois: pour une bonne part, le travail de la directrice en est un de relations publiques. Vous pourrez évidemment relever des différences — pas nécessairement pour le pire ou pour le meilleur, mais à coup sûr des différences — entre le discours qu'elle vous tient et ce qui se passe réellement dans sa garderie. Elle aura beau vous affirmer que sa garderie offre un environnement chaleureux et épanouissant, mais si vous ne voyez aucun enfant sur les genoux d'une éducatrice, aucun adulte en conversation privée avec un enfant, ni aucun visage souriant, vous n'accorderez pas le moindre crédit à ses propos. Les véritables réponses à vos questions, vous ne les trouverez pas dans son bureau, mais dans les salles où évoluent les enfants. C'est d'ailleurs pourquoi vous visiterez la garderie, dès la fin de l'entrevue.

Les questions essentielles

Si vous disposez de très peu de temps et ne pouvez poser que quelques questions, voici les plus importantes.

Le permis

Vous voudrez d'abord savoir si la garderie détient un permis de l'Office des services de garde à l'enfance. La loi exige de toutes les garderies qu'elles l'affichent bien en vue. Vérifiez-en la date d'expiration et, tandis que vous y êtes, vérifiez aussi le nombre d'enfants qu'elle est autorisée à accueillir — tant en ce qui concerne les nourrissons de moins de 18 mois («poupons») que les «enfants» de 18 mois à 6 ans.

Le nombre de places

Même si la directrice vous a donné cette information au téléphone, redemandez-lui combien d'enfants sa garderie est autorisée à accueillir, combien elle en accueille présentement et combien d'éducatrices sont affectées à chaque groupe d'âge. Lorsque vous visiterez les salles de jeux, vous serez à même de vérifier si ces données sont exactes.

Lorsque vous vous informez de la dimension des groupes et du ratio éducatrices-enfants, vous posez une question d'ordre philosophique aussi bien que mathématique. Dans cette garderie, sépare-t-on les enfants par groupe d'âge, ou tous les groupes d'âge sont-ils confondus?

Certaines études ont démontré que les enfants d'âge préscolaire, qu'un écart de deux ou trois ans sépare, se tirent bien d'affaires dans des groupes d'âges variés. En plus d'être sociables, ils sont coopératifs, persévérants, conciliants et perspicaces[1]. Mais pour l'apprentissage d'habiletés spécifiques, la constitution d'un groupe adapté au stade de développement de l'enfant (dont tous les membres s'adonnent aux mêmes activités et sont généralement du même âge) donne de meilleurs résultats. Un enfant de 3 ans n'aura pas vraiment la chance de compléter lui-même un casse-tête s'il s'amuse avec un gamin de 5 ans.

Les groupes d'âges variés ne conviennent pas aux nourrissons ni aux tout-petits, qui devraient former un groupe distinct, séparé de celui des enfants plus âgés.

Les qualifications des éducatrices

Vous vous êtes déjà informée à ce propos au téléphone, mais reposez la question: combien d'éducatrices, aussi bien à temps plein qu'à mi-temps, détiennent un diplôme d'études collégiales ou universitaires en techniques de garde ou en développement de l'enfant? Qui sera l'éducatrice attitrée de

---

1. Clarke-Stewart, *Daycare, ibid.*, p. 93.

votre enfant? A-t-elle reçu une formation? L'idéal est de dénicher une garderie où toutes les éducatrices ont reçu une formation, bien que le Québec ne l'exige pas.

Le taux de changement de personnel

Les études ne laissent aucun doute sur un autre point concernant les éducatrices: un taux élevé de changement de personnel a des effets préjudiciables sur les enfants. Vous voudrez savoir exactement depuis combien de temps tous les membres du personnel travaillent à la garderie, et plus particulièrement l'éducatrice chargée du groupe auquel se joindra votre enfant, même s'il en connaîtra plusieurs avec le temps; vous vous ferez ainsi une idée du climat de stabilité, ou d'instabilité, qui prévaut à la garderie.

Parce que les salaires versés dans le milieu des services de garde sont très bas, le taux de changement de personnel y est très élevé: les gens s'épuisent ou changent d'emploi. Chaque fois qu'un membre du personnel quitte son poste et qu'un nouveau visage le remplace, les enfants en éprouvent de l'angoisse. L'éducatrice qu'ils connaissaient et chérissaient leur manque; ils doivent s'habituer à une étrangère qui fait les choses différemment. Le changement de personnel pèse également aux autres éducatrices. Il faut du temps pour se mettre au fait des rouages d'un milieu de travail, et du temps pour développer un véritable esprit d'équipe. Une importante étude récente a démontré que les garderies soumises à un taux élevé de changement de personnel offrent des soins de moins bonne qualité[2]. Une garderie qui a su conserver le même personnel depuis des années — cinq, sept ou même dix ans — est à coup sûr une perle rare. Écartez celles où presque toutes les intervenantes sont des nouvelles venues.

Les qualifications de la directrice

Pendant que vous y êtes, informez-vous des qualifications de la directrice. Une directrice compétente sera plus sûre d'elle-même et mieux outillée pour sélectionner et diri-

---

2. Marcy Whitebook, Carollee Howes, Deborah Phillips et Caro Pemberton, «Who Cares? Child Care Teachers and the Quality of Care in America», *Young Children*, novembre 1989, p. 45.

ger un personnel qualifié. La directrice se doit de détenir un diplôme universitaire en techniques de garde ou en développement de l'enfant, et quelques connaissances de base en administration et en planification de programme. Il est important qu'elle ait elle-même été éducatrice pendant au moins deux ou trois années, de manière à ce qu'elle puisse proposer des objectifs réalistes, tant aux enfants qu'au personnel. Demandez-lui depuis combien de temps elle est à l'emploi de la garderie. Si elle y est depuis longtemps, elle aura elle-même sélectionné son personnel; elle connaîtra bien les enfants et leurs parents; elle comprendra les besoins et les objectifs de la garderie; elle sera en mesure de répondre avec plus de précision à vos questions. Une directrice met de six mois à un an avant de vraiment assumer ses fonctions et d'exercer une véritable influence sur le climat de la garderie. Si la directrice vient tout juste d'entamer son mandat, vous souhaiterez peut-être lui demander combien de temps la directrice qui l'a précédée est restée à son poste et pourquoi elle l'a quitté. Une garderie qui éprouve des difficultés à garder sa directrice pourrait avoir d'autres graves problèmes.

Les étudiants

Même les garderies qui ne sont pas affiliées à un collège ou à une université reçoivent souvent des stagiaires. S'ils y sont nombreux (si un étudiant différent s'y succède chaque jour de la semaine, par exemple) et s'ils n'y restent que quelques semaines, les enfants pourront en être perturbés. Vous voudrez savoir combien d'entre eux viennent à la garderie chaque semaine, le nombre de fois qu'ils s'y rendent et le temps qu'ils y passent. Aucun groupe d'enfants ne devrait être confié à plus d'un étudiant par semestre. Parce que les stagiaires n'ont pas encore parachevé leur formation et qu'ils ne sont pas chaque jour présents sur les lieux, la garderie ne peut les comptabiliser pour répondre aux normes provinciales en matière de ratio éducatrices-enfants.

Coûts et subventions

La dernière des questions essentielles concerne l'argent. Informez-vous encore une fois des coûts et, si vous prévoyez avoir besoin d'aide pour les acquitter, assurez-vous que vous pourrez obtenir une subvention en vous inscrivant dans cette garderie. Demandez quels documents vous seront alors nécessaires et à quel moment vous pourrez déposer une demande en ce sens.

Quelques autres questions

Nous pensons, bien entendu, que les questions suivantes sont également importantes. Posez toutes celles qui s'appliquent dans le cas précis de votre famille. (Voir aussi les informations complémentaires relatives aux nourrissons et aux tout-petits aux chapitres 9 et 10.)

Les valeurs éducatives

Chaque garderie défend certaines valeurs éducatives, et si vous souhaitez que votre enfant et vous-même soyez heureux dans cette garderie, vous devrez vous sentir à l'aise avec la philosophie que vous décrit la directrice.

Certaines garderies mettent l'accent sur le développement intellectuel; d'autres, sur la sociabilité. Les meilleures garderies insistent sur ces deux aspects et aident l'enfant à se découvrir pleinement en tant qu'individu et en tant que membre d'une collectivité. L'enfant se prépare à l'école en se sentant bien dans sa peau et en apprenant la manière de poser des questions et de trouver des réponses. Apprendre, c'est grandir; et le programme, les règlements et les attentes d'une garderie devraient permettre aux enfants de s'épanouir. Méfiez-vous des directrices qui disent: «Le matin, nous tenons des activités d'apprentissage et l'après-midi, nous nous amusons» — comme si apprendre n'était pas amusant.

Dans d'autres garderies, on pourra répondre à cette question en vous disant qu'on applique la méthode Montessori, ou la méthode High Scope, ou qu'on a recours à une démarche thématique. Si vous ne comprenez pas le sens de sa réponse, demandez à la directrice de préciser sa pensée.

L'horaire des activités

Si la directrice ne vous remet pas un horaire des activités, demandez-le-lui. Vous en aurez besoin pour mieux observer la garderie pendant votre visite.

L'horaire de travail des éducatrices

Pour établir une relation de confiance avec elle, un nourrisson ou un tout-petit devrait passer toute la journée avec la même éducatrice (ou les deux mêmes éducatrices). Les enfants d'âge préscolaire éprouvent aussi le besoin du réconfort que leur procure la présence d'éducatrices familières. Mais on ne peut s'attendre à ce que le personnel de la garderie travaille plus de huit heures par jour. Cela signifie que, dans le cours d'une journée de dix heures à la garderie, votre enfant sera confié à deux ou trois éducatrices différentes: sa ou ses éducatrices habituelles, et une ou deux autres éducatrices qui assureront la relève, tôt le matin ou en fin d'après-midi, lorsque moins d'enfants sont présents sur les lieux.

Le fait d'être séparés de leur principale éducatrice pourra profondément dérouter certains enfants. Assurez-vous de vous informer de la répartition des quarts de travail, de la manière dont le personnel procède à la transition d'une éducatrice à une autre, et du nombre de personnes différentes qui veilleront en fait sur votre enfant pendant la journée.

Le moment de leur arrivée sur les lieux donne le ton à toute la journée de bien des enfants. Parce que chaque enfant a sa manière bien à lui de s'installer le matin, certaines garderies assignent le même personnel à l'accueil des enfants, au premier quart de travail, tous les jours. De cette façon, l'éducatrice en cause saura si un enfant a besoin de passer deux minutes de plus tout seul, de courir jusqu'à la fenêtre pour saluer maman d'un geste de la main, ou s'il a besoin d'un ami bien spécial, d'une étreinte ou d'un simple «Allô, Sébastien». La présence des mêmes éducatrices, chaque matin, rend aussi la tâche plus facile aux parents qui savent alors à qui s'adresser lorsqu'ils désirent transmettre une information.

À la fin de la journée, le rôle de l'éducatrice n'est pas aussi important, parce qu'alors les parents reviennent, plutôt qu'ils ne partent. Mais un système quelconque devrait permettre l'échange de renseignements entre parents et éducatrices.

L'aménagement des lieux

L'aménagement des lieux peut aussi être influencé par des questions de nature idéologique. Dans certaines garderies, les enfants restent dans la même pièce presque toute la journée (les enfants de 4 ans, par exemple, dans la salle qui leur est assignée). Dans d'autres garderies, chaque pièce est réservée à une fonction spéciale (il y a la salle de bricolage et la salle des activités locomotrices, ou de motricité globale) et les enfants se déplacent d'une pièce à une autre. En ce domaine, la variété est essentielle. Si les enfants restent dans la même pièce, les éducatrices devraient la réaménager périodiquement, de manière à ce que les petits puissent y tenir des activités différentes — certaines apaisantes, d'autres dynamiques — pendant la journée.

La discipline

Vous voudrez sans nul doute savoir quelle forme de discipline on applique à la garderie. Il va sans dire que les châtiments corporels, le déni des besoins essentiels — comme la nourriture ou l'usage des toilettes — et les abus de nature affective et verbale sont totalement inacceptables. On espère évidemment que la directrice fera allusion au conditionnement positif et à l'apprentissage de la maîtrise de soi, lorsqu'elle vous parlera de discipline. Les meilleurs outils en ce sens sont la communication verbale — on enseignera alors à l'enfant des stratégies pour résoudre des conflits et réagir à des comportements inacceptables — et la «retenue», qui consiste à demander à l'enfant de s'asseoir calmement à l'écart pendant quelques minutes seulement, le temps de reprendre le contrôle de soi. La garderie pourra avoir recours à un autre outil pour régler un difficile problème de comportement: demander la collaboration des parents.

Le déroulement d'une journée à la garderie

Vous êtes venue voir à quoi ressemble une journée à la garderie, mais à moins que vous n'y restiez depuis l'ouverture jusqu'à la fermeture, vous ne pourrez tout y observer. Vous aurez besoin de poser des questions sur les portions de la journée dont vous ne serez pas témoin.

Repas et collations

Qu'on y serve les repas ou que les enfants y apportent leur lunch, toute garderie devrait proposer aux parents un menu qui respecte les principes nutritifs de base. Demandez-en un exemplaire et, si votre enfant doit suivre une diète spéciale, assurez-vous que la garderie puisse répondre à ses besoins personnels, ou qu'on l'y autorise à apporter des aliments apprêtés à la maison.

La sieste

Une sieste traumatisante peut transformer du tout au tout l'attitude d'un enfant à l'égard de la garderie. Vous voudrez savoir combien de temps dure la sieste et si la pièce qui sert à cette activité est sombre. Parmi le moyens éprouvés pour aider les enfants à dormir, mentionnons les musiques douces, la permission donnée aux enfants d'apporter au lit leurs objets chéris, sans oublier les caresses dans le dos. Si votre enfant ne dort plus, ou s'il a peur de l'obscurité, on devrait lui permettre de lire sans bruit. Si la pièce est sombre et que la lecture n'y est pas autorisée, alors la garderie en cause ne convient pas à votre enfant.

Les toilettes

Vous vous devez d'observer les enfants lorsqu'ils vont aux toilettes; si vous ratiez ce moment, informez-vous auprès de la directrice de la politique de la garderie en cette matière. Si les petits s'y rendent en groupe, assurez-vous de bien en comprendre la marche à suivre; demandez ce qui arrivera si votre enfant doit s'y rendre à un autre moment. Si les enfants y vont individuellement, quand le besoin s'en fait sentir, comment s'exerce la surveillance? Ces dispositions vous satisfont-elles?

Jeux en plein air et excursions

Lorsqu'ils jouent à l'extérieur, certains enfants ont absolument besoin d'activités organisées, alors que d'autres préfèrent être laissés à eux-mêmes. On devrait leur offrir ces deux possibilités. Bien qu'une garderie en milieu urbain puisse n'avoir accès qu'à un espace extérieur de dimension réduite, chaque garderie devrait mettre à profit tous les espaces communautaires avoisinants pour élargir les horizons des enfants. Une excursion à la station de sports d'hiver, à l'anneau de glace intérieur, à la piscine, à la bibliothèque ou au terrain de jeux est certes tout indiquée; par ailleurs, la visite de la caserne des pompiers, ou du bureau de poste, peut être à la fois excitante et éducative. Si les enfants ont déjà participé à des expéditions plus lointaines — dans un verger ou une cabane à sucre — demandez s'ils ont alors voyagé en bus et si le véhicule était muni de ceintures de sécurité. Ce genre de sorties pourrait toutefois ne pas être approprié aux enfants fréquentant un service de garde en milieu de travail qui doivent parcourir chaque jour de longues distances en compagnie de leurs parents, à l'aller et au retour.

Santé et sécurité

Les accidents et les maladies sont inévitables dans une garderie, peu importe le mal que l'on se donne pour les prévenir. Une directrice qui vous dit n'avoir jamais eu à en déplorer n'est pas honnête. Vous voudrez vous assurer que la garderie a soigneusement prévu et adopté les dispositions nécessaires pour parer à presque toute éventualité.

Prévention

Du seul fait qu'ils vivent en groupe, à la garderie, les enfants y sont plus souvent malades; il est donc très important que la garderie ne néglige aucun effort pour prévenir les maladies. Chacune devrait avoir à son service un professionnel de la santé — pédiatre, infirmière, fonctionnaire de la santé publique — qu'elle pourra consulter lorsque surgit un problème, et s'être dotée d'une politique pour s'assurer que chaque enfant soit adéquatement immunisé, en fonction de son âge, avant son admission. La plupart des garderies exigent un dossier médical, ou une lettre du médecin traitant, qui fasse état des vaccins reçus et confirme que l'enfant est en santé et en mesure de suivre leur programme. Lorsqu'un des enfants qui la fréquentent contracte une maladie infectieuse, la garderie devrait vous le laisser savoir immédiatement.

Exclusion

Un enfant malade n'a pas sa place dans une garderie. Par conséquent, on vous demandera presque à coup sûr de ne pas déposer votre enfant s'il a vomi pendant la nuit, s'il a de la fièvre ou une toux persistante. S'il tombe malade pendant la journée, la directrice de la garderie vous téléphonera et vous demandera de passer le prendre, souvent à l'intérieur d'un court laps de temps (si vous ne pouvez y aller, vous devrez demander à l'un de vos proches ou à votre gardienne de le faire). Certaines garderies se réservent même le droit d'exiger le retrait d'un enfant si ses parents ne passent pas le prendre promptement; d'autres sont plus indulgentes et comprennent que les parents sont parfois dans l'impossibilité de quitter leur travail. Lorsque vous évaluerez la réponse de la directrice à cette question, vous devrez trouver un juste équilibre entre les exigences de votre emploi et la santé de votre enfant — ce qui n'est pas un mince exploit. La garderie devrait disposer d'un endroit retiré et calme où l'enfant malade pourra se reposer et attendre qu'on passe le prendre.

Administration de médicaments

L'enfant pourra probablement retourner à la garderie lorsqu'il ne sera plus contagieux; dans certains services de garde, on exigera peut-être une lettre du médecin traitant. Les parents peuvent habituellement apporter des médicaments à la garderie, où le personnel les administrera à l'enfant. Au Québec, la loi spécifie que le médicament doit être dans la bouteille fournie par la pharmacie (avec l'étiquette d'instructions du médecin). Les médicaments qu'on peut se procurer sans prescription ne sont pas permis. Demandez si on a prévu des mesures de surveillance concernant l'administration de médicaments: vous ne voulez pas qu'on administre deux fois son médicament à votre enfant, ni qu'on néglige de le faire.

Problèmes de santé

Si votre enfant souffre d'une allergie, d'asthme ou de quelque autre problème chronique de santé, assurez-vous de demander à la directrice ce qu'elle entend faire à ce propos. Semble-t-elle prendre la chose au sérieux? Votre enfant pourrait être en danger si on n'en mesurait pas toute la portée.

Politique en cas d'accident

Le Québec exige que quiconque s'occupe d'enfants ait suivi un cours complet de premiers soins.

Bien que les réglementations ne l'exigent pas, nous croyons qu'au moins deux éducatrices devraient accompagner les enfants dans le cadre d'activités à l'extérieur, et que le ratio maximum devrait s'établir à 1/6, dans le cas d'enfants de moins de $2^1/_2$ ans et à 1/8, dans celui d'enfants de plus de $2^1/_2$ ans.

La directrice vous demandera obligatoirement le numéro d'assurance-maladie de votre enfant et vous devriez avoir signé un formulaire autorisant l'administration de soins médicaux à votre petit, de manière à ce que le personnel puisse l'emmener directement à l'hôpital pour y recevoir un traitement, en cas d'urgence. Il va de soi qu'on vous téléphonera alors pour que vous puissiez vous rendre au chevet de votre enfant. Demandez avec quel hôpital la garderie fait affaire.

Exercices d'évacuation en cas d'incendie

D'autres mesures de sécurité sont tout aussi importantes. Les garderies devraient tenir des exercices d'évacuation au moins une fois par mois, à différents moments de la journée, de manière à habituer le personnel, de même que les enfants, à la marche à suivre. Un exercice d'évacuation au moment de la sieste peut être assez terrorisant, mais il est aussi absolument nécessaire.

Dispositions pour passer prendre un enfant

Qui est autorisé à passer prendre votre enfant à la garderie? Encore une fois, chaque garderie devrait avoir adopté des mesures en ce sens. Vous devrez lui fournir une liste des personnes qui ont votre permission de passer prendre votre enfant et, si vous vous écartez de cette liste, il va de soi que vous en préviendrez votre garderie et que cette dernière exigera d'un étranger qu'il présente une carte d'identité. Cette mesure est particulièrement importante dans le cas de parents divorcés et inquiets de ce que leur ex-conjoint passe prendre l'enfant plus souvent qu'à son tour.

Le rôle des parents

«Le parent et la garderie doivent travailler main dans la main, clame Marie-France Lemieux, directrice de la Garderie Les Minis de Montréal. Nous ne sommes pas des substituts des parents; nous devons unir nos efforts.» Quel que soit l'âge de votre enfant, sachez que l'engagement des parents dans la vie d'une garderie est gage de soins de haute qualité.

Intégration

Lorsque votre enfant se rendra pour la première fois en garderie, il aura besoin de vous et vous sentirez le besoin d'être avec lui. On devrait vous accueillir à bras ouverts à la garderie pendant cette période éprouvante. Si une garderie ne vous permet pas de rester auprès de votre enfant pendant les premières journées, rayez-la de votre liste. Comme le dit si bien T. Berry Brazelton: «Si l'[éducatrice] ne vous permet pas, non plus qu'à votre [enfant], de vivre à votre propre rythme cette première séparation, changez de service. Il s'agit d'une transition difficile, tant pour la mère que pour l'enfant, et les mères se doivent d'y être sensibles. Autrement, elles se sentiront coupables...[3]»

Libre accès en tout temps

Au Québec, les garderies sont tenues de permettre en tout temps aux parents l'accès à leurs locaux. Même après que votre enfant se sera habitué aux lieux, vous devriez pouvoir y faire un saut n'importe quand. Dans certaines garderies, la directrice insistera pour que vous preniez rendez-vous, en prétextant d'innombrables raisons: les enfants vivent difficilement la séparation; les visites bouleversent l'horaire; l'éducatrice aura plus de mal à se lier avec l'enfant si un parent est présent.

Aucune de ces excuses n'est acceptable. Écartez toute garderie où on ne vous accorde pas un droit de visite sans la moindre réserve. En restreignant l'accès à ses locaux, une garderie vous tient à peu près ce langage: «Vous n'êtes pas de notre équipe. Vous nous avez confié votre enfant et nous en assumons la responsabilité totale et entière.» Si vous acceptiez cette situation, vous pourriez facilement perdre confiance en vous-même, en tant que parent, et en vos instincts, quand vous en auriez le plus besoin. Dans une situation de ce genre, les enfants seront aussi plus susceptibles d'être victimes d'abus.

---

3. Brazelton, *ibid.*, p. 89.

Communiquer avec l'éducatrice

L'existence de quarts de travail vous compliquera la tâche lorsque vous voudrez vous entretenir de votre enfant avec l'éducatrice. Si vous avez placé en service de garde un très jeune enfant qui ne parle pas encore, des échanges quotidiens avec l'éducatrice sont absolument nécessaires; ils sont également très importants s'il s'agit d'un enfant d'âge préscolaire. Si l'éducatrice qui surveille l'heure du lunch et de la sieste rentre chez elle à 15 h, la garderie devra prévoir un système pour que les parents puissent savoir si leur enfant a dormi et mangé, et quel genre de journée il a connue. La garderie dispose-t-elle d'un livre de communications, d'un tableau noir ou d'un tableau d'affichage? Pourrez-vous, de même que l'éducatrice, y inscrire ces renseignements importants? Demandez également comment vous pourrez vous entretenir directement avec l'éducatrice, en cas de problème.

Rencontres parents-éducatrices

Certaines garderies tiennent plusieurs fois par année des rencontres officielles entre parents et éducatrices. Contrairement à la remise des bulletins scolaires, ces réunions offrent la possibilité d'échanges ininterrompus, une occasion unique pour les parents et les éducatrices de s'informer des progrès réalisés, au foyer comme au service de garde, et d'élaborer un plan d'action commun. L'éducatrice pourra vous dire que Maude se tire bien d'affaire en ce qui concerne les activités de motricité fine et les casse-tête, et suggérer la pratique du patinage, pendant le week-end, pour améliorer ses habiletés de motricité globale. Vous pourriez en profiter pour confier à l'éducatrice que vous vous êtes séparée de votre conjoint, et que les lundis qui suivent un week-end passé par votre fils chez son père sont vraiment pénibles. L'éducatrice pourra l'aider à mieux vivre la transition du foyer paternel au foyer maternel.

Participation des parents

Certaines garderies demandent aux parents un coup de main pour l'entretien des lieux, la garde des enfants ou les levées de fonds; le Québec — seule province à avoir inscrit dans la loi la participation des parents — reconnaît leur importance à un niveau totalement différent. Pour qu'une garderie soit entièrement subventionnée, les parents doivent en détenir le contrôle. S'ils sont majoritaires au conseil d'administration de la garderie, les parents en définiront littéralement les politiques. Même les garderies à but lucratif, qui reçoivent une aide gouvernementale minimale, doivent se doter de comités de parents, qui se réunissent quatre fois l'an pour conseiller le propriétaire en matière de programme, d'équipement, de services et même de locaux[4]. Cela, parce que «nous croyons vraiment que l'engagement des parents est déterminant en ce qui concerne la qualité des soins dans une garderie, et que les parents prendront des décisions qui iront dans le sens du mieux-être de leurs enfants» précise Margaret De Serres[5].

Dans les faits, les parents qui ont recours aux services de garderies à but lucratif peuvent n'exercer que relativement peu d'influence, mais, ajoute Mme De Serres: «Le pouvoir, ça ne tombe pas du ciel; cela s'assume. Vous savez, les parents peuvent se montrer très persuasifs[6].» Un comité de parents peut également conseiller un détenteur de permis.

Même si vous n'avez pas l'intention de participer activement à la vie de la garderie, il est important que vous sachiez que des parents le font. Questionnez la directrice sur le fonctionnement du conseil d'administration ou du comité de parents de la garderie qu'elle dirige.

Références

Si vous ne connaissez aucun parent dont un enfant fréquente cette garderie, demandez à la directrice de vous entretenir avec l'un d'eux. Elle n'est pas autorisée à vous remettre un numéro de téléphone sans en demander d'abord la permission à la personne concernée, mais elle pourra demander à un parent de vous téléphoner. Vous pourriez ainsi apprendre quel type de rapports on entretient dans cette garderie avec les parents — et tout autre renseignement secret que vous auriez avantage à connaître.

4. *Loi sur les services de garde à l'enfance*, L.R.Q., chap. S-4.1, article 10.
5. Entretien privé.
6. Entretien privé.

DANS LE CAS DES NOURRISSONS

Les horaires

Lorsqu'on répond rapidement et chaleureusement à leurs besoins, les bébés apprennent que le monde est un endroit sûr et finissent par faire confiance aux autres humains, tout en prenant peu à peu conscience de leur propre valeur. Nous entendons par là qu'ils sont en droit de manger, de dormir et de jouer quand ils en éprouvent le besoin, et non pas seulement quand un adulte le leur ordonne. Est-ce qu'on respecte le rythme personnel de chaque nourrisson?

Les sorties en plein air

Même si cela oblige à habiller et à déshabiller les poupons, en hiver, fait-on quotidiennement une sortie avec eux pour leur permettre de respirer de l'air frais et de découvrir un autre aspect du monde?

L'allaitement

Si vous allaitez votre enfant, et si la garderie se trouve à proximité de votre lieu de travail, vous pourriez souhaiter l'allaiter à l'heure du lunch. Informez-vous de la politique de la garderie en cette matière. Le personnel se montre-t-il prêt à collaborer? On devrait être disposé à vous téléphoner quand votre nourrisson se réveille et s'efforcer de le garder de bonne humeur jusqu'à votre arrivée — sans lui donner le biberon.

Les biberons

Si vous nourrissez votre bébé au biberon, vous aurez besoin de savoir qui doit fournir les biberons: la garderie ou vous? Si vous apportez les vôtres chaque jour, ils devront bien entendu être clairement identifiés et évidemment conservés au réfrigérateur. Si la garderie s'en charge, vous vous informerez de la façon dont on y lave et stérilise biberons et tétines.

Les tétines ou sucettes

Les parents ont le droit de donner à leurs bébés, s'ils le désirent, des tétines; la garderie devrait respecter leur décision. Demandez ce qu'on pense des tétines à la garderie. Comment les y garde-t-on propres et évite-t-on que les enfants les partagent? Une éducatrice attentionnée pourra aider un enfant à se passer graduellement de tétine, au fur et à mesure qu'il s'habitue à son nouvel environnement.

Les pleurs

Même si le ratio éducatrices-enfants d'une garderie est excellent, les éducatrices ne sauront plus où donner de la tête si tous les bébés se mettent simultanément à pleurer. La directrice, ou quelque autre membre du personnel, devrait être disponible pour leur prêter main-forte, au besoin, ou à certains moments critiques de la journée.

DANS LE CAS DES TOUT-PETITS

L'accession à un groupe plus âgé

Dans les garderies, on ne regroupe pas toujours de la même manière nourrissons et tout-petits. Parfois un groupe entier de jeunes bébés fera simultanément son entrée à la garderie, fréquentera la salle des nourrissons pendant dix-huit mois, puis passera au groupe des tout-petits. D'autres fois, les nourrissons et les tout-petits seront d'âges variés et passeront donc, sur une base individuelle, du premier groupe au deuxième, en fonction de leur préparation à ce changement et de la disponibilité de places. Dans un cas comme dans l'autre, cela nécessitera, de la part de l'enfant, quelques ajustements à une nouvelle salle, à de nouvelles éducatrices et à de nouvelles activités. Pour faciliter cette transition, un enfant qui doit affronter seul un nouveau groupe de pairs devrait être autorisé à aller et venir de sa nouvelle salle à son ancienne, pendant un certain temps.

L'apprentissage de la propreté

L'apprentissage de la propreté est un élément très important de la vie en garderie. À moins que l'enfant n'y soit prêt, cette étape pourra se transformer en une bataille interminable et frustrante. Les parents et les éducatrices devraient élaborer ensemble un plan d'attaque; en outre, on devrait s'assurer, à la garderie, de respecter le rythme individuel de l'enfant, de manière à ce que l'apprentissage de la propreté soit pour lui une expérience positive. Peu importent les résultats, le personnel devrait encourager et féliciter l'enfant, ne jamais le gronder ni l'humilier s'il a un accident, ou s'il ne réussit pas à s'exécuter.

Les biberons

Si votre tout-petit tient encore à son biberon, s'en accommodera-t-on à la garderie? La règle en matière de bons soins veut que l'on tienne dans ses bras un enfant qui boit au biberon, mais les tout-petits refuseront parfois de se laisser prendre. Permet-on aux enfants de se promener toute la journée dans la garderie avec leur biberon, ou leur en offre-t-on seulement un à l'heure de la collation ou du déjeuner? Leur est-il permis de faire la sieste avec leur biberon? Vous sentez-vous en accord avec la politique de la garderie en cette matière?

Les tétines ou sucettes

Encore une fois, les parents décideront eux-mêmes s'il est approprié de donner une tétine à leur enfant, mais on devrait appliquer à la garderie les mesures d'hygiène nécessaires pour composer avec cette décision.

Questions destinées à la directrice

Voici une liste de questions à poser à la directrice. Marquez d'un astérisque les plus importantes à vos yeux, et posez-les dans chacune des garderies que vous visiterez. Puis comparez les réponses.

La directrice devrait répondre à toutes ces questions de manière qui vous satisfasse. Pour diriger une garderie qui fournit des soins de haute qualité, elle devrait en savoir davantage que vous sur tout ce qui touche aux enfants et à leur développement. Si elle ne semble pas au fait des plus récents développements en la matière, ou si elle vous décrit des conditions inférieures aux normes, des valeurs éducatives qui ne concordent pas avec les vôtres, mettez fin à votre visite.

Vous remarquerez que cette liste de questions ne comporte pas de système de notation. Le processus par lequel vous tamiserez l'information fournie et en tirerez des conclusions est à la fois complexe et subjectif; sachez aussi que chaque individu procède différemment pour prendre une décision. Une échelle de 10 points conviendra à certains; pour ceux qui se fient d'abord à leur instinct, elle ne sera d'aucune utilité. Nous présumons que la plupart des gens font en ce sens à la fois appel à leur cœur et à leur tête. Servez-vous des outils qui vous semblent les plus appropriés, mais de grâce prenez des notes — qu'il s'agisse de points accordés, de traits ou de commentaires. Autrement, vous trouverez terriblement difficile de vous rappeler ce que chaque directrice a pu vous dire. Assurez-vous aussi de consigner par écrit vos impressions générales dès que vous quittez la garderie. Ces points de repère vous seront d'un apport inestimable, le moment venu de prendre la décision finale.

VOTRE LISTE DE QUESTIONS
destinées à la directrice

Nom de la garderie:..

Nom de la directrice:...

Adresse:..

.... Tél.: ....

Date: .... Heure: ....

Les questions essentielles

1. Puis-je, s'il vous plaît, voir le permis de la garderie? ....

   (Est-il émis par l'Office des services de garde à l'enfance?)....

   (Est-il périmé?) ....

2. Combien d'enfants peuvent être admis chez vous? ....

3. Combien y a-t-il d'enfants en tout dans la garderie? ....

4. De combien d'enfants et d'éducatrices se compose chaque groupe? ....

   (Les ratios se comparent-ils avantageusement à ceux généralement recommandés et à ceux imposés par la réglementation provinciale?).................

   (Qu'en est-il de la dimension des groupes?) ....

   S'il y a des groupes multi-âges, comment fonctionnent-ils? ....

   ....

5. De combien d'éducatrices à temps plein et à mi-temps disposez-vous? ....

   Combien d'entre elles détiennent un diplôme collégial ou universitaire en techniques de garde ou en développement de l'enfant?........................

   Qui sera l'éducatrice de mon enfant?........................

   Détient-elle un diplôme collégial ou universitaire?................

6. Depuis combien de temps chacun des membres du personnel travaille-t-il à la garderie? ....

....

Combien de membres du personnel actuel en sont à leur première année ici? ....

7. Quelles sont vos qualifications? ....

....

Depuis combien d'années êtes-vous directrice de cette garderie? ....

8. Recevez-vous des stagiaires? ....

Combien d'étudiants viennent ici par semaine? ....

9. Quels sont vos tarifs? ....

10. Peut-on obtenir des subventions chez vous? ....

11. Comment dois-je m'y prendre pour en obtenir une? ....

Les valeurs éducatives

1. Décrivez-moi la philosophie de la garderie. ....

....

....

2. Puis-je avoir, je vous prie, une photocopie de l'horaire? (Si l'horaire est affiché, mais que la directrice ne peut vous en remettre un exemplaire, demandez-lui de vous en faire une photocopie que vous consulterez en visitant la garderie.) ....

3. Comment les éducatrices s'informent-elles mutuellement de ce qui se passe? ....

Le quart du matin est-il toujours confié à la même éducatrice?

....

4. Les enfants sont-ils toujours dans la même pièce? ....

Les éducatrices la réaménagent-elles pour l'adapter aux différentes activités? ....

5. Quelle forme de discipline appliquez-vous? ....

....

....

Une journée à la garderie

1. Servez-vous le déjeuner?..

   Puis-je avoir une photocopie du menu?.............................

2. Si mon enfant doit suivre une diète, pourrez-vous répondre à ses besoins particuliers?...

3. Combien de temps dure la sieste?.......................................

   La pièce est-elle très sombre?...

   Permet-on aux enfants d'y apporter un objet chéri?.................

   Comment les éducatrices s'y prennent-elles pour inciter les enfants à dormir?..

   Que propose-t-on aux enfants qui ne dorment plus ou que l'obscurité effraie?...

4. Les enfants se rendent-ils en groupe aux toilettes?.................

   Que se passera-t-il si mon enfant a besoin d'y aller en d'autres moments?..

   Comment y assure-t-on la surveillance?.............................

   ....

5. À quoi s'occupent les enfants quand ils vont à l'extérieur?.....

   ....

   Les enfants jouent-ils ailleurs qu'au terrain de jeux de la garderie?..

6. Pouvez-vous me parler d'une ou deux excursions récentes?....

   ....

   Si on a utilisé à cette fin des autobus, étaient-ils munis de ceintures de sécurité?...

Politiques en matière de santé et de sécurité

1. La garderie s'est-elle associée un professionnel de la santé qu'elle peut consulter au besoin?...

2. La vaccination est-elle obligatoire?...

3. Quelles sont les politiques de la maison en ce qui a trait à la fièvre, aux rhumes, à la diarrhée, à la varicelle et aux maux de gorge à streptocoques?...

4. Que se passera-t-il si mon enfant tombe malade à la garderie?

   ....

   Où le gardera-t-on jusqu'à mon arrivée?.........................

   Combien de temps m'allouera-t-on pour passer le prendre?....

   ....

5. Mon enfant pourra-t-il revenir à la garderie, même s'il faut encore lui administrer des médicaments?............................

6. Existe-t-il des mesures de précaution pour l'administration des médicaments?..

   ....

7. Mon enfant a un problème de santé (décrivez-le à la directrice). Comment la garderie s'en accommodera-t-elle?............

   ....

   ....

8. Lorsque les enfants vont à l'extérieur, quelles sont les dimensions des groupes et quel est le ratio adultes-enfants?............

   ....

9. Les éducatrices apportent-elles une trousse de premiers soins lors de chaque sortie?...

10. Que se passera-t-il si survient une urgence? Qu'arrivera-t-il si un enfant vomit, ou fait une chute et s'inflige une entaille profonde au menton, par exemple?...............................

    ....

    ....

11. Avec quel hôpital faites-vous affaire?............................

12. À quelle fréquence la garderie tient-elle des exercices d'évacuation?..

13. Qui est autorisé à passer prendre mon enfant à la garderie?.....

    ....

    Que se passera-t-il si une personne qui ne figure pas sur ma liste se présente pour le prendre?...............................

    ....

Le rôle des parents

1. Comment procédez-vous à l'intégration des nouveaux enfants et puis-je rester sur place, les premiers jours? ....

....

2. Puis-je faire un saut à la garderie en tout temps, pour voir mon enfant? ....

3. Comment puis-je savoir quelle sorte de journée a connue mon enfant? Existe-t-il ici un système de communication écrite? ....

....

4. Tient-on régulièrement à la garderie des rencontres parents-éducatrices? ....

5. Y a-t-il un conseil d'administration composé de parents, ou un comité de parents? ....

   À quelle fréquence se réunit-il et quel est son rôle? ....

   ....

6. Pourriez-vous, je vous prie, me fournir le nom d'un parent, dont un enfant fréquente présentement la garderie, avec qui je pourrais m'entretenir? ....

DANS LE CAS DES NOURRISSONS

1. Les nourrissons mangent-ils, dorment-ils et jouent-ils à heures fixes, ou au moment où ils en ressentent le besoin? ....

   ....

2. Les nourrissons prennent-ils l'air frais chaque jour de l'année?

   ....

3. Que pense-t-on à la garderie des mères qui viennent allaiter leurs petits sur les lieux? ....

   Si mon enfant se réveille plus tôt, me préviendra-t-on pour que je puisse venir l'allaiter? ....

   Le personnel s'abstiendra-t-il de lui donner le biberon? ....

   ....

4. Si j'apporte mes propres biberons, comment les conservera-t-on? ....

Si la garderie les fournit, comment y stérilise-t-on biberons et tétines?..

5. Permettez-vous l'usage des sucettes, et quels soins en prenez-vous?..

6. Que faites-vous quand tous les bébés pleurent simultanément?

....

....

DANS LE CAS DES TOUT-PETITS

1. À quel moment un enfant passe-t-il du groupe des nourrissons au groupe des tout-petits?...

Consulte-t-on les parents à ce propos?..............................

Comment se fait la transition?...

....

2. Comment décidez-vous que devrait commencer l'apprentissage de la propreté?...

....

Comment vous y prenez-vous?..

....

....

3. Permet-on l'usage du biberon?..

À quels moments? Aux repas? Pendant la sieste? En tout temps?...

4. Permet-on l'usage des sucettes et comment les manipule-t-on?

....

Mes impressions de la directrice:

1. Comment était vêtue la directrice?...............................

....

2. Semble-t-elle honnête et franche?...............................

....

3. S'acquitte-t-elle adéquatement de ses fonctions premières? (Pour vous en assurer, surveillez la manière dont elle réagit aux interruptions provoquées par une éducatrice, un enfant ou un parent, que ce soit en personne ou au téléphone.)

....

....

4. Quand elle a croisé des enfants, connaissait-elle leur nom et les enfants la reconnaissaient-elle? ....

5. Vous a-t-elle consacré suffisamment de temps? ....

Mes impressions:

....

....

....

....

....

....

....

....

....

....

....

....

....

....

....

....

....

CHAPITRE 10

La visite d'une garderie

(deuxième partie)

*Ils avaient compris que sur la Terre
comme sur les autres planètes
chaque être est différent des autres.
Il suffit d'arriver à se comprendre.*

Umberto Eco
Les trois cosmonautes

Votre entretien avec la directrice vous sera, d'une certaine manière, familier. Chacun de nous s'est un jour ou l'autre retrouvé assis devant un autre adulte — médecin, employeur ou professeur. Mais dès que vous quitterez le sanctuaire qu'est le bureau de la directrice, vous entrerez dans un univers étrange, totalement réservé aux enfants.

Le mobilier y est adapté à leur taille, mais ils semblent ne s'y asseoir que très brièvement. Ils préfèrent plutôt, de même que les éducatrices, jouer et se déplacer, parfois seuls, d'autres fois en groupes. Les murs sont tapissés de collages et de gouaches aux couleurs vives; sur les tables, on aperçoit des poissons et des gerbilles. Des jouets, des jeux, du matériel d'artiste, des instruments servant à des expériences scientifiques et des livres garnissent les rayons. On dirait qu'on y a transporté depuis la cour du sable, de l'eau et des véhicules jouets. Lorsqu'une garderie est en pleine activité, c'est un merveilleux endroit, qui pourra toutefois déboussoler totalement un néophyte.

Comme il s'y déroule des tas d'activités, comment saurez-vous où porter vos regards? Comment saurez-vous si l'éducatrice s'acquitte bien de son travail? Comment saurez-vous si les enfants apprennent vraiment ce qui leur est nécessaire? Comment saurez-vous si les lieux sont sûrs pour votre enfant? Ce que vous a dit la directrice s'avère-t-il absolument exact? Il ne fait pas de doute qu'il est difficile d'y voir clair. Pour vous aider à vous retrouver dans ce labyrinthe, nous vous fournirons quelques itinéraires et guides de voyage. Pour commencer, vous trouverez ci-après une description détaillée du programme d'une garderie, accompagnée de précisions concernant spécialement les nourrissons et les tout-petits. Lisez-les et mûrissez-les dès maintenant, avant de visiter les lieux. À la fin du chapitre, vous trouverez une liste de questions à laquelle vous vous reporterez lorsque vous visiterez chaque garderie. Vous vous rappellerez ainsi d'innombrables détails qui ne doivent pas vous échapper.

Après l'entrevue, la directrice vous proposera une visite rapide des lieux, mais vous aurez absolument besoin de passer au moins une heure sur place, à observer. Cela est de la plus haute importance; aussi concentrez-vous pour tirer le meilleur parti du temps dont vous disposez. Si vous vous rendez sur place tôt le matin, observez comment les éducatrices accueillent les enfants à leur arrivée à la garderie. Si vous êtes présente au moment où ils se rendent à l'extérieur, surveillez comment les enfants s'y préparent et à quelles activités ils se livrent dans la cour de récréation. Dans la mesure du possible, efforcez-vous d'être témoin d'un moment de transition et de plus d'une activité (dans le cas de nourrissons, cela implique un changement de couches ou le moment du biberon, tout aussi bien que des périodes de jeu).

Vous constaterez probablement, comme nous, qu'une bonne note en attire d'autres. Dans une garderie de qualité supérieure, les pièces reluiront de propreté, rayonneront de bonne humeur, et les éducatrices, comme le programme, vous enchanteront. Dans une garderie de piètre qualité, vous remarquerez des flocons de poussière dans les coins, la présence d'enfants trop nombreux et d'éducatrices désabusées qui causent ensemble, à l'écart.

Les points essentiels à observer

Les rapports avec les parents

Les parents ont besoin de savoir ce qui se passe à la garderie, et la garderie a besoin de savoir ce qui se passe au foyer des enfants dont elle a la garde. Tous doivent consentir des efforts pour assurer le lien entre la vie de l'enfant au service de garde et sa vie au foyer.

La garderie devrait disposer d'un livre de communications, ou d'un tableau d'affichage, par lequel parents et éducatrices puissent se communiquer des événements quotidiens: où vous puissiez inscrire, par exemple, que Denise a mal dormi la nuit dernière parce qu'elle perçait une dent; où l'éducatrice pourra indiquer que le yogourt de Marie-Claire est au réfrigérateur. Il s'écoulera parfois plusieurs jours sans que vous ne puissiez rencontrer la personne qui s'occupe de votre enfant, parce que votre quart de travail est le même que le sien. Bien entendu, vous vous entretiendrez avec l'éducatrice qui prend alors la relève, mais un livre de communications vous gardera en contact avec toutes les éducatrices assignées à votre enfant. Lisez certains des commentaires qui y sont inscrits. Sont-ils directs et encourageants?

Pendant que vous poursuivez votre visite, relevez toute autre évidence de lien avec le foyer de l'enfant. Existe-t-il un tableau d'affichage couvert d'articles consacrés au développement de l'enfant, de convocations à des réunions et d'avis concernant l'échange de vêtements? Les enfants apportent-ils sur les lieux des objets chéris? Apercevez-vous des mères qui allaitent leur bébé, ou des pères de passage?

Une bonne garderie n'est pas qu'un endroit où votre enfant passera cinquante heures par semaine: c'est aussi une communauté au sein de laquelle parents et enfants tissent des liens. Lorsque vous y entrez, vous devriez vous sentir dans un environnement ouvert et accueillant.

DANS LE CAS DES NOURRISSONS

Dans le cas des nourrissons, il est particulièrement important de tenir un livre de communications. Tant les parents que les éducatrices ont besoin de savoir quand dort un enfant, quand il s'alimente et quelle quantité il ingère, sans oublier à quel moment il a fait sa dernière selle, pour lui assurer des soins adéquats.

Il est parfaitement normal que les parents de nourrissons soient extrêmement angoissés à l'idée de confier à une étrangère la garde de ce tout petit être qui ne peut protester ni se débrouiller seul. La garderie devrait vous apporter son soutien, en plus de veiller sur votre enfant. Vous êtes la personne qui connaît le mieux votre bébé et vous voulez vous assurer de la collaboration des éducatrices.

La dimension des groupes

Un bon ratio éducatrices-enfants et de petits groupes sont essentiels à un service de garde de qualité, quel que soit l'âge des enfants concernés.

Ne vous fiez pas aveuglément à ce que vous dit la directrice; comptez les adultes et les enfants présents, et demandez à l'éducatrice combien sont absents. N'oubliez pas de comptabiliser les bébés qui pourraient se trouver dans la salle de repos.

La taille et la configuration des lieux influenceront probablement l'aménagement intérieur de la garderie. Seize enfants de 3 ans et deux éducatrices se sentiront sans doute à l'aise dans une grande salle d'école, alors que huit enfants de 3 ans et une éducatrice ne seront pas à l'étroit dans une plus petite pièce d'une maison privée transformée en garderie.

Dans le cadre plus intime d'un petit groupe, les enfants et l'éducatrice auront davantage la chance d'établir des rapports sur une base individuelle. Les enfants se sentiront très en sécurité; ils sauront vers qui se tourner s'ils ont un problème; il y aura moins de bruit et de confusion, et ils éprouveront moins de tiraillements parce qu'on leur offrira moins de choix. Les études démontrent que les enfants obtiennent de meilleurs résultats à des tests de développement lorsqu'ils vivent en petits groupes[1], peut-être parce qu'ils passent alors plus de temps à causer, à coopérer, à réfléchir et à s'adonner à des activités plus complexes.

Mais un petit groupe d'enfants d'âge préscolaire, confié à une seule éducatrice, soulèvera aussi des problèmes. L'éducatrice devra tout avoir à portée de la main — un évier et des vêtements propres, le matériel nécessaire aux activités qu'elle a planifiées — pour n'avoir jamais à laisser les enfants à eux-mêmes. Ces derniers devraient avoir facilement accès aux toilettes et à de l'eau fraîche. Si les enfants se

---

1. Hermine H. Marshall, «The Development of Self-Concept», *Young Children*, juillet 1989, p. 47.

rendent en groupe à la salle de bains et que Maurice a besoin d'uriner quinze minutes plus tard, elle devra y ramener le groupe entier, faire patienter Maurice, ou encore lui permettre d'y aller seul. Si un enfant vomit, l'éducatrice devra secourir l'enfant malade, tout en continuant de s'occuper des sept autres petits. En cas d'urgence, elle devrait pouvoir communiquer avec une autre éducatrice, au moyen d'un interphone ou d'une ligne directement reliée aux bureaux de l'administration ou à une autre salle.

Si les salles sont suffisamment grandes, la direction de la garderie préférera peut-être confier à deux adultes un plus grand nombre d'enfants, bien que le travail d'équipe exige des éducatrices hautement compétentes. Les enfants commenceront ainsi à apprendre que chaque individu est différent, qu'il leur faut s'adresser à Louise pour une blague ou une chatouille, et à Hélène pour un câlin. Dans un groupe plus nombreux, les enfants acquièrent l'estime de soi en apprenant à se débrouiller seuls et à s'entraider. Jean-Baptiste, qui a noué ses lacets pour la première fois la semaine dernière, peut aider cette semaine Thérèse à en faire autant. Et dans un groupe nombreux, les possibilités sont quasi illimitées: les enfants y ont plus de compagnons de jeux, plus d'activités et plus d'occasions de prendre des décisions.

Au sein d'un groupe semblable surgissent toutefois d'autres problèmes. Pendant qu'une éducatrice accompagne un enfant à la salle de bains, ou répond à une urgence, elle laisse sa coéquipière seule avec un groupe nombreux, jusqu'à l'arrivée de renforts. Surveillez comment elles se tirent d'affaire en pareil cas.

Dans un groupe plus nombreux, même confié à plus d'une éducatrice, il y a davantage de bruit et de confusion, et il se peut que les enfants ne reçoivent pas suffisamment d'attentions individuelles. Si l'éducatrice oublie de montrer à Robert la manière de se laver les mains et néglige de féliciter Richard qui s'est expliqué avec Michèle au lieu de lui rendre un coup, les enfants pourront prendre l'habitude d'attirer l'attention en se comportant mal. Il est important que les éducatrices se rappellent constamment d'accorder également de l'attention aux enfants sans problèmes. Êtes-vous témoin de quelque manifestation de conditionnement positif?

Jusqu'à un certain point, la dimension du groupe variera selon le type d'activité en cours. Il n'y a pas de mal à ce que vingt enfants et trois éducatrices se réunissent pour chanter; mais il n'est pas normal que vingt enfants courent simultanément dans toutes les directions.

Les règlements en matière de ratio s'appliquent dans toutes les salles, à toute heure du jour. Seule exception peut-être à la règle: l'heure de la sieste. Alors, une seule éducatrice suffira pour surveiller un très grand nombre d'enfants — sous réserve que d'autres éducatrices soient à proximité.

Lorsque vous considérez la dimension et le ratio d'un groupe, songez à votre propre enfant. Jusqu'à quel point est-il sociable et turbulent? Se montre-t-il empressé à vous aider à faire les courses, au supermarché? S'accroche-t-il à vos jupes lors de parties d'anniversaire? Le défi que lui posera l'intégration à un groupe nombreux l'aidera-t-il à s'épanouir, ou s'effacera-t-il au contraire dans le groupe? Préférera-t-il la sécurité d'un petit groupe, ou s'y ennuiera-t-il? Comme Boucle d'or chez les ours du conte, il lui faudra trouver un groupe à la taille de ses besoins.

DANS LE CAS DES NOURRISSONS

Idéalement, une éducatrice chargée de la garde des nourrissons ne devrait pas prendre soin de plus de trois bébés. Lorsqu'une éducatrice a charge de plus de quatre nourrissons, les études démontrent que les enfants deviennent apathiques et angoissés[2]. Mais parce que le Québec n'exige qu'une éducatrice par groupe de cinq poupons, vous aurez de la chance si vous trouvez une garderie qui n'en confie que quatre à chaque membre de son personnel. C'est pourtant le nombre maximal que vous devriez accepter. Même alors, la directrice, ou une éducatrice, devrait être en tout temps prête à intervenir sans délai, en cas de crise.

Idéalement un groupe devrait se composer de deux adultes et de six nourrissons, mais les bébés supporteront probablement de se retrouver dans un groupe de huit ou neuf — si le ratio y est d'une éducatrice pour trois, ou même quatre bébés. (L'une des éducatrices sera presque toujours

---

2. Entretien personnel avec le docteur Julio C. Soto, le 14 février 1990.

occupée à changer une couche ou à nourrir un enfant; elle abandonnera donc à sa collègue la responsabilité de tous les autres enfants.) Vous aurez sans doute beaucoup de mal à trouver pareil ratio au Québec, puisque la province autorise jusqu'à quinze bébés par salle.

DANS LE CAS DES TOUT-PETITS

Bien que la réglementation québécoise requière la présence d'une éducatrice pour huit enfants de plus de 18 mois, nous recommandons un ratio éducatrices-enfants maximal de 1/6 dans le cas d'enfants de 18 mois à 3 ans, qui supporteront tout au plus un groupe de douze.

Une éducatrice a résumé pour nous, en ces mots, le point de vue des tout-petits sur la question: «"J'ai besoin de savoir que vous pourrez m'aider, mais je veux tout faire moi-même."» Si elle doit s'occuper de trop nombreux tout-petits, même une adulte armée de l'humour d'une Dominique Michel et de la patience d'une Mère Teresa ne pourra pas s'acquitter de sa tâche.

DANS LE CAS DES ENFANTS D'ÂGE PRÉSCOLAIRE

La province de Québec autorise le ratio d'une éducatrice pour huit enfants de 3 à 5 ans. Nous considérons qu'il s'agit d'un ratio acceptable.

Les enfants de 3 ans sont à leur aise dans un groupe de seize; et, selon nous, même les enfants de 4 et 5 ans ne devraient jamais se retrouver dans un groupe plus nombreux. Même si le Québec autorise le ratio d'une éducatrice pour quinze enfants de 5 ans, elle ne pourra veiller sur plus de huit d'entre eux.

Les locaux

L'aménagement des lieux joue un rôle capital. Il est difficile pour un enfant de réussir quoi que ce soit, y compris d'apprendre par le jeu, à moins qu'il ne se sente en sécurité, en santé et en liberté. Cela signifie que la garderie doit lui offrir un cadre de vie absolument sans danger, sain et surtout pas surpeuplé.

Examinez de près les locaux. Leur affectation, leur décoration et leur utilisation reflètent une philosophie de vie qui doit vous plaire, si vous songez à y placer votre enfant.

Parce que les structures spatiales sont généralement mesurables et observables, elles se prêtent assez facilement à des réglementations. Qu'elles soient logées dans des écoles, des tours à bureaux, des centres communautaires, des églises, des maisons privées ou des conciergeries, toutes les garderies sont tenues de se conformer à certaines normes en ce qui a trait à l'espace. Et les réglementations en cause ne concernent pas que la dimension des pièces; elles définissent aussi l'espace nécessaire à chaque enfant.

Vous rappelez-vous comment vous vous sentiez lorsque vous deviez partager votre chambre à coucher avec votre sœur, des nombreuses occasions où vous vous êtes querellées, et du mal que vous aviez à vous retrouver parce que vous ne pouviez jamais être seule? Dans ce cas, vous êtes en mesure de reconnaître l'importance de l'espace. Les études le confirment aussi. Comme le dit si bien un expert en la matière: «Plus le nombre d'enfants au mètre carré augmente, plus s'exacerbent également l'agressivité, le penchant à la destruction et la tendance au désœuvrement.» Plus d'espace permet davantage de liberté de mouvement et favorise de meilleurs rapports entre enfants et membres du personnel[3].

Les études recommandent un espace d'environ 3,5 mètres carrés par enfant, à l'intérieur (sans inclure les placards, les corridors, les salles de bains et les cuisines), et de 7 mètres carrés, à l'extérieur — bien que le Québec exige beaucoup moins: en fait, seulement 2,75 mètres carrés à l'intérieur et 4 mètres carrés à l'extérieur.

Plusieurs garderies n'accordent pas un centimètre de plus que les exigences édictées dans les réglementations. Chaque groupe d'enfants a-t-il sa pièce bien à lui? Est-elle suffisamment grande pour accueillir tout le monde?

L'atmosphère ne sera pas impersonnelle ni glaciale si les pièces regorgent de plantes et de poissons, de livres et de jouets, de meubles et de coussins colorés. Elles devraient être

---

3. Lero et Kyle, *ibid.*

claires et gaies, bien pourvues de fenêtres et maintenues à une température confortable. Examinez aussi les murs. Ils devraient être tapissés de tableaux, de dessins et de collages récents; des sculptures devraient être exposées à la hauteur des yeux des enfants. Les enfants sont fiers de leurs créations et aiment s'en entourer; ils sont ravis lorsque les gens disent: «Annie, quel beau collage tu as fait là!» Toutes les œuvres devraient porter le nom de leur auteur.

Les experts croient que les enfants apprennent davantage et ont beaucoup plus de plaisir lorsque l'éducatrice insiste sur le processus de création, plus que sur le résultat final. L'objectif est de permettre aux enfants d'explorer différents moyens d'expression. Divers matériaux ont-ils servi à la fabrication des œuvres exposées sur les murs? Est-ce que chaque enfant les a utilisés d'une manière personnelle?

Il est presque impossible de garder propres les moquettes et le Québec les interdit d'ailleurs (à l'exception des carpettes). Assurez-vous que le plancher est propre, sans fissure ni échardes, et qu'il n'est pas trop poli, c'est-à-dire glissant.

Si l'espace est bien aménagé, les enfants seront en mesure de s'occuper individuellement, en petits groupes et en groupes plus nombreux; des coins seront réservés aux divers types d'activités — tant calmes que dynamiques, salissantes que méthodiques — mais pas nécessairement dans la même pièce. Le mobilier sera résistant et adapté à la taille des enfants; les jouets et l'équipement, disposés de manière à ce que les enfants puissent voir et atteindre les objets qu'ils désirent sans devoir demander l'aide d'un adulte. Les études démontrent que les enfants développent mieux leurs facultés intellectuelles et s'entendent mieux avec leurs pairs lorsqu'on range méthodiquement tout le matériel dans la garderie[4]. Y est-il étalé de manière attrayante?

---

4. Alison Clarke-Stewart, «Predicting Child Development from Child Care Forms and Features: The Chicago Study», *Quality in Child Care: What Does Research Tell Us?*, sous la direction de Deborah A. Phillips, Washington (D.C.), National Association for the Education of Young Children, 1987, p. 37.

Il est important qu'on offre aux enfants la possibilité de choisir entre de multiples activités passionnantes, tout en permettant au personnel de contrôler le nombre de jouets disponibles. Il devrait s'en trouver suffisamment pour que les enfants ne se les arrachent pas, ni n'aient à attendre trop longtemps leur tour — mais pas trop, pour éviter qu'ils ne soient surexcités et désorientés.

On devrait mettre à leur disposition des blocs, des jeux de société, des casse-tête et des jeux de construction fort simples, des crayons feutre, des crayons à colorier et du papier, sans oublier un coin d'écoute où les enfants puissent écouter de la musique et des contes enregistrés sur bande. Vérifiez le matériel: aucune pièce ne devrait manquer aux casse-tête et les crayons devraient effectivement écrire. Les livres seront attrayants, bien écrits, et il n'y manquera aucune page.

Y a-t-il des bacs à eau et des bacs à sable, ainsi que de la pâte à modeler? Les nourrissons, les tout-petits et les enfants d'âge préscolaire ont tous besoin de faire des expériences tactiles, à la fois distrayantes et thérapeutiques.

Offre-t-on également aux enfants l'occasion de s'adonner à des jeux symboliques et d'imitation, par lesquels ils apprennent à parler, à écouter et à exprimer leurs émotions? Y a-t-il un coin accueillant transformé en cuisine miniature, pourvu d'une cuisinière, d'un évier, d'assiettes, de chaudrons, de poêlons et d'aliments jouets? Y a-t-il un placard rempli de vêtements de masquarade? Y a-t-il des poupées et des marionnettes?

Quand on se retrouve constamment au milieu de tant de gens, il est important de pouvoir se retirer seul, de temps à autre — à ce point important, d'ailleurs, que la province l'exige. Assurez-vous qu'on a aménagé dans la garderie une oasis de calme — un coin de lecture confortable, meublé de coussins et de fauteuils, où un enfant pourra s'installer avec un livre, pour échapper au tapage.

Compte tenu de notre climat, toute garderie devrait être dotée d'une aire de jeux intérieure — une grande pièce, un gymnase ou un sous-sol — réservée aux activités bruyantes et libres qu'on qualifie aussi d'activités de motricité globale. En plus d'être amusantes et de libérer d'un trop-plein d'énergie, les activités physiques comme la course, la corde à danser, les sauts et l'escalade des cages à grimper sont essentielles au développement physique et intellectuel de l'enfant[5].

La pièce en question doit être vaste; la glissoire et la cage à grimper devraient être robustes, entourées de matelas d'exercice et étroitement surveillées. Vous devriez aussi y apercevoir des jouets que les enfants peuvent enfourcher, tirer et pousser, de même que des gros blocs de toutes dimensions; un tapis devrait recouvrir le plancher pour étouffer le bruit.

DANS LE CAS DES NOURRISSONS

Le Québec exige que les nourrissons de moins de 18 mois aient leur espace bien à eux, à l'écart des enfants plus âgés, d'ailleurs susceptibles d'être porteurs d'innombrables virus et bactéries. À l'intérieur de cet espace devraient se trouver des aires réservées aux jeux, aux repas, à la sieste et au changement des couches.

Parce que les bébés aiment bien les couleurs vives et les visages humains, des photographies d'animaux et des portraits devraient être affichés aux murs, à hauteur de leurs yeux. Les mobiles sont très amusants, mais ne devraient pas se trouver à portée de leurs petites mains. Les miroirs donnent non seulement aux nourrissons une occasion d'apprendre à connaître leur corps, mais leur démontrent aussi qu'ils sont des êtres indépendants et capables de provoquer des événements[6]. Des miroirs incassables devraient être installés en divers endroits, de manière à ce que les enfants puissent se regarder à loisir: près de la table à langer, le long du mur au niveau du sol et là où ils leur seront accessibles, comme mesure de récompense, chaque fois qu'ils réussiront à se redresser en station debout.

Les jouets doivent être lavables et exactement de la bonne dimension: suffisamment gros pour qu'ils ne les avalent pas, mais assez petits pour qu'ils puissent les mordiller et les tenir dans la main (d'au moins 4 centimètres

---

5. Penelope Leach, *Votre enfant de la naissance à l'école*, Paris, Albin-Michel, 1980.

6. Marshall, *ibid.*, p. 47.

[1¹/₂ pouce] de diamètre). Ils devraient aussi être légers et incassables, sans échardes ni coins pointus.

Assurez-vous qu'il s'en trouve un vaste assortiment, depuis le plus simple jusqu'au plus complexe; certains que les enfants peuvent manipuler seuls, d'autres qui exigent de l'aide: des hochets, des balles, des objets qui couinent, des anneaux de dentition, des tasses gigognes, des jouets pour apprendre à assortir des formes, des perles qui s'assemblent et des centres d'occupation. Il est essentiel d'y voir des livres de carton, de toile ou de vinyle lavables, abondamment illustrés en couleur d'objets familiers.

De quel autre équipement les nourrissons ont-ils besoin? Des tables basses fourniront une surface idéale sur laquelle s'amuser et travailler avec un ami et une berceuse permettra à une mère, ou une éducatrice, de s'asseoir confortablement pour prendre sur ses genoux un bébé. On la placera dans un coin stratégique, de manière à ce qu'aucun enfant ne puisse se glisser derrière et se faire ainsi écraser les doigts.

On trouvera vraisemblablement dans la salle des poupons une utilité à un parc pour enfants. Si un enfant est beaucoup plus jeune que les autres, les éducatrices l'y déposeront de manière à ce qu'il ne soit pas blessé lorsqu'elles sont occupées à changer des couches, ou à aider un autre enfant, à l'autre bout de la pièce. Le parc pourra aussi rassurer un enfant que les trop vastes dimensions de la salle de jeux angoissent. Si on lui offre quelques jouets stimulants et ne l'empêche pas d'interagir avec les autres enfants, il ne souffrira pas de se trouver confiné pendant quelques minutes. Mais si vous apercevez dans un parc un enfant abandonné à lui-même et qui pleure, sans rien avec quoi jouer, ou si vous notez la présence de plusieurs parcs pour enfants dans la pièce, méfiez-vous. On ne laisse pas aux enfants, dans cette garderie, la liberté nécessaire pour explorer le monde.

DANS LE CAS DES TOUT-PETITS

Les tout-petits devraient avoir leur salle bien à eux. Certaines études démontrent qu'ils souffrent de se retrouver avec des enfants plus âgés, ou des bébés[7]; il leur faut avoir la

---

7. Clarke-Stewart, *Daycare, ibid., p. 93.*

possibilité de se déplacer dans la pièce et de se livrer à des expériences. Les barils, les boîtes et les tubes dans lesquels ils ramperont, ou qu'ils traîneront, les aideront à développer d'importantes capacités musculaires; il est absolument nécessaire que s'y trouvent aussi des marchepieds et des petites cages à grimper, sûres et sans danger. S'y trouve-t-il aussi des casse-tête, des blocs, des Duplo, des jeux pour apprendre à assortir des formes, des ballons, des perles à enfiler, des téléphones jouets, des instruments de musique et des jouets Fisher-Price?

DANS LE CAS DES ENFANTS D'ÂGE PRÉSCOLAIRE

Les enfants d'âge préscolaire devraient avoir d'innombrables occasions de mettre en pratique ce qu'ils ont appris et de développer de nouvelles habiletés. Assurez-vous donc de la présence de jouets éducatifs. Mais il devrait aussi y avoir du matériel éducatif regroupé par thèmes en différents «centres d'apprentissage» — des tables ou des endroits d'une pièce où les enfants peuvent développer, par eux-mêmes, des habiletés particulières. Ainsi, dans un centre d'apprentissage consacré aux sciences, on pourra trouver, par exemple, un jeu qui aide les enfants à comprendre comment une graine se transforme en un légume. Dans un autre endroit, pour qu'ils s'initient à l'écriture, on mettra à leur disposition des crayons et des calepins dans lesquels ils pourront écrire ce qu'ils veulent.

Les enfants d'âge préscolaire ont aussi besoin de plus d'espace, parce qu'ils sont plus grands que les tout-petits, et d'activités aussi bien que d'équipements de motricité globale qui exigent davantage de dextérité: de gros ballons, des cages à grimper, des poutres d'équilibre, un endroit où courir, gambader, sautiller et sauter.

Le niveau de bruit

Si vous ne connaissez depuis longtemps que la compagnie d'adultes, toute garderie vous paraîtra inévitablement assourdissante. Vous devrez vous faire à cette réalité: les enfants sont bruyants et il est normal qu'une bande d'enfants heureux fassent du bruit. Mais il y a une limite au-delà de laquelle personne ne peut garder ses esprits, et le bonheur de votre enfant pourrait bien dépendre du niveau de bruit qu'il devra supporter à la garderie. Si les enfants et les éducatrices hurlent dans toutes les pièces, il s'effondrera peut-être vers la fin de l'après-midi. Si vous jugez acceptable le niveau de bruit sur le moment, il vous le semblera presque toujours; s'il vous paraît intolérable, la situation ne s'améliorera certainement pas. Dans un environnement où l'on ne parvient pas à contrôler le bruit, la qualité des soins peut effectivement laisser à désirer.

Dans l'évaluation du niveau de bruit, il faut tenir compte de quatre variables. La première est votre enfant. Dans une certaine mesure, chaque individu réagit différemment au bruit. Si une éducatrice peut tolérer sans peine un niveau élevé de décibels, elle ne fera aucun effort pour le réduire. Si ce niveau de bruit vous paraît inacceptable, et que vous croyez que votre enfant ne le supportera pas non plus, alors remerciez la directrice poliment et quittez les lieux.

Le deuxième paramètre est la pièce elle-même. Des plafonds hauts, des matériaux insonorisants, des tentures, des carpettes et des coussins moelleux atténueront l'intensité du bruit. Quand un grand nombre d'enfants se rassemblent dans une pièce vide, le résultat peut être abrutissant, même s'ils restent relativement calmes.

Autre considération: le type d'activité en cours. Si on fait la lecture aux enfants, la pièce devrait être silencieuse; s'ils jouent du tambour et font tinter des triangles dans le cadre d'une leçon de musique, il y aura inévitablement beaucoup de bruit.

Dernière composante dans cette évaluation: l'autorité qu'exerce l'éducatrice sur le groupe. Le bruit que vous entendez peut être celui d'enfants qui s'occupent joyeusement, ou le résultat d'un chaos. L'éducatrice hurle-t-elle parce qu'elle a perdu le contrôle de la situation? Il est humiliant, inefficace et dangereux de s'adresser à un enfant en criant. Il sera bien plus enclin à réagir si l'éducatrice lui explique directement et personnellement le problème, en s'approchant de lui. En certaines occasions, une éducatrice *n'aura d'autre choix* que de crier, par exemple pour empêcher un enfant de lancer un bloc dans la pièce; mais si elle hausse *souvent* la voix, elle obtiendra le même résultat que le petit garçon qui criait sans cesse au loup, et on ne l'écoutera pas lorsque cela s'imposerait pourtant.

Si la pièce est trop calme, il y a également lieu de s'inquiéter. Si l'éducatrice exerce une autorité excessive sur les enfants, l'atmosphère sera répressive et les petits auront peur de s'exprimer. Les bouches d'enfants heureux et à leur aise ne restent jamais longtemps muettes: ils parlent, chantonnent, gloussent et chuchotent, peu importe ce à quoi ils s'occupent.

La sécurité

Il arrive que nous prenions des risques: nous traversons la rue en courant, nous nous rendons en voiture au supermarché sans boucler nos ceintures de sécurité; mais quand il s'agit de laisser nos enfants à la garde d'étrangers, il n'y a pas de risque à prendre. Il faut passer en revue chacun des points qui figurent sur la liste suivante: la garderie que vous choisirez devrait être absolument sûre pour les enfants.

Le tout premier principe de sécurité veut que l'éducatrice soit *toujours* présente et accorde toute son attention aux enfants: qu'elle soit donc en mesure de voir en tout temps tous les coins et recoins de la pièce, et qu'elle ne laisse jamais seuls les enfants.

De manière à permettre aux enfants de se rapprocher librement d'objets fascinants et d'expérimenter jusqu'où ils peuvent aller, sans qu'on leur dise «non» — à moins que quelqu'un ne soit en péril —, on devrait éliminer tous les risques de danger: les produits de nettoyage et les médicaments seront remisés dans des cabinets verrouillés; les bouches d'air chaud et d'air climatisé, de même que les âtres et les escaliers, seront fermés ou condamnés. Une grille empêchera aussi d'avoir accès à la cuisine: comme vous le savez d'expérience, on y trouve des multitudes de dangers. Les ciseaux, la peinture et la colle seront rangés hors de portée des enfants.

Sont également prohibés les coins de table pointus et les portes battantes contre lesquelles un enfant pourrait se blesser; les plateaux de comptoir devraient dépasser de quelques centimètres la tête des enfants.

Demandez à voir la trousse de premiers soins de la garderie et les numéros de téléphone à composer en cas d'urgence (pompiers, police, hôpital, centre antipoison, médecin); tous devraient être affichés près du téléphone. Vous devriez aussi remarquer la présence d'un plan d'évacuation, en cas d'incendie, et de détecteurs de fumée.

Certaines activités requièrent plus qu'un espace sûr: il faut aussi savoir s'y adonner en toute sécurité. Combien d'enfants sont autorisés à monter simultanément dans la glissoire? Sont-ils surveillés étroitement? Comprennent-ils bien les règles du jeu et les respectent-ils?

Aucune éducatrice ne devrait fumer, ni boire de thé ou de café chaud, dans une pièce où se trouvent des enfants.

La santé et l'hygiène

Parce que les petits enfants sont très vulnérables à la maladie, la garderie devra consentir tous les efforts nécessaires pour contrôler la propagation des germes.

La salle de jeux

Les pièces doivent avoir l'air propre et sentir propre. Chaque jour, même en hiver, le personnel devrait les aérer. Dans le cadre d'une étude menée à Montréal, on a établi que les enfants, comme d'ailleurs les éducatrices, étaient plus souvent malades dans les garderies où on n'ouvre pas les fenêtres[8].

Jetez un coup d'œil au coin des vêtements de mascarade. Chaque jour, ces vêtements sont malmenés; ils devraient donc se retrouver périodiquement dans la laveuse d'un parent. Malheureusement, les poux se transmettent dans les chapeaux, aussi ne devrait-on jamais en retrouver dans le coffre de vêtements de mascarade.

Il est difficile d'évaluer l'état de propreté des poupées, mais si elles ne semblent pas propres, c'est qu'elles sont vraiment très sales.

Tandis que vous regardez jouer les enfants, vous remarquerez peut-être que plusieurs nez coulent. Pour garder les enfants en santé, il faut rapidement moucher un à un tous les nez: l'éducatrice utilisera un papier mouchoir différent pour chaque enfant, et se lavera les mains entre chaque opération.

---

8. Soto, *Un modèle de surveillance épidémiologique..., ibid.*

Elle pourra aussi enseigner aux enfants à se couvrir la bouche quand ils toussent ou éternuent.

Tous les enfants devraient se sentir en assez bonne forme pour s'amuser ferme en jouant. Mais parce que les enfants qui fréquentent les garderies sont très exposés aux maux de toutes sortes, vous dépisterez sans doute au moins un enfant malade. L'éducatrice devra le tenir à l'écart et lui permettre de se reposer sur une couchette, ou un matelas, à portée de vue, jusqu'à ce que ses parents passent le prendre. (Le bureau de la directrice est, à cette fin, le coin le plus approprié.) Vous ne devriez pas voir d'enfant malade couché sur un matelas dans la salle de jeux où il aurait du mal à se détendre, transmettrait ses germes à ses petits copains et monopoliserait l'attention de l'éducatrice.

DANS LE CAS DES NOURRISSONS ET DES TOUT-PETITS

Parce que les bébés et les tout-petits apprennent en portant des objets à leur bouche, les germes se propagent parmi eux à la vitesse de l'éclair. Vous verrez donc inévitablement des éducatrices en train de ramasser les jouets que des enfants ont porté à leur bouche et les déposer dans un panier de plastique, hors de portée des petits, de manière à ce qu'on puisse les laver dans une solution javelisée avant de les ranger sur les tablettes. (Les jouets devraient être désinfectés tous les jours.)

Pour garder les tétines propres et hors de portée des enfants, la garderie devrait disposer de contenants individuels et étiquetés au nom de chaque nourrisson. En vieillissant, les enfants acceptent mieux ce conseil de l'éducatrice: «Laisse ta tétine ici pendant que tu joues. Tu pourras la reprendre à l'heure de la sieste.»

La table à langer et la salle de bains

Ces espaces méritent toute votre attention. La diarrhée, qui se transmet beaucoup trop facilement d'un enfant à un autre, peut rendre un nourrisson très malade.

Il existe en ce domaine deux règles capitales.

La première est de garder les aliments loin de tout ce qui a rapport aux soins du corps. Le personnel ne devrait jamais préparer de repas là où il change les couches, et tout ce qui concerne la salle de bains ne devrait jamais se retrouver dans la cuisine ou les endroits où l'on mange.

La deuxième règle veut que le personnel se lave obligatoirement les mains, vigoureusement et souvent — chaque fois qu'on change une couche, aide un enfant à se servir des cabinets, mouche un nez, prépare un plat ou nourrit un bébé. Une technique adéquate de lavage des mains peut réduire jusqu'à 50 % l'incidence de diarrhées[9], et diminuer également celle des maladies respiratoires[10].

Pour un lavage adéquat, il faut soigneusement se frotter les mains à l'eau chaude avec du savon liquide, puis utiliser une serviette de papier pour s'essuyer les mains et refermer le robinet[11]. Un évier muni de robinets devrait obligatoirement se trouver à proximité de la table à langer et des toilettes. (Lorsqu'une éducatrice change la couche d'un bébé, ou accompagne un tout-petit à la salle de bains, assurez-vous de bien entendre le son de l'eau qui coule!)

La salle de bains devrait reluire de propreté et ne jamais vous laisser l'impression de crier: «Frottez-moi avec de l'eau de Javel», lorsque vous ouvrez la porte. Il n'y a pas de quoi fouetter un chat si quelqu'un rate à l'occasion la corbeille à papiers; quant au plancher, qui deviendrait glissant s'il était détrempé, il devrait être propre et sec. Vous n'aimeriez pas vous asseoir sur un siège de toilette couvert d'urine; votre enfant non plus. Les chasses d'eau doivent être actionnées après chaque utilisation. Les éviers devraient aussi être propres.

Gardez les oreilles et les yeux bien ouverts pour observer la manière dont on utilise les toilettes dans chaque garderie que vous visitez: il s'agit d'une activité de routine capitale qui ne devrait pas vous échapper. Dans certaines garderies, où les toilettes sont éloignées, l'éducatrice accompagnera les enfants en groupe sur les lieux, ou les y conduira tour à tour, quand ils en éprouvent le besoin. Dans d'autres garderies, où

---

9. Robert E. Black *et al.*, «Handwashing to Prevent Diarrhea in Day-Care Centers», *American Journal of Epidemiology*, vol. 113, 1981, p. 445-451.

10. Julio C. Soto, entretien privé, 14 février 1990.

11. *Healthy Young Children*, sous la direction de Abby Shapiro Kendrick, Roxane Kaufmann et Katherine P. Messenger, Washington (D.C.), National Association for the Education of Young Children, 1988, p. 25-28.

les toilettes sont visibles depuis la salle de jeux, les enfants les utiliseront individuellement, chaque fois qu'ils en éprouvent le besoin. Dans un cas comme dans l'autre, ils devraient toujours le faire sous surveillance.

N'avez-vous jamais croisé les jambes, parce que vous n'en pouviez plus de vous retenir, lorsque vous fréquentiez l'école? Si la salle de bains n'est pas adjacente à la salle de jeux et qu'il s'y trouve peu de cabinets, les enfants seront peut-être forcés d'attendre longtemps leur tour. Comptez-les: le Québec exige un ratio d'une toilette et d'un évier pour quinze enfants.

Même dans une salle de bains munie d'urinoirs ou de cabines sans portes, les éducatrices devraient être conscientes que chaque enfant a droit à son espace personnel et à son intimité, et n'intervenir que si on les y invite. Par ailleurs, le personnel devrait se tenir suffisamment près pour apporter son aide, en cas de besoin.

Les petits accidents sont fréquents et inévitables dans une garderie. L'éducatrice les traite-t-elle avec délicatesse et sans humilier l'enfant en cause? Elle ne devrait jamais menacer, punir ou gronder l'enfant pris en faute. Elle nettoiera le dégât avec des serviettes jetables et déposera directement les vêtements souillés dans des sacs de plastique de double épaisseur, fermés hermétiquement, que papa ou maman ramassera. (Elle ne devrait pas rincer elle-même les vêtements.) Bien entendu, quand elle aura fini, elle se lavera soigneusement les mains.

DANS LE CAS DES NOURRISSONS ET DES TOUT-PETITS

Tout en regardant l'éducatrice changer une couche, notez si tout ce dont elle a besoin se trouve à portée de la main; elle ne devrait jamais laisser seul le bébé. Par mesure de sécurité, la table à langer devrait être munie d'une courroie et de hauts rebords. Gantée de caoutchouc, l'éducatrice devrait nettoyer le fessier de l'enfant en se servant de serviettes humides jetables, et déposer les couches sales dans un seau doublé et muni d'un couvercle. Si vous remarquez des traces d'érythème fessier, c'est qu'on ne change peut-être pas assez souvent les couches. Après chaque changement de couche, l'éducatrice devrait remplacer le drap de papier jetable qui recouvre la table à langer et désinfecter cette dernière avec une solution composée d'eau de Javel et d'eau fraîche, apprêtée quotidiennement. Bien entendu, elle devrait appliquer à la lettre les règles en matière de lavage des mains.

Parce que les premières expériences d'un tout-petit aux toilettes se feront à la garderie, la salle de bains doit y être aussi accueillante que possible. S'il s'agit d'une pièce calme et pourvue de petits sièges d'aisance ou de marchepieds, ceux qui en sont à leurs débuts s'y plairont. Les petites chaises percées sont bien moins indiquées parce qu'il est difficile de les garder propres. Si la garderie en fait usage, chaque enfant devra avoir la sienne.

DANS LE CAS DES ENFANTS D'ÂGE PRÉSCOLAIRE

Les enfants devraient se laver les mains, sous la surveillance d'un adulte, après qu'ils ont utilisé les toilettes; la garderie pourra les y inciter en faisant installer des éviers disposés à leur hauteur, des distributeurs de savon liquide et des serviettes de papier jetables que les enfants pourront atteindre sans aide.

La cuisine

La province et les municipalités imposent exactement les mêmes normes aux garderies et aux restaurants en ce qui a trait aux cuisines: elles doivent reluire du plafond au plancher; les aliments doivent y être conservés dans des boîtes scellées et des contenants de plastique; et le lavage des mains, y être rigoureusement appliqué. Avant de toucher un aliment, le personnel et les enfants devront donc se nettoyer vigoureusement les mains.

La cuisine aura son propre évier, utilisé exclusivement pour la préparation des aliments, et sera dotée d'un lave-vaisselle à haute température qui stérilisera plats et assiettes. Inutile de dire qu'y sont également nécessaires une cuisinière, un four à micro-ondes et un réfrigérateur.

Le personnel

La qualité des rapports éducatrices-enfants est probablement l'élément le plus déterminant lorsqu'il s'agit de s'assurer de soins de haute tenue.

Les gens croient souvent que quiconque a bon cœur et bon dos peut s'occuper d'un tout petit enfant. C'est un point de départ, mais ce n'est pas suffisant. Selon Burton L. White, auteur de *The First Three Years of Life*, une éducatrice de toute première qualité est «chaleureuse, motivée, expérimentée, bien informée, intelligente, communicative, patiente, enthousiaste, sans pour autant se montrer protectrice à l'excès[12]». Elle doit connaître les enfants placés sous sa garde et répondre à leurs besoins individuels en fonction de leur caractère, de leur horloge biologique individuelle et de leurs préférences. Elle sait aussi de quelle manière ils grandissent et apprennent — les différents stades de développement qu'ils connaissent pendant l'enfance — et adapter ses actions, ses discours, les jouets et les activités qu'elle leur propose, à leurs intérêts et à leurs habiletés en constante évolution.

Les éducatrices apprennent plusieurs de ces notions pendant leurs études universitaires ou collégiales en techniques de garde ou en développement de l'enfant. Tandis que vous observez une éducatrice en pleine action, ne ratez pas l'occasion de l'interroger sur sa formation. Comme vous ne voudriez pas l'offusquer par inadvertance, efforcez-vous d'accompagner votre question d'un compliment, par exemple en disant: «Les enfants semblent vraiment vous aimer. Où avez-vous fait vos études?»; ou encore: «C'est merveilleux que tous ces petits de 2 ans sachent enfiler leurs manteaux. Où avez-vous appris la manière de le leur enseigner?»

Voyons maintenant comment l'éducatrice se tire d'affaire.

Au moins un indice est si évident qu'il nous échappe généralement: sa manière de se vêtir. Elle devrait porter des vêtements et des chaussures qui lui permettent d'accomplir son travail en toute aisance. Sera-t-elle troublée si un enfant macule son pantalon de yogourt à la cerise?

Notez ensuite où elle se tient dans la pièce. Si elle se trouve là où elle devrait — c'est-à-dire au milieu des enfants —, vous aurez peut-être du mal à la repérer. Il est

---

12. Burton L. White et Michael K. Meyerhoff, «What *Is* Best for the Baby?», *The Infants We Care For*, sous la direction de Laura L. Dittmann, Washington (D.C.), National Association for the Education of Young Children, 1973 et 1984, p. 28.

inacceptable que des éducatrices se regroupent pour converser dans un coin ou s'adossent contre un mur, les mains dans les poches.

Longtemps avant qu'ils ne puissent s'exprimer, les enfants comprennent évidemment très bien le langage corporel. Ils savent pertinemment quand une personne dit vraiment ce qu'elle pense. Une éducatrice, à la fois franche et spontanée, les regardera dans les yeux et l'expression de son visage ne contredira pas le discours qu'elle leur tient.

On appelle «affect» cette aptitude de l'éducatrice à exprimer ses sentiments et à entrer en relation avec les enfants — à montrer qu'elle s'intéresse vraiment à chacun d'entre eux. Il s'agit là d'un attribut essentiel à une éducatrice de première qualité, que l'on pourra aussi généralement observer chez les enfants qui l'entourent: ils sembleront alors particulièrement absorbés par ce qu'ils font, et désireux de s'exprimer.

Il vous faudra une certaine finesse pour reconnaître des manifestations d'affect. Observez et écoutez attentivement. Le sourire de l'éducatrice vous paraît-il faux? Les enfants sont-ils vraiment heureux, ou font-ils semblant d'agir selon les règles? Si vous découvrez un service de garde où tous les enfants et éducatrices manifestent de l'affect, vous avez presque certainement trouvé un service gagnant. La situation inverse est tout aussi vraie: des bébés laissés à eux-mêmes, des tout-petits qui errent sans but, ou des enfants d'âge préscolaire qui courent dans tous les sens, devraient vous inciter à quitter les lieux sur-le-champ.

Une bonne éducatrice s'accroupit, ou s'assoit, au niveau des enfants et les laisse engager la conversation, même s'ils ne connaissent que quelques mots. En attendant patiemment leurs commentaires, en nommant des objets, en ajoutant des détails à leurs observations, elle aidera à élargir leur vocabulaire. Elle devrait répondre promptement aux questions et en poser aussi, en laissant à chaque enfant la chance d'exprimer ses sentiments.

L'éducatrice devrait traiter chaque enfant comme un individu et s'assurer de passer au moins quelques moments, seule à seul, avec chacun d'eux. Si elle saisit que chaque enfant a ses propres intérêts, aptitudes et manières d'apprendre, elle saura orienter chacun dans une direction qui lui convienne.

Le contact physique détendu est aussi très important. Certains enfants aiment bien qu'on les étreigne; d'autres ont besoin d'espace. Fait intéressant, les études démontrent que les éducatrices de bonne formation n'étouffent pas les enfants de caresses. Il est plus important de jouer avec eux, de leur prodiguer des encouragements et de leur faire des suggestions précises[13].

Les enfants ont besoin de diriger eux-mêmes leurs jeux; ils se sentent alors plus compétents et davantage maîtres de leur existence, ce qui accroît leur estime de soi. Par des encouragements, des suggestions et des compliments, une bonne éducatrice fournira des outils et des possibilités de choix aux enfants, tout en les laissant contrôler la situation. Elle ne dirigera, ne critiquera ni ne contraindra les enfants. Comme le dit une directrice de service de garde: «Seule une vraie bonne éducatrice n'intervient pas tout le temps.»

En plus de permettre à l'enfant de choisir lui-même ses jeux, l'éducatrice lui laissera la chance de se prendre en main, au lieu de le déplacer d'un endroit à un autre sans lui demander son avis. On encouragera les enfants à se débrouiller le plus possible seuls: à enfiler manteau et bottes, à se laver les mains et à remiser leurs jouets. Même les tout-petits adorent faire le ménage et sont capables d'exploits assez extraordinaires, si on leur en laisse la possibilité. Entre autres choses, ils peuvent certainement se rendre seuls à la toilette, s'il s'en trouve une dans la salle de jeux.

Vous serez peut-être incapable d'évaluer si une éducatrice garde le contrôle sur son groupe d'enfants tant que vous n'aurez pas visité une garderie où ce n'est pas le cas. Vous verrez alors des enfants qui courent dans tous les sens, qui hurlent, qui refusent de collaborer et font des gestes potentiellement dangereux. Là où l'éducatrice exerce effectivement ce contrôle, les enfants s'occupent confortablement à des activités compatibles avec l'espace dont ils disposent. (S'ils courent, c'est qu'ils se trouvent dans le gymnase.)

Même dans un groupe très heureux, un enfant pleurera tôt ou tard: la vie n'est pas un jardin de roses, et les conflits, les frustrations, le désarroi et les éraflures aux genoux sont

---

13. Clarke-Stewart, *Daycare, ibid.*, p. 128.

inévitables. L'éducatrice devrait immédiatement réconforter un enfant qui pleure, et rassurer un petit qui a peur. Elle devrait s'approcher de l'enfant et se pencher vers lui pour lui parler, l'écouter et l'aider à trouver une solution à son problème, sans lui dicter ce qu'il faut faire. Elle devrait rester auprès de lui jusqu'à ce qu'il soit prêt à réintégrer le groupe, le sourire aux lèvres. Si elle ne fait pas tout cela, ne confiez pas votre enfant à sa garderie.

DANS LE CAS DES NOURRISSONS

Prêtez une attention toute particulière à la qualité des rapports individuels entre éducatrice et enfants. Chaque fois qu'une éducatrice change un bébé de couche, l'habille ou le nourrit, elle devrait lui sourire, le regarder dans les yeux, lui parler, répondre doucement à ses tentatives de communication et les encourager.

Une bonne éducatrice jouera au «coucou!» avec les bébés, leur offrira des jouets qui les stimuleront et leur assurera différents points de vue sur les lieux en les changeant de position plusieurs fois dans la journée. Elle les tiendra dans ses bras et les laissera jouer sur le plancher, s'accroupir, se balancer, se bercer, se déplacer à leur propre vitesse, et les conduira dehors pour prendre l'air. Parce que les échanges verbaux sont essentiels au développement du langage, elle leur parlera, leur chantera des airs et leur lira des contes, chaque fois qu'elle en aura l'occasion.

DANS LE CAS DES TOUT-PETITS

Assurez-vous de noter si l'éducatrice encourage les tout-petits chaque fois qu'ils développent de nouvelles compétences et prédilections. Leur laisse-t-elle suffisamment de latitude pour s'attaquer à un problème, sans toutefois qu'ils en éprouvent de la frustration? Lorsqu'un tout-petit est excité par ce qu'il fait, il répétera le même geste *ad nauseam*. L'éducatrice le complimente-t-elle alors pour ses efforts?

DANS LE CAS DES ENFANTS D'ÂGE PRÉSCOLAIRE

Dans une garderie bien équipée et bien organisée, les enfants d'âge préscolaire seront très heureux de s'amuser entre eux, sans l'aide d'un adulte. Mais les éducatrices ne devraient pas invoquer ce fait comme excuse pour bavarder entre elles. Ce n'est pas parce que les enfants d'âge préscolaire n'exigent pas autant d'attention que les nourrissons et les tout-petits qu'ils n'en ont pas besoin, ou ne la méritent pas.

La discipline

Le mot discipline est un mot tabou dans le milieu des services de garde. Les éducatrices préfèrent de loin des expressions plus positives, comme «ligne de conduite» ou «gestion du comportement». En fait, la discipline se définit comme un moyen d'aider un enfant à apprendre à se maîtriser.

Une garderie de haute qualité offre un environnement où les interdits et les remontrances n'ont que peu de place. Son cadre, conçu pour les enfants et sans danger pour eux, leur permet d'apprendre à se connaître les uns les autres, et à se comporter en société, tout en commençant à partager, à attendre leur tour et à explorer le monde qui les entoure.

Un équipement suffisant pour occuper tous les enfants et un personnel assez nombreux pour prévoir tout ce qui pourrait survenir assureront une période de jeux réussie. Une éducatrice de formation saura empêcher que n'éclate un conflit, ou de la violence, et aura rarement besoin d'appliquer des mesures de discipline. Chaque éducatrice a sa manière personnelle, mais toutes devraient tenir des propos constructifs, s'interdire des critiques et des commentaires destructifs à l'endroit des enfants. Le conditionnement positif — qui consiste à complimenter un enfant chaque fois qu'il a bien agi — est essentiel. On ne devrait pas entendre prononcer le mot «non» dans une garderie, ou du moins très rarement!

Chaque fois qu'une éducatrice demande quoi que ce soit à un enfant, elle devrait s'exprimer clairement et de manière positive. («Lise, c'est le moment de mettre de côté les blocs.») Plutôt que d'ordonner, de menacer ou de punir, elle devrait encourager l'enfant et le féliciter («La pièce est tellement belle quand tu la ranges aussi bien»). Si un enfant refuse d'obéir, il lui faut écarter tout risque de conflit en lui offrant diverses possibilités («Tu peux mettre ton manteau en le faisant pivoter au-dessus de ta tête, ou je peux te le tenir pendant que tu y passes les bras»).

Une bonne éducatrice donnera aux enfants plusieurs occasions de collaborer, de négocier et de discuter; elle les aidera à développer leurs aptitudes et à résoudre leurs problèmes. Si Christian et Olivier se disputent le camion d'incendie, elle les aidera à en discuter («As-tu demandé à Olivier de te le prêter quand il en aura fini?») et suggérera des moyens de le partager («Tu vois l'horloge? Tu l'auras pendant deux minutes, puis Olivier l'aura à son tour, également pendant deux minutes»). Elle fixera des limites précises et écartera tout risque de conflit en proposant une autre activité acceptable («Aimerais-tu feuilleter un livre?»), ou en suggérant une pause («Avant que tu ne te blesses, ou ne blesses quelqu'un d'autre, assoyons-nous ensemble pendant une minute»).

Lorsqu'un enfant perd tout empire sur lui-même, l'éducatrice reste-t-elle calme et patiente? Plutôt que de hurler depuis l'autre bout de la pièce, elle devrait s'approcher calmement et affectueusement de l'enfant, et l'aider à comprendre pourquoi son comportement n'est pas acceptable. Les rapprochements physiques, le langage corporel et l'expression du visage sont extrêmement importants. Sait-elle tirer partie de ces outils? Il lui faut redonner à l'enfant suffisamment confiance en lui-même pour qu'il retourne à son activité, ou qu'il en entreprenne une nouvelle.

Que faire si un enfant se comporte mal, essaie d'enlever un jouet à un copain ou lance un bloc? Dès les premiers jours, une bonne éducatrice dira: «Aïe, ça fait mal», quand un bébé en frappe un autre ou lui tire les cheveux, et lui proposera immédiatement une autre activité. Au fur et à mesure que se développera le langage de l'enfant, elle lui fournira des explications plus complètes. Mais elle devra terminer son intervention en étreignant l'enfant, en l'assurant qu'elle l'aime encore et en lui faisant comprendre que, si son geste est blâmable, il n'en est pas pour autant un être malfaisant.

Pour ne pas être injuste, une bonne éducatrice saura faire la distinction entre fautes graves et vénielles. Elle pourra parfois reprendre en main une situation en volant au secours de la victime et en ignorant le coupable: ce dernier comprendra alors qu'il n'attirera pas son attention en agissant mal. Mais pour que la victime ne se sente pas lésée, il faudra parfois punir l'agresseur. Si Jean-Paul frappe Nicolas à la tête avec un camion, l'éducatrice pourra forcer Jean-Paul à rester assis sur une chaise, à l'écart du groupe (mais dans la même pièce), pendant qu'elle console Nicolas. On appelle «mise en réflexion» ou «retenue» cette mesure très utile auprès des enfants, de 2^1/$_2$ ans jusqu'à 5 ans; une seule minute de retenue par année d'âge de l'enfant en cause sera alors appropriée et efficace.

Restez sur place pour observer la suite. Après que l'éducatrice se sera entretenue avec l'agresseur à propos de son geste, ce dernier devrait pouvoir réintégrer le groupe et jouer calmement, sans frapper une nouvelle fois Nicolas trois minutes plus tard. Si vous apercevez des enfants assis sur des chaises aux quatre coins de la pièce, ou des enfants assis à l'écart du groupe pendant quinze minutes ou davantage, ou des nourrissons et des tout-petits punis de quelque manière, il vous faut en conclure que l'éducatrice ne sait pas s'y prendre avec eux. Encore une fois, une garderie de ce genre ne convient pas à votre enfant.

L'éducatrice devrait servir de modèle d'affection, d'entraide et de partage aux enfants de tous les âges.

Le programme

L'horaire

À quoi s'occupent les enfants à la garderie pendant toute la journée? Chaque moment de la journée requiert réflexion et planification.

Si la directrice ne vous remet pas un exemplaire de l'horaire, vérifiez s'il s'en trouve un, affiché au mur. Consacrez quelques moments de réflexion aux questions suivantes. Offre-t-on aux enfants, pendant la journée, des périodes de jeux libres, aussi bien calmes que dynamiques? Y a-t-il chaque jour un rassemblement pour chanter et des activités de bricolage? Les enfants vont-ils en plein air au moins une fois par jour? Propose-t-on suffisamment de variété? Les activités au programme semblent-elles intéressantes?

L'horaire convenu devrait autant que possible être respecté, mais il faut aussi savoir faire preuve de flexibilité. Si, le jour de votre visite, l'un des enfants est incapable de rester assis calmement, lui permet-on de s'adonner à la gymnastique, en lieu et place d'une activité scientifique? Si tous les enfants sont dans la cour plutôt qu'à l'intérieur, par une journée chaude et ensoleillée, considérez cet accroc à l'horaire comme un atout indéniable. Mais si le groupe s'adonne à un jeu libre et bruyant, alors qu'il serait censé participer à une activité artistique bien encadrée, il s'agit définitivement d'un point en sa défaveur.

L'heure des jeux

À tout âge, les enfants apprennent en jouant. Plusieurs parents sous-estiment l'importance des jeux libres, parce qu'ils leur semblent très désordonnés. Ne vous méprenez pas: les activités de jeux libres sont extrêmement importantes. Elles donnent aux enfants une occasion de découvrir leur environnement d'une manière qui leur est très personnelle. Le poupon de 7 mois qui se débat pour empoigner le hochet, tout juste hors de portée de main, développe sa coordination des yeux et des mains et sa capacité de se déplacer vers l'avant. L'enfant d'âge préscolaire qui joue avec des blocs se sert de son imagination et apprend à mieux saisir les notions spatiales et les rapports en société.

Laissé à lui-même, un enfant peut s'adonner à une activité active ou passive, qui représente un défi ou le détend. Il peut traiter avec le monde à un rythme qui convient à son humeur du moment, en fonction de ses intérêts personnels, et faire lui-même ses découvertes. Et en choisissant ses activités et ses compagnons de jeux, il développe des aptitudes physiques, verbales, cognitives et sociales, et exerce du même coup sa faculté de prendre des décisions — ce qui renforce son estime de soi.

Dans un environnement bien adapté à des jeux libres, les enfants seront tous occupés à diverses activités, que ce soit seuls ou en petits groupes. (Cela suppose qu'ils disposent d'espace et de matériel suffisants pour s'occuper.) On les verra alors parler, rire et partager. Dans la mesure où le niveau de bruit reste acceptable et que personne n'ait à crier pour se faire entendre, l'atmosphère pourra être bruyante. Les éducatrices se mêleront alors aux enfants et devront se placer stratégiquement pour assurer leur sécurité.

Les activités semi-dirigées incitent les enfants à élargir leurs horizons. On leur proposera alors un certain nombre de choix, mais pas aussi nombreux que dans le cas de jeux libres. L'éducatrice sélectionnera le matériel nécessaire à l'apprentissage d'habiletés appropriées et adaptées aux enfants du groupe, mais elle n'en attendra aucun résultat particulier. Elle pourra proposer trois activités différentes dont chaque enfant tirera une expérience unique.

Comme dans le cas des jeux libres, l'éducatrice devra faire des suggestions, offrir des explications et apporter son aide, au besoin. En tenant compte du rythme d'apprentissage de l'enfant, elle pourra l'inciter à aller plus loin dans sa démarche, en ajoutant des concepts et des équipements plus complexes.

Dans le cadre d'une activité dirigée — qu'il s'agisse de musique, de maths, de science, de gymnastique, de bricolage, de lecture de contes ou d'un rassemblement pour chanter — l'éducatrice s'efforcera d'enseigner une habileté particulière et adaptée au stade de développement de l'enfant. Plus l'enfant sera jeune, plus simple et plus définie sera la tâche proposée. Un enfant de $2^{1}/_{2}$ ans qui apprend à découper, à faire des collages et à colorier aura besoin d'une activité artistique qui lui permettra de se concentrer sur une seule de ces habiletés à la fois. Mais on proposera à un enfant de 5 ans une activité artistique qui le forcera à exercer simultanément ces trois compétences.

Qu'il s'agisse d'une activité de motricité globale — par exemple, si on demande aux enfants de sautiller sur le pied gauche — ou d'une leçon de sciences au cours de laquelle ils découvrent que des objets flottent alors que d'autres coulent, vous pourrez évaluer jusqu'à quel point l'activité en question est appropriée par l'intérêt qu'y portent les enfants. Un enfant absorbé est heureux et il apprend.

Si les enfants accueillent l'éducatrice avec des mines inexpressives, on pourra se poser les questions suivantes. La question posée, ou la tâche proposée, est-elle trop difficile? Les enfants craignent-ils de s'y essayer? Les laisse-t-elle totalement indifférents? Si un groupe ne tient pas en place, ou si des enfants restent assis à l'écart, on en conclura que l'éducatrice n'est pas sensible aux attentes ni aux compétences des enfants dont elle a la garde. Longtemps avant que la situation ne se gâte à ce point, une bonne éducatrice changera son fusil d'épaule et suggérera une autre activité. Bien qu'une éducatrice puisse avoir en tête un objectif spécifique lorsqu'elle planifie une activité, le plus important est que les enfants s'amusent. Ils développeront alors une aptitude qui leur servira toute la vie durant: le goût d'apprendre.

Les enfants devraient toujours avoir la possibilité de quitter le groupe s'ils le désirent. Certains ne s'y intègrent jamais, aussi habile que soit leur éducatrice. L'important, c'est la manière dont elle gère la situation. Généralement, moins elle en fera de cas, plus l'enfant sera désireux de participer. Elle ne devrait jamais le pointer du doigt ni l'embarrasser, mais lui proposer plutôt une activité calme à laquelle il pourra s'adonner seul. Observez bien l'éducatrice pour vérifier si elle l'encouragera à se joindre plus tard au groupe.

Les enfants ne vont pas en service de garde pour regarder la télé — bien qu'une demi-heure de télé à l'occasion, par un sombre après-midi d'hiver, pourra apporter à tous un soulagement bien mérité. On devrait toutefois leur offrir alors une alternative. Certains enfants ne s'intéressent tout simplement pas à la télé et sont incapables de rester assis sans bouger.

DANS LE CAS DES NOURRISSONS

Les bébés devraient dormir et manger aux heures qui leur conviennent, en fonction de leur horloge biologique personnelle. Il est fort peu plausible que de très jeunes nourrissons suivent leur propre horaire si vous les voyez tous endormis, tous éveillés ou tous en train de manger à la même heure. Quand les bébés sont tous soumis au même horaire, les membres du personnel peuvent jouir de quelques minutes pour laver les jouets, regarnir les étagères et avaler leur repas. Mais quand les bébés se réveillent à des heures différentes, les éducatrices peuvent leur accorder plus d'attention, sur une base individuelle.

DANS LE CAS DES TOUT-PETITS

Même les tout-petits peuvent s'adonner à des activités dirigées. Tous peuvent, par exemple, s'amuser ensemble dans le carré de sable, ou faire une ronde dans la pièce en jouant d'un petit instrument de musique; mais on ne les forcera pas à participer. Une activité dirigée, le matin, et une autre dans l'après-midi ajouteront une note de variété dans la journée et initieront les enfants à de nouvelles expériences. L'éducatrice en assurera étroitement la surveillance, sans multiplier indûment les règles: les enfants devraient s'amuser et éprouver du plaisir à explorer et à manipuler les instruments.

La routine quotidienne

En plus de l'heure des jeux, les petits moments de la routine quotidienne — les repas, l'habillage, les changements de couches, les visites aux toilettes, les transitions entre deux activités — offrent d'innombrables occasions de tisser des liens, d'échanger et d'apprendre. «Tout cela fait partie du programme; il ne s'agit pas simplement de corvées auxquelles on ne peut échapper pour passer à autre chose», explique la directrice d'une garderie de Montréal. Et le personnel devrait en tirer le meilleur parti possible.

Collations et repas

Quelle que soit l'heure à laquelle vous passiez dans une garderie, vous y verrez probablement des enfants en train de manger. Tôt le matin, il y a le petit déjeuner; puis vient une collation; vers 11 h ou 11 h 30, la table est mise pour le déjeuner; et vers 15 h, c'est encore l'heure de la collation.

Pour bien des enfants, manger loin du foyer ne va pas de soi. Demandez-vous si vous réussiriez à manger dans cette atmosphère. Est-elle invitante, ou trop chaotique et bruyante pour votre enfant? (Vérifiez aussi si les enfants et le personnel se lavent les mains et nettoient la table des traces de colle qui pourraient s'y trouver.)

N'oubliez pas de noter les plats qu'on y sert. Votre enfant y prendra probablement son principal repas de la journée et il devrait donc être sain. A-t-on servi les plats annoncés au menu? Le menu est-il affiché? (Demandez-en un exemplaire que vous examinerez de près, à votre retour à la maison.)

Une fois que tous les enfants seront servis, une éducatrice de première qualité s'assoira à la table et engagera une conversation animée avec eux. Elle les incitera aussi à adopter de bonnes manières à table. Les enfants plus vieux pourront se servir des ustensiles appropriés, n'avaler leur dessert qu'à la fin du repas et demander poliment qu'on leur verse un peu plus de lait. Les éducatrices devraient leur donner l'exemple en matière de bonnes manières à table.

Les enfants de moins de 3 ans, qui mettent à l'épreuve la loi de la gravité, ou sont résolus à mettre en boule les adultes, renverseront ou lanceront souvent volontairement des aliments sur le plancher. Comment y réagit l'éducatrice? Impose-t-elle des limites, sur un ton calme et serein? Ou s'emporte-t-elle? Pour l'enfant de 4 ou 5 ans, ces petits dégâts sont des accidents; aussi l'éducatrice devrait-elle réagir à la situation avec chaleur et humour, et éviter le plus possible que l'enfant s'en trouve embarrassé.

Surveillez bien les éducatrices pour vérifier si elles désinfectent les plateaux des chaises hautes et les tables, lorsque tous ont fini de manger.

DANS LE CAS DES NOURRISSONS

Rayez définitivement de votre liste une garderie où on installe les bébés avec des biberons soutenus par des coussins. Une bonne éducatrice tient dans ses bras un bébé lorsqu'elle lui donne le biberon, et elle devrait le nourrir lorsqu'il a faim, de manière à respecter son horaire personnel. Les bébés un peu plus âgés ont besoin de manipuler leurs aliments et de se nourrir eux-mêmes autant que possible (les aliments qui se tiennent dans la main s'imposent donc!).

DANS LE CAS DES TOUT-PETITS

Pour les tout-petits, le fait de s'asseoir sur une chaise, à l'heure des repas, constitue une nouvelle expérience. Si les chaises sont robustes et bien conçues, ils pourront cesser de se demander s'ils en tomberont et se concentrer plutôt sur leur repas.

DANS LE CAS DES ENFANTS D'ÂGE PRÉSCOLAIRE

Les règlements, en ce qui concerne le moment où un enfant pourra quitter la table, lorsqu'il a fini de manger, diffèrent d'une garderie à une autre. Dans certaines garderies, il pourra jouer ou regarder un livre dans une autre partie de la pièce, ce qui poussera les autres à le rejoindre, même s'ils n'ont pas terminé leur repas. Pensez à votre propre enfant. Continuerait-il à manger, ou aurait-il faim dans l'après-midi parce qu'il n'aurait pu résister à la tentation de jouer? Dans d'autres garderies, le règlement exige que tous les enfants restent à table tant que chacun d'entre eux n'a pas terminé son repas. Encore une fois, pensez à votre propre enfant. Serait-il capable d'attendre, ou inventerait-il de nouvelles et ingénieuses façons de se tortiller sur sa chaise et de gêner ses voisins de table?

Les enfants plus âgés devraient aider à nettoyer la pièce en desservant et en essuyant la table, en empilant les assiettes ou les tasses, en remettant en place les chaises et en balayant le plancher. Le fait de se rendre utiles leur procurera un sentiment de satisfaction et d'indépendance.

La salle de repos et la sieste

À l'exception des nourrissons, les enfants ne dormiront probablement pas dans une pièce spécialement réservée à cette fin, mais se reposeront plutôt dans leur salle de jeux. Si par hasard le personnel prépare la pièce pour la sieste au moment de votre passage sur les lieux, vérifiez si on laisse des allées jusqu'à la porte, entre les couchettes. Les enfants doivent pouvoir évacuer rapidement les lieux en cas d'urgence. De plus, si les couchettes sont toutes distantes de un mètre (trois pieds), les enfants ne tousseront pas au visage de leurs voisins.

Même si les couchettes sont empilées dans un coin, vous pourrez vérifier si chaque enfant a la sienne, de même que ses draps et ses couvertures bien à lui, rangés séparément pour éviter la propagation des germes. Normalement, vous apercevrez aussi des objets chéris grâce auxquels les enfants se sentent plus en sécurité.

Dans certaines garderies, on utilise des matelas d'exercice que l'on empile dans un coin en dehors des heures de sieste. Leur surface inférieure, qui repose sur le plancher pendant la sieste, se retrouve alors en contact direct avec les draps. Cela ne constitue pas en soi un motif suffisant pour écarter une garderie; mais si vous deviez finalement opter pour cette institution, essayez de convaincre sa directrice d'acheter des couchettes, ou de trouver une nouvelle manière de ranger les matelas. (À la garderie Les Minis de Loto-Québec, on les range à la verticale, dans des compartiments séparés, où ils restent propres et sont facilement accessibles.)

DANS LE CAS DES NOURRISSONS

Avant d'entrer dans le dortoir des nourrissons, rappelez-vous que des bébés y dorment peut-être (ou sont sur le point de se réveiller ou de s'endormir). Demandez d'abord à l'éducatrice la permission d'entrer et d'y faire de la lumière, puis introduisez-vous dans la pièce et quittez-la aussi silencieusement que possible.

La pièce où les nourrissons font la sieste n'est meublée que de lits d'enfants et d'une seule chaise sur laquelle une éducatrice peut bercer un bébé, ou surveiller le sommeil angélique de la petite troupe. Mais la présence physique d'une éducatrice n'y est pas absolument requise, dans la mesure où elle peut voir les bébés par une fenêtre pratiquée dans la porte, ou les entendre lorsqu'ils se réveillent, que ce soit à l'aide d'un appareil spécial ou parce qu'elle se tient à proximité de la porte. Portez attention aux pleurs. Pendant combien de temps l'éducatrice laisse-t-elle pleurer un bébé avant d'intervenir? Un enfant peut mettre quelques minutes pour se calmer avant de s'endormir, mais à son réveil, elle devrait se manifester instantanément.

Pour réduire au minimum la propagation des germes, les lits d'enfants devraient être distants d'au moins un mètre (trois pieds) et disposés de manière à ce que la tête d'un enfant voisine les pieds d'un autre; chaque bébé devrait dormir dans son petit lit bien à lui, habillé de ses couvertures et de ses draps personnels, sans oublier son objet chéri. Vous serez assurée que c'est bien le cas si chaque lit porte une étiquette au nom d'un enfant. Bien entendu, la literie du bébé devrait être changée au moins une fois par jour, et chaque fois qu'elle est mouillée ou souillée. En d'autres mots, vous devriez voir des draps propres et secs dans chaque petit lit.

Les normes provinciales de sécurité exigent qu'on utilise des matelas aux dimensions exactes des lits, dont les barreaux doivent être peu espacés pour éviter que les enfants ne s'y coincent la tête. Pour une sortie rapide en cas d'incendie, assurez-vous que chaque lit ait un accès direct à la porte.

Les transitions

Examinons maintenant de près les petits raccords entre les différentes activités. En fait, la transition d'une activité à

une autre est la partie la plus difficile de la routine quotidienne. Lorsque vous apercevez des enfants heureux et coopératifs mettre de côté leurs jouets, se laver les mains, se
rendre à la collation et se préparer à sortir en plein air, vous
ne songez pas un instant à la difficulté que représente le
déplacement de seize enfants de 4 ans, du point A au point B.

Une transition réussie est rapide et naturelle, et permet
aux enfants de ne jamais éprouver le sentiment d'être soumis
à des changements pénibles. Une éducatrice de première
qualité sait se servir adroitement des outils de transition et
transformer en un clin d'œil une bande d'enfants affamés en
un escadron d'avions en route pour la collation. C'est ce qui
s'appelle tirer plaisir de toute situation!

Vous remarquerez davantage les transitions lorsqu'elles
ne seront pas réussies. Attendre sur place, à l'intérieur, quand
on est complètement habillé pour jouer en plein air, peut être
extrêmement inconfortable, pour ne pas dire malsain; les
enfants qu'on fait patienter, ne serait-ce que quelques ins-
tants, ont tendance à s'ennuyer et à devenir capricieux. Ce
qui pourra obliger l'éducatrice à imposer inutilement des
punitions.

Parce qu'on peut si facilement les éviter, les transitions
houleuses signalent à l'évidence que l'éducatrice ne sait pas
contenir les enfants. Vous la verrez alors probablement se
débattre avec eux toute la journée.

On ne le répétera jamais assez: où que se rendent les
enfants, les dispositions prises pour les emmener à destination doivent être sans danger.

Les arrivées

Si vous êtes à la garderie lorsque les enfants y arrivent,
vous serez témoin d'un autre type de transition, celle-là entre
le foyer familial et la garderie. Ce qui exige aussi doigté et
finesse. Pendant que le parent et son enfant s'apprêtent à la
séparation, l'éducatrice doit accueillir chaleureusement l'enfant et l'aider à se sentir immédiatement à l'aise dans son
nouvel environnement. Est-elle vraiment au fait de ses nettes
préférences sur la manière de faire son entrée en scène? Le
parent et l'éducatrice se saluent-ils l'une l'autre, et échan-
gent-ils quelques mots sur la nuit que vient de connaître

l'enfant, avant de se dire au revoir? Tous — enfants, parents et éducatrices — devraient se sentir à l'aise pendant cet exercice quotidien.

Y a-t-il suffisamment d'éducatrices? Dans certaines garderies, à seule fin de faire des économies, on manque chroniquement de personnel pendant la première (et la dernière) heure d'ouverture.

Les départs

À la fin de la journée s'opère la transition en sens inverse. Si vous n'avez d'autre choix que de visiter la garderie au moment de votre retour à la maison, après le travail, vous ne pouvez vous attendre à ce qu'elle soit aussi bien rangée qu'à 9 h du matin. Les lieux auront probablement besoin d'un bon coup de balai et de chiffon, mais le personnel et les enfants devraient être encore absorbés dans leurs activités. Vous devriez surprendre des sourires, des conversations et des activités intéressantes, où que vous vous tourniez. Les éducatrices aident-elles les enfants à se préparer au retour à la maison? Apercevez-vous des parents assis, en train de converser? L'atmosphère est-elle détendue?

Encore une fois, vérifiez le ratio éducatrices-enfants. Les enfants fatigués ont besoin de plus de soins, et il est à la fois risqué et désagréable pour eux qu'on manque de personnel à la fin de la journée.

Le vestiaire et les jeux en plein air

Chaque enfant devrait sortir en plein air chaque jour: l'air frais et l'exercice sont essentiels à la santé. Si vous ne voyez pas d'enfants dans la cour de récréation pendant que vous êtes sur les lieux, demandez-en la raison. Sont-ils sortis plus tôt? Sortiront-ils plus tard? Sinon, quelle en est la raison? Une éducatrice d'une garderie que nous avons visitée, en février, nous a répondu tout bonnement qu'elle n'avait pas promené les bébés en plein air depuis le mois de novembre.

Flânez dans le vestiaire. Quand on se retrouve dans un groupe nombreux, on a besoin d'un petit coin bien à soi, et le casier ou le crochet du vestiaire répondront évidemment à ce besoin. Voilà l'endroit où votre enfant laissera son habit de neige et ses bottes, l'endroit où seront conservés ses vêtements de rechange, le havre sûr où il rangera aussi son ourson chéri. Son nom, ou sa photographie, devrait y être apposé. Imaginez-vous que tous les enfants essaient en même temps d'y revêtir leurs habits de neige. Y a-t-il suffisamment d'espace? Chaque groupe y a-t-il un coin bien délimité? Si les enfants s'apprêtent à sortir, observez-les en train de se préparer. Les éducatrices devraient laisser aux enfants la joie et la satisfaction d'enfiler eux-mêmes leur manteau et leurs bottes, plutôt que de les couver et de les aider sans nécessité. Un enfant plus lent aura peut-être besoin qu'on lui propose un jeu pour accélérer le rythme («Je ferme les yeux et quand je les rouvrirai, Alexandre aura passé les deux jambes dans le pantalon de son habit de neige»). Plutôt que d'attendre sur place et de transpirer, les premiers vêtus pourraient s'aventurer dehors, en compagnie d'une éducatrice.

Une fois que tous les enfants sont habillés, examinez-les de près. Leurs vêtements devraient être appropriés à la température. Il est essentiel de porter attention aux détails. Les tuques doivent couvrir les oreilles; les pantalons, être glissés dans les bottes, et chaque main, être protégée par une mitaine. Pendant l'été, les enfants porteront des chapeaux qui les protégeront du soleil et un écran solaire dont le facteur de protection s'établira au moins à 29 (et ne contiendra pas de PABA: les enfants ont en effet la peau très sensible).

Comment se rendent-ils à l'extérieur? Dans certaines garderies, ils passent simplement la porte et se retrouvent dans une cour clôturée; dans d'autres, il leur faut franchir un dédale de corridors, de portes et d'escaliers. Même s'ils n'ont pas à se mettre en rang ni à parcourir une longue distance, ils devraient observer une marche à suivre bien établie: par exemple, se tenir aux rampes d'escalier et maintenir les portes ouvertes.

L'aire de jeux extérieure devrait être attrayante, bien entretenue et sans danger. Une clôture par-dessus laquelle, sous laquelle et à travers laquelle les enfants ne peuvent se faufiler devrait ceindre un large espace où ils seront libres de courir sans risquer de se heurter. La surface du sol devrait être recouverte d'herbe tendre, de sable, de bois ou de carrelage, plutôt que de gravier ou de béton, matériaux susceptibles de causer des blessures. (On recouvrira chaque soir le sable d'une bâche pour le protéger des animaux errants.) Les cages à grimper, les bicyclettes et tricycles ne présenteront aucun danger et seront bien entretenus. Des coins de la cour seront exposés au soleil, pour assurer de la chaleur; d'autres seront ombragés, à l'abri des rayons du soleil.

Il s'y trouvera suffisamment de pièces d'équipement destinées aux jeux libres (des seaux, des pelles, des ballons, de la craie, des cordes à danser) pour occuper tout le monde; la cour sera aussi aménagée de manière à permettre des activités encadrées. En plein air, les enfants raffolent des courses à obstacles, des chasses au trésor et aux insectes, même des rassemblements pour chanter.

Les règlements concernant l'usage des équipements en plein air devraient être clairement expliqués et appliqués rigoureusement. Le personnel s'assurera que les enfants attendent leur tour et se cramponnent à deux mains.

Bien que les réglementations édictées dans certaines provinces exigent le même ratio éducatrices-enfants à l'extérieur comme à l'intérieur, nous estimons qu'en plein air — que ce soit dans la cour de récréation, au parc ou dans le cadre d'une excursion — au moins deux adultes devraient en tout temps accompagner le groupe, peu importe sa dimension. De cette manière, si un enfant fait une chute ou éprouve le besoin d'utiliser la toilette, l'éducatrice n'aura pas à abandonner le reste de la bande. Le personnel ne devrait jamais sortir avec des enfants sans une trousse de premiers soins.

DANS LE CAS DES NOURRISSONS

Lorsqu'ils arrivent à la garderie, le matin, les parents des nourrissons ressemblent à des bêtes de trait. Le vestiaire est-il pourvu de tables à langer d'une hauteur confortable pour les parents, et celles-ci sont-elles munies de barres de sécurité? S'y trouve-t-il des espaces de rangement pour les habits de neige et l'équipement? Apercevez-vous à proximité des poussettes à sièges multiples — un indice évident que la garderie dispose de l'équipement nécessaire pour promener les bébés en plein air?

Maintenant que vous êtes restée un moment sur les lieux, comment vous sentiriez-vous si vous deviez y passer cinquante heures par semaine?

La visite des lieux et l'utilité des listes de questions

Vous êtes maintenant prête à faire le tour des lieux, à aller «sur le terrain», comme disent les éducatrices. Mais avant de faire le saut, voici quelques conseils.

Il y a fort à parier que cette expérience vous paraîtra intimidante, pour dire le moins. Même une directrice aguerrie qui s'aventure pour la première fois dans une garderie inconnue sera temporairement ahurie et déboussolée. Il y a tant à voir et tant de questions à poser! Vous ne saurez pas où porter en premier lieu votre regard, ni même comment trouver la question appropriée à ce dont vous êtes témoin. *Ne cédez pas à la panique.* Faites le tour des lieux avec la directrice, en la laissant parler et vous guider. Ne tentez même pas de vous reporter à vos listes de questions pendant que vous êtes en sa compagnie: vous vous déplacerez en effet beaucoup trop rapidement.

À mesure que progresse la visite, portez attention à la manière dont les enfants, le personnel et la directrice se comportent les uns envers les autres. Pendant la visite, vous la verrez probablement régler plusieurs problèmes. Les solutions qu'elle propose et sa manière de traiter avec les gens et les enfants vous plaisent-elles? Comment l'accueillent les enfants? Un enthousiasme délirant peut signifier que les enfants l'adorent — ou qu'ils ne la voient que très rarement. Si la directrice passe beaucoup de temps avec eux — si elle travaille aussi bien sur le terrain que dans son bureau —, ils pourront réagir à sa présence comme à un fait banal et l'accueillir sans éclat.

Assurez-vous de jeter un coup d'œil dans toutes les pièces. Peut-être vous intéressez-vous pour l'heure aux bébés, mais vous aurez bientôt besoin de savoir si une place se libérera dans la salle des tout-petits. Vous ne pensez peut-être aujourd'hui qu'à votre gamin de 2 ans; mais dans un an, vous pourriez être en quête d'un service de garde pour un nouveau-né. Et dans trois ans, vous vous demanderez quel sort est réservé aux enfants plus grands. En faisant le tour complet des lieux, vous aurez un meilleur aperçu de la philosophie de la garderie en matière d'éducation, du sens de la communauté qui y prévaut et de la cohésion du personnel à son service.

Vous serez à même d'évaluer dans quelle mesure vous seriez heureuse d'y avoir recours pendant quatre ou cinq ans, ou davantage — si vous avez deux enfants.

Après ce tour d'horizon rapide, remerciez la directrice pour son aide et demandez-lui la permission de rester sur place et d'observer seule les lieux pendant un moment. Si elle n'a rien à cacher, elle sera ravie de vous permettre de flâner sur place, aussi longtemps que vous le désirerez, et de répondre à vos questions plus tard. Puis choisissez un groupe — préférablement celui dans lequel se retrouverait votre enfant s'il fréquentait la garderie — et présentez-vous une nouvelle fois aux éducatrices; installez-vous ensuite pour observer longuement et soigneusement la scène, cette fois en passant en revue une à une les questions de vos listes. Si vous en avez le temps, vous pourrez observer un deuxième groupe. Optez pour celui dans lequel se retrouvera plus tard votre enfant. Vous souhaiterez observer plusieurs éducatrices, de manière à ne pas vous faire une idée sur cette garderie à partir d'une seule éducatrice, qui pourrait quitter les lieux l'année prochaine.

Ce dont vous serez témoin dépendra du temps que vous passerez sur les lieux et des usages de la garderie. Ne vous tracassez pas à propos de ce qui pourrait vous échapper — reportez simplement toute votre attention sur ce qui se déroule devant vos yeux, *en ce moment précis*: qu'il s'agisse de l'arrivée des enfants, à 8 h 30, ou du déjeuner, à 11 h. Si vous n'êtes pas témoin d'une activité qui figure sur vos listes de questions, ne déduisez pas de réponse. Laissez un espace blanc et notez l'heure; de cette manière, lors d'une visite subséquente vous pourrez vous concentrer sur ce qui a pu vous échapper.

La visite d'une salle de nourrissons demande une attention et une sensibilité particulières. Vous êtes grande et les enfants sont tout petits. Les étrangers les effraient. Certains sont peut-être en train de sommeiller, ou sur le point de s'endormir. Les éducatrices sont au travail, depuis très tôt le matin, pour créer une atmosphère de calme et de sécurité, que l'arrivée d'une étrangère peut troubler instantanément.

Pénétrez dans leur monde aussi doucement et discrètement que possible. Retirez vos bottes (et peut-être même vos souliers — rappelez-vous que les bébés se traînent sur le plancher) et trouvez un coin retiré où vous asseoir ou rester debout. Ne vous approchez pas des bébés, mais réagissez bien sûr à leur présence s'ils s'approchent de vous.

Assurez-vous de bien observer la manière dont les éducatrices tiennent les bébés, les changent de couche, les nourrissent et les couchent pour la sieste; la façon dont elles s'occupent d'un enfant qui pleure, dont elles jouent avec les enfants et dont elles résolvent un conflit entre deux petits. Remarquez aussi la façon dont elles assurent la transition entre deux activités.

S'il s'agit du groupe des enfants d'âge préscolaire, vous devriez idéalement assister à un repas, ou à une collation, à une visite aux toilettes, à un jeu libre, à une activité dirigée et à une transition.

Si vous êtes témoin d'un événement qui ne figure pas sur vos listes de questions, prenez-en note et interrogez plus tard la directrice à ce propos.

Vous pourriez aussi questionner en ce sens une éducatrice. Consciente que les parents d'enfants sur le point d'entrer en garderie se font de la bile, elle s'efforcera vraisemblablement d'apaiser de son mieux vos inquiétudes. Elle pourra aussi vous poser des questions sur votre enfant — ce qui est un bon signe.

Mais avant de vous lancer dans une longue conversation, demandez-lui si le moment est bien choisi. La garde d'enfant est un travail très accaparant et l'éducatrice est censée s'occuper des petits. En outre, si elle bavarde avec vous pendant toute la durée de votre séjour sur les lieux, vous n'aurez pas la possibilité de découvrir quels types de rapports elle entretient avec les enfants. Efforcez-vous de trouver un juste milieu entre une attitude inquisitrice et la simple observation. Si elle est très occupée, demandez-lui si vous pouvez revenir à l'heure de la sieste ou lorsqu'elle aura terminé son quart de travail.

Tout en conversant, essayez d'obtenir confirmation de ce qu'a pu vous dire la directrice. Vous pouvez même poser à l'éducatrice des questions de nature idéologique: par exemple, qu'est-ce qui est le plus important à ses yeux dans la garde d'enfants? Puis observez-la pour vérifier si elle applique les principes qu'elle défend.

Servez-vous autant de vos oreilles que de vos yeux. Pendant que vous êtes dans la même pièce qu'elles, les éducatrices se montreront sous leur meilleur jour. Mais dès que vous serez hors de vue, elles seront plus susceptibles d'agir comme d'habitude. Entendez-vous le bruit de l'eau qui coule pendant qu'une éducatrice change de couche un bébé, dans la salle de bains, et que vous vous trouvez dans la salle de jeux? Entendez-vous aussi le son de sa voix? Parle-t-elle toujours aux bébés, même lorsqu'elle ne vous croit pas à portée d'oreille? S'il est aussi important de tendre l'oreille, c'est que les bébés apprennent plus que des mots lorsque les gens leur parlent: ils apprennent également ainsi à mieux saisir leur place dans le monde. Une éducatrice qui dit: «Vérifions ta couche. Es-tu mouillé? Allons te chercher une couche propre», envoie à l'enfant un message totalement différent d'une autre qui soulève un bébé et le dépose sur une table à langer sans prononcer un mot.

Pendant cette période d'observation, vous croiserez inévitablement un ou deux enfants. Certains vous approcheront et voudront connaître votre nom, et ce que vous faites là. De grâce, dites-le-leur; bien que ce ne soient que des enfants, ils méritent, en tant que personnes, une réponse à leurs questions. Ils ne manifestent ainsi qu'une curiosité saine et amicale, et ils retourneront sans doute bientôt à leurs jeux.

Mais si vous rencontrez un enfant qui veut vous lire une histoire, faire la conversation avec vous, s'asseoir sur vos genoux, et qui refuse de vous lâcher, alors vous faites face à une situation totalement différente. Cet enfant est probablement incapable d'obtenir des éducatrices toute l'attention dont il a besoin et c'est à vous, une parfaite étrangère, qu'il la demande. En observant attentivement cette garderie, vous relèverez vraisemblablement d'autres indices de soins de piètre qualité. (Dans une garderie où nous avons croisé un enfant particulièrement tenace, nous avons également vu une éducatrice quitter à deux reprises une pièce bondée d'enfants, qu'elle a laissés sans surveillance; nous l'avons ensuite vue changer six bébés de couches sans se laver les mains.)

Vous êtes en droit d'exiger des soins de haute qualité, mais aucune garderie n'est parfaite. Pendant votre visite, gardez à l'esprit les besoins personnels de votre enfant. Essayez de vous demander si cet endroit lui conviendra. Si vous êtes enceinte, il ne vous sera vraisemblablement pas possible d'évaluer comment votre enfant se tirera d'affaire dans cette garderie particulière. Mais vous serez néanmoins en mesure de vérifier si les enfants qui s'y trouvent présentement s'y plaisent. S'ils sont malheureux et déprimés, votre enfant trouvera la situation tout aussi pénible qu'eux; s'ils sont heureux, votre enfant le sera aussi probablement. Et c'est là tout ce qui importe.

Les questions qui suivent vous aideront à consigner par écrit et à évaluer ce dont vous serez témoin dans chaque garderie. Parce que vous ne sauriez raisonnablement répondre à toutes, cochez, avant votre visite, celles qui vous préoccupent le plus. De cette manière, vous ne les oublierez pas par inadvertance.

Rappelez-vous que chaque garderie est aménagée de façon particulière et qu'en conséquence cette liste de questions s'appliquera à chacune de manière différente. En entrant dans une pièce, informez-vous de l'âge des enfants qui s'y trouvent et de ce qu'ils y font.

Cette fois encore, nous ne vous proposons aucune grille d'évaluation. Les questions suggérées n'ont d'autre raison d'être que de vous rafraîchir la mémoire — un peu comme une liste d'épicerie — sur les éléments clefs de soins de haute qualité. Répondez-y de la manière qui vous convient le mieux: à l'aide de traits, de points accordés ou de commentaires («trop bruyant»; «l'éducatrice ne sourit jamais»; «superbe pièce»). Dès que vous sortez de la garderie, trouvez un endroit confortable où vous asseoir (dans votre voiture, à un arrêt d'autobus, dans un parc avoisinant ou un café) et notez immédiatement vos premières impressions. Parce que vous savez à quoi vous êtes en droit de vous attendre et ce que vous jugez important, vos impressions exerceront probablement une énorme influence sur votre décision finale.

Après avoir visité plusieurs garderies, vous vous sentirez beaucoup plus sûre de vous-même. Vous serez alors tentée de visiter les lieux sans vous reporter à votre fidèle liste de questions, après tout un peu embarrassante. Nous vous recommandons fortement de résister à cette tentation. Il n'est pas facile de se rappeler avec précision les détails concernant plusieurs garderies, quand on ne note rien par écrit; cela deviendra d'ailleurs de jour en jour de plus en plus difficile.

Dans six mois, vous aurez peut-être à fonder une décision sur ce que vous avez vu aujourd'hui. Ayez donc recours à la liste de questions et conservez soigneusement toutes vos notes pour pouvoir vous y reporter plus tard, au besoin.

VOTRE LISTE DE QUESTIONS
pour la visite d'une garderie

Nom de la garderie:..

Adresse:..

.... Tél.: ....

Date: .... Heure:......................

Les rapports avec les parents

1. Existe-t-il un système pratique permettant de relayer par écrit des renseignements sur les événements quotidiens (les repas, les siestes, la personne qui passera prendre ce soir l'enfant, etc.)?...

2. Les commentaires sont-ils rédigés de manière positive et franche? ....

3. Aperçoit-on quelques indices évidents des liens qu'entretiennent les enfants avec leur foyer: des objets chéris, des photos, des tableaux sur lesquels sont affichés des convocations à des réunions de parents, des avis d'échanges de vêtements, etc.?..
....

4. Des parents sont-ils présents sur les lieux? ....

5. Les lieux semblent-ils accueillants et ouverts aux parents?......
....

La dimension des groupes

1. Combien d'enfants se trouvent dans la pièce? ....

   Combien d'enfants se trouvent dans la salle de repos?............

2. Combien d'adultes sont présents dans la pièce?......................

3. La directrice vous a-t-elle fourni des renseignements exacts en ce qui concerne le ratio éducatrices-enfants et la dimension des groupes?...

4. Si l'éducatrice s'occupe seule d'un petit groupe, a-t-elle tout ce dont elle a besoin? ....

   Un interphone ou un téléphone la relie-t-elle au bureau et aux autres pièces? ....

5. Le ratio éducatrices-enfants et la dimension des groupes sont-ils appropriés à l'activité en cours? ....

6. Comment mon enfant s'adaptera-t-il à ce ratio et à un groupe de cette dimension? ....

DANS LE CAS DES NOURRISSONS

1. Le ratio éducatrices-bébés est-il de 1/3 ou de 1/4? ....

2. Regroupe-t-on au maximum dans la même pièce huit ou neuf bébés? ....

DANS LE CAS DES TOUT-PETITS

1. Le ratio éducatrices-enfants est-il de 1/6? ....

2. Le groupe ne compte-t-il pas plus de douze enfants? ....

DANS LE CAS DES ENFANTS D'ÂGE PRÉSCOLAIRE

1. Le ratio éducatrices-enfants est-il de 1/8? ....

2. Les groupes ne comptent-ils pas plus de seize enfants? ....

Les locaux

1. Chaque groupe a-t-il sa propre pièce? ....

2. Les pièces sont-elles chaleureuses, éclairées, spacieuses et gaies? ....

3. Les murs sont-ils tapissés d'œuvres des enfants, récentes et signées, disposées à hauteur de leurs yeux? ....

   Différents matériaux ont-ils été utilisés pour leur confection?

   ....

   Chaque œuvre d'enfant est-elle unique, ou toutes se ressemblent-elles? ....

4. La surface du plancher est-elle propre et sans danger? ....

   ....

5. L'espace est-il aménagé de manière à ce que les enfants puissent travailler seuls ou en groupes?..............

6. Des coins sont-ils réservés à des jeux calmes (motricité fine) et d'autres, aux jeux dynamiques (motricité globale, ou locomotricité)? (Au lieu de coins dans une même pièce, des salles entières — comme un gymnase — pourraient être réservées aux jeux calmes, de même qu'aux jeux dynamiques.)..............
....

7. Le mobilier est-il robuste et adapté à la taille des enfants?......
....

8. Les livres et les jouets sont-ils rangés de manière attrayante sur des étagères basses que les enfants peuvent atteindre sans aide?..............

9. Y a-t-il un vaste assortiment de jouets?..............

10. Y a-t-il suffisamment d'équipement pour que les enfants n'aient pas à se chamailler, ni à attendre trop longtemps leur tour, sans toutefois qu'il y en ait trop, ce qui pourrait les étourdir?..............

11. Y a-t-il des blocs, des jeux de société, du matériel de bricolage et un coin d'écoute?..............

12. Les jouets et les équipements sont-ils en bon état?..............

13. Y a-t-il des tas de livres attrayants et bien écrits?..............

14. Les enfants ont-ils accès à des bacs à eau et à des bacs à sable?
....

15. La pièce est-elle adéquatement équipée pour des jeux d'imitation (un coin meublé d'appareils ménagers miniatures, des marionnettes, des poupées et des vêtements de mascarade)?...
....

16. Y a-t-il un coin calme où un enfant peut s'asseoir seul et feuilleter un livre?..............

17. Y a-t-il un vaste espace intérieur, réservé aux activités de motricité globale?..............

18. L'équipement est-il sans danger et assure-t-on une surveillance étroite?..............

La cage à grimper est-elle entourée de matelas d'exercice?.....
....

DANS LE CAS DES NOURRISSONS

1. Les nourrissons ont-ils un espace, séparé du reste de la garderie, qui leur soit réservé?..

2. Y a-t-il des espaces distincts où dormir, changer les couches, manger et jouer?..

3. Y a-t-il des photos et des dessins d'objets familiers, affichés à hauteur des yeux des enfants, et des mobiles qu'ils peuvent voir, sans toutefois les toucher?......................................

4. Y a-t-il des miroirs incassables dans lesquels les bébés peuvent se regarder (près des tables à langer, au niveau du plancher)?...

5. Les enfants sont-ils incités à se dresser sur leurs pieds par une récompense: la présence d'une image ou d'un miroir, à portée de vue, quand ils se tiennent en station debout?....................

6. Les jouets sont-ils lavables et incassables, dépourvus de coins acérés, d'éclats ou de petites pièces détachables?....................

7. Y a-t-il un vaste assortiment de jouets, depuis le plus simple jusqu'au plus complexe, que les enfants peuvent utiliser seuls ou avec l'aide d'un adulte?...

8. Y a-t-il des livres cartonnés et plastifiés, aux illustrations colorées?...

9. Y a-t-il des tables basses et sans danger?...............................

10. Y a-t-il une chaise berçante, placée de manière à ce que les bébés ne puissent se faufiler derrière?.......................................

11. Y a-t-il un seul parc pour enfants, ou n'y en a-t-il aucun?........

    Y recourt-on avec modération?..

DANS LE CAS DES TOUT-PETITS

1. Y a-t-il des marchepieds robustes, des cages à grimper, des barils, des boîtes, des tuyaux et des jouets qui s'enfourchent pour les jeux de motricité globale?...

DANS LE CAS DES ENFANTS D'ÂGE PRÉSCOLAIRE

1. Y a-t-il des centres d'apprentissage, des jeux éducatifs et d'autres qui poussent les enfants à se dépasser? ....

2. L'espace réservé à l'équipement et aux activités de motricité globale est-il suffisant pour accommoder les grands enfants?..

....

Le niveau de bruit

1. Mon enfant peut-il supporter ce niveau de bruit? ....

2. La pièce est-elle suffisamment insonorisée? ....

3. Le niveau de bruit est-il acceptable, compte tenu de l'activité à laquelle s'adonnent les enfants? ....

4. Ce bruit est-il celui d'enfants joyeusement occupés (ou les enfants sont-ils mal ou trop encadrés)? ....

La sécurité

1. Les enfants sont-ils toujours étroitement surveillés? ....

....

2. Chaque coin de la pièce est-il à portée de vue? ....

3. Les produits de nettoyage et les médicaments sont-ils conservés dans des armoires fermées à clef? ....

4. Les installations électriques, les plinthes et bouches de chauffage et de climatisation, les âtres, les escaliers et la cuisine sont-ils inaccessibles? ....

5. La peinture et la colle utilisées sont-elles non toxiques et gardées en sécurité, hors de portée, avec les ciseaux et les couteaux? ....

6. Les plateaux de comptoirs et les coins de tables sont-ils bien arrondis et dépassent-ils largement en hauteur la tête des enfants? ....

7. Y a-t-il sur place une trousse de premiers soins? ....

8. Les numéros de téléphone en cas d'urgence sont-ils affichés à proximité du téléphone? ....

9. Un plan d'évacuation en cas d'incendie est-il affiché? ....

....

10. Y a-t-il des avertisseurs de fumée, des extincteurs automatiques et des avertisseurs lumineux? ....

11. Les enfants comprennent-ils et respectent-ils les règles de sécurité, et les éducatrices les font-elles observer? ....

12. Aucune éducatrice ne fume, ni ne boit de thé ou de café bouillant. ....

La santé et l'hygiène

La salle de jeux

1. La pièce semble-t-elle propre et dégage-t-elle une odeur de propreté? ....

2. Des fenêtres sont-elles ouvertes? ....

3. Les vêtements de mascarade, les poupées et les jouets sont-ils propres? ....

4. L'éducatrice jette-t-elle à la corbeille un papier-mouchoir qui a servi et se lave-t-elle les mains chaque fois qu'elle mouche un nez? ....

5. L'éducatrice incite-t-elle les enfants à se couvrir la bouche lorsqu'ils toussent ou éternuent? ....

6. Tous les enfants sur les lieux sont-ils en assez bonne santé pour s'y trouver? ....

7. Aucun enfant malade n'est couché sur un matelas ou une couchette dans la salle de jeux. ....

DANS LE CAS DES NOURRISSONS ET DES TOUT-PETITS

1. Si les enfants portent des jouets à leur bouche, les remise-t-on à part, pour les laver, avant de les remettre sur les tablettes?

....

La table à langer et la salle de bains

1. La salle de bains est-elle munie de son propre évier, qui ne sert à aucun autre usage (surtout jamais à la préparation des repas!)? ....

2. Le personnel se lave-t-il les mains à l'eau chaude et au savon liquide, se les sèche-t-il ensuite à l'aide de serviettes de papier jetables, et referme-t-il le robinet en se servant d'une serviette de papier, chaque fois qu'il change une couche, aide un enfant à aller aux toilettes, essuie un nez qui coule ou nourrit un bébé?

   ....

3. La salle de bains semble-t-elle propre et dégage-t-elle une odeur de propreté (aussi bien les cabinets, les éviers que le plancher)?..........

4. Les enfants vont-ils aux toilettes en groupe ou un à un, quand ils en éprouvent le besoin?..........

5. Sont-ils constamment sous la surveillance d'un adulte?..........

   ....

6. Y a-t-il suffisamment de cabinets?..........

7. Le personnel respecte-t-il l'intimité des enfants?..........

8. Le personnel traite-t-il les accidents en cette matière avec doigté, sans jamais humilier l'enfant en cause?..........

9. Se sert-on de serviettes humides jetables pour nettoyer les fessiers des enfants et remise-t-on les vêtements souillés dans des sacs de plastique à double épaisseur et hermétiquement fermés?..........

DANS LE CAS DES NOURRISSONS ET DES TOUT-PETITS

1. Les tables à langer sont-elles munies de sangles, ou d'attaches, et de hauts côtés?..........

   Le matériel est-il facilement accessible?..........

2. Utilise-t-on des gants de caoutchouc et des serviettes humides jetables pour nettoyer les fesses des bébés?..........

3. Les couches souillées sont-elles conservées dans des seaux doublés et munis d'un couvercle?..........

4. Les bébés sont-ils exempts d'érythème fessier?..........

5. Les tables à langer sont-elles désinfectées après chaque opération?..........

6. L'éducatrice se lave-t-elle les mains chaque fois qu'elle change une couche?..........

7. Y a-t-il de petites toilettes d'enfants ou des toilettes de dimension usuelle munies d'un marchepied dans les cabines?..........
....

8. Si on fait usage de petites chaises percées, chaque enfant a-t-il la sienne?..........

DANS LE CAS DES ENFANTS D'ÂGE PRÉSCOLAIRE

1. Après qu'ils ont utilisé la toilette, les enfants se lavent-ils les mains?..........

2. Les robinets, le savon liquide et les serviettes de papier jetables sont-ils tous à leur portée?..........

La cuisine

1. La cuisine est-elle propre?..........

2. Les aliments sont-ils conservés comme il convient?..........
....

3. Tous et chacun se lavent-ils correctement les mains avant de toucher quelque aliment?..........

4. La cuisine est-elle pourvue d'un évier qui sert uniquement à la préparation des aliments?..........

5. La vaisselle et les ustensiles sont-ils lavés dans un lave-vaisselle à haute température qui les stérilise?..........

6. Y a-t-il un réfrigérateur et une cuisinière, ou un four à micro-ondes?..........

Le personnel

1. Où l'éducatrice a-t-elle obtenu son diplôme?..........
....

2. Les éducatrices portent-elles des vêtements adaptés à leurs tâches?..........

3. Les éducatrices se mêlent-elles aux enfants (plutôt qu'elles ne se tiennent debout, les mains dans les poches, ou qu'elles ne conversent entre elles)?..........

4. L'éducatrice regarde-t-elle l'enfant dans les yeux lorsqu'elle s'adresse à lui?..........

5. L'expression de son visage s'accorde-t-elle à ses propos? ......
......

6. Son sourire témoigne-t-il de fait qu'elle adore les enfants? .....
......

7. Manifeste-t-elle de l'«affect»? ....
......

8. Les enfants semblent-ils absorbés et heureux? ....
......

9. S'accroupit-elle ou s'assoit-elle au niveau des enfants? ....
......

10. Répond-elle promptement aux questions des enfants? ....
......

11. Leur pose-t-elle des questions franches? ....

12. Leur laisse-t-elle la possibilité d'exprimer leurs idées et leurs émotions? ....

13. Écoute-t-elle les enfants et leur accorde-t-elle des attentions sur une base individuelle? ....

14. Fait-elle en sorte de s'occuper de chacun d'eux, sur une base individuelle? ....

15. Les enfants semblent-ils satisfaits du type et du nombre de gestes affectueux qu'elle fait à leur égard? ....

16. Laisse-t-elle les enfants choisir eux-mêmes leurs jeux sans les diriger, les critiquer ni les contraindre? ....

17. Les incite-t-elle à se débrouiller le plus possible seuls? ....
......

18. L'éducatrice sait-elle contenir le groupe? ....

19. Si un enfant pleure, s'approche-t-elle immédiatement de lui pour le calmer et le réconforter? ....

La communication entre eux est-elle chaleureuse et intense? ..
......

Réussit-elle à le ramener au sein du groupe avec le sourire? ...
......

DANS LE CAS DES NOURRISSONS

1. Les rapports sur une base individuelle sont-ils nombreux?......

......

2. L'éducatrice sourit-elle, regarde-t-elle le bébé droit dans les yeux, lui parle-t-elle et répond-elle à ses babillages pendant qu'elle le change, l'habille ou le nourrit?......

3. L'éducatrice prend-elle souvent le bébé dans ses bras?......

4. Le stimule-t-elle gentiment en jouant avec lui, en lui apportant des jouets et en le déplaçant d'une pièce à une autre?......

......

5. Lui parle-t-elle, lui chante-t-elle des airs et lui lit-elle des histoires?......

DANS LE CAS DES TOUT-PETITS

1. L'éducatrice laisse-t-elle l'enfant résoudre seul des problèmes, tout en lui épargnant la frustration totale?......

2. L'incite-t-elle à persévérer, en le dirigeant et en le félicitant?

......

DANS LE CAS DES ENFANTS D'ÂGE PRÉSCOLAIRE

1. Les éducatrices interagissent-elles avec les enfants?......

......

La discipline

1. L'éducatrice prévient-elle des situations qui pourraient dégénérer en conflit, en violence, ou s'avérer dangereuses?......

......

2. A-t-elle recours à des méthodes de renforcement positif pour corriger un comportement?......

3. L'éducatrice fait-elle preuve de patience, sans dire «non»?......

......

4. S'exprime-t-elle de manière positive et claire lorsqu'elle demande à un enfant de faire quelque chose?......

......

5. Encourage-t-elle l'enfant et le félicite-t-elle, au lieu d'exiger, de menacer ou de punir?..

6. Lorsqu'un enfant refuse de faire ce qu'elle lui demande, lui propose-t-elle d'autres choix? ....

7. Aide-t-elle les enfants à développer leur aptitude à résoudre eux-mêmes leurs problèmes personnels?..............................

....

8. L'éducatrice contourne-t-elle une difficulté en orientant les enfants vers une autre activité?..

9. Reste-t-elle calme et patiente quand un enfant perd tout empire sur lui-même?..

10. Quand un enfant fait un geste répréhensible, lui explique-t-elle la situation et lui dit-elle qu'elle l'aime toujours: en d'autres mots, désapprouve-t-elle le geste sans condamner l'individu pris en faute? ....

11. Est-elle juste?..............................

12. Use-t-elle avec à-propos de mesures disciplinaires comme la retenue momentanée? ....

13. Propose-t-elle aux enfants, par sa façon d'agir, un modèle de patience, d'entraide et de partage?..............................

Le programme

L'horaire

1. L'horaire prévoit-il des jeux libres, du bricolage, un regroupement pour chanter, des jeux en plein air, des activités dirigées et des activités libres?..............................

2. La garderie respecte-t-elle l'horaire annoncé? (Sinon, demandez-en la raison.)..............................

L'heure des jeux

1. Pendant les jeux libres, les enfants sont-ils absorbés? ....

....

2. Jacassent-ils, rient-ils et partagent-ils les jouets?..............................

....

3. Les éducatrices sont-elles disséminées dans la pièce, disponibles pour guider, soutenir et aider les enfants, sans leur dire ce qu'il faut faire? ....

4. Dans le cadre d'une activité semi-dirigée, l'éducatrice laisse-t-elle aux enfants la liberté de déterminer eux-mêmes ce qu'ils veulent faire?........

5. Y a-t-il en quantité et en variété suffisantes des jouets et des équipements éducatifs? ....

6. L'éducatrice guide-t-elle et seconde-t-elle les enfants, développant ainsi l'étendue et la complexité de leur capacité de réflexion?........

7. Les enfants s'absorbent-ils avec plaisir dans leurs activités?...
....

8. Pendant une activité dirigée, les enfants s'amusent-ils?........
....

9. Y participent-ils activement, chacun à sa manière personnelle?
....

10. L'éducatrice a-t-elle captivé l'intérêt du groupe (ou les enfants sont-ils agités, ou punis?) ....
....

11. Si un enfant ne participe pas à l'activité de groupe, lui est-il permis de s'adonner à une activité calme de son choix? ....
....

12. N'utilise-t-on qu'avec circonspection, et dans des occasions exceptionnelles, le téléviseur et l'appareil vidéo pour visionner des émissions spéciales?......................

DANS LE CAS DES NOURRISSONS

1. Les bébés dorment-ils et mangent-ils à des heures qui correspondent à leurs besoins individuels? ....

DANS LE CAS DES TOUT-PETITS

1. Les tout-petits s'adonnent-ils à une activité dirigée?..............
....

2. L'éducatrice en assure-t-elle la surveillance, sans imposer de trop nombreuses règles?......................

La routine quotidienne

Collations et repas

1. L'atmosphère dans la pièce où l'on mange est-elle invitante et détendue? ....

2. Le personnel et les enfants se lavent-ils les mains avant de manipuler des aliments et de manger? ....

3. Les tables sont-elles propres? ....

4. Le menu est-il équilibré? ....

5. Respecte-t-on le menu? (Demandez-en un exemplaire et lisez-le attentivement, une fois de retour à la maison.) ....
....

6. Les éducatrices s'assoient-elles avec les enfants, les incitent-elles à de bonnes habitudes alimentaires, aux bonnes manières et à faire la conversation? ....

7. Les petits dégâts sont-ils traités avec humour et gentillesse, de manière à embarrasser le moins possible l'enfant en cause? ....
....

DANS LE CAS DES NOURRISSONS

1. Quand elle donne le biberon, l'éducatrice tient-elle l'enfant dans ses bras? ....

2. Chaque enfant mange-t-il à l'heure qui lui convient? ....
....

3. Les bébés plus vieux mangent-ils des aliments qu'ils peuvent prendre dans leurs petites mains? ....

DANS LE CAS DES TOUT-PETITS

1. Les enfants sont-ils confortablement assis sur les chaises? ......
....

DANS LE CAS DES ENFANTS D'ÂGE PRÉSCOLAIRE

1. Lorsqu'ils ont fini de manger, les enfants doivent-ils attendre à table, ou se lèvent-ils et jouent-ils calmement, laissant ainsi leurs compagnons plus lents terminer en paix leur repas? ....
....

284 Les services de garde pour votre enfant

Mon enfant pourra-t-il s'adapter à la politique de la garderie en cette matière? ....

2. Les enfants aident-ils à nettoyer les lieux? ....

La salle de repos et la sieste

Demandez à visiter les pièces où dorment les enfants. Comme la garderie les utilise probablement à d'autres fins pendant la journée, il vous sera peut-être impossible de vous faire une idée de ce à quoi elles ressemblent à l'heure de la sieste.

1. Si les couchettes sont en place, sont-elles disposées de manière à ce que les enfants puissent atteindre facilement la porte de sortie, en cas d'urgence? ....

2. Y a-t-il suffisamment d'espace entre les couchettes (un mètre), de manière à ce que les enfants ne soufflent ni ne toussent dans le visage de leurs voisins? ....

3. La couchette ou le matelas, la couverture et le drap de chaque enfant sont-ils identifiés à son nom et rangés dans un endroit où ils ne viennent pas en contact avec ceux de ses compagnons? ....

4. Les enfants ont-ils avec eux un objet chéri? ....

DANS LE CAS DES NOURRISSONS

1. Les éducatrices répondent-elles promptement aux pleurs d'un bébé? ....

2. Les lits d'enfants sont-ils à distance d'au moins un mètre les uns des autres? ....

3. La literie est-elle propre et sèche? ....

4. Les matelas sont-ils de la taille exacte du lit et les barreaux, très peu espacés? ....

5. Chaque lit a-t-il un accès direct à la porte de sortie? ....
....

Les transitions

1. Les transitions se font-elles rapidement et naturellement, et permettent-elles aux enfants de passer la journée sans être perturbés par des changements brutaux? ....

2. Les transitions se font-elles dans la joie? ....

3. A-t-on prévu des mesures de sécurité pour se rendre à l'extérieur, au gymnase ou à la salle de bains?........................

Les arrivées

1. L'éducatrice accueille-t-elle chaleureusement chaque enfant et l'aide-t-elle à réapprivoiser en douceur l'environnement de la garderie?..............................

2. Les parents et les éducatrices entretiennent-ils des rapports harmonieux?..............................

Les départs

1. À la fin de la journée, les enfants sont-ils toujours absorbés dans leurs jeux?..............................

2. Les éducatrices aident-elles les enfants à se préparer à quitter les lieux?..............................

3. Est-ce que tous, y compris les parents, sont détendus?............

....

L'atmosphère est-elle agréable?..............................

Le vestiaire et les jeux en plein air

En quittant les lieux, jetez un coup d'œil à la cour de récréation.

1. Pendant que vous étiez sur les lieux, les enfants sont-ils sortis en plein air?..............................

Sinon, demandez-en la raison...............................

2. Chaque enfant a-t-il son propre casier, ou crochet, identifié à son nom?..............................

3. Y a-t-il suffisamment d'espace pour que tous les enfants puissent s'y asseoir et s'y habiller en même temps?..............................

4. Y a-t-il un vestiaire séparé pour chaque groupe d'âge?............

....

5. Les éducatrices incitent-elles les enfants à s'habiller sans aide?..............................

6. Les enfants sont-ils adéquatement vêtus, compte tenu de la température; n'oubliez pas les moindres détails: tuques, mitaines et bottes (ou chapeaux et écrans solaires)?..............................

....

7. A-t-on prévu une marche à suivre pour conduire les enfants à l'extérieur, de manière ordonnée et sans danger?....................

....

8. Les enfants disposent-ils d'un vaste espace en plein air, sûr et clôturé?..

9. Une matière non rugueuse, comme du sable ou de l'herbe, recouvre-t-elle le sol?....................

10. L'équipement en place est-il sans danger et bien entretenu?....

....

11. Des coins de la cour sont-ils exposés au soleil, et d'autres ombragés?....................

12. Des activités organisées y sont-elles proposées?....................

....

13. Y a-t-il suffisamment d'équipement de jeux libres pour satisfaire aux besoins de tous?....................

14. Les enfants comprennent-ils bien les règles qui s'imposent pour jouer en toute sécurité?....................

15. Le personnel les surveille-t-il étroitement?....................

16. Deux éducatrices au moins accompagnent-elles le groupe?.....

....

DANS LE CAS DES NOURRISSONS

1. Y a-t-il un vestiaire réservé aux nourrissons, équipé de tables à langer qui ne présentent aucun danger et d'une hauteur idéale pour accommoder les parents?....................

2. Y a-t-il suffisamment d'espace de rangement?....................

....

3. Y a-t-il des poussettes à sièges multiples, prêtes à servir en tout temps?....................

Mes impressions:

Comment vous sentiriez-vous si vous deviez passer sur les lieux cinquante heures par semaine?

....

CHAPITRE 11

Le moment de l'évaluation: attribuer des cotes aux garderies

Miroir, miroir joli,
Qui est la plus belle au pays?

Grimm
«Blanche-Neige»

Supposons maintenant que vous ayez en main cinq séries de listes de questions complétées, sur autant de garderies: soit les notes de vos entrevues avec les directrices et de vos visites des salles réservées aux nourrissons, aux tout-petits et aux enfants d'âge préscolaire, sans oublier les questions que vous avez posées au téléphone, lorsque vous avez entamé vos recherches. Que ferez-vous de ces énormes piles de papier? Comment vous indiqueront-elles sur quelle garderie porter votre choix?

Préparez-vous une tasse de café, prenez un bloc-notes et un crayon et installez-vous dans une chaise confortable. Vous en aurez sans doute pour un bon moment.

Les «rejets»

Certaines questions éliminent d'emblée une garderie:

1. Le ratio enfants-éducatrices et la dimension du groupe doivent toujours se conformer aux exigences provinciales.

S'il n'y a pas suffisamment d'éducatrices, les enfants n'obtiennent pas des soins de haute qualité.

2. Les éducatrices doivent avoir reçu une formation.
Si la garderie n'a pas à son emploi des éducatrices spécialement formées, la qualité des soins en souffrira.

3. Les nourrissons doivent être gardés dans un espace qui leur est exclusivement réservé.
S'ils se retrouvent au milieu d'enfants plus âgés pendant la plus grande partie de la journée, ils seront souvent malades, ils ne se développeront pas ni ne s'épanouiront comme ils le devraient.

4. Les réponses aux questions relatives à la sécurité ne devraient jamais laisser place au moindre doute quant au bien-être de votre enfant.
Ainsi, une éducatrice qui fume ou boit du café à proximité des enfants viole l'un des principes de base des services de garde.

5. La malpropreté est inacceptable.
Si les intervenantes ne désinfectent pas les tables à langer et les jouets, ou si elles ne se lavent pas les mains entre chaque opération, la garderie qui les emploie ne convient pas à votre enfant.

Une salle de bains malpropre, dont les sièges de toilettes sont aspergés d'urine, les cuvettes maculées et les robinets encrassés, n'offre pas à votre enfant un environnement adéquat.

Une cuisine mal entretenue devrait éliminer d'office une garderie. Il n'y a pas à s'inquiéter si des plats s'entassent dans l'évier pendant que les éducatrices mangent avec les enfants; mais si l'on aperçoit des blattes ou des tas de saletés dans les coins, si des odeurs de nourriture gâtée s'échappent du réfrigérateur ou des armoires à provision, cette garderie ne mérite pas que vous vous y attardiez.

6. Si la garderie applique une politique de portes closes et refuse dans une certaine mesure aux parents un droit de visite, alors vous ne voudrez pas y inscrire votre enfant.

7. Les éducatrices doivent être avec les enfants.
Si elles se groupent pour bavarder entre elles, laissant les enfants à eux-mêmes, elles ne leur fournissent pas les soins appropriés.

8. *Si vous surprenez une éducatrice en train de maltraiter un enfant en le frappant, en le secouant, en le tirant ou le poussant, n'inscrivez sous aucun prétexte votre enfant à cette garderie.*

Attribuer des cotes

L'étape suivante vous paraîtra bien moins évidente. Pour évaluer les garderies, le plus facile consiste probablement à revoir toutes les questions, section après section. Relisez toutes vos notes de la première section, celle qui concerne les rapports avec les parents, en accordant une attention toute spéciale à celles que vous auriez marquées d'un astérisque et en comparant les garderies sur chaque point. Puis efforcez-vous de résumer le tout et de vous donner des points de repère. Dans l'ensemble, quelle est la qualité des rapports avec les parents dans chaque garderie? Et maintenant attribuez à chacune une cote. Laquelle vous semble la meilleure? Lesquelles vous semblent venir en deuxième et en troisième position? Laquelle laisse le plus à désirer? Pourquoi?

Lorsque vous en aurez fini, passez à la section suivante, celle de la dimension des groupes. Relisez toutes vos notes et répétez la même démarche en attribuant une cote aux garderies, comme vous venez de le faire pour les rapports avec les parents. Passez ainsi en revue toutes les listes de questions, en attribuant une note à chaque garderie, section après section. N'oubliez pas d'attribuer aussi une note aux directrices.

Vos observations pourront ressembler à ce qui suit.

Les rapports avec les parents:

1. Garderie de l'université — commentaires vraiment détaillés, aussi bien dus à la plume des parents que du personnel, dans les livres de communication. On semble y accorder une très grande importance.

2. Garderie de la rue Principale — très ouverte aux parents, d'ailleurs fort nombreux sur les lieux.

3. Garderie du Cloche-Merle — commentaires brefs; tableau d'affichage vraiment sans intérêt.

4. Garderie de la Coopérative des Parents — les parents s'affairent même dans les salles. Je ne suis pas prête à cela!

5. Garderie de la Montagne — j'ai éprouvé le sentiment que je n'y étais pas la bienvenue. Peut-être m'a-t-on prise pour un inspecteur!

La dimension des groupes:

1. Garderie de l'université — splendide! Personnel amplement suffisant, sans compter les stagiaires. Particulièrement indiquée pour les nourrissons.

2. Garderie de la rue Principale — groupes peu nombreux et bien encadrés.

3. Garderie du Cloche-Merle — dans le groupe d'âge préscolaire, trop nombreux enfants à mon goût, mais la dimension des autres groupes m'a semblé acceptable.

4. Garderie de la Coopérative des Parents — la participation active des parents m'a déroutée. Les éducatrices semblent leur en confier trop et ne s'y livrent à aucune activité d'enseignement.

5. Garderie de la Montagne — cent marmots bruyants! Comment arrive-t-on à s'y retrouver? Comment réussit-on à rester maître de la situation? Définitivement pas pour mon enfant timide.

En revoyant toutes les sections, accordez une attention toute particulière aux points que vous avez marqués d'un astérisque. Si l'une des garderies semble se démarquer des autres dans tous ces domaines, vous avez peut-être déjà identifié votre premier choix.

Puis repassez en revue vos impressions générales. Quelle garderie avez-vous préférée? Vos impressions concordent-elles avec vos notes griffonnées sur chaque liste de questions? Ne vous laissez pas duper par du tape-à-l'œil. Si vous avez été séduite par la luminosité et les locaux spacieux d'une garderie, mais que le ratio éducatrices-enfants y est inférieur à celui d'une autre, repensez-y à deux fois. À quoi réagissiez-vous alors? Qu'est-ce qui est le plus important? Si nécessaire, révisez les cotes déjà attribuées, en tenant compte de vos impressions générales.

Autres facteurs à considérer

Maintenant, repenchez-vous sur votre système de valeurs. Quelles garderies entretiennent une conception du monde semblable à la vôtre? Où vous sentiez-vous vraiment à l'aise? Si vous choisissez une garderie qui dispose d'équipements exceptionnels et assure une sécurité et une hygiène irréprochables, mais que vous ne vous sentiez pas en accord avec la manière dont le personnel s'y comporte avec les enfants et ne tolériez pas le niveau de bruit qui prévaut en général dans chaque salle, ni votre enfant ni vous ne serez heureux.

Tenez compte de la personnalité de votre enfant. Bien que toute bonne garderie traitera chaque enfant comme un individu à part entière, certaines intervenantes semblent plus sensibles aux besoins d'un enfant timide ou gauche, et d'autres répondent mieux aux extravertis. Où croyez-vous que votre enfant se sentira davantage à son aise?

Ajoutez maintenant à l'équation la question de l'emplacement de la garderie. Avez-vous une nette préférence pour une garderie de quartier ou une autre en milieu de travail? Si vous préférez la garderie de quartier, mais que votre garderie en milieu de travail offre un bien meilleur programme aux nourrissons et aux tout-petits, envisagez de recourir pour l'instant à votre garderie en milieu de travail et d'opter pour la deuxième lorsque votre enfant sera plus vieux; ou tentez de trouver d'autres moyens pour que votre enfant participe à la vie de votre quartier. Si vous préférez la garderie en milieu de travail parce que vous souhaitez être plus près de votre enfant, mais que votre garderie de quartier offre un programme de patinage, de ski de randonnée et de natation absolument exceptionnel, vous devrez longuement réfléchir à vos priorités.

Quelle garderie est la plus commode? Quelques minutes additionnelles pour le transport de l'enfant rendront la vie insupportable à certains parents, alors que d'autres se sentiront rassurés de savoir que leur petit évolue dans un meilleur environnement. Encore une fois, vous devez penser à ce qui vous convient le mieux.

Il est maintenant temps de prendre en considération vos sentiments en ce qui a trait à la distinction entre garderies à

but lucratif et garderies sans but lucratif. Si vous hésitez entre
deux garderies aussi bonnes l'une que l'autre — l'une à but
lucratif et l'autre sans but lucratif —, nous vous conseillons
fortement d'opter pour la seconde, où vous aurez davantage
votre mot à dire, au fil des ans, sur l'orientation des politiques de la maison. (N'oubliez pas que si le propriétaire vend
sa garderie à but lucratif, des changements radicaux pourront
survenir en l'espace de quelques semaines seulement.)

Le moment critique

Vous rappelez-vous comment vous avez pris la décision
de vous marier? Comment avez-vous choisi votre premier
appartement, le collège ou l'université que vous fréquente-
riez, ou l'emploi que vous occuperiez? Quelle qu'elle soit,
n'hésitez pas à recourir à la méthode qui vous réussit le
mieux: dressez la liste des avantages et des désavantages,
prenez une bonne nuit de sommeil, repenchez-vous sur la
question à tête reposée et attibuez une note à chaque garderie.
Confiez à votre conjoint, à votre mère, sœur ou amie, ce que
vous avez vu dans chaque garderie et vos sentiments à ce
propos. Ne négligez aucun moyen qui vous aiderait à vous
former une opinion.

Si vous êtes toujours indécise, revisitez une ou deux
garderies. Rendez-vous-y à une heure différente de la journée, ou faites-vous accompagner par votre conjoint ou une
amie. Communiquez avec le parent dont la directrice vous a
remis le numéro de téléphone et, sans questionner son jugement, posez-lui des questions franches et directes sur les
détails qui vous agacent. Par exemple, si les enfants ne sont
pas sortis, le jour où vous avez visité la garderie, demandez-
lui: «Votre enfant joue-t-il souvent dehors?» Elle pourra alors
répondre: «Oh, ils n'y vont jamais quand il fait froid — il leur
est bien trop difficile d'enfiler leurs habits de neige.» Ou
encore: «Ils vont dehors presque chaque jour. Votre enfant
devra vraiment être en bonne santé pour le supporter!»

Relisez sans vous lasser vos listes de questions et les
notes de vos impressions. Et peu à peu une grille d'évaluation
et un classement final se dessineront: «Voici la meilleure;
celle-ci vient en deuxième place et celle-là serait mon tout
dernier choix.»

Comme vous avez déjà rempli un formulaire d'inscription dans chacune de ces garderies, l'étape suivante consistera à attendre l'accueil fait à votre démarche. Entre temps, rangez soigneusement vos documents, pour le cas où vous auriez besoin de les consulter une nouvelle fois.

Nous sommes heureux de vous apprendre...

Un jour, vous recevrez une lettre qui se lit à peu près comme suit: «Nous sommes heureux de vous apprendre que votre enfant a été accepté chez nous.» Si cette lettre vient d'une garderie qui figure au sommet de votre liste, tout est réglé — votre enfant et vous-même êtes promis à une expérience heureuse en garderie. C'est le moment de célébrer.

Malheureusement, tous les parents n'ont pas cette chance.

La garderie qui figure en troisième position à votre palmarès pourra bien vous écrire avant que vous ne receviez un signe de vie de votre premier choix. Vous auriez préféré envoyer votre enfant à celle qui vous plaisait le plus, mais vous ne voulez pas refuser cette place, parce que vous en avez vraiment besoin. Alors que faire?

En matière d'admission, chaque garderie a son propre échéancier. Communiquez par téléphone avec celle que vous préférez de loin et expliquez votre dilemme. Si on y a déjà entamé le processus d'évaluation des demandes, on consentira peut-être à vous révéler le sort réservé à la vôtre. Si on s'y apprête à vous répondre favorablement, on ne se formalisera pas de vous adresser plus tôt que prévu une lettre officielle d'acceptation, de manière à ce que vous puissiez décliner en toute quiétude la place offerte par votre troisième choix.

Si vous apprenez que votre premier choix offre de vous inscrire sur sa liste d'attente, sans pouvoir vous donner l'assurance que vous obtiendrez une place, communiquez avec votre deuxième choix pour connaître quel sort on vous y réserve.

Dès que vous aurez acquis la certitude que votre troisième choix est votre unique option, acceptez la place qu'on vous y offre; versez sans tarder le dépôt ou les frais d'admission non remboursables qu'on y exige, et qui varient de 25 $

à 100 $, pour vous assurer de ne pas la perdre. Mais soyez sûre de pouvoir vivre en paix avec votre décision. Il est nécessaire que vous *aimiez* la garderie que vous choisissez, et non pas que vous la considériez avec suspicion et appréhension. Cela pourrait vous aider de la revisiter. S'il arrivait que votre premier choix vous offre une place pendant la semaine précédant la rentrée, vous ne devriez en aucun cas vous sentir comme si l'on vous rescapait d'un immeuble en flammes.

Même s'ils ne vous laissent aucun espoir lorsque vous leur téléphonez, il se peut que vos premier et deuxième choix vous rappellent après que vous aurez accepté une place dans la garderie qui constituait votre troisième choix. Si votre premier ou deuxième choix est de loin préférable, de grâce acceptez la place offerte dans la garderie qui vous plaît le plus — même si vous perdez ainsi votre dépôt dans une autre. Il vous faudra supporter des années durant les conséquences de ce choix.

Nous regrettons de devoir vous informer...

En dépit de vos efforts surhumains, vos pires appréhensions se matérialiseront peut-être: il est toujours possible que vous ne trouviez pas de garderie acceptable, ou que vous ne puissiez obtenir une place dans une garderie qui vous plaît.

Cela signifie-t-il pour autant que vous ne pourrez retourner au travail? Quelles possibilités vous reste-t-il?

Entre autres solutions, vous pouvez retourner à la case départ — à votre première liste de garderies — et réorienter votre tir. Auriez-vous écarter certaines garderies parce qu'elles étaient trop éloignées? Peut-être devriez-vous maintenant reconsidérer cette décision. Pouvez-vous remanier votre horaire pour y intercaler quinze ou vingt minutes additionnelles destinées au transport de votre enfant, le matin et le soir? Votre mari pourrait-il se charger de déposer votre enfant ou de le reprendre? Pouvez-vous obtenir qu'une gardienne se charge, de temps à autre, de reprendre votre enfant à la garderie? Une voisine ou une amie pourrait-elle vous donner un coup de main, le matin ou le soir? Si on sert le petit déjeuner à la garderie en question, vous pourriez ainsi récupérer quelques précieuses minutes.

Réfléchissez à la possibilité d'opter pour une garderie plus coûteuse. Votre budget vous le permet-il? Bien que les soins de bonne qualité soient plus dispendieux, sachez que rien n'est trop cher pour assurer le bonheur de votre enfant et son développement, pour vous rassurer et vous rendre plus productive au travail. Souvenez-vous aussi des avantages dont vous jouirez au moment de produire votre déclaration d'impôts.

N'acceptez pas de compromis. Si le cœur vous débat chaque fois que vous mettez les pieds à la garderie, vous n'avez pas réussi à trouver des soins de garde de qualité supérieure. Une fois que votre enfant s'y sera habitué, il sera difficile de l'en retirer et de trouver un autre accommodement. Le placement d'un enfant dans une garderie de qualité douteuse provoquera chez ses parents un sentiment aigu de culpabilité qui les rendra parfois aveugles en présence de lacunes pourtant évidentes. En outre, la nature humaine finit par s'habituer à des situations qu'elle a déjà pourtant jugées intolérables. Votre enfant se fera des amis et vous pourriez devenir complaisante. Bousculée par les exigences de votre travail, vous n'aurez peut-être pas les moyens de regarder la réalité en face. Il est en conséquence extrêmement risqué de placer son enfant dans une garderie de qualité insatisfaisante.

Il est de loin plus indiqué de trouver une gardienne ou un service de garde en milieu familial jusqu'à ce qu'une place se libère dans la garderie de son choix. Si vous optez pour une gardienne à la maison, il est plus probable que vous vous rappellerez la nature provisoire de cet accommodement. Vous ne réussirez pas alors à isoler, dans des tiroirs séparés, votre carrière de votre vie familiale, ni à oublier une situation indésirable en franchissant la porte de la garderie. Dans le calme de votre intérieur ordonné, vous saurez d'instinct si les soins prodigués à votre enfant sont de second ordre. Vous ne pourrez ignorer que votre enfant de 2 ans se cogne aux murs parce qu'il a regardé la télé tout l'après-midi et que la gardienne n'a pas changé la couche de bébé. Et parce que vous vous sentirez pleinement responsable de cet état de fait, au lieu de vous décharger de vos responsabilités en vous en remettant totalement à la directrice d'une garderie, il vous sera plus facile de prendre vous-même les mesures qui s'imposent.

Après cette quête frustrante et infructueuse, vous ne vous sentirez probablement pas le courage d'entamer d'autres recherches épuisantes, mais il vous faudra bien évidemment examiner les solutions de rechange aussi soigneusement que vous vous y êtes prise pour choisir une garderie. Fort heureusement, vous aurez acquis une excellente expérience sur la manière de vous y prendre — que vous optiez pour un service de garde en milieu familial dûment reconnu ou pour une gardienne à votre domicile. Pour quelques trucs en ce domaine, voir les chapitres 4 et 5.

Mais continuez de communiquer régulièrement avec votre garderie préférée, pour voir où en est rendu le traitement de votre demande. Rappelez à la directrice que vous n'avez pas trouvé d'alternative et que vous tenez à cette place. Nous vivons dans une société où tout bouge constamment — et des places se libèrent effectivement. Tôt ou tard, votre tour viendra.

CHAPITRE 12

L'admission

Moi? je ne suis pas une farce! Je suis
B.i.B.i.Z9.9.9.4.4.X. de la planète X.Y.1000 Z. Mais
si tu trouves ça trop compliqué, tu peux m'appeler
B.i.B.i. Toi, comment tu t'appelles?

Francine Tougas
Bibi et Geneviève — L'arrivée

Quand vous signez les documents d'admission de votre enfant dans une garderie, ou dans un service de garde en milieu familial, vous savez que votre décision est irrévocable, parce que vous passez de la parole à l'acte.

Fait encore plus important, vous emmenez finalement votre enfant sur les lieux.

S'il peut s'exprimer et comprendre, vous lui aurez déjà probablement annoncé que vous retournerez au travail. Vous lui aurez fait visiter votre lieu de travail, l'aurez présenté à vos collègues et lui aurez expliqué que c'est là que vous passiez vos journées avant sa naissance. Il aura peut-être aussi visité le bureau de son père. Voir partir les gens pour le travail sera devenu pour lui une réalité naturelle et quotidienne.

Vous lui aurez aussi probablement dit plus d'une fois ce qui lui arrivera lorsque vous retournerez au travail: «Une personne très gentille prendra soin de toi et tu auras des amis avec qui jouer.» Peut-être sera-t-il déjà prévenu que vous recherchiez un endroit où il se plairait et l'aurez-vous informé que vous l'aviez trouvé. Le moment est maintenant venu pour lui de constater que cette garderie existe vraiment.

Parlez-lui de l'endroit avant de l'y emmener, en lui révélant tous les détails dont vous vous souvenez — l'aire de jeux avec sa cage à grimper, le gymnase où se dégourdissent les enfants les jours de pluie, la cour arrière et le pneu qui y sert de balançoire, l'éducatrice blonde qui s'appelle Lyne et ressemble à Alice au pays des merveilles. Mais n'en remettez pas. Les enfants sont très futés: si vous leur donnez trop de raisons de s'y plaire, ils sauront que vous cherchez à vous convaincre vous-même de l'à-propos de votre décision.

Si votre partenaire n'a pas encore visité la garderie ou fait la connaissance de la responsable du service de garde en milieu familial que vous avez choisi, incitez-le à vous accompagner. Il est important qu'il se fasse une idée à partir de ses propres impressions et qu'il ne se sente pas écarté du processus de décision. Il pourra aussi vous prêter main-forte. Pendant que l'un de vous s'entretiendra avec la directrice ou la responsable et remplira les formulaires, l'autre aidera l'enfant à faire le tour de son nouvel environnement.

Fixez un moment qui convient à tous et, avant le départ, dressez une liste de questions qui vous sont venues à l'esprit lors de votre première visite ou depuis lors. S'il s'agit d'une garderie, vous souhaiterez à coup sûr demander le nom de l'éducatrice qui veillera sur votre enfant et vous informer du moment où celui-ci pourra faire sa connaissance et revenir sur place, avant qu'il n'entre officiellement à la garderie.

Peut-être souhaiteriez-vous aussi communiquer certains renseignements utiles concernant votre enfant. Vous serez bien avisée de dire un bon mot de votre enfant en sa présence, de manière à faciliter son intégration à la garderie: «Annie adore les livres. Pourrait-elle apporter un livre de la maison pour que vous lui en lisiez quelques pages, dans le cadre des activités de lecture?» Si vous vantez les mérites de votre enfant, vous faciliterez les choses pour tout le monde. «Luc est un vrai bon garçon, dit sa mère. Tous les gens l'aiment — aussi bien les enfants qu'il côtoie au terrain de jeux que mes amis. C'est une réelle joie que d'avoir un enfant aussi aimable et adorable.»

En présence de votre enfant, ne dites pas un mot de vos appréhensions («Claire est une enfant très timide et il lui est difficile de s'adapter à une nouvelle situation»). En fait, il vaut probablement mieux n'en souffler mot à personne.

Même si Claire était timide par le passé, elle pourrait très bien ne pas se montrer réservée le moins du monde à la garderie. Ne lui imposez pas, non plus qu'à ses éducatrices, un personnage auquel elle devra se conformer — laissez à votre enfant la possibilité de révéler peu à peu son caractère.

Comme vous êtes déjà venue sur les lieux, votre famille s'attend à ce que vous vous y retrouviez facilement. Lorsque vous lui présentez votre enfant, la directrice ou la responsable du service de garde devrait s'adresser à lui par son prénom et lui offrir un jouet (les blocs Duplo sont les favoris des tout-petits et des enfants d'âge préscolaire). Ne soyez pas étonnée si votre enfant s'effondre, s'accroche à vous et s'enfouit la tête dans votre giron. Cette situation effraie bien des enfants: ils n'ont pas la moindre idée de ce qui les attend et ils refusent, avec l'énergie du désespoir, de faire la connaissance de cette étrangère, dans un lieu qui leur est également inconnu. Devant une réaction aussi peu invitante, la directrice, ou la responsable du service de garde, devrait se montrer sensible aux émotions de l'enfant et ne pas lui forcer la main.

Les formalités

L'admission à une garderie — et même à un service de garde en milieu familial reconnu — comporte sa part de paperasserie. Soyez préparée à cet échange entre adultes. Apportez la carte d'assurance-maladie de votre enfant, son acte de naissance et son carnet de vaccinations; et glissez dans votre sac à main votre chéquier, de même que les numéros de téléphone de votre pédiatre, de votre belle-mère et de votre meilleure amie.

Attendez-vous à devoir remplir plusieurs formulaires. Lisez attentivement tous les documents avant de les signer.

Le guide de l'utilisateur

Toute garderie devrait distribuer aux parents un guide de l'utilisateur, dans lequel sont énoncés ses règlements et politiques. Les services de garde en milieu familial auront parfois couché par écrit leurs politiques, la liste des règlements à suivre et des objets que l'enfant devra apporter avec lui. Si on ne vous en a pas remis un exemplaire lors de votre première visite, demandez-en un. Y seront précisés les jours de congé, les politiques de la maison en matière de santé, les règlements concernant les jouets personnels, les mesures en cas d'urgence et bien d'autres détails. Parcourez-le rapidement pour vous assurer qu'aucune surprise de taille ne vous attend et relisez-le attentivement une fois de retour à la maison.

Les formulaires de renseignements sur l'enfant et la famille

En plus de vos nom, adresse et numéro de téléphone à domicile, du prénom et de la date de naissance de votre enfant, la garderie voudra connaître votre état civil, la langue que vous parlez à la maison, et le nom et l'âge de vos autres enfants. On voudra aussi connaître le genre d'emploi que vous occupez, de même que l'adresse et le numéro de téléphone au travail des père et mère, de manière à pouvoir les joindre, en cas d'urgence.

Contrairement au cas d'un enfant plus âgé, plus vous en direz à la responsable du service de garde ou à la directrice de la garderie à propos de votre nourrisson, mieux cela vaudra. Vous répondrez à des questions concernant la quantité et le genre d'aliments qu'il ingère, ses habitudes de sommeil et d'alimentation, ses selles, son niveau de développement (Se traîne-t-il à quatre pattes ou se retourne-t-il tout seul sur le ventre, ou sur le dos? Quels mots prononce-t-il?), ce qu'il aime, et aime moins («Il déteste être couché sur le ventre; il s'endort sans difficulté si on lui chantonne une mélodie»). Si le service de garde, ou la garderie, ne dispose pas de formulaires de ce genre, inscrivez tous ces détails sur une feuille que vous remettrez à la personne concernée: pour assurer des soins de haute qualité à votre bébé, on aura besoin de bien le connaître aussi rapidement que possible.

Si votre enfant est plus vieux, on vous demandera vraisemblablement dans ces formulaires de faire état de ses expériences antérieures en service de garde, de l'horaire de ses siestes, de ses aliments préférés et de ses frayeurs («Sophie a peur dans le noir; on ne devrait pas la coucher dans une pièce sombre pour la sieste»). Si on désire connaître la personnalité de votre enfant, répondez par des généralités; ne lui imposez pas de personnage — au risque de nous répéter, laissez à votre enfant la chance de repartir à neuf. Son comportement à la garderie pourrait être différent de celui qu'il a à la maison. Au foyer, Julien était une terreur, un enfant insubordonné; il avait des sautes d'humeur terribles. Mais lors d'une rencontre entre parents et éducatrices, sa mère apprit à son grand étonnement qu'il souriait toujours à la garderie, participait avec joie à toutes les activités, se prêtait volontiers à toute espèce de jeu, tant avec les garçons qu'avec les filles, adoptait un comportement sans la moindre trace d'agressivité, et qu'on avait plaisir à causer avec lui. En fait, son éducatrice ajouta même: «Si seulement nous avions cinquante Julien!»

Le contrat

La directrice de la garderie, ou la responsable du service de garde en milieu familial, et vous-même êtes légalement liées par un contrat qui stipule les obligations des deux parties. Y figureront le nom de l'enfant, ceux de ses père et mère, les jours et les heures pendant lesquels il fréquentera le service de garde (par exemple, à temps plein, du lundi au vendredi, de 8 h à 17 h 30; ou à mi-temps, les lundi, mercredi et vendredi, de 8 h 30 à 17 h 30).

Y seront précisés les frais de garde et le mode de paiement. La garderie pourra percevoir les paiements sur une base hebdomadaire ou mensuelle. Bien des garderies exigent ce paiement le premier du mois, et des chèques postdatés pour l'année complète, ou un dépôt égal à la dernière mensualité. Si vous avez dû débourser des frais d'admission, ils ne seront probablement pas déductibles des frais de garde.

Le contrat devrait aussi stipuler que vous acceptez de débourser tous les frais additionnels qui pourraient vous être imputés pour le transport et les excursions hors de la garderie. S'il n'y est pas fait mention dans le contrat, soulevez la question. Les garderies à but lucratif et les services de garde en milieu familial non reconnus sont plus susceptibles de vous imposer de nombreuses dépenses imprévues.

Le contrat devra aussi spécifier la marche à suivre dans le cas où vous décideriez de retirer votre enfant du service. Par mesure de courtoisie, on exigera généralement des parents un préavis d'un mois, signifié par écrit.

Les formulaires de demande de subvention

Au Québec, vous devrez remplir les demandes de subvention au moment où vous inscrirez votre enfant en garderie ou dans un service de garde en mileu familial reconnu. Informez-vous de la marche à suivre auprès de la directrice de la garderie, ou de l'agence de service de garde en milieu familial. Elles vous aideront à remplir ces formulaires et les feront parvenir au service approprié.

Les formulaires médicaux

Pour assurer à votre enfant les meilleurs soins possible, mais aussi pour des questions d'assurance-responsabilité, la directrice, ou la responsable de famille de garde, devra obtenir de votre médecin la confirmation que votre enfant est suffisamment en santé pour participer à toutes les activités prévues au programme. Les formulaires que votre médecin sera appelé à remplir concernent les antécédents médicaux de votre enfant: quelles graves maladies et opérations a-t-il subies? Quand a-t-il reçu les vaccins requis? Souffre-t-il d'allergies ou de problèmes de santé chroniques, comme l'asthme? Est-il prédisposé aux infections de l'oreille, ou porte-t-il des lunettes? On voudra aussi connaître le numéro de téléphone de votre pédiatre.

Formulaire autorisant l'administration de traitements en cas d'urgence

Les urgences requièrent une action immédiate. La directrice, ou la responsable d'un service de garde en milieu familial, ne peut se permettre d'attendre que vous soyez revenue de votre déjeuner — il lui faut *maintenant* toute l'information nécessaire pour qu'un hôpital puisse administrer à votre enfant un traitement d'urgence, ainsi que votre autorisation de recourir à ce traitement. Ce formulaire portera le nom de votre enfant, sa date de naissance, son numéro d'assurance-maladie et le numéro de sa carte d'hôpital, si on lui en a déjà remise une. Il devra aussi préciser le nom de fille de sa mère, le nom complet de son père, le nom de son médecin et son numéro de téléphone, et les noms et numéros de téléphone de personnes avec qui communiquer si on ne peut vous joindre. (N'oubliez pas de demander à votre meilleure amie, avant que vous n'inscriviez son nom, si elle accepte cette responsabilité!)

L'autorisation de passer prendre votre enfant

Inévitablement, vous serez grippée, vous partirez en voyage d'affaires, ou votre voiture tombera en panne. Qui d'autre sera alors habilité à prendre votre enfant à la garderie? Vous pouvez désigner à ce titre un grand-parent de l'enfant, une sœur, une gardienne, un voisin ou un ami qui se chargera de cette importante tâche, mais il vous faudra donner par écrit votre assentiment formel avant que la garderie ne confie votre enfant à cette personne. (Un parent, y compris votre ex-conjoint, peut toujours passer prendre l'enfant, à moins qu'un jugement du tribunal ne le lui interdise.) Cette mesure n'a d'autre objectif que la protection de l'enfant.

L'autorisation de participer à des excursions

La directrice de la garderie, ou la responsable de service de garde en milieu familial, pourra vous demander de lui donner carte blanche pour emmener votre enfant dans des lieux où l'on peut aisément se rendre à pied: la bibliothèque, l'anneau de glace intérieur et le terrain de jeux. Cette requête écrite devrait préciser le nombre d'adultes qui accompagneront les enfants et limiter les déplacements en cause aux seuls lieux accessibles à pied. Tout déplacement exceptionnel — une visite à l'aquarium, au zoo ou au musée — qui exige l'usage d'autocars, de voitures louées ou des transports publics nécessitera obligatoirement l'envoi d'une demande d'autorisation spécifique, distribuée plusieurs jours à l'avance, et précisant la destination et la date du voyage, sans oublier le moyen de locomotion du groupe.

Les études sur le terrain

Il arrive que des étudiants en techniques de garde et en développement de l'enfant désirent étudier des groupes d'enfants, comme ceux qui se trouvent en garderie. Personne ne peut examiner ou évaluer votre enfant sans votre permission écrite. Exigez une description complète de la recherche projetée et prenez-en minutieusement connaissance avant de signer quoi que ce soit. Si vous entretenez la moindre réserve sur la méthodologie ou les objectifs de l'étude, sentez-vous libre de refuser votre consentement.

L'annuaire des parents

Parce que le nom, l'adresse et le numéro de téléphone de votre enfant sont confidentiels, la directrice ou la mère de famille de garde devra vous demander votre permission pour inscrire ces renseignements dans un annuaire qui sera distribué aux autres parents. (La simple courtoisie le commande aussi.) Bien entendu, vous avez le droit de vous y opposer, si vous souhaitez garder confidentiel votre numéro de téléphone.

Que faire s'il n'existe pas de contrat type?

Une agence de service de garde en milieu familial vous demandera à coup sûr de signer un contrat et des formulaires autorisant l'administration de soins médicaux; la très grande majorité des garderies ne procéderont pas autrement. Il arrive toutefois que les petites, ou toutes nouvelles garderies, et les responsables de services de garde en milieu familial non reconnus ne soient pas parvenues à ce degré d'organisation, ou ne jugent pas nécessaires ces formalités. Elles le sont pourtant à nos yeux.

Les conventions écrites rendent mal à l'aise bien des gens. Ils ont l'impression de ne pas faire confiance à leur responsable de famille de garde (ou gardienne) s'ils exigent de mettre leur entente par écrit. En fait, les contrats protègent toutes les parties. En premier lieu, le fait d'en rédiger un vous forcera à clarifier des points. En outre, si la responsable du service de garde et vous-même savez clairement ce que vous attendez l'une de l'autre, vous serez mieux outillées pour parer aux difficultés avant qu'elles ne se présentent. La responsable pourra faire connaître ses règlements; vous saurez alors, par exemple, qu'elle s'attend à ce que les enfants quittent sa maison au plus tard à 17 h 30. Le contrat vous rappellera concrètement que vous vous êtes engagées toutes deux dans une relation d'affaires, assortie d'obligations et de droits de part et d'autre.

Nous recommandons fortement que vous en rédigiez un vous-même sous forme de lettre. Incluez-y les renseignements dont il a été fait mention plus tôt: le nom de l'enfant et celui de ses père et mère; le nom, l'adresse et le numéro de téléphone de celle qui rendra le service, de même que ses heures et ses jours de travail, son salaire et le mode de paiement (sans oublier si vous la paierez les jours fériés, pendant ses vacances et lorsque votre enfant se passera de ses services). Indiquez qu'on vous remettra des reçus pour usage fiscal. La convention écrite devrait aussi préciser la manière dont vous pourrez retirer votre enfant du service de garde.

La lettre devrait aussi exposer à grands traits la politique du service de garde en matière de santé: la responsable vous demandera vraisemblablement de garder votre enfant au foyer (ou de passer le prendre, s'il tombe malade pendant la journée) lorsqu'il a de la fièvre, des vomissements, de la diarrhée ou une maladie infectieuse. Elle pourra aussi demander que vous lui remettiez une lettre du médecin indiquant les dates où votre enfant a reçu ses vaccins. Et vous devriez absolument l'autoriser à procurer des soins médicaux pour votre enfant en cas d'urgence. (N'oubliez pas de lui transmettre le numéro d'assurance-maladie de votre enfant, et les nom et numéro de téléphone d'une personne qui pourra vous remplacer, en cas d'urgence.)

La responsable de la famille de garde ne devrait pas non plus administrer de médicaments à votre enfant sans votre consentement; mais plutôt que de lui remettre une autorisation à le faire en tout temps, mieux vaut attendre que cette nécessité se présente et lui fournir alors des instructions spécifiques. Cette règle s'applique aussi aux excursions. Vous pouvez permettre que votre enfant participe aux déplacements à pied dans le voisinage, mais convenir qu'on vous préviendra quelques jours à l'avance de toute excursion plus lointaine.

N'oubliez pas, cependant, que le fait de préciser quelque chose sur papier ne garantit pas que ça va se passer comme vous le voulez. Si vous n'êtes pas sur place pour faire respecter votre contrat, un bout de papier n'empêche pas la personne qui s'occupe de votre enfant de lui crier après, de l'asseoir pendant des heures devant la télévision ou de lui servir des sandwiches au baloney trois fois par semaine. Vous pouvez bien entendu mentionner dans le contrat que vous voulez qu'on entoure votre enfant de beaucoup d'affection, qu'il ne doit pas regarder la télévision et qu'on doit lui servir des repas sains et nourrissants. Mais ce qui compte vraiment, c'est que vous soyez assurée que la responsable du service et vous êtes fondamentalement d'accord sur les points qui vous importent. Le contrat est plus efficace pour préciser des points vérifiables — le tarif des heures supplémentaires ou les dates des vacances, par exemple.

Copiez la lettre en deux exemplaires — l'un pour vous, l'autre pour la responsable du service de garde en milieu familial, ou la directrice de garderie. Signez toutes deux chacun des exemplaires. Pour un exemple de lettre d'entente type, voir l'appendice.

CHAPITRE 13

L'adaptation de la famille à la toute nouvelle réalité des services de garde

Et le petit prince s'en fut, songeant à sa fleur.

Antoine de Saint-Exupéry
Le Petit Prince

Toutes nos félicitations! Vous avez réussi! Vous avez conclu un arrangement qui vous convient et convient à votre enfant, et vous êtes sur le point de vous engager ensemble dans une toute nouvelle et importante étape de votre vie familiale. Votre garderie, ou votre service de garde en milieu familial, vous a semblé splendide lorsque vous l'avez visité: des enfants heureux y étaient absorbés dans une multitude d'activités créatrices avec l'assistance d'éducatrices compétentes et chaleureuses; et vous avez senti que votre petit était prêt à se joindre à eux.

Mais maintenant que le jour J est arrivé, vous ne tenez plus en place. Les questions se bousculent dans votre tête. Mon enfant sera-t-il heureux là-bas? Et s'il se mettait à pleurer? Que ferai-je s'il ne supporte pas que je le laisse? Devrais-je rester un mois de plus à la maison? Il est peut-être prêt, mais pas moi!

Certains parents sont à peine troublés par cette première expérience d'un service de garde. Mais pour la plupart d'entre nous, la seule évocation de cette expérience fait remonter à la surface des émotions troubles et déchirantes. D'une part, vous ressentez une grande fierté du fait que votre enfant grandit (mais aussi du fait que vous avez déniché un service de garde qui vous satisfasse à ce point); d'autre part, vous vous sentez triste de vous séparer de votre enfant, et jalouse de celle qui semble sur le point de prendre votre place, même si vous savez pertinemment que personne ne peut vraiment vous remplacer. (Des études démontrent que les enfants préfèrent de loin leur mère à leur éducatrice.) Certains parents craignent que leur enfant ne soit pas encore prêt à exercer autant d'indépendance et croient lui demander ainsi beaucoup trop. Et parce que la société nous répète qu'il vaut mieux qu'un enfant reste à la maison, un sentiment de culpabilité nous ronge. Les mères qui souhaitent vivement retourner au travail, comme celles qui n'ont d'autre choix, entendent parfois une petite voix au fond d'elles-mêmes leur dire: «N'y va pas, n'y va pas. Il est trop jeune pour quitter la maison.»

Votre enfant se sentira effrayé et perdu; il aura peur que vous ne reveniez pas le chercher, spécialement s'il est très jeune. Si un enfant plus âgé — de 3 1/2 ans ou plus — qui est allé chez sa grand-mère, ou à la maison d'amis, et qui a déjà été confié à une gardienne, sera sans doute surexcité et ravi à la perspective de se faire de nouveaux amis, il ne s'en sentira pas moins lui aussi nerveux. Votre enfant est extraordinairement sensible à vos émotions, et si vous entretenez des doutes, il le ressentira — que vous les lui exprimiez verbalement ou non; il suffira, par exemple, que vous lui serriez trop fort la main pour qu'il ait du mal à se séparer de vous. Pour son bien et pour le vôtre, il est important que vous croyiez en ce que vous faites et que vous démêliez vos sentiments avant de faire le saut.

C'est un peu comme la décision de se marier. Avant de prendre une aussi grave décision, il vous faut déterminer si vos réserves sont de la même nature que celles qu'entretiennent ordinairement la plupart des gens, ou si elles sont d'un ordre différent mais bien réelles. Il s'agit probablement de l'une des premières grandes décisions que vous aurez à prendre en tant que parent, et vous pourriez ainsi établir un modèle que vous répéterez lorsque surviendront d'autres crises dans l'existence de votre enfant. Vous direz-vous: «Oui, l'eau est froide, mais je m'y jette malgré tout»? Ou vous contenterez-vous d'étendre votre serviette sur la plage et d'attendre une journée plus chaude? Parmi vos inquiétudes, lesquelles sont vraiment fondées et lesquelles sont inhérentes au processus même de cette démarche? Si elles sont bien réelles, sont-elles à ce point importantes et graves? Pouvez-vous les supporter et les atténuer en étant davantage présente à votre enfant lorsque vous vous trouvez à la maison?

Si le service de garde en question constituait votre premier choix, alors vos doutes sont probablement d'ordre mineur. La situation sera plus délicate si vous avez dû opter pour une garderie ou un service de garde en milieu familial qui se trouvait au bas de votre liste. Si la démarche vous semble totalement contre-indiquée, si vous croyez sincèrement ne pas pouvoir être un parent absolument convaincant, peut-être devriez-vous attendre. Envisagez la possibilité d'embaucher provisoirement une gardienne et restez en communication avec les services de garde en milieu familial ou les garderies que vous préfériez, de manière à leur faire savoir que vous êtes vraiment intéressée. Mais si vous croyez que cette solution est la meilleure pour votre famille, vous pourrez aussi décider d'aller de l'avant. Les Thomas incrédules, qui ne s'engagent qu'avec circonspection, se transforment parfois en parents heureux et courageux d'enfants contents de leur sort et bien gardés.

Il existe des moyens de résorber les tensions qui vous tenaillent et tenaillent votre enfant et, du même coup, de composer avec vos émotions et de vous renforcer dans la décision que vous avez prise. Vous ne perdrez pas soudainement tout contrôle sur la vie de votre enfant du seul fait que vous le placerez en garderie. Une intégration réussie peut être la clef d'une expérience de garde positive.

L'intégration des nourrissons

Les parents de nourrissons se sentent probablement plus angoissés à l'idée de confier leur enfant à la garde d'étrangers. Ils ne connaissent encore rien à l'éducation des enfants, ni à la recherche de soins de garde. Les parents de bébés se demandent inévitablement: «Est-ce que j'ai raison de laisser mon enfant en garderie?»; «S'agit-il d'une bonne garderie?»; «Mon enfant y sera-t-il heureux?» Tout parent veut pouvoir se séparer de son enfant, le matin, en se disant: «Oui, cet endroit est bien. Les gens qui y travaillent prendront soin de mon enfant.»

Explorer les lieux

Avant de laisser votre enfant dans une garderie, vous aurez l'esprit plus tranquille si vous visitez une ou deux fois les lieux. Vous aurez ainsi l'occasion de poser des questions et de voir à quoi y ressemble l'horaire d'une journée type. Selon son âge, un bébé se sentira peut-être plus à son aise après qu'il aura vu d'un peu plus près les lieux qui deviendront son foyer, loin de la maison — mais cela sera à coup sûr le cas de ses parents.

Pendant que vous êtes sur les lieux, la directrice de la garderie, ou la responsable du service de garde en milieu familial, vous demandera probablement de remplir d'innombrables formulaires qui l'informeront en détail des horaires et des habitudes de votre bébé. Cette démarche est importante pour assurer des soins individualisés, parce chaque être humain a son propre rythme, établi très tôt dans l'existence, et qu'il est essentiel de respecter ce rythme. Si personne ne vous demande de remplir un questionnaire de ce genre, vous pouvez toujours consigner par écrit l'heure et la durée des siestes de votre enfant, l'heure de ses repas et ses habitudes alimentaires, de même que ses goûts particuliers — par exemple, le fait qu'il aime dormir sur le côté droit, qu'il tient à vous tenir le petit doigt lorsqu'il boit son biberon, qu'il adore écouter de la musique et se regarder dans un miroir. Vous serez bien avisée de garder par-devers vous une copie de ces notes, de manière à savoir exactement ce que vous avez dit à la mère de famille de garde ou à la directrice de garderie, et quel nouveau renseignement pourrait lui être utile.

Si vous allaitez votre bébé, informez votre éducatrice de l'heure à laquelle vous serez disponible pour nourrir l'enfant et demandez-lui de vous téléphoner s'il se réveille plus tôt. (Si vous n'êtes qu'à quelques minutes de là, elle pourra le calmer jusqu'à votre arrivée.)

Flâner sur les lieux

Si vous n'êtes pas encore retournée au travail, vous pourrez facilement suivre le conseil que donnent plusieurs éducatrices et directrices: vous rendre disponible pour rester à la garderie avec votre enfant, pendant quelques jours. Si vous êtes déjà retournée au travail, trouvez un moyen de vous libérer pendant quelques heures — la première semaine de service de garde vous rendra généralement moins nerveuse si vous décidez au préalable de consacrer temporairement moins de temps à votre travail. À long terme, la bonne adaptation de votre enfant au service de garde fera de vous une employée plus productive et plus efficace. Après discussion avec votre patron, voyez si vous pouvez remanier votre horaire pour consacrer à votre enfant tout le temps dont il a besoin. Si nécessaire, prenez quelques jours de congé, ou changez de quart avec une collègue. Si votre travail vous empêche carrément de vous libérer pendant les tout premiers jours, demandez à votre conjoint, à votre mère, à votre beau-père ou à votre gardienne — à une personne que votre enfant connaît bien — de rester avec lui à la garderie, ou au service de garde en milieu familial. Évitez autant que possible d'entreprendre une nouvelle carrière au moment même où votre enfant fait l'expérience d'un nouveau service de garde.

Les services de garde qui adoptent le calendrier scolaire et accueillent les nouveaux enfants en septembre peuvent tenir une journée d'initiation à l'intention des parents, mais ils devraient insister pour que les nourrissons n'y fassent pas tous leur entrée le même jour, de manière à minimiser les risques de confusion et à donner à chacun une meilleure chance de lier connaissance.

Dans un service de garde en milieu familial, ou une garderie où l'on accepte en tout temps de nouveaux enfants, l'intégration sera généralement plus facile parce que les autres enfants connaissent déjà le terrain, ce qui laissera aux éducatrices plus de latitude pour se concentrer sur votre bébé. Les mères rompues aux usages des lieux veilleront aussi à ce que votre enfant et vous-même vous sentiez bienvenus.

Dès votre arrivée avec votre bébé, montrez-lui où vous déposez ses effets personnels. Même un bébé aime savoir où se trouvent ses petits coins réservés — le casier où sont remisés son manteau et ses bottes; la tablette où sont déposées ses couches; le coin du réfrigérateur où sont gardés ses biberons et ses pots de nourriture; et son petit lit bien à lui sur lequel sont posés sa couverture et son petit animal en peluche. Certaines éducatrices vous recommanderont de vous procurer un double de tous ces précieux objets — vous souhaiterez autant que possible éviter l'émoi que provoquerait, un vendredi soir, la constatation que vous avez oublié Nounours à la garderie.

Montrez à l'éducatrice comment votre bébé aime qu'on le prenne et donnez-lui une chance de s'y essayer. Faites-lui aussi une démonstration des petits trucs auxquels vous avez recours pour changer la couche de votre bébé, pour le nourrir, pour lui faire passer un rot et pour le mettre au lit. Depuis au moins trois ou quatre mois, vous avez porté une attention soutenue à la façon dont votre bébé se comporte; vous devriez normalement vous attendre à ce qu'une autre personne (même une spécialiste en techniques de garde) mette un peu de temps à découvrir comment répondre à ses besoins. Laissez-lui l'occasion de multiplier les contacts physiques avec votre bébé, pendant que vous êtes sur place. Elle se sentira alors plus rassurée sur sa capacité à veiller sur lui; vous pourrez ainsi mieux apprécier ses efforts, et votre enfant, mieux faire sa connaissance. Il finira par reconnaître sa peau, son odeur et son sourire.

Combien de temps devriez-vous rester sur place? Cela dépend de vous et de votre enfant. Certains bébés (et parents) se sentent à l'aise dès le deuxième ou troisième jour, alors que d'autres auront besoin de deux ou trois semaines pour s'adapter. Que votre enfant entre à la garderie ou dans un service de garde en milieu familial, le mieux est de procéder lentement pour prendre le temps d'évaluer la nouvelle situation. Le premier jour, soyez présente environ une heure — le temps que l'enfant apprivoise les espaces, les sons et les odeurs du service de garde, comme le suggère Kelly Schmidt, directrice du Queen Street Child Care Centre, à Toronto. Puis ramenez-le à la maison. Le lendemain, vous pourrez y passer quelques heures, même y nourrir l'enfant avant de le ramener à la maison. Le troisième jour, essayez de rester sur les lieux le temps d'une sieste et de quelques repas. (Si l'atmosphère est plutôt calme, profitez-en pour causer avec l'éducatrice. Mais n'y comptez pas trop — les bébés dorment rarement tous en même temps.) Le quatrième jour, vous vous sentirez peut-être assez sûre de vous-même pour vous éloigner pendant un moment et laisser votre bébé au soin d'éducatrices compétentes et attentionnées. Au début, vous ne le quitterez peut-être que pendant une heure ou deux, mais dans les jours qui suivront, vous prolongerez graduellement la durée de vos absences. Les éducatrices aideront votre enfant à accepter votre départ.

Comment dire au revoir?

Lorsque vous êtes prête à partir, cherchez du regard une éducatrice que votre enfant semble apprécier.

Voici ce que suggère Ellen Unkrig, directrice de la garderie de l'hôpital Royal Victoria de Montréal: «Quand le parent remet son enfant à l'éducatrice (plutôt que cette dernière ne retire l'enfant des bras du parent), l'enfant comprend qu'on le confie à une personne en qui on a confiance.» Mme Unkrig ajoute qu'on sera bien avisé d'accompagner le geste de quelques paroles: «Je te confie à Karine. Elle prendra bien soin de toi.» Ce conseil s'applique chaque fois que vous laissez un enfant aux soins d'une autre personne, que cela se produise en garderie, dans un service de garde en milieu familial ou au foyer.

Dire au revoir est un élément essentiel à ce rituel. Si vous vous éclipsez furtivement une seule fois, votre enfant ne voudra plus jamais vous quitter des yeux. Il a besoin de savoir que vous partez et que vous reviendrez.

Dès que vous avez annoncé votre départ, exécutez-vous. Sans quoi, l'enfant profitera de votre hésitation et s'accrochera très fort à vous. Voici ce que conseille à ce propos Marilyn Neuman, directrice des garderies de l'université McGill: «Si vous n'êtes pas rassurée lorsque vous quittez votre enfant, vous lui communiquez l'impression que quelque chose dans son environnement le menace. Il faut lui donner la certitude qu'il se trouve dans un endroit sûr et lui faire aussi entièrement confiance. Il n'y a qu'une façon de procéder: lui dire "À tout à l'heure" et s'éloigner, l'air joyeux. Puis on pourra rentrer chez soi et pleurer tout son soûl.»

Si vous vous faites vraiment du souci à son sujet, téléphonez à la garderie dès votre arrivée au travail. Les éducatrices et la directrice comprendront votre inquiétude et vous donneront un compte rendu complet et exact de la manière dont il s'en tire.

Quelle est la clef du succès?

Le développement d'un lien affectif avec une éducatrice particulière est habituellement la clef de l'intégration réussie d'un nourrisson. Le langage corporel de l'enfant en témoignera: il ne s'agitera pas, ne se raidira pas, ni ne fera d'étranges moues quand elle s'approchera de lui. Il mangera lorsqu'elle lui présentera la cuiller et recherchera ses étreintes lorsqu'il sera fatigué ou triste. Dans une garderie, le bébé choisira généralement lui-même cette personne. (Nul ne sait avec certitude si cela tient au fait qu'elle soit la première personne dont il ait fait la connaissance, ou celle qui porte des lunettes, comme sa mère.) Mais les bébés plus âgés s'attachent aussi à leurs pairs et se font une fête de revenir à la garderie pour retrouver un ami cher.

Il faut à un nourrisson de quelques jours à un ou deux mois pour s'habituer à son nouveau milieu. Parfois, après deux ou trois semaines d'une adaptation qui semblait réussie, il comprend soudainement qu'il se trouve vraiment placé dans un service de garde et il devient inconsolable. Mais cela lui passera rapidement et, plus souvent qu'autrement, lorsque vous entrerez ensemble à la garderie, il battra des jambes et des bras, jouissant d'avance du plaisir qui l'attend.

L'intégration des tout-petits et des enfants d'âge préscolaire

À vos marques...

Lorsque vous avez rempli les documents d'admission à la garderie, ou au service de garde en milieu familial, vous avez emmené votre enfant avec vous pour qu'il voie les lieux. Mais avant l'entrée officielle de votre enfant en service de garde, vous serez bien avisée de répéter l'expérience — deux ou trois fois, si votre horaire vous le permet. La plupart des éducatrices vous accueilleront avec plaisir et vous aideront, ainsi que votre enfant, à mieux connaître les lieux.

Prévoyez y faire une visite environ un mois seulement avant la date d'entrée de votre enfant, de sorte que ce qu'il y verra lui reste frais à la mémoire. Téléphonez d'abord pour vous informer du meilleur moment de la journée pour vous y rendre et du temps qu'on vous permettra d'y passer. S'il s'agit d'une garderie, demandez si l'éducatrice de votre enfant sera présente. Bien que l'un des buts de votre visite soit de la rencontrer, vous n'aurez peut-être pas cette chance. Elle sera en pleine action et n'aura peut-être pas beaucoup de temps à consacrer à un enfant de plus; elle pourra même être en congé. Et comme c'est malheureusement souvent le cas dans le milieu des services de garde, où le personnel change souvent, la petite tête rousse au visage tavelé dont vous avez fait la connaissance en juillet pourra très bien ne plus être là lorsque votre enfant entrera pour de bon à la garderie, en septembre.

Parce que votre enfant ne fréquente pas actuellement la garderie, la police d'assurance de cette dernière ne le protège pas. Cela signifie que vous devez rester auprès de lui pendant qu'il se trouve dans l'établissement. Faites encore une fois le tour du propriétaire: entrez dans toutes les pièces, feuilletez les livres, regardez les vêtements de mascarade, les blocs, les gerbilles et les poupées. Votre enfant pourra s'amuser avec les jouets sur les lieux et se joindre aux activités en cours, à condition de se conformer aux règlements — ce qui est parfois étonnamment compliqué. Il est peut-être trop jeune pour comprendre qu'il ne peut pas se hisser au sommet de la glissoire en tenant un jouet dans ses bras, parce que cela est dangereux. N'oubliez pas la salle de bains. Et montrez-lui le crochet, ou le casier, où il suspendra son manteau et rangera ses objets personnels. S'il s'agit d'un service de garde en milieu familial, vous pourrez même le présenter à ses futurs compagnons de jeux.

Les tendres embrassades dont vous serez témoin et les paroles rassurantes que vous surprendrez vous confirmeront que vous avez pris la bonne décision. Et en observant les enfants négocier pour déterminer lequel d'entre eux aura le plus gros camion à benne basculante, construire le vaisseau spatial Lego le plus échevelé et créer des chefs-d'œuvre à partir de simples cartons d'œufs, vous constaterez à quel point ils se connaissent bien les uns les autres et vous serez en mesure de vous faire une idée de la façon dont votre cher petit s'adaptera au groupe. La transition commencera à vous paraître plus naturelle.

Pendant que vous y êtes, vérifiez auprès des éducatrices l'horaire des activités et initiez-y votre enfant: expliquez-lui que la sieste suit la lecture d'une histoire; faites-lui remarquer à quel point la pièce est sombre et dites-lui qu'on lui permet d'apporter un livre, s'il le lit à voix basse.

En rentrant à la maison, et pendant la semaine qui suivra cette visite, parlez à votre enfant de la garderie ou du service de garde, rappelez-lui ce qu'il y a vu et ce qu'il y a fait. Abordez d'un air détaché le sujet — vous ne voulez pas l'effrayer en accordant à cette question une importance grave et démesurée — et assurez-vous de bien mentionner qu'il prendra son repas du soir à la maison avec vous et qu'il dormira la nuit dans son lit.

Associez toute la famille à cet événement. Si toutes les personnes importantes dans sa vie partagent avec lui cette nouvelle expérience, l'enfant saisira mieux qu'il entrera bientôt dans un service de garde. Grand-maman voudra probablement faire un saut à la garderie pour y jeter un coup d'œil.

Aidez aussi votre enfant à mieux maîtriser ses émotions à l'idée de cette séparation, en vous adonnant avec lui à ses jeux préférés qui comportent des départs et des retours, qui recourent aux notions de disparition et de réapparition, comme les jeux de «coucou!» et de cache-cache. Ils lui rappelleront que vous lui revenez toujours. Peut-être les poupées fréquentent-elles aussi la garderie!

Le premier jour

De quoi aura-t-il besoin le premier jour? Montrez-lui quelques vêtements de rechange — tous étiquetés à son nom — qu'il déposera dans son casier et dont il se servira s'il venait à renverser du jus de pomme sur sa chemisette, ou trempait ses chaussettes en jouant dans la neige. Comme il y aura très certainement recours — les accidents de ce genre surviennent très fréquemment, les premiers temps — assurez-vous de ne rien oublier, depuis la tuque et les mitaines jusqu'aux chaussettes et aux souliers (ou pantoufles). Les enfants ont un sens de la propriété étonnamment aiguisé et ils préfèrent toujours porter leurs propres vêtements.

Si on ne sert pas le déjeuner à votre garderie ou service de garde en milieu familial, il faudra vous procurer une boîte à lunch. Laissez votre enfant la choisir lui-même: il sera ravi d'en choisir une de sa couleur préférée, à l'effigie d'un super-héros ou d'un personnage de bande dessinée qu'il adore. Glissez-y un petit mot ou une photo de famille.

Pour lui assurer ce lien essentiel avec le foyer, vous pouvez aussi lui offrir une pièce de vêtement qui vous appartienne: il se sentira plus rassuré s'il porte le foulard de maman ou la cravate de papa. Une couverture ou un jouet chéri en peluche, qu'il pourra serrer dans ses bras, lui sera d'un secours inestimable à l'heure de la sieste. Mais pendant le reste de la journée, il vaudra mieux qu'il les range dans son casier; de cette manière, il ne s'isolera pas du groupe et il s'évitera un autre sujet d'inquiétude. Dans ce lieu sûr, ses objets précieux ne se perdront pas, ne pourront pas lui être volés ni être égarés.

Prêts!

Maintenant que vous avez tout prévu, passez à l'étape suivante: aider votre enfant à s'adapter à la garderie. Accordez-lui toute votre attention. S'il s'agit d'une première séparation, il n'a que peu d'outils ou d'instruments pour faire face à la situation. Bien que les éducatrices l'y aideront, votre enfant se repose d'abord et avant tout sur vous; il compte sur vous pour que vous lui fournissiez des indications sur la manière d'apprivoiser ce monde nouveau. Si vous êtes disponible, il se sentira suffisamment rassuré pour explorer les lieux sans se sentir dépassé par les événements. À mesure qu'il gagnera en assurance, il aura de moins en moins besoin de vous et il comprendra que d'autres personnes peuvent également répondre à ses besoins.

Comme nous l'avons suggéré plus tôt, prenez quelques jours de congé (ou, si nécessaire, trouvez une personne en qui vous avez toute confiance pour vous remplacer) et restez auprès de lui pendant ses premières journées en service de garde. Cet investissement de temps vous rapportera énormément plus tard. Ayez pour objectif de partir plus tôt de la garderie et d'en rester absente plus longtemps chaque jour, en tirant parti des moments de pause naturels, comme l'heure de la collation, du regroupement pour les chants, des jeux en plein air, du déjeuner ou de la sieste.

L'initiation

Plusieurs garderies prévoient une journée spécialement réservée à l'initiation des enfants à leur nouveau foyer loin de la maison familiale. Ne la ratez pas. Bien qu'elle puisse ne durer qu'une heure, l'initiation est d'un grand secours, tant pour les parents que pour les enfants. Vous aurez ainsi l'occasion de faire la connaissance d'autres parents (qui pourraient bien devenir membres de votre réseau personnel d'entraide) et votre enfant y aura un avant-goût de la place qu'il occupera dans ce nouvel univers. Il lui sera dorénavant évident qu'il y est chez lui: son nom sera apposé sur un casier; il figurera sur la liste des enfants de son groupe; on pourra même afficher la date de son anniversaire et une personne attentionnée et amicale — son éducatrice attitrée — sera sur les lieux pour prendre soin de lui. Munie de la liste des enfants confiés à ses soins et d'une étiquette d'identité au nom de chacun, elle vous attendra; présentez-vous donc à elle et présentez-lui votre enfant dès que possible, et veillez à vous rappeler son nom!

La journée d'initiation donne généralement en raccourci un aperçu du programme quotidien d'un service de garde. Les parents et les enfants peuvent rester ensemble pendant une courte période de chants en groupe: tous entonnent alors de vieux airs populaires, et les éducatrices et les enfants en profitent pour lier connaissance. Parce qu'il est parfois pénible pour les enfants de prendre un repas loin de la maison (il y a de nouveaux aliments, de nouvelles tables et chaises, de nouveaux voisins de table et beaucoup trop de tapage), on servira plutôt aux enfants une petite collation pour les initier à cette expérience.

Faites un effort pour garder en mémoire quelques détails précis, en plus du nom de l'éducatrice de votre enfant. Avec quel jouet s'est-il d'abord amusé votre enfant? Y avait-il à l'intérieur une cage à grimper qui vous paraissait attrayante? Les pièces étaient-elles peintes d'une couleur particulière? Avez-vous remarqué la présence d'un livre qu'adore votre enfant? Si vous lui parlez de la garderie en faisant allusion à des détails spécifiques, vous aiderez votre enfant à mieux se la rappeler et vous lui donnerez du même coup une raison d'avoir le goût d'y retourner.

Si la nouvelle année en service de garde s'amorce sans une période d'initiation et que les anciens et les nouveaux venus s'y présentent tous ensemble, l'intégration de votre enfant pourra exiger un peu plus de temps, mais que cela ne vous décourage pas. De grâce, accompagnez-y votre enfant et organisez vous-même votre journée d'initiation. Encore une fois, présentez-vous immédiatement à l'éducatrice et présentez-lui votre enfant; à mesure que se déroulent les activités habituelles de la garderie, efforcez-vous de vous rappeler certains éléments particuliers dont vous entretiendrez votre enfant après votre retour au foyer.

Les toutes premières journées, alors que vous resterez à la garderie plus longtemps qu'en temps normal pour aider votre enfant à s'y intégrer, vous aurez du mal à vous y retrouver. La garderie est surpeuplée en raison de la présence de très nombreux parents et, plus qu'en tout autre moment, de très nombreux enfants pleurent. Certains parents préfèrent explorer les lieux avec leur enfant sans la présence de l'éducatrice; d'autres, qui se sentent encore moins à l'aise que leur enfant sur ce terrain inconnu, ont besoin de l'assistance d'une éducatrice; et d'autres encore préfèrent s'asseoir à l'écart pendant que leurs enfants font leurs propres expériences. Rappelez-vous que votre objectif est d'aider votre enfant à se sentir à l'aise dans cet environnement. Soyez là quand il a besoin de vous, mais laissez-le mener sa barque.

Lorsqu'un trop grand nombre d'adultes l'entourent, un enfant peut devenir confus et nerveux — avoir la conviction qu'on lui cache certaines choses à propos du service de garde. Selon plusieurs bonnes éducatrices, la présence d'un parent suffit; elles n'interviendront que si on leur fait savoir que l'on a besoin de leurs conseils. Ne vous attendez donc pas à ce que l'éducatrice se jette sur votre enfant et lui lance: «Salut, je m'appelle Julie. Allons lire ensemble une histoire.» Si vous voulez qu'elle s'approche, à vous de le lui laisser savoir.

Si votre enfant fait son entrée en garderie au beau milieu de l'année, il aura moins besoin d'une journée d'initiation. En fait, comme il arrivera après qu'auront cessé les grincements de dents et que chacun saura déjà où il s'en va, cela se passera plutôt bien et votre enfant aura toute l'attention qu'il requiert. Vous souhaiterez peut-être rester auprès de lui jusqu'à ce que vous vous sentiez tous deux rassurés, mais contrairement à ce qui est le cas les premiers jours qui suivent la rentrée, vous serez vraisemblablement le seul parent présent sur les lieux. Ne vous laissez pas intimider par ce détail. Encore une fois, il n'existe pas de formule toute faite. Rompez la glace avec l'éducatrice dès le premier jour et soyez à son écoute comme à l'écoute de votre enfant.

Partez!

Comment saurez-vous qu'est venu le moment de partir? Comment dire au revoir? Quel casse-tête!

Le temps que vous passez sur les lieux est moins important que la manière dont vous les quittez. Les premiers jours, une sortie élégante et sans déchirement semble absolument impensable; mais croyez-le ou non, avec le temps vous développerez cet art. Pour commencer, vous voudrez que votre enfant se sente bien. Emmenez-le dans la salle réservée à son groupe; dirigez-le vers une personne, une activité ou un jouet particulier et restez sur place jusqu'à ce qu'il se soit calmé (ou jusqu'à ce que vous deviez absolument vous rendre au travail).

Le père de Roger a remarqué qu'un camion d'incendie d'un rouge éclatant avait attiré l'attention de son fils. Ensemble, ils l'ont fait rouler sur la table, ont éteint d'innombrables incendies, actionné sa sirène et déployé ses échelles. Roger était à ce point fasciné par l'échelle du camion d'incendie qu'il s'est à peine aperçu que son père lui disait au revoir. Chaque matin, Roger se rend directement au camion d'incendie. Comme par miracle, les autres enfants ont compris que ce jouet permettait à Roger de se sentir mieux et l'ont laissé de bon cœur le monopoliser.

Assurez-vous le concours d'une éducatrice. Même si tout semble bien se dérouler, rien ne garantit que votre enfant vous dira tout bonnement au revoir, quand vous franchirez la porte. Il se sentira bouleversé, désespéré et effrayé. Mais si vous prévenez cinq minutes plus tôt l'éducatrice de votre départ, elle pourra se préparer à prendre la relève. Parce qu'elle a fait très récemment la connaissance de votre enfant, elle comptera sur votre aide pour connaître quel jeu — de la table de bricolage ou des appareils ménagers miniatures — aidera votre enfant à mieux supporter votre départ.

Dire au revoir est une règle cardinale et incontournable du départ. Même si votre enfant garde les yeux rivés à ses blocs, même s'il n'a pas daigné vous jeter un seul regard pendant les dix dernières minutes, *ne vous éclipsez pas en douce.* Bien que vos intentions soient honorables, il interprétera inévitablement votre départ comme une trahison et il se montrera particulièrement méfiant lorsqu'il se retrouvera au service de garde. (Il se peut qu'il ne vous fasse plus jamais autant confiance.) Soyez très claire, attentionnée, aimante et franche. Dites à votre enfant que vous devez vous rendre au travail et dites-lui à quel moment vous serez de retour. Ayez recours à des expressions dont il pourra comprendre le sens — après le déjeuner, après la lecture, après la sieste — de manière à ce qu'il sache que vous ne partez pas pour toujours. Une fois que vous avez annoncé votre départ, exécutez-vous. Ne traînez pas, même si votre enfant se met à pleurer. Il n'y a pas plus grave erreur que de flancher. Si vous semblez peu sûre de vous-même, votre enfant ne saura plus exactement ce que vous attendez de lui et vous ne trouverez plus de moment propice pour le laisser.

Si vous vous sentez mal dans votre peau, il n'y a aucune raison que vous vous torturiez: téléphonez donc au service de garde dès votre arrivée au travail. Téléphonez autant de fois que vous le désirez pendant la journée. Au service de garde, on devrait toujours être ouvert à vos demandes d'information.

Il ne s'agit là que d'une toute première expérience de séparation pour votre enfant; si vous vous y prenez bien, vous rendrez plus faciles les inévitables et nombreuses autres séparations à venir et votre enfant et vous-même apprendrez ainsi tous les deux à mieux les accepter.

Le retour

De grâce, passez reprendre votre enfant à l'heure promise. Il compte sur vous et il pourra craindre que vous ne reveniez pas, jusqu'au moment où vous réapparaîtrez. Mais ce n'est pas parce qu'il attend impatiemment votre retour qu'il vous accueillera avec le sourire. N'espérez pas qu'il abandonne ses activités et se jette dans vos bras: le moment des retrouvailles est souvent aussi difficile et délicat que celui de la séparation. Bien sûr qu'il est heureux de vous revoir, mais il est aussi très fatigué et des sentiments mêlés l'assaillent: il est fâché que vous l'ayiez abandonné, et soulagé que vous soyez de retour; heureux aussi de s'être bien amusé, et frustré de ne pouvoir vous raconter ce qui s'est passé en votre absence. Il pourra éclater en sanglots. Il pourra vous frapper. Il pourra ignorer votre présence. Ou vous tendre les bras et vous accueillir par une étreinte et un sourire. À votre arrivée, ne l'étouffez pas de caresses et ne soyez pas prise de panique. Laissez-lui du temps et de l'espace. S'il s'amuse avec ses nouveaux amis et jouets, observez-le à distance. Attendez qu'il vous voie ou approchez-vous de lui lentement et joignez-vous à son jeu. Vous devez absolument vous extasier devant ses créations, et vous voudrez peut-être échanger quelques mots avec l'éducatrice. Si vous croyez remarquer qu'il n'a rien mangé au déjeuner, demandez-en la raison et informez-vous de ce qu'il a avalé entre ses crises de larmes. Dans dix ou quinze minutes, il sera probablement heureux de partir — au moins les premiers jours. Après qu'il aura compris que sa plus grande frayeur — que vous l'abandonniez — n'a aucun fondement, vous aurez à résoudre un autre problème: comment l'amener à quitter la garderie.

Combien de temps lui faudra-t-il pour s'y habituer?

Combien de temps faudra-t-il à votre enfant pour qu'il retrouve le sourire? En moyenne, peut-être qu'un mois s'écoulera avant que vous ne puissiez espérer qu'il vous dise un joyeux «au revoir» en agitant la main. Un tout-petit très attaché à sa mère pourra mettre jusqu'à deux mois. Mais chaque enfant est différent et aucune formule magique ne garantit le succès facile. Certains enfants plongent dès la première journée, et ne se retournent jamais. D'autres se considèrent le droit de déclencher une protestation d'envergure nationale!

Un deuxième-né, qui a vu des centaines de fois le service de garde fréquenté par son aîné, se sentira généralement tout de suite chez lui lorsqu'il y sera admis. Il sait de quoi il retourne et il a probablement fait aussi la connaissance de l'éducatrice. Mais même si toute la famille se sent alors beaucoup plus rassurée sur la vie en service de garde, ne tenez pas pour acquis que votre cadet réussira tout seul à assumer la transition; il aura lui aussi probablement besoin d'un peu d'aide.

Ne vous tourmentez pas si votre enfant pleure: il est parfaitement normal de vouloir rester avec celle qu'on aime.

Après qu'il aura versé quelques larmes, pour vous laisser savoir que vous êtes vraiment importante à ses yeux, il s'absorbera probablement dans un jeu de Lego.

La tempête se calmera dès qu'il se sera fait un ami ou qu'il aura développé un lien privilégié avec son éducatrice — ou avec un jouet, comme ce fut le cas pour Roger. Chaque jour qui passe permet généralement de constater une nette amélioration. Lorsque sa maman la quitta une première fois, Stéphanie pleura tout son soûl et repoussa ceux qui voulaient la consoler. Trois jours plus tard, elle ne pleurait plus qu'une minute environ avant de se mettre à jouer avec les crayons feutres.

L'enfant qui s'adapte mal

Il y a toujours, dans chaque groupe, au moins un enfant qui éprouve vraiment des difficultés à se faire à l'idée de quitter la maison, ou de passer toute la journée loin de maman ou de papa. Un mois d'adaptation pourra vous paraître interminable si votre enfant s'agrippe chaque matin à votre jambe lorsque vous vous apprêtez à partir, rapporte chaque jour à la maison sa boîte à lunch intouchée et fait une crise de larmes chaque fois qu'on lui propose une nouvelle activité.

Si c'est le cas de votre enfant, vous vous sentirez sans nul doute aussi misérable que lui. Mais ne cédez pas au désespoir. Il est important que vous consacriez tous vos efforts à atténuer ses angoisses. Confiez-vous aux éducatrices, à la directrice ou à la responsable du service de garde: elles vous seront reconnaissantes de partager avec elles vos inquiétudes. Un enfant en détresse représente un problème pour elles aussi. Les larmes sont contagieuses, et lorsqu'un enfant du groupe exige plus d'attentions, il est difficile de s'occuper des autres. Efforcez-vous de mettre en pratique les conseils du personnel, qui s'appuient sur des années d'expérience et d'études spécialisées. Bien qu'elles écoutent très attentivement les enfants et glisseront une cassette dans le magnétophone si le vôtre leur dit: «Je veux chanter», vous les aiderez en leur précisant qu'il raffole de la chanson «Frère Jacques» et qu'il ne pleure jamais lorsqu'il est assis sur les genoux d'un adulte.

Tentez de découvrir la cause de cet état de fait. Serait-il le reflet de vos doutes? Si l'un des parents éprouve plus de difficulté que l'autre quand vient le moment du départ, on pourra s'échanger les tâches: il suffira peut-être que papa, plutôt que maman, dépose bébé à la garderie. Si l'enfant a 3 ou 4 ans, songez à inviter à la maison, pendant le week-end, l'un de ses copains du service de garde. Grâce à ce petit coup de pouce, il pourrait bien se faire ainsi son premier ami — le plus important entre tous.

N'hésitez pas à téléphoner au service de garde pendant la journée pour prendre de ses nouvelles. Mais même si votre enfant semble mieux se porter, vous auriez peut-être intérêt à réaménager votre horaire de travail de manière à rester avec lui plus longtemps et le reprendre plus tôt, en après-midi, pendant un certain temps.

La «quatorzième-jour-ite»

Il arrive qu'un enfant soit à ce point stimulé par ses compagnons de jeux et son nouvel environnement qu'il n'ait pas le temps de réfléchir à ce qui lui arrive. Environ deux semaines plus tard, la réalité le foudroie: il ne s'agit pas d'un jeu. Il n'a pas le choix: il devra venir à la garderie jour après jour, et peut-être cela ne sera-t-il pas toujours aussi amusant qu'il l'avait d'abord cru. Il refuse soudain de s'y rendre; il semble terrorisé; il s'accroche, il pleure, il ne veut pas que vous partiez. Il ne vous laissera pas le quitter sans susciter en vous un sentiment de culpabilité; il veut ainsi s'assurer que vous sachiez combien il vous aime, et il se sent maintenant pleinement le droit de vous le manifester.

Nous appelons ce phénomène la «quatorzième-jour-ite». Sous certains aspects, elle peut être plus éprouvante que le cafard de la première semaine. Vous avez déjà connu en alternance des périodes d'angoisse et de soulagement. N'en croyant que vos yeux et vos oreilles, vous pensiez avoir fait le bon choix pour votre enfant. Il *paraissait* parfaitement heureux. Vous vous sentez inévitablement déçue. Vous ne pouvez maintenant vous empêcher de vous demander si ce service de garde est vraiment celui qui lui convient, ou même si votre enfant était vraiment prêt à ce changement. Quelques jours de patience, des paroles réconfortantes («Je t'aime et je sais que tu m'aimes»), répétées maintes et maintes fois, et plusieurs vraies bonnes nuits de sommeil apporteront remède à ce mal.

Le cafard du lundi

Le cafard du lundi est un autre syndrome commun. Même si, samedi et dimanche, votre enfant a demandé à aller en garderie, il arrive qu'après avoir passé le week-end avec leurs parents, certains enfants en aient presque oublié l'existence et n'y retournent qu'à contrecœur. Si cela vous est possible, restez avec votre enfant un peu plus longtemps que d'ordinaire et rendez-vous au travail un peu plus tard. Après cela, il devrait se sentir mieux et le reste de la semaine se déroulera sans anicroche.

Les lundis et les lendemains de longs week-ends, comme celui de l'Action de grâces, pourront s'avérer plus difficiles pendant quelques mois.

Les changements de comportement

Les enfants réagissent souvent à leur entrée dans un service de garde en modifiant leur comportement à la maison. Parce qu'ils utilisent toute leur énergie pour faire face à la journée en service de garde, ils semblent s'y plaire; pourtant, la fatigue les mine et ils réservent leurs sautes d'humeur pour leurs parents, ces personnes en qui ils ont le plus confiance. Parfois, ils vous suivront comme votre ombre; d'autres fois, ils deviendront sauvagement agressifs; et d'autres fois encore, leurs habitudes de sommeil en seront complètement bouleversées. Ce n'est pas le moment de procéder à d'autres importants changements dans leur vie, ni d'accroître la pression qui s'exerce sur eux.

Avant de céder à la panique, rappelez-vous que ces changements de comportement peuvent aussi avoir des origines physiologiques, le résultat des exigences physiques de la vie en garderie. Votre enfant dépense plus d'énergie; or, s'il avait l'habitude de regarder «Passe-Partout» l'après-midi en avalant du lait et en grignotant des biscuits, et qu'on lui sert plutôt maintenant comme collation du céleri et du fromage, son apport en sucre s'en trouvera diminué. Il pourra être vraiment affamé lorsqu'il arrive à la maison, parce que la collation en garderie est servie à 15 h 15 et qu'il ne s'était jamais jusque-là senti l'estomac vide. Il pourra être surmené et éprouver le besoin impérieux de se mettre au lit plus tôt. Il est normal qu'il se sente fatigué et affamé. Essayez de vous montrer attentive à ses besoins: offrez-lui quelque chose à manger et une pièce où se détendre; dix minutes plus tard, il sera sans doute parfaitement requinqué. (Geneviève, qui se jetait sur le plancher, battait des pieds et hurlait à son retour à la maison après une journée passée en garderie, retrouve toute sa bonne humeur dès qu'elle a mangé.) Avec le temps, votre enfant devrait redevenir lui-même.

Si le problème persiste un mois ou plus, malgré les modifications apportées à l'horaire de l'enfant pour mieux répondre à ses nouveaux besoins, constituez-vous un petit groupe de soutien: abordez la question avec votre conjoint et des amis qui ont placé des enfants en service de garde, ou qui vous ont encouragée à le faire lorsque vous avez opté pour cette solution. Ou demandez à votre service de garde qu'on vous mette en communication avec un parent qui a survécu à cette épreuve l'année précédente (sans perdre de vue que tous, y compris vos amis, ont tendance à oublier les mauvais moments).

Mais si la situation semble s'aggraver, si l'enfant régresse, si un enfant qui utilisait la toilette s'oublie fréquemment, s'il est constipé ou a des cauchemars, il pourrait s'agir d'un problème plus grave, et vous pourriez être amenée à reconsidérer votre choix. Voir à ce propos le chapitre 18, intitulé «Le changement de service de garde».

CHAPITRE 14

Le rôle des parents dans la réussite de cette expérience

Donne-moi la main
Donne-moi la main
Donne-moi la main papa.

Henri Dès
«Boum badaboum»

Les éprouvantes premières semaines sont passées. Au service de garde, votre enfant est heureux comme un prince la plupart du temps; vous êtes de retour au travail et la famille s'est adaptée à une nouvelle routine. Une fois l'adaptation pleinement réussie, vous pourrez être tentée de ranger dans un tiroir séparé de votre esprit la question de la garderie, ou de la gardienne, au même titre que la lessive et la préparation des repas; certes, vous vous en occupez, mais vous n'y mettez pas tout votre cœur et votre tête. Vous présumez naturellement que votre enfant continuera d'être heureux et que la vie en service de garde, ou auprès d'une gardienne, ira de soi.

Erreur! Vous venez d'endosser un important rôle de soutien — celui de parent d'un enfant en service de garde — et c'en est un étonnamment difficile. Vos interventions seront vraisemblablement brèves, mais elles requerront de votre part une exceptionnelle finesse et une grande sensibilité aux besoins de votre enfant.

Votre relation avec les personnes qui gardent votre enfant

Parlons d'abord un moment de vos collaboratrices dans cette affaire, les personnes grâce auxquelles tout cela est possible: les éducatrices en garderie, les responsables de services de garde en milieu familial et les gardiennes à domicile. (Dans ce chapitre, nous ferons plus souvent référence à l'éducatrice en garderie, mais les conseils valent tout autant pour une mère de famille de garde ou une gardienne à domicile.) Chaque parent, comme chaque enfant, entretient une relation différente avec les personnes qui assurent le service de garde. La nature de cette relation dépend entièrement de la personnalité des êtres en cause, mais ces dernières ont tendance à attendre de vous le signal de leur entrée en scène. Si vous êtes disposée à les écouter, elles vous informeront probablement, sur une base régulière, des bons comme des mauvais moments. Si vous entrez et sortez toujours en coup de vent, elles ne se sentiront peut-être pas à l'aise pour voler un peu de votre précieux temps et vous apprendre que Jeanne s'est fait une nouvelle amie aujourd'hui.

Dans le meilleur des cas, les rapports entre parents et éducatrices, mères de familles de garde ou gardiennes seront fréquents, spontanés et empreints de respect mutuel. Soyez polie et amicale, mais ne vous sentez pas obligée de vous faire aimer. Une éducatrice attentionnée et professionnelle donne le meilleur d'elle-même à tous les enfants, qu'elle apprécie ou non leurs parents. Une gardienne ou une responsable de famille de garde sélectionnée avec soin en fera autant.

Exactement comme vous et moi

Comme elles sont humaines, les personnes qui gardent des enfants apprécient également recevoir de temps à autre des parents un petit mot de remerciement, d'encouragement et de reconnaissance. Si vous remarquez que l'éducatrice de votre enfant a mis au point un programme d'activités d'apprentissage particulièrement stimulant, dites-le-lui. Si Alexandra ne cause que de dinosaures depuis qu'on lui en a parlé à la garderie, dites-le-lui. Si le coup de patins de Carl s'est grandement amélioré grâce aux soins de sa mère de famille de garde, dites-le-lui. Si les dimanches matins, Sébastien se prépare pour la garderie et pleure quand il apprend qu'il ne s'y rendra pas, dites-le-lui. Vous serez le soleil de sa journée.

Bien que vous puissiez demander à une gardienne de travailler le soir, ou de rester pour l'heure du souper, vous abuseriez si vous en demandiez autant à une éducatrice en service de garde. Si elle ne rendait visite chez eux qu'à un ou quelques enfants confiés à ses soins, elle donnerait l'impression d'avoir des chouchous, et il lui serait humainement impossible de rendre visite à tous. L'inviter à la partie d'anniversaire de David est un geste attentionné, mais il serait encore plus indiqué de lui apporter un morceau de gâteau, le lendemain.

Si vous voulez lui faire connaître votre mode de vie, initiez-la à votre culture et à votre langue. Parlez-lui de vos grands jours de fête et apportez à la garderie quelques objets et plats, de manière à ce que votre enfant puisse partager son héritage culturel avec ses compagnons. Pour souligner le jour de l'An chinois, une famille du centre communautaire familial McGill a préparé une collation de boulettes de pâte dorée (qui symbolisent le souhait d'une année prospère), tandis qu'une autre a fourni les feux de Bengal (en lieu et place des traditionnels pétards bruyants), de manière à ce que leurs enfants de 4 ans et leurs amis puissent célébrer ensemble l'arrivée du Nouvel An.

Rester en communication

Entretenez-vous chaque jour, au moins une minute ou deux, avec la personne qui s'occupe de votre enfant — ne serait-ce que pour lui dire bonjour et lui communiquer des renseignements utiles. Cela lui évitera de se sentir comme un meuble. Mais environ une fois la semaine, prévoyez quelques minutes de plus pour une véritable conversation — pour l'informer des changements survenus à la maison («Liane n'a pas mouillé son lit deux nuits de suite»), pour vous mettre au fait de ce qui s'est produit à la garderie et pour connaître les nouvelles compétences acquises par votre enfant. Si on montre à découper aux enfants, il est temps d'acheter une paire de ciseaux à bouts ronds que Stéphanie pourra utiliser à la maison. Mais c'est aussi le moment de la surveiller étroitement: un silence bienheureux pourrait bien être l'indice d'une coupe de cheveux personnelle en cours de réalisation.

Rapportez sans délai les événements importants survenus dans la vie de votre enfant, qu'ils soient positifs ou négatifs. Un déménagement peut être pour vous un moment très excitant, mais en voyant disparaître ses possessions dans des cartons, votre enfant pourra en éprouver une profonde angoisse. Si un long voyage vous oblige à vous absenter deux nuits de suite et que vous confiez la maisonnée à votre conjoint, votre enfant se demandera probablement où vous vous trouvez et à quel moment vous reviendrez. S'il a passé un week-end merveilleux mais épuisant chez son père, il pourra se sentir vidé. Pareils événements affecteront très certainement son comportement pendant la journée, et le simple fait d'en informer son éducatrice permettra à cette dernière de mieux aider votre enfant à traverser ce moment difficile. Si vous ne voulez pas que votre enfant soit témoin de cet échange, téléphonez à votre service de garde dès votre arrivée au travail.

Il vous appartient de décider ce qu'il convient que votre enfant entende. Il est parfois important qu'il soit présent. En présence de Léa — mais pas des autres enfants — vous pouvez juger bon de dire à l'éducatrice: «La grand-mère de Léa est décédée hier, et nous nous rendons demain à Québec pour les funérailles. Nous en avons parlé ensemble et Léa dit préférer venir à la garderie. Je voulais vous prévenir qu'elle pourrait se sentir triste.»

Gardez présent à l'esprit que, même lorsqu'elle vous parle, la responsabilité première de l'éducatrice reste la garde des enfants. Si vous devez aborder un sujet grave de nature personnelle — comme une séparation, un partenaire abusif, des difficultés financières ou un problème avec une éducatrice —, vous préférerez peut-être prendre rendez-vous pour vous entretenir avec l'éducatrice, ou avec la directrice, dans l'intimité de son bureau. Loin des enfants et des autres parents, vous vous sentirez plus à l'aise de parler de vos problèmes à un adulte équilibré et expérimenté, et de pleurer si l'envie vous en prend. La directrice gardera confidentiel tout ce que vous lui direz, mais si cela pouvait affecter le comportement de votre enfant, elle devra en faire part aux éducatrices pour leur permettre de s'acquitter adéquatement de leur travail.

Pour discuter de questions graves et personnelles avec votre gardienne ou votre responsable de service de garde en milieu familial, veillez encore une fois à vous ménager un moment d'intimité, loin des enfants. Cela pourra s'avérer extrêmement difficile, parce que les enfants ont un septième sens quand il s'agit de deviner que l'on tient une importante rencontre à leur sujet et réclament immédiatement l'attention des adultes; mais ne renoncez pas. Utilisez le téléphone si vous vous sentez à l'aise avec ce moyen de communication, demandez à votre partenaire de rentrer à la maison plus tôt que d'habitude ou fixez un rendez-vous en soirée.

Dans le cadre des réunions plus officielles, tenues plusieurs fois par année dans les bonnes garderies, vous aurez l'occasion de poser davantage de questions sur le développement de votre enfant et le programme de la garderie. Même si vous échangez quelques mots chaque jour avec l'éducatrice, vous serez bien avisée de vous réserver avec elle un moment d'intimité. Cette rencontre pourra vous fournir l'occasion d'échanger avec elle à un niveau différent. Vous lui témoignerez ainsi tout le respect que vous avez pour elle en tant que professionnelle.

Parfois je vous adore, d'autres fois je vous abhorre

Il n'est pas anormal d'éprouver des sentiments ambivalents à l'égard de celle qui prend soin de son enfant. Elle est si compétente et détendue qu'il est bien difficile de ne pas se sentir un peu jalouse — et quelque part, au fond de vous-même, vous vous demanderez: «Est-ce que Joël la préfère à moi?» Ce n'est pas le cas. Les chercheurs affirment que les enfants dont les mères travaillent hors du foyer sont tout aussi attachés à leur mère que ceux dont la maman reste au foyer à temps plein[1].

Il est aussi normal de se sentir occasionnellement jugée, comme parent, par l'éducatrice (ou mère de famille de garde ou gardienne). Pourtant détentrice d'un Ph.D., la mère de Patricia s'est sentie un jour absolument nulle et inepte lorsqu'elle est passée prendre sa fille, à la fin de la journée. Patricia refusait de partir; elle pleurait et se mit à courir pieds nus dans le hall, juste au moment où son éducatrice prononça les mots fatidiques: «Elle s'est montrée tellement coopérative toute la journée.» Lorsque l'éducatrice s'en mêla — et

---

1. Scarr, *ibid.*, p. 19.

réussit à convaincre la fillette de s'habiller et de sortir en moins de deux minutes —, son geste fut ressenti comme un soufflet, même si elle ne portait pas alors de jugement implicite sur la mère. Cela tient simplement au fait qu'elle joue un rôle différent dans la vie de l'enfant: elle n'est pas sa mère et les enjeux en cause ne sont donc pas aussi élevés. Ne vous en préoccupez pas.

Rappelez-vous que la situation inverse se produira aussi parfois: parce que vous avez consacré tant d'amour, de temps et d'efforts à l'éducation de votre enfant, vous pourrez trouver à redire sur le travail d'une éducatrice. En fait, cela est inévitable: personne ne fera jamais tout exactement comme vous — y compris votre cher partenaire. Mais vous avez choisi avec le plus grand soin votre service de garde ou la personne qui s'occupera de votre enfant. Vous devez maintenant vous convaincre que celle-ci remplira bien sa tâche, même si ses méthodes sont légèrement différentes des vôtres, et que votre enfant s'en tirera bien — qu'il se développera et apprendra. Les enfants et les éducatrices ont aussi besoin de moments bien à eux pour résoudre leurs différends. La capacité de résoudre des conflits avec des adultes, comme avec ses pairs, est l'une des plus importantes habiletés que puisse acquérir votre enfant.

Écoutez votre enfant, mais gardez le tête froide. Si Christine vous dit: «Maman, je n'aime pas Anna; elle hurle après moi», demandez-lui pourquoi, mais ne vous immiscez pas entre elles. Le lendemain, Christine adorera peut-être à nouveau Anna. Si ce n'est pas le cas, ou si le climat s'envenime, parlez-en à Anna, en vous assurant de la participation de Christine à la discussion. Christine saisira que vous la prenez au sérieux, elle aura la chance de faire valoir son point de vue et elle apprendra celui d'Anna.

Lorsque vous vous entretenez d'un problème avec l'éducatrice, la mère de garde ou la gardienne, soyez aussi polie et délicate que possible. Deux adultes hérissées et blessées peuvent trop facilement s'emporter. Choisissez un moment et un lieu à l'abri des oreilles indiscrètes — loin des autres enfants et adultes — et maintenez ouvertes les voies de communication en restant calme et maître de vous-même. Peut-être ne résoudrez-vous pas le problème, mais il y a des chances que chacune de vous se sente mieux après coup.

Commencer la journée du bon pied

Presque tous vos contacts avec la personne qui s'occupe de votre enfant surviendront le matin et le soir. Intercalées entre la maison et le travail, ces brèves rencontres ressembleront probablement davantage à vos yeux à des interludes qu'à de véritables scènes complètes d'une pièce de théâtre. Comme les intermèdes, les moments de transition sont toutefois chargés de tension: vous êtes alors préoccupée par la circulation, désireuse d'arriver à l'heure au travail et de respecter l'échéancier convenu pour le dépôt de votre présentation. Et vous pouvez vous sentir coupable parce que vous étiez trop fatiguée, la veille, pour lire une histoire à votre fille. Il est difficile de vous concentrer sur ces minuscules fragments de votre existence. Mais les moments de transition donnent le ton à tout ce qui suit dans la journée. Comme l'apparition fugitive d'une vedette à une émission de télé, ils valent largement le temps et les efforts requis pour les réussir.

Rester calme

Levez-vous plus tôt s'il le faut, mais prenez votre temps. Un réveil précipité et tendu produira sans tarder des conséquences déplaisantes: votre enfant s'accrochera à vous, lorsque viendra le moment de le quitter, et il éprouvera peut-être du mal à se mettre en train.

Demandez à votre gardienne d'arriver quelques minutes avant votre départ pour le travail. De cette manière, vous aurez le temps de lui apprendre ce qui est arrivé depuis son départ, la veille au soir. Vous vous sentirez ainsi toutes deux plus maîtres de la situation, et si vous n'avez pas à attendre son arrivée, bottes aux pieds et manteau sur le dos, votre enfant aura moins l'impression d'être un petit paquet dont on se débarrasse.

Chaque matin, lorsque vous emmenez votre enfant au service de garde, restez de dix à quinze minutes avec lui sur les lieux. Vous aurez ainsi la chance d'avoir ensemble quelques minutes d'intimité. Si vous lui retirez ses bottes et son habit de neige et lui mettez ses espadrilles sans précipitation, vous vous sentirez mieux tous les deux. Peu importe de quoi vous parlez, ou même que vous échangiez peu ou beaucoup, dans la mesure où l'atmosphère est calme, chaleureuse et détendue. Une journée qui commence avec le sourire sera toute différente.

Si vous laissez un nourrisson, le problème de l'angoisse de la séparation n'est pas celui de l'enfant, mais le vôtre. Donnez-vous suffisamment de temps pour vous assurer qu'il est bien installé. Retirez-lui son habit de neige, changez-le de couche, faites avec lui le tour de la garderie et trouvez un jouet qu'il aime. Si vous l'avez allaité dès son réveil, il y a quelques heures déjà, vous pourriez souhaiter prévoir à votre horaire quelques minutes supplémentaires pour l'allaiter une autre fois, ou lui donner le biberon. Attendez qu'une éducatrice (ou la mère de garde) soit libre, de manière à laisser votre bébé dans des bras qui lui sont familiers, et informez-la du genre de nuit et de début de journée qu'il a connus. Même si vous communiquez par écrit vos nouvelles dans le livre de communications, prenez l'habitude de converser chaque jour à bâtons rompus avec l'éducatrice, de manière à tisser avec elle des liens, à vous permettre de lui parler franchement et à travailler en étroite collaboration avec elle lorsque la situation l'exigera.

Les tout-petits sont imprévisibles. Leur comportement dépend des heures de sommeil auxquelles ils ont eu droit, de leur humeur et de la vôtre, de la personne qui les dépose à la garderie et des enfants et éducatrices qui les accueillent à leur arrivée au service de garde. Si vous les confiez à la même personne chaque matin, ils se sentiront plus rassurés et leur éducatrice saura alors exactement si une caresse, un casse-tête ou un livre illustré les aidera à se sentir davantage chez eux.

Bien que votre enfant d'âge préscolaire saura vraisemblablement se rendre seul depuis le vestiaire jusqu'à la salle de jeux, vous devriez l'accompagner à l'intérieur de la garderie et vous assurer qu'il y trouve un ami ou une occupation. Signifiez son arrivée à l'éducatrice, ne serait-ce qu'en lançant: «Salut, Sylvain est arrivé.» Elle doit être informée de la présence de votre petit. Pour certains enfants, ces premiers pas du matin sont aussi éprouvants que l'escalade d'une montagne. Si votre enfant semble s'accrocher et que vous disposiez de quelques minutes, restez avec lui le temps de faire un dessin ou un casse-tête, puis menez-le à une éducatrice, dites-lui quand vous serez de retour en utilisant des expressions qu'il comprendra (après la sieste, au coucher du soleil), donnez-lui un baiser et dites-lui au revoir. L'éducatrice prendra la relève.

Mais il pleure...

Lorsque Vincent, un bambin de 16 mois, arrive à la garderie avec sa mère, il ne la lâche pas et ne la laisse partir que de mauvaise grâce. Mais quand son père l'y dépose, il entre en courant et commence à jouer avec les gros blocs, sans même se donner la peine de regarder derrière lui. Tout juste trouve-t-il le temps de donner un baiser à son père et de lui dire au revoir. Comme Vincent, plusieurs enfants éprouvent plus de mal à se séparer de leur mère que de leur père, ou vice versa; et bien des parents, comme ceux de Vincent, ont résolu ce problème d'une manière simple: ils ont planifié leur journée de manière à ce que papa dépose Vincent à la garderie, aussi souvent que possible, et que maman le reprenne en fin de journée.

Âgée de 4 ans, Rachel fréquente la garderie depuis trois ans. Bien qu'elle y ait des amis, adore ses éducatrices et raffole de ses journées passées en garderie, elle n'a jamais réussi à dire au revoir d'un air joyeux et heureux et ne s'est jamais mise à jouer pendant que ses parents se trouvaient encore sur les lieux. Pourquoi se complaît-elle dans cette tristesse? Ah! que la séparation est une douce déchirure!

Certains enfants excellent dans l'art de torturer leurs parents lorsque ces derniers les laissent à la garderie. Pour leur dire qu'ils les aiment, ils versent des larmes et supplient qu'on les embrasse. Ce comportement peut devenir persistant et déchirant. Pour découvrir exactement jusqu'à quel point cette expression tragique correspond vraiment à un sentiment profond, téléphonez à la garderie dès votre arrivée au travail. La directrice vous rassurera probablement en vous disant que la tempête est passée et que votre enfant se porte à merveille. Vous pouvez aussi attendre dans le corridor, à proximité de la porte de la salle, tout en veillant à ce que votre enfant ne puisse vous voir — et vérifier ainsi de vos propres oreilles combien de temps durent ses pleurs.

S'il est réellement inconsolable, parlez aux éducatrices et passez un peu de temps à la garderie. Envisagez même

d'inviter à la maison un copain auquel votre enfant s'est
attaché à la garderie, pour l'aider à se sentir plus rassuré.

La fin de la journée

À la fin de la journée, le voyage de retour, en passant par
la garderie, comporte son lot de tensions. Votre enfant et
vous-même avez passé une journée entière séparés l'un de
l'autre. Peut-être avez-vous été particulièrement occupée au
travail et, pour couronner le tout, avez-vous eu des mots avec
votre patron. Vous savez que votre journée est loin d'être
terminée. Il vous reste encore à accomplir les tâches d'un
second emploi à temps plein: cuisiner le repas du soir, faire
la vaisselle, donner un bain à votre enfant, lui lire une histoire, laver une pleine brassée de linge et trouver quelques
minutes à consacrer à votre partenaire avant les nouvelles de
fin de soirée.

Il vous faut donc trouver le moyen et le temps de refaire
le plein avant de passer prendre votre enfant. Il est indubita-
blement heureux de vous revoir, mais il vient tout juste de
vivre huit ou dix heures dans un monde fort différent du vôtre
et il ne sera pas capable de s'adapter instantanément à votre
présence. Comme Francis, âgé de 5 ans, l'a si bien exprimé
un soir que sa mère tentait sans succès de l'entraîner rapidement hors de la garderie: «Je n'ai pas été avec toi de toute la
journée et le changement ne se fait pas tout seul.»

Conserver des énergies pour votre enfant

Voici une importante recommandation de T. Berry Brazelton: «Gardez-vous des forces pour passer la fin de la
journée avec votre enfant[2].» En tout premier lieu, quel que
soit l'âge de votre enfant, nous vous recommandons de prévoir un minimum de dix minutes pour la transition en fin de
la journée, tout comme en début de journée. Même lorsque
vous rentrez à la maison, où vous avez retenu les services
d'une gardienne, il faudra un moment pour que tout le monde
s'ajuste.

---

2. Brazelton, *ibid.*, p. 94.

Deuxièmement, soyez à l'heure. Votre enfant compte sur vous et vous le décevriez si vous étiez en retard. Soyez à l'heure également par respect pour votre gardienne. Votre enfant remarquera son angoisse et sa rogne, si vous la faites attendre; et si elle se tient à la porte de la maison, le manteau sur le dos, il y verra un indice clair qu'elle préférerait se trouver ailleurs. Parce que cette transition n'implique que deux personnes — la gardienne et vous —, vous pouvez lui donner le ton et la forme que vous souhaitez. Vous pourriez par exemple prendre le thé avec elle, tout en échangeant sur les événements de la journée.

Troisièmement, prenez une profonde respiration et concentrez-vous sur les éléments positifs. Si vous remarquez la tache de gouache rouge sur la chemisette de votre enfant plutôt que le chef-d'œuvre qu'il a peint, vos retrouvailles ne seront pas joyeuses. L'enfant peut réagir à votre réapparition de dizaines de manières différentes, mais si vous êtes calme, détendue et impatiente de le revoir, il ne faudra que quelques minutes pour que tous soient au même diapason et que la soirée s'engage sur une bonne note.

Les chercheurs du Child Development Unit, au Children's Hospital de Boston, ont constaté que les bébés en service de garde vivent au ralenti pendant toute la journée — ne sont ni surexcités ni difficiles — jusqu'à l'arrivée de leurs parents. Puis ils se laissent aller, geignent bruyamment et avec colère parce qu'ils ont retenu leurs vives émotions pour les exprimer en présence des personnes auxquelles ils tiennent vraiment[3]. Pour vous rapprocher de votre nourrisson, rien de mieux que de le bercer doucement dans vos bras ou de le nourrir; et le changer de couche avant le départ de la garderie constitue à la fois un geste d'ordre pratique et un moyen d'enclencher le processus de réadaptation à la routine du foyer.

Tout comme le nourrisson, le tout-petit est absolument ravi de vous revoir, mais son comportement pourra vous étonner. Bien qu'il ne puisse encore dire l'heure, il sait qu'il peut s'attendre à vous revoir bientôt quand les autres parents commencent à se présenter. Quand vous faites votre apparition, il est à la fois soulagé et heureux. Mais il peut aussi se

---

3. Brazelton, *ibid.*, p. 93.

sentir légèrement confus. «À qui dois-je obéir maintenant, se demande-t-il, à ma mère ou à mon éducatrice?» Il lui arrivera parfois de vous sauter dans les bras, prêt à partir sur-le-champ; d'autres fois, il éclatera en sanglots, vous frappera ou ignorera même votre présence.

Comment entrer sur son territoire

On sera bien avisé d'attendre que son enfant ait mis la dernière touche à son œuvre d'art, ou la dernière pièce de son casse-tête en place, avant de s'approcher de lui — qu'il s'agisse d'un tout-petit ou d'un enfant d'âge préscolaire. Assoyez-vous à ses côtés et aidez-le; conversez avec la directrice, ou l'éducatrice de l'enfant (si elle n'est pas trop occupée), ou bavardez avec d'autres parents. Laissez votre enfant vous montrer son travail et vous présenter un ami. Vous aurez ainsi une occasion en or de le voir en relation avec ses pairs, de comprendre son univers et de témoigner du respect que vous avez pour son petit monde. Après tout, vous ne le délivrez pas lorsque vous passez le prendre; vous êtes de passage sur son territoire. T. Berry Brazelton fait remarquer que «les enfants qui ressentent cet intérêt [de la part de leurs parents] ont davantage confiance en eux-mêmes. Ils ont un auditoire de qualité devant qui se produire et qu'ils doivent satisfaire. Ils se sentent alors libres d'exprimer leurs sentiments et leurs frustrations parce qu'ils vous sentent intéressés et concernés par leur sort[4].»

Lorsque vous flânez à la garderie, vous devriez vous sentir bienvenue — et pas le moins du monde comme une cliente qui sirote une tasse de café dans un restaurant bondé. Mais efforcez-vous d'arriver une quinzaine de minutes avant l'heure de fermeture. La plupart des enfants n'aiment pas être les derniers partis du service de garde et, s'ils craignent que vous ne soyez en retard, ils pourront se montrer peu enclins à y retourner, le lendemain matin.

Avant de quitter la garderie, n'oubliez pas de demander qu'on vous remette les œuvres de votre enfant. Ses créations sont des travaux de valeur qu'il est fier de vous montrer. Affichez ses dessins les plus précieux sur la porte de sa

---

4. Brazelton, *ibid.*, p. 184.

chambre ou sur l'armoire de la cuisine; apportez-en quelques-uns au bureau et envoyez-en d'autres à ses grands-
parents. Trop de parents ramassent les dessins de leur enfant,
à la fin de chaque journée, et les jettent à la poubelle la plus
proche, puis se demandent pourquoi leur petit ne s'intéresse
pas aux arts.

Si l'éducatrice ne vous a pas vue et que votre enfant est
prêt à partir en un éclair, n'oubliez pas de lui dire au revoir.
Autrement, elle pourrait s'imaginer qu'il s'est égaré!

Les changements à la routine

Un changement apporté à la routine peut soulever des
problèmes inattendus. Quand, sans prévenir, on vous donne
un après-midi de liberté et que vous souhaiteriez le passer
avec votre enfant, il pourra vous accueillir en pleurant. D'autres enfants forcés de quitter la garderie plus tôt que d'ordinaire sont fâchés de rater ainsi une activité qu'ils adorent.
Que faire? Certains parents décident de repartir pour revenir
plus tard; d'autres restent aux côtés de leur enfant jusqu'au
moment où ils pourront l'emmener avec eux en douceur;
d'autres encore traînent de force leur enfant, qui hurle jusque
dans le vestiaire, et l'entraînent ensuite dehors. Nous ne
recommandons certes pas la dernière solution, mais si votre
enfant a rendez-vous chez le dentiste, ou si vous devez passer
prendre oncle Albert à l'aéroport, vous n'aurez guère le
choix. Même si votre enfant refuse de l'admettre, la terre
continue de tourner hors de la garderie.

Quels autres conseils pouvons-nous vous donner? Le
soir, comme le matin, prendre son temps est la clef de tous les
problèmes. Essayez de ne pas vous presser. Sachez que votre
enfant aura faim et soif et présentez-vous à la garderie avec
un jus, une pomme ou des bâtonnets de pain. Vous aurez tout
intérêt à lui donner des raisons de se réjouir d'avance de son
retour à la maison: une visite au chien des voisins, un nouveau livre à lire dans l'autobus, un enregistrement d'une
chanson adorée qu'il pourra chantonner dans la voiture. Ex-
posez-lui vos projets: «Nous rentrerons en voiture à la maison, puis tu pourras m'aider à préparer la soupe au poulet et
aux nouilles pour le dîner. Si nous nous dépêchons, nous
pourrons regarder à la télé "La garderie des amis".» Mais ne
lui promettez ni cadeaux ni friandises. Cela apaiserait peut-

être votre sentiment de culpabilité, mais votre enfant n'en finirait pas moins par flairer votre insécurité, en être aussi partiellement saisi et en redemanderait encore et encore. On ne construit pas une relation sur des méthodes dignes des suborneurs.

S'il le souhaite, donnez à votre enfant une chance de partager avec vous ce qu'il a fait dans la journée et entretenez-le de ce à quoi vous avez occupé la vôtre. Certains enfants n'aiment vraiment pas parler; ils préfèrent tout simplement vivre. Comme vous connaissez bien la personnalité de votre enfant, vous saurez mieux que quiconque vous rapprocher de lui pendant le dîner, l'heure des jeux, le bain, la lecture d'une histoire et à l'heure du coucher.

Les amis au service de garde

Même les tout jeunes enfants qui se côtoient chaque jour au service de garde tissent entre eux des liens étroits. Les nourrissons se considèrent mutuellement fascinants. Ils se caressent et se lèchent les uns les autres comme le font les chiots, s'imitent et s'amusent à des jeux simples[5]. Le bébé de 8 ou 9 mois bat des jambes et frétille en signe de joie dès qu'il aperçoit des enfants qu'il connaît. Mais il est beaucoup plus intéressé aux adultes qu'aux autres bébés, et ce sont d'ailleurs ses relations avec les adultes — plutôt qu'avec ses copains de jeux — qui lui permettent de se sentir chez lui au service de garde.

À 12 mois, un enfant connaît les noms de ceux qui font partie de son groupe et choisira un enfant en particulier pour jouer près de lui. Les tout-petits s'entraident même parfois, mais ils s'amusent d'ordinaire individuellement — plutôt qu'avec un compagnon de jeux — à construire deux tours voisines à l'aide de blocs, ou à creuser deux trous voisins dans le sable, plutôt qu'un seul. Le fait de revoir chaque jour les mêmes éducatrices et les mêmes enfants dans le même environnement leur permet d'être heureux et de se sentir bien, même loin du foyer familial; d'ailleurs, la perspective de s'amuser avec un ami bien particulier joue un rôle capital

---

5. Galinsky et David, *ibid.*, p. 117; Provence, Naylor et Patterson, *ibid.*, p. 97.

dans ce nécessaire climat de continuité. (Au terrain de jeux ou au parc, où ils côtoient chaque jour de nouveaux compagnons, les rapports entre enfants sont fort différents.) À 18 mois, les enfants choisissent des compagnons de jeux qui apprécient les mêmes activités qu'eux. Lorsque les tout-petits et les enfants d'âge préscolaire se font des amis, ils ont vraiment hâte de les revoir chaque matin. Avec un ami, un enfant apprend le respect et le partage, il apprend aussi à aplanir les différences, à mener, à discuter, à négocier et à faire des compromis — toutes habiletés sociales importantes dans la vie adulte. Il commence aussi à se définir lui-même par rapport aux autres. La présence d'autres enfants l'intimide parfois; mais, quand il remarque que Jacob réussit à sauter, cela pourra l'induire à penser: «Ça ne semble pas si difficile. Peut-être pourrait-il aussi me montrer à sauter.» Il explore son environnement avec plus d'imagination lorsqu'il est en compagnie d'amis. Il appartient alors à une cellule différente de sa famille et se gagne ainsi des appuis pour mieux manifester son indépendance encore embryonnaire. «Au milieu de ses amis, l'enfant se sent spécial — un être aimé et accepté, dont l'absence se fait sentir et dont la présence procure à d'autres de la joie», soutiennent Ellen Galinsky et Judy David du Work and Family Life Studies Project de New York[6].

Se faire un ami est particulièrement important pour certains enfants, parce que cette expérience les aide à s'intégrer au groupe. Les enfants timides comme Mélissa se lient souvent d'amitié avec une extravertie comme Colette, dont la présence leur donne le courage d'explorer le monde. Lorsqu'elle arrive à la garderie, le matin, Mélissa est extrêmement hésitante; elle ne sait pas très bien qui elle est ni ce qu'elle veut. Dès le moment qu'elle aperçoit Colette, toute son attitude corporelle se modifie. Elle se redresse, sourit et se dirige droit vers son amie. Avec l'aide de Colette, elle peut connaître une journée sans nuages.

«Tu n'es pas mon ami!»

Bien qu'ils éprouvent de vives émotions, les enfants d'âge préscolaire sont encore trop jeunes pour trouver,

---

6. Galinsky et David, *ibid.*, p. 120.

comme les adultes, une solution élégante à toutes les complexités d'une relation. Intensément conscients des possessions de leurs semblables et fort inconstants, ils décrivent leur ami comme celui ou celle avec qui ils jouent présentement, ou qui possède un jouet particulier, porte certains vêtements, ou se plie à tous leurs caprices. «Tu n'es plus mon amie», déclare Éric à Mélanie lorsque cette dernière refuse de lui rendre une marionnette. Emma qui n'accorde pas la moindre attention à ce qu'elle porte refuse soudain de se rendre à l'école en pantalon d'entraînement parce qu'elle veut porter une robe comme Émilie. Les enfants d'âge préscolaire ne comprennent pas encore que les êtres humains peuvent avoir des points de vue différents et ils se blessent les uns les autres. Mais si on leur en donne le temps et le loisir, à l'intérieur de limites acceptables, ils apprendront. Lorsque votre enfant dit: «Je n'aime pas ça quand Julien se mêle au jeu», soyez disponible et à son écoute. Essayez de comprendre la situation telle qu'il la vit.

Pendant que votre enfant apprend à devenir un animal grégaire, il se peut qu'il dépende beaucoup trop d'un seul ami (ou qu'un ami se repose beaucoup trop sur lui), ou que l'ami qu'il tient à emmener à la maison vous déplaise. La solution à ces deux problèmes est la même: élargir les horizons de votre enfant en invitant chez vous d'autres petits. Il est encore trop jeune pour comprendre pourquoi vous tenez à ce qu'il s'amuse avec plusieurs compagnons; à mesure que s'agrandira toutefois le cercle de ses amis, il deviendra moins dépendant et plus ouvert.

Avant de remplacer son ami par un autre que vous aurez vous-même choisi, examinez de près cette relation d'amitié. Qu'en retire votre enfant? Mélissa a certainement acquis de l'estime de soi grâce à sa relation avec Colette, et elle sera bientôt capable de mettre en pratique ses nouvelles habiletés dans ses rapports avec d'autres enfants. Si votre petit de 4 ans se lie d'amitié avec un enfant de 3 ans et semble régresser (phénomène courant, tant à la garderie que dans un service de garde en milieu familial), votre première réaction sera peut-être de lui imposer en lieu et place un enfant de son âge. Mais à mesure qu'il partage son savoir et son expérience avec un tout-petit qui l'estime et le respecte, votre enfant pourrait acquérir un sentiment d'assurance que la fréquentation de ses pairs ne lui apporterait pas. Cette amitié avec un enfant de 3 ans pourrait constituer sa manière personnelle de résoudre un problème. Lorsqu'il y sera prêt, il jouera certainement avec des amis de son âge. Il arrive aussi que les valeurs des parents prennent le pas sur d'autres considérations. Lorsque Mireille, âgée de 3 ans, se vanta de posséder dix poupées Bout-de-chou et voulut savoir combien en possédait Marika, la mère de cette dernière décida de mettre un frein à leur relation; elle n'acceptait pas que sa fille juge ses amies sur leurs possessions.

Le renforcement des amitiés

Même si les éducatrices encouragent chaque jour la création de liens d'amitié entre enfants, les parents pourront aussi faire leur part en ce sens, en contribuant au renforcement de ces liens. Une visite, par un dimanche après-midi, vaudra bien du plaisir et apportera un extraordinaire coup de pouce à un enfant timide. Vous souhaiterez peut-être téléphoner aux parents d'un petit dont votre enfant vous parle souvent, ou que vous avez vu en sa compagnie, à la fin de la journée. Plusieurs garderies distribuent des listes d'adresses et de numéros de téléphone des enfants qui les fréquentent. (Si vous faites affaire avec une garderie de quartier, ou un service de garde en milieu familial du voisinage, votre tâche sera grandement simplifiée; mais si vous ne vous laissez par rebuter par la perspective d'un long trajet pour vous rendre au foyer d'un enfant avec qui votre petit s'est lié d'amitié à votre garderie en milieu de travail, sachez que l'effort en vaudra la chandelle.) Plus votre enfant grandira, plus il voudra passer de temps avec ses amis. Mais même les parents de nourrissons éprouvent de la détente et du plaisir à discuter avec d'autres parents des difficultés rencontrées pour trouver un juste équilibre entre l'éducation de leur enfant et la poursuite de leur carrière. L'organisation de rencontres entre leurs enfants leur fournira une superbe occasion de se créer un réseau d'entraide personnel.

Main dans la main

Certaines questions exigent que vous collaboriez étroitement avec la personne qui prend soin de votre enfant. En agissant de concert, vous rendrez la vie plus facile à ce dernier. Le sevrage, l'abandon du biberon et l'apprentissage de la propreté demandent évidemment consultation et concertation. Cette technique d'attaque sur les deux fronts donnera aussi de bons résultats en présence de problèmes de comportement, comme l'habitude de mordre.

La mère qui allaite

Si vous allaitez votre bébé, assurez-vous que tous connaissent et respectent votre horaire. Il n'est pas très amusant d'arriver à bout de souffle, après avoir traversé à la course des corridors et des escaliers, devant un bébé qui rote de satisfaction parce qu'il vient de terminer un biberon. Et il est même encore moins amusant de retourner à son bureau les seins gonflés, dégoulinants, et le chemisier trempé. Lorsqu'il vous sera impossible de venir allaiter votre enfant, exprimez le lait de vos seins et déposez-le dans le réfrigérateur de la garderie.

Le sevrage

Vous n'avez pas besoin de l'aide de la personne qui garde votre enfant pour passer du sein au biberon, mais prévenez-la de ce changement. Par ailleurs, l'abandon du biberon requerra une certaine collaboration de sa part. Ne la laissez pas vous inciter à franchir trop tôt cette étape. Si votre enfant trouve son biberon réconfortant et n'en dépend pas pour se calmer chaque fois qu'il est contrarié, il n'est probablement pas prêt à y renoncer. Si vous aimez toujours l'asseoir sur vos genoux pour lui donner le biberon, *vous* pouvez ne pas être prête à faire le saut, comme l'indiquent Ellen Galinsky et Judy David[7]. Quand viendra le moment, mettez au point un plan pour le sevrer graduellement. Si votre éducatrice et vous-même utilisez une tasse identique, il apprendra très rapidement à la tenir et il se sentira très fier de lui.

Les biberons et les aliments pour bébé

Si vous fournissez les biberons et les aliments pour bébé, assurez-vous d'en laisser en quantité suffisante pour la

---

7. Galinsky et David, *ibid.*, p. 203.

journée. Il faut aussi qu'une étiquette portant le nom de votre enfant et la date de la préparation de l'aliment soit apposée sur tout ce que vous rangez dans le réfrigérateur de la garderie.

Prévenez l'éducatrice chaque fois que vous apportez de nouveaux aliments et informez-la de ce qu'il aime et aime moins, et des sensibilités de votre enfant que vous avez déjà notées.

L'apprentissage de la propreté

Vous ne pouvez vous passer d'aide non plus lorsque vient le moment de l'apprentissage de la propreté. Comment votre enfant pourra-t-il savoir à quel moment se servir des toilettes (il n'est pas même question ici de *la manière* de s'en servir) si vous lui parlez de pipi et que la mère de garde lui propose d'uriner, ou si vous l'y conduisez en toute hâte dès qu'il vous annonce qu'il lui faut y aller mais que, au service de garde, on ne l'y emmène qu'aux deux heures?

Mais d'abord, votre éducatrice ou vous-même remarquerez que votre enfant semble prêt à en faire l'essai. Quelque part entre l'âge de 18 mois et de 3 ans, il aura acquis le contrôle musculaire nécessaire pour rester sec des heures durant, reconnaîtra à quel moment il se mouille ou se souille, se dévêtira lui-même sans trop de problèmes, s'assoira et se tiendra en position debout sans difficultés, connaîtra suffisamment de mots pour vous faire comprendre très clairement ce qu'il désire et vous montrer qu'il est intéressé à apprendre. En outre — et cela est évidemment très important — il ne répondra plus automatiquement «Non» à toutes vos suggestions.

Le moment est alors venu de vous entretenir avec l'éducatrice. Passez ensemble en revue les signes précurseurs. Convenez-vous qu'il soit prêt? Si, contrairement à vous, l'éducatrice (ou la gardienne ou la mère de famille de garde) désire aller de l'avant, écoutez attentivement ses arguments. Elle a entraîné à la propreté bien plus d'enfants que vous et peut donc être plus sensible aux signes qui manifestent qu'il est prêt.

Mais vous n'êtes pas tenue d'abonder dans leur sens pour la seule raison qu'elles vous disent, par exemple: «C'est notre façon de faire», ou «J'entraîne toujours mes bébés à la propreté dès l'âge de 2 ans». Vous pouvez vous y objecter si vous ne jugez pas que votre enfant soit prêt. Il pressentirait d'ailleurs votre hésitation et pourrait abuser de la situation; vous ne seriez alors pas plus avancée.

Il est rare que l'éducatrice fasse en ce cas des difficultés, mais cela peut se produire. Encore une fois, elle en sait peut-être plus que vous à ce sujet et les parents insistent parfois que le moment est venu alors que ce n'est manifestement pas le cas. Après avoir changé un enfant de la tête aux pieds, de quatre à cinq fois par jour pendant une semaine, les éducatrices pourront se rebiffer et expliquer qu'il faudra patienter.

Mais il est aussi possible qu'elles n'aient pas remarqué que votre enfant grandissait et changeait. S'il a été propre pendant tout le week-end et que les éducatrices du service de garde prétendent qu'il n'est pas prêt, alors quelque chose ne tourne pas rond: elles ne sont probablement pas assez attentives aux signes manifestes. Passez alors du temps à observer les éducatrices, à vous entretenir avec elles et avec la directrice, et à réexaminer attentivement d'autres éléments du programme. Ce refus pourrait n'être qu'un symptôme d'un problème plus grave. Si c'était le cas, envisagez de confier votre enfant à un autre service de garde.

Une fois que la personne qui s'occupe de votre enfant et vous-même serez tombées d'accord, établissez un plan d'attaque. Utilise-t-on à la garderie des toilettes ou des chaises percées? Y emmène-t-on les enfants à intervalles réguliers, ou les surveille-t-on étroitement de manière à les y conduire quand le besoin s'en fait sentir? S'y lave-t-on chaque fois les mains?

Quels mots préférez-vous que votre enfant utilise: pipi, urine ou petite envie; caca, selle ou grosse envie? Quels mots utilisez-vous vous-même?

Quelles formes de gratifications vous semblent appropriées? Croyez-vous à la distribution d'autocollants en forme d'étoiles? Approuve-t-on à la garderie la distribution de Smarties comme instrument de motivation? (Les réprimandes et les punitions, en cas d'échec ou d'accident, *ne sont absolument pas* acceptables.)

Recommande-t-on à la garderie l'usage de couches ou de culottes spécialement conçues à cette fin? Quels genres de vêtements conviennent le mieux à cet apprentissage? (N'envoyez pas votre enfant au service de garde dans une salopette que le magicien Houdini lui-même ne parviendrait pas à déboutonner, et assurez-vous d'y laisser un bon approvisionnement de toutes les pièces de vêtement nécessaires pour faire face à l'inévitable.) Devriez-vous acheter à votre enfant de jolies culottes fleuries, ou des sous-vêtements à braguette pour grand garçon? Cela ne lui imposerait-il pas une trop grande contrainte?

Que fera-t-on à la garderie au moment de la sieste et que devriez-vous faire pendant la nuit?

Rapportez les progrès notés. Si vous constatez pendant le week-end que votre enfant peut rester propre toute la matinée et se servir de la salle de bains, avisez-en votre éducatrice. Si on découvre à la garderie qu'il reste sec pendant la sieste, on devrait en retour vous en informer.

Ne soyez pas étonnée si cette étape vous semble plus difficile qu'elle ne le paraît à votre éducatrice. Le fait de voir ses amis s'exécuter constitue un puissant incitatif pour un enfant. En outre, auprès de vous, il se sent en sécurité. Il sait que vous ne l'en aimerez pas moins s'il n'urine pas dans le pot. Soyez donc patiente.

La résorption de problèmes de comportement

La cohésion est tout aussi importante lorsqu'on cherche à résoudre des problèmes de comportement. L'enfant doit savoir que les deux moitiés de son univers sont indivisibles et coexistent en harmonie. L'enfant qui se conduit mal en se cachant, en se sauvant, en frappant, en mordant ou en lançant des objets n'a pas de problème s'il ne fait ces gestes qu'une seule fois. Ils ne deviendront un sujet de profonde inquiétude que s'ils se répètent; dans ce cas, les parents et l'éducatrice devront mettre au point, ensemble, un plan pour y mettre fin.

Diane adorait jouer à cache-cache à la maison, et chaque fois que venait, au service de garde en milieu familial qu'elle fréquentait, le moment de se rendre au parc, elle disparaissait. Lorsque Suzanne, la responsable de son service de garde, en parla à ses parents, ils acceptèrent de lui apporter leur aide. «Se cacher n'est pas un jeu, à moins que tout le monde sache que tu joues, lui dit sa mère. Suzanne est très inquiète lorsqu'elle ne peut te trouver.» Si vous savez que votre enfant aime se sauver, assurez-vous d'en aviser son éducatrice qui pourra être sa partenaire lors de sorties, jusqu'à ce qu'il ait appris l'importance de ne pas s'éloigner du groupe.

L'enfant mord souvent parce qu'on lui a dit de ne pas donner de coups; aussi, quand Roger lui enlève un jouet, Georges se dit-il que mordre pourrait bien être une façon socialement acceptable de récupérer son bien. Encore une fois, pour venir à bout de cette mauvaise habitude, il suffira d'expliquer clairement à l'enfant que mordre fait mal et n'est pas permis, ni à la maison ni à la garderie.

Couvertures, lapins et boîtes à lunch

Certains moments de la journée sont plus pénibles que d'autres. Même s'ils se sentent plus à leur aise à mesure que la routine leur devient plus familière, la sieste, la collation, le repas de midi et les jeux en plein air angoissent bien des enfants. Ces moments paraîtront particulièrement difficiles à un enfant s'il couve un rhume, s'il a connu une mauvaise nuit ou un réveil précipité.

Exactement comme Linus

L'odeur et la texture familières de son vieux lapin blanc, ou de sa couverture jaune bordée de soie qu'il frotte contre sa joue, aideront l'enfant à se sentir en sécurité et faciliteront la transition de la maison au service de garde, comme toute autre transition de la journée. L'éducatrice tentera de l'en sevrer pendant la période de jeux («Laissons Jeannot Lapin sur le comptoir pendant que tu joues avec les blocs»), mais elle devrait les lui laisser à l'heure de la sieste. Si vous réussissez à créer des substituts acceptables à ces précieux objets (en vous en procurant un double identique, ou peut-être en coupant la bordure de la couverture), déposez-les dans le casier ou le sac de l'enfant lorsque vous rapportez les originaux à la maison pour les laver.

L'heure de la sieste

Les enfants de tous les âges ont du mal à dormir loin de la maison. Les petits d'âge préscolaire craignent de ne pouvoir s'endormir, de ne pas réussir à s'allonger calmement ni assez longtemps, ou d'être effrayés par l'obscurité. Comme les nourrissons, les tout-petits et les enfants d'âge préscolaire aiment étreindre leur couverture moelleuse ou leur animal en peluche favori. Un foulard ou un gant — qui vous appartienne — pourra aussi aider votre enfant à se sentir en sécurité. Un livre fera aussi bien l'affaire. Si votre enfant semble toujours effrayé à l'heure de la sieste, parlez-en avec lui et prévenez son éducatrice de ses inquiétudes.

On ne peut toutefois résoudre le problème en suggérant que son enfant soit exempté de sieste, même s'il n'en fait jamais à la maison et s'il a du mal à s'endormir le soir. Les enfants qui passent une journée complète et active dans un service de garde deviennent très capricieux et surexcités s'ils ne se reposent pas. Ils ont *besoin* d'un moment de repos. La durée de la sieste soulèvera parfois des problèmes, spécialement dans le cas d'enfants plus âgés auxquels on devrait permettre de lire ou de s'adonner à un jeu calme, dans une autre pièce. Gardez à l'esprit que le personnel a aussi droit à une heure à soi à midi. Dans la plupart des services de garde, répondre aux besoins de tous à ce moment de la journée exige des trésors d'invention, mais les enfants ne devraient pas être ceux qui en souffrent.

Le repas du midi

Parce que les enfants mangent presque toujours à la maison, en famille, prendre un repas loin du foyer leur est aussi difficile. Pour certains, c'est la fête; mais le tapage en affole d'autres et quiconque veut jouer, manger et parler simultanément s'en trouvera très confus et frustré. Les services de garde s'efforcent de préparer des plats nutritifs, adaptés aux goûts des enfants (macaroni, spaghetti, bâtonnets de poisson), qui n'en seront pas moins parfaitement inconnus à certains d'entre eux.

Lorsqu'un service de garde sert des repas, il est difficile de savoir quelle quantité d'aliments ingère chaque jour son enfant. Parce qu'il rentrera probablement affamé à la maison, même s'il a bien mangé, son appétit ne pourra servir d'indice de ce qu'il a pu avaler au repas de midi. Il sera parfois incapable de vous en apprendre beaucoup à ce propos, et l'éducatrice ne contrôlera peut-être pas suffisamment les habitudes alimentaires des enfants plus âgés. Si votre enfant ne parle pas encore, ou si son alimentation vous inquiète, demandez à son éducatrice de le surveiller de près à l'heure des repas. Si votre enfant semble bien se porter — s'il a de belles couleurs, bouillonne d'énergie, se comporte et se développe normalement —, on lui donne probablement tout ce dont il a besoin.

L'enfant actif est naturellement affamé. S'il ne mange pas, cela mérite enquête — que cela soit la cause ou la conséquence de son problème. S'il semble fatigué, apathique, se plaint de la nourriture qu'on lui sert au service de garde et a peu d'appétit à la maison, il y a peut-être lieu de s'inquiéter. Présentez-vous une ou deux fois, à l'heure du repas, sans vous annoncer. Vous découvrirez peut-être comme lui que les plats qu'on apprête à la garderie ne sont pas appétissants. Les services de garde qui servent des repas ne permettent pas généralement que les enfants apportent leur lunch (sauf pour des raisons médicales ou religieuses); il vous faudra donc vous attaquer à ce problème sous un autre angle. Si les aliments servis sont réellement dégoûtants, voyez la directrice et insistez pour qu'on y apporte les changements appropriés pour le bien-être des enfants. Si nécessaire, communiquez également avec d'autres parents. Peut-être le problème vient-il davantage du climat d'agitation et de précipitation qui prévaut sur les lieux que des aliments eux-mêmes. Si votre enfant se sent négligé ou délaissé, voyez ce que suggère l'éducatrice. Elle pourra, par exemple, s'asseoir à ses côtés et lui rendre ainsi plus agréable l'heure du repas.

Si on ne sert pas de repas chauds à votre service de garde, vous ferez face à une kyrielle de problèmes d'un ordre différent. Vous avez déjà emmené votre enfant avec vous pour l'achat de sa boîte à lunch; il vous faut maintenant la remplir d'aliments nutritifs et appétissants qu'il mangera volontiers. Les enfants raffolent généralement d'une soupe conservée chaude dans une bouteille thermos. Avec quelques raisins secs, dessinez un visage souriant sur une tartine de beurre d'arachide, ou servez-vous d'emporte-pièces à biscuits pour découper des sandwiches en étoiles ou en cercles. Si votre enfant refuse de manger un sandwich, préparez-lui des tas de petites bouchées: des fraises, quelques craquelins, deux ou trois morceaux de fromage. Les biscuits que vous avez apprêtés ensemble, pendant le week-end, lui rediront que vous l'aimez, à l'instar d'une photographie ou d'un dessin amusant. L'ouvrage de Louise Desaulniers et Louise Lambert-Lagacé, *La nouvelle boîte à lunch*, publié aux Éditions de l'Homme, regorge d'utiles suggestions. Il en va de même de *La sage bouffe de 2 à 6 ans*, aussi de Louise Lambert-Lagacé chez le même éditeur. Dans plusieurs services de garde, on demande à l'enfant de rapporter chez lui les aliments qu'il n'a pas consommés; de cette manière, lorsque ses parents vident sa boîte à lunch, ils savent lesquelles de leurs créations ont été les plus appréciées.

Plusieurs services de garde édictent des règlements concernant les aliments que l'enfant peut y apporter. La gomme à mâcher et les bonbons sont presque universellement proscrits et certaines garderies ne tolèrent pas non plus les biscuits.

Anniversaires de naissance

On acceptera probablement une entorse au règlement concernant les sucreries lors de parties d'anniversaire. Certains services de garde organisent chaque mois une grande fête pour souligner l'anniversaire des enfants nés pendant ce mois et demandent aux parents d'y contribuer de quelque manière — par des gâteaux, des décorations, des ballons. Dans certaines garderies, on demande que l'enfant dont c'est l'anniversaire fasse don d'un livre ou d'une cassette à l'institution. Informez-vous de la politique de votre service de garde en matière d'anniversaires de naissance et efforcez-vous de faire votre part. Si vous pouvez vous libérer, joignez-vous à la fête et votre enfant en sera ravi.

Vêtements et équipement

Il faut renouveler régulièrement la provision de couches des bébés; tous les autres enfants (y compris les nourrissons) placés en garderie, ou dans un service de garde en milieu familial, auront en outre besoin en tout temps d'un assortiment complet de vêtements de rechange, parfaitement identifiés à leur nom.

Si votre enfant se mouille, que ce soit en plein air ou à l'intérieur, et revêt ses vêtements de rechange pour rentrer à la maison, veillez à les remplacer dès le lendemain matin. Si par bonheur les vêtements de rechange ne sont pratiquement jamais utilisés, vérifiez-les périodiquement. Votre enfant ne voudra pas porter un short en décembre, ni une culotte de velours côtelé en juillet. D'ailleurs, ils pourraient ne plus être à sa taille.

N'oubliez pas d'apporter aussi des chaussures ou d'en laisser une paire au service de garde, pour les jours où votre enfant se rend sur place en bottes. Il se sentira bien plus confortable et à son aise dans ses souliers de course bleus, à courroies de Velcro, que pieds nus ou dans des bottes.

Pendant l'été, il est rafraîchissant de prendre l'air, mais en hiver se vêtir mettra à l'épreuve la patience et l'ingéniosité de tout le monde. Votre enfant aura donc besoin d'un assortiment complet de vêtements d'hiver: habit de neige, tuque, foulard, mitaines, bottes. Assurez-vous que chacune de ces pièces de vêtement soient confortables. Des bottes trop grandes ou trop lourdes, un habit de neige trop ample ou trop étroit, une tuque qui cache aussi bien les yeux que les oreilles et des mitaines non imperméables gêneront ses mouvements et l'empêcheront de jouir du plein air.

Si l'enfant doit patiner, assurez-vous qu'il a bien ses patins et son casque protecteur, le moment venu. Et n'oubliez pas son maillot, son casque et sa serviette de bain, les jours où il se rend à la piscine.

Un jouet bien spécial

Un jour, votre enfant refuse de quitter le plancher de la cuisine à moins de pouvoir apporter son camion d'incendie favori au service de garde. Que faire dans ce cas? Il y a de bonnes raisons pour lesquelles on interdit aux enfants d'apporter leurs jouets au service de garde: à moins qu'il ne s'agisse d'un animal en peluche ou d'une couverture pour l'heure de la sieste, tous les jouets y sont censés être partagés. Or, votre enfant pourrait refuser d'y prêter son jouet ou un compagnon pourrait le briser ou l'égarer. En d'autres mots, son jouet ne l'aiderait probablement pas à se sentir mieux à la garderie, bien au contraire. Expliquez-lui qu'il peut l'apporter avec lui dans le bus, ou dans la voiture, mais qu'il devra entrer sans lui à la garderie.

Pour pouvoir apporter un jouet à la garderie, il devra attendre jusqu'à la journée du «Cercle magique», dont l'objectif est justement le partage d'un objet chéri avec ses amis. Cette journée spéciale offre à chaque enfant une chance de s'exprimer et constitue, pour tout le groupe, une excellente occasion d'apprendre lorsque l'éducatrice demande, par exemple: «De quelle couleur est ton camion d'incendie?», «À quoi sert-il?», «Qui le conduit?» Il s'agit aussi d'une manière naturelle d'intégrer vie au foyer et vie en service de garde.

Par ailleurs, si le service de garde organise chaque semaine un «Cercle magique», vous pourrez vous en lasser et votre enfant, en éprouver de la nervosité. S'il a du mal à décider de ce qu'il apportera, l'éducatrice pourra lui faire quelques suggestions, mais on écartera tout naturellement les objets fragiles et coûteux. Vous aurez du plaisir à respecter les thèmes proposés par le service de garde, qui donnent d'ailleurs à l'événement un caractère bien moins commercial. L'enfant pourra ainsi apporter autre chose qu'un jouet: une jolie feuille pendant la semaine consacrée à l'automne; une photo de son chien ou de son chat, pendant celle dédiée aux animaux domestiques. Mais surtout, n'envoyez pas votre enfant les mains vides. Choisissez l'objet ensemble, la veille, et écrivez-vous une note de rappel pour ne pas l'oublier le lendemain matin.

Prendre connaissance du courrier

Les garderies communiquent de diverses manières avec les parents: par des messages personnels transmis au moyen des livres de communications, par des convocations à des réunions et à d'autres événements spéciaux apposées sur le tableau d'affichage, et parfois par des lettres, ou des lettres circulaires, qui vous informent de tous les faits: un cas de fièvre scarlatine, le thème du mois, la venue prochaine d'un conférencier invité, un projet de recherche universitaire en cours. Les services de garde n'ont pas les moyens d'adresser ces documents par la poste, aussi vous arriveront-ils généralement par l'entremise de votre enfant. Gardez donc l'œil ouvert lorsque vous ouvrez le casier ou la boîte à lunch de votre enfant. Vous pourriez y trouver quelque nouvelle intéressante.

Les roues de l'autobus

Vous pourriez y être avisée d'un voyage. En plus des sorties courantes à l'anneau de glace intérieur et à la piscine, à la bibliothèque et au terrain de jeux, les garderies proposent à l'occasion des expéditions plus excitantes: une visite au bureau de poste, à la caserne des pompiers ou à l'aquarium municipal. On devrait vous en prévenir au moins une semaine à l'avance et obtenir votre autorisation écrite. Quelles dispositions a-t-on prises au service de garde? Y aura-t-il suffisamment d'adultes pour veiller à la sécurité des enfants? Vous feriez le bonheur de votre enfant et de son éducatrice en vous portant volontaire pour les accompagner. Est-ce que les volontaires et le personnel surnuméraire connaissent bien les règlements? A-t-on prévu de distribuer des étiquettes d'identification et d'apporter des trousses de premiers soins? Quelqu'un visitera-t-il les lieux au préalable? L'autobus est-il muni de ceintures de sécurité?

À votre avis, la destination proposée est-elle convenable? Ou le voyage a-t-il avant tout pour but de plaire aux parents? Si vous pensez qu'une visite au Père Noël est trop commerciale, ou que le zoo est un endroit trop fréquenté et trop malsain, vous avez toujours la possibilité de garder votre enfant à la maison ce jour-là. Vous pouvez aussi faire valoir votre point de vue, dire à l'éducatrice de votre enfant et à la directrice ce que vous pensez de leur choix, et leur suggérer d'autres destinations.

Dans certains services de garde, les voyages occasionnent des frais supplémentaires. Si vous n'avez pas les moyens d'y faire participer votre enfant, est-ce que le service de garde vous viendra en aide? Ou est-ce que votre enfant sera exclu? Si vous vous retrouvez dans cette situation fâcheuse, ne la supportez pas en silence. Adressez-vous à la directrice et au conseil d'administration, et rappelez-leur quelles conclusions en tirera votre enfant.

Rester à l'affût

Lorsque vous flânez dans la garderie, ou causez avec votre éducatrice, le matin et le soir, que vous y faites un saut à l'heure du lunch, ou y téléphonez pendant le jour, vous vous acquittez simultanément de deux fonctions vitales: vous aidez votre enfant à se sentir à l'aise dans son environnement et vous surveillez la qualité des soins qu'on lui prodigue.

Observer

Le seul fait de vous retrouver sur les lieux avec votre enfant vous fournit tout naturellement une occasion de veiller au grain. Vous pouvez voir exactement comment l'éducatrice accueille les enfants et les aide à se sentir chez eux, vérifier si elle se lave les mains après avoir mouché leur nez, si les toilettes sont propres, combien d'éducatrices et d'enfants se trouvent dans une même pièce et ce qu'on mange à l'heure du déjeuner.

Poser des questions

Si vous n'aimez pas, ou ne comprenez pas ce dont vous êtes témoin, vous avez parfaitement le droit de poser des questions. (Nous pourrions même dire que vous y êtes tenue.) Rappelez-vous que vous pouvez en parler avec la directrice, les membres du conseil d'administration et les autres parents, tout comme avec l'éducatrice elle-même. Les réponses qu'on vous fera devront vous satisfaire et correspondre à l'idée que vous vous faites de soins de haute qualité.

Superviser le travail

Si vous avez embauché une gardienne à domicile, vous êtes seule responsable de la supervision des soins prodigués à votre progéniture. Ce qui vous oblige à une communication plus étroite que de simples bonjour et au revoir, en passant la porte de la maison. Lorsque votre aide commence à s'occuper de votre enfant, restez à la maison et travaillez à ses côtés pendant une journée ou deux. À votre retour du travail, procédez souvent à des vérifications. Téléphonez-lui à des heures différentes et tendez l'oreille pour déceler des pleurs, ou le bruit de la télévision, en arrière-plan. (Par une belle journée ensoleillée, personne ne devrait rester à la maison.) Faites un saut chez vous de temps à autre. Si vous ne pouvez quitter le bureau, demandez à votre conjoint, à votre belle-mère ou à votre voisine de trouver une excuse pour s'y introduire. En rentrant en toute hâte à la maison pour y prendre des livres, Claire a trouvé sa fille de 2 ans et sa gardienne sur le pas de la porte, en train de grignoter du chocolat et de boire du Coca Cola. «Oh, mais nous faisons cela tous les jours», lui expliqua la gardienne. Cette visite impromptue de Claire mit peut-être fin aux allées et venues jusqu'au magasin du coin, mais pas au penchant de sa fille pour les sucreries.

Demandez à votre gardienne de tenir un journal et prenez l'habitude d'en prendre chaque soir connaissance avec elle. Une fois la semaine, prévoyez avec elle une rencontre de plus longue durée, de manière à échanger vos expériences et vos doléances et à planifier les activités de la semaine à venir. Vous saurez exactement où en est votre enfant et vous conserverez ainsi un merveilleux récit de son développement; votre gardienne sentira en outre que vous appréciez son travail et votre enfant jouira de soins plus adéquats et assidus, parce que vous communiquerez bien ensemble et vous consulterez.

Peu importe le type de service de garde auquel vous avez recours, les études démontrent que les soins de haute qualité nécessitent la participation des parents[8].

Qu'en dit votre enfant?

Il est aussi essentiel que vous soyez très attentive à votre enfant. Ses réactions à ses expériences vous fourniront des renseignements encore plus cruciaux sur ce qui lui arrive.

Les services de garde transforment parfois les enfants. Sabrina range maintenant ses jouets quand elle a fini de jouer; elle chante des mélodies anglaises dans son bain et accepte d'attendre son tour. Elle sait se servir des toilettes, s'habille toute seule le matin et fait voler sa veste au-dessus de sa tête, pour l'enfiler sans aide. Elle dit même s'il vous plaît et merci.

Jeanne, au contraire, réplique à ses parents, utilise un langage qui choque sa mère et refuse obstinément de faire ce qu'on lui demande. Pour compléter le tableau, elle s'est mise à dessiner sur les murs.

Certains enfants, fascinés par les comportements négatifs de leurs copains, ne résistent pas à la tentation d'éprouver vos réactions à leurs compétences nouvellement acquises.

---

8. Cooke *et al., ibid.*

D'autres font preuve d'une telle maîtrise de soi à la garderie qu'ils ont désespérément besoin de décompresser lorsqu'ils rentrent au foyer, où ils donnent libre cours à leurs pulsions pendant les quelques heures de réveil qu'ils passent en compagnie de leurs parents, sûrs que ces derniers ne les en aimeront pas moins. Plusieurs enfants n'ont besoin que de s'affaler et de paresser alors que d'autres, surexcités par leur journée en garderie, grimpent littéralement aux murs avant de s'écraser dans leur lit.

Chez la plupart des enfants, ces modèles de comportement sont parfaitement normaux. En fait, ils les adopteraient presque tous même si vous n'alliez pas au travail; nous oublions parfois que nos enfants grandissent, se développent, et nous en rejetons le blâme sur la garderie ou la gardienne. Lorsque nous sommes au travail toute la journée, nous avons tendance à nourrir des attentes irréalistes. Nous pensons que, lorsque nous retrouverons nos petits, nous passerons avec eux des «moments intenses» à nous embrasser et à échanger des réflexions et des sentiments profonds. Au lieu de cela, nous passons prendre un enfant qui refuse de rester assis sans bouger, émet des sons disgracieux, jette son assiette sur le plancher et inonde la salle de bains. Le réveil est brutal.

Tout cela est très contrariant. Un parent épuisé et surmené n'apprécie pas de retrouver à la maison un enfant têtu et agressif. Et la situation a plutôt tendance à empirer. Bien qu'il ne demande qu'un peu de votre temps, son comportement exécrable ne vous incite pas à le lui accorder — bien au contraire.

Un sentiment normal de culpabilité

Et voilà! La situation a fait remonter à la surface, comme d'un coup de baguette magique, l'horrible sentiment de culpabilité qui vous ronge — parce que vous laissez votre enfant aux soins d'une autre — et l'appréhension qui s'y greffe: celle de n'avoir peut-être pas choisi, après tout, le meilleur service de garde qui soit. Ces sentiments, parfaitement naturels, sont inhérents à votre situation et virtuellement incontournables.

Que faire?

Comment pouvez-vous faire en sorte que tout le monde se sente mieux? Les exigences d'un emploi et l'éducation des enfants soumettent tous les parents à d'énormes pressions. Vos attentes seraient-elles irréalistes? Votre enfant se calmerait-il si vous vous assoyiez côte à côte pour lire une histoire à votre retour à la maison, si vous lui donniez un bain, le nourrissiez ou le mettiez au lit plus tôt? Convainquez votre conjoint de mettre la main à la pâte. Plus vous vous partagerez les tâches, moins vous vous sentirez accablée et toute la famille en sortira gagnante.

Encore une fois, parlez à la personne qui s'occupe de votre enfant et à la directrice du service de garde. Elles pourraient vous prodiguer d'utiles conseils pour supporter vos épreuves et vos tribulations. Entretenez-vous aussi avec d'autres parents: ils pourraient connaître les mêmes difficultés — que leur enfant soit ou non placé en service de garde. Vous saurez ainsi au moins si vous faites face à un problème de croissance normal, ou relié au contraire au service de garde.

Ellen Galinsky et Judy David ont interrogé des parents qui leur ont répété ce conseil: «J'essaie simplement d'éviter la guerre avec mon enfant. Il y a parfois des escarmouches, mais jamais la guerre.»

«Dans la mesure du possible, je garde mon sens de l'humour et je me souviens que demain est un autre jour[9].»

Vous ne devriez pas, pour autant, considérer comme normaux tous les types de comportement — ni accepter d'éprouver d'intenses sentiments de culpabilité. Loin de là. Si les comportements en cause s'aggravent, ou si le sentiment de culpabilité persiste ou s'intensifie, cela pourrait signaler de graves problèmes. Nous élaborerons davantage sur le sujet au chapitre 18, intitulé «Le changement de service de garde».

---

9. Galinsky et David, *ibid.*, p. 385.

CHAPITRE 15

La routine administrative

Tant que lui seul ne se lavait pas, ne se coiffait
pas, portait des vêtements crasseux, il trouvait ça
très bien. Mais si tout le monde fait comme lui, ça
ne va plus!

Odile Hellmann Hurpoil
Le prince Olivier ne veut pas se laver

Lorsque vous placez votre enfant dans une garderie ou
un service de garde en milieu familial, cela ne concerne pas
que votre bambin. Non, chère amie, le service de garde est un
tandem!

Se conformer aux règlements
du service de garde

Le parent d'un enfant placé dans un service de garde est
tenu à certaines obligations, qu'elles soient ou non consi-
gnées par écrit dans un contrat, ou une lettre d'entente, qui
porte sa signature. Si la garderie ou le service de garde en
milieu familial s'engage à prendre soin de votre enfant, vous
vous engagez pour votre part à respecter les règlements de
l'institution. Dans une garderie, les personnes responsables
auront probablement consacré beaucoup de temps et d'énergie à la rédaction de ces règlements qui feront partie inté-
grante des soins offerts. Une agence de services de garde en
milieu familial édictera des règles à l'intention de ses membres, et la responsable d'un service non reconnu pourra bien
avoir péniblement élaboré les siennes propres. (Si elle n'y a

pas vu, vous devriez vous asseoir avec elle et les coucher par écrit sur-le-champ. Le chapitre 12, intitulé «L'admission», contient d'ailleurs des instruments en ce sens.)

Les règlements sont essentiels à la bonne marche de toute organisation, y compris des services de garde. Chacun devrait savoir exactement ce qu'il a à faire et quelles pénalités il encourt s'il manque à ses engagements. Certaines règles peuvent sembler traiter de questions très accessoires, qui ne valent pas vraiment la peine qu'on s'y attarde. Mais leur application empêchera que des buttes se transforment en montagnes. Les politiques et règlements ont justement pour but de prévenir cette éventualité.

Quelles sont les règles auxquelles on ne peut se dérober?

Payer ses comptes à temps

Un paiement versé en retard, ou non acquitté, fera un grand trou dans le budget mensuel d'une petite institution qui opère avec des revenus terriblement et toujours serrés. Si vous avez deux ou trois mois d'arrérage, votre garderie, ou votre service de garde en milieu familial, n'aura peut-être d'autre choix que de vous demander de reprendre votre enfant qu'elle remplacera par celui d'une autre famille qui paie rubis sur l'ongle. Si de cette politique dépend la survie de certains services de garde, sachez qu'aucune personne n'en souffrira davantage que votre enfant, ainsi forcé de recommencer à zéro ailleurs son adaptation. Les directrices de garderie et les responsables de services de garde en milieu familial sont des êtres humains; en conséquence, si vous connaissez des difficultés d'ordre pécuniaire, parlez-en avec elles et voyez si vous pouvez en venir à un accommodement acceptable à toutes les parties. (Les petites organisations offrent en ce sens un avantage: dans la mesure du possible, elles s'efforceront de comprendre votre situation et de consentir à des accommodements.)

Un parent qui ne respecte pas ses échéances pose un problème particulièrement délicat aux responsables de services de garde en milieu familial. L'argent, qui sert à acheter le jus de pomme servi à votre enfant et les crayons feutres avec lesquels il dessine sur la table de la cuisine, vient directement de vos poches. Mais parce que la responsable a autant besoin de votre collaboration que des revenus que vous lui apportez, il lui sera difficile d'endosser le rôle d'un percepteur des comptes en souffrance. Par ailleurs, comme elle n'arrivera pas à oublier votre compte impayé, elle se sentira en mauvaise posture. Si vous n'abordez pas la question avec elle, elle pourrait s'imaginer que vous n'appréciez pas, ni ne respectez, le travail dont elle s'acquitte et elle pourrait presque inconsciemment se montrer moins coopérative dans le cadre de vos entretiens au sujet de votre enfant. Encore une fois, si vous éprouvez un problème d'ordre pécuniaire, il est important que vous en discutiez ouvertement.

Être à l'heure

Il est aussi capital que vous respectiez l'horaire du service de garde. Le travail d'une éducatrice est très exigeant, très prenant et grandement sous-payé. Pour supporter la tension, elle a besoin de consacrer ses temps libres à sa famille et à ses amis, de manière à se ressourcer, à se détendre et à refaire le plein. Si elle arrive à la garderie avant l'heure d'ouverture, c'est dans le but de préparer le matériel qu'elle utilisera pendant la journée et de savourer en paix une tasse de café avant l'arrivée des enfants (rappelez-vous qu'elle ne pourra en boire pendant les heures de travail comme le fait un employé de bureau). Ne vous attendez pas à ce qu'elle soit disponible pour prendre soin de votre enfant avant l'heure d'ouverture.

L'heure de fermeture est tout aussi sacrée et les garderies imposent habituellement de sévères amendes en cette matière pour en bien souligner l'importance. Si vous prévoyez être en retard, il est impératif que vous téléphoniez au service de garde pour le bien de votre enfant. L'éducatrice pourra alors lui dire avec conviction: «Ne t'inquiète pas. Maman a téléphoné et elle sera ici dans cinq minutes.» Si vous avez quinze minutes de retard et n'en avez pas prévenu la garderie, même l'éducatrice commencera à se faire du souci. Il est extrêmement pénible pour votre enfant de partir le dernier.

La responsable d'un service de garde en milieu familial, dont l'espace privé est quotidiennement envahi et qui travaille déjà de dix à douze heures par jour, a désespérément besoin que vous respectiez l'horaire (quoi qu'il en soit, elle se montrera à ce propos invariablement plus souple que la directrice d'une garderie). Veillez toutefois à ne pas abuser de sa bonne volonté. Si vous êtes toujours en retard et que cela empiète beaucoup trop sur sa vie privée, elle pourra vous demander de trouver un autre service. Un bon service de garde en milieu familial reçoit toujours plus de demandes d'inscription qu'il n'en peut satisfaire et choisit sa clientèle de la même manière que vous l'avez sélectionné.

Qu'entend-on par une raison acceptable pour excuser un retard? Si vous téléphonez pour prévenir que vous serez en retard parce que votre voiture vous a lâchée, que l'autobus ne s'est jamais pointé ou que vous n'avez pu quitter une réunion qui s'est terminée plus tard que vous ne l'aviez anticipé, l'éducatrice, ou la responsable du service de garde, compatira avec vous et aidera votre enfant à passer agréablement le temps. Mais si la scène se répète, elle pourra se montrer moins favorablement disposée. Il n'est pas acceptable d'être en retard parce qu'on a perdu la notion du temps. N'importe qui sera furieux si vous téléphonez pour dire: «Je viens tout juste de regarder ma montre et il est 17 h 50. Je mets tout de côté et je serai là dans vingt minutes.»

Il arrive qu'une erreur involontaire provoque une situation inacceptable: par exemple, dans le cas de parents divorcés qui ont du mal à communiquer. La mère et le père d'Alice croyaient tous deux que leur ex-conjoint passerait la prendre à la garderie, vendredi après-midi. Comme ni l'un ni l'autre ne s'était présenté à 18 h 15, la directrice de la garderie tenta de les joindre au téléphone, mais aucun d'eux n'était chez lui. Finalement, la directrice rejoignit la personne ressource d'Alice en cas d'urgence: sa tante. Bien que cette dernière se montra extrêmement attentionnée et aimable avec sa nièce lorsqu'elle se présenta enfin à 19 h, Alice se sentit évidemment très attristée, délaissée et abandonnée. Parce que nous vivons dans une société où tout bouge constamment, ce genre de situation survient beaucoup plus souvent que vous ne sauriez l'imaginer. Les enfants paient le prix du manque de concertation entre leurs parents.

Respecter les mesures d'identification

Il est aussi extrêmement important de vous conformer aux mesures convenues lorsque vous envoyez une autre personne prendre votre enfant. La garderie, ou le service de garde en milieu familial, doit appliquer à la lettre les règlements pour vous protéger et protéger votre enfant: les conséquences d'un faux pas en ce domaine sont bien trop graves. Quelle que soit la personne qui passe prendre votre enfant, elle devra s'attendre à montrer des papiers d'identité, même si vous avez préalablement téléphoné à la garderie ou y avez laissé des instructions écrites en ce sens. Il faut veiller à éviter des embarras à tous — aussi bien à l'enfant, à l'adulte concerné qu'à l'éducatrice en cause.

La mise à jour des données

Le service de garde présumera que les informations inscrites sur votre formulaire d'admission sont toujours valables, à moins d'avis contraire de votre part. Si vous déménagez ou quittez votre emploi, si vous changez d'état civil ou les numéros de téléphone à composer en cas d'urgence, avisez-en immédiatement le service par écrit. Si votre partenaire et vous-même prévoyez ne pas être là où vous vous trouvez habituellement pendant la journée, assurez-vous de remettre à l'éducatrice un numéro de téléphone où elle pourra joindre l'un de vous. Si vous savez qu'on ne pourra pas vous joindre au téléphone, communiquez avec votre personne ressource en cas d'urgence pour vous assurer qu'elle sera disponible. Ce serait la pagaille si votre enfant avait besoin de quelques points de suture, après une chute au terrain de jeux, et qu'il soit impossible de vous joindre.

CHAPITRE 16

Les services de garde et la santé de l'enfant

Tu peux seulement me voir par la fenêtre...
parce que j'ai attrapé la varicelle.

Ginette Anfousse
La varicelle

Brillant et bilingue, André semblait plus que prêt, à $2^{1}/_{2}$ ans, à quitter la garde de sa grand-mère et à élargir ses horizons, en faisant ses premiers pas dans le monde des services de garde.

Lorsqu'il y entra en septembre, même s'il était le plus jeune du groupe, il s'adapta sans difficulté et commença à se faire des amis. Puis il tomba malade. Les rhumes se transformèrent en otites et en croups. Il était allergique aux antibiotiques et les médecins découvrirent qu'il souffrait d'asthme. Chaque fois qu'il retournait à la garderie, il contractait un nouveau rhume et devait passer deux nouvelles semaines à la maison. Parce qu'il y était rarement, il lui fallait se faire de nouveaux amis chaque fois qu'il y retournait.

Ses parents se demandaient s'ils devaient l'en retirer. Peut-être s'en sortirait-il mieux l'année suivante, puisqu'il serait un peu plus vieux. Il leur était pénible de le voir si malade et sa mère, qui le soignait quand grand-maman ne pouvait venir veiller sur lui, s'était déjà trop souvent absentée du travail.

Mais la plupart du temps, André aimait bien aller en garderie et ses parents continuèrent d'espérer que sa résistance se renforcerait. L'hiver tirerait bientôt à sa fin et, pour l'instant, le prix à payer semblait supportable. Ils décidèrent de tenir bon.

C'est là le mauvais côté du service de garde. Vous avez mal quand votre enfant est indisposé. Il paraît si petit et si vulnérable, et il y a si peu, vous semble-t-il, que vous puissiez faire pour l'aider.

Et ce qu'il y a de pire, c'est que vous pourriez ne pas avoir le choix. Même s'il a besoin, pendant quelques jours, d'une diète de bouillon de poulet, que maman lui fasse la lecture de contes et le cajole à la maison, il vous faudra probablement vous rendre au travail comme d'habitude. C'est là la triste et injuste réalité.

La santé

Autre triste conséquence de la vie en garderie: votre enfant sera trois ou quatre fois plus souvent malade qu'un enfant confié, au foyer, à une gardienne. Le docteur Julio C. Soto, conseiller en santé publique de cinquante-six garderies montréalaises, précise qu'un enfant de plus de 2 ans contractera, en moyenne, deux infections respiratoires et une diarrhée par année; chez les nourrissons, cette incidence sera deux fois plus élevée.

Pour explorer le monde, les jeunes enfants procèdent entre autres par des touchers — avec leurs mains, leur corps, leurs bouches. (Ils portent la main à la bouche presque chaque minute[1].) Lorsqu'ils touchent des objets et échangent des étreintes et des baisers avec leurs éducatrices et leurs compagnons, ils touchent, inhalent et avalent également des germes. Avec les germes viennent les maladies: certaines sont bénignes — comme les rhumes, la varicelle et les poux (oui, les poux!) —, d'autres, plus graves — comme la pneumonie, l'hépatite et la méningite.

Et tant que les enfants ne sont pas encore propres, les risques d'infection sont encore plus grands. Il y a en effet 3,6 fois plus de diarrhées dans les services de garde qui acceptent des enfants de moins de 2 ans encore aux couches. Dans les

---

1. Ken Finkel *et al.*, «Report of the Canadian Pediatric Society Task Force on Quality Out-of-home Child Care», *Canadian Children*, vol. 14, 1989, p. 9.

grandes garderies, qui accueillent davantage d'enfants, où se produisent davantage de contacts et où les risques de propagation des germes sont en conséquence plus grands, on déclare encore plus de maladies. Quand il n'y a pas suffisamment d'éducatrices, elles n'ont pas le temps de se laver les mains, ni de mettre en pratique toutes les autres règles d'hygiène: aussi un faible ratio éducatrices-enfants accroît-il les risques de maladies. Il en va également ainsi lorsque la garderie n'a pas suffisamment de lavabos ou de toilettes pour le nombre d'enfants ou que le personnel n'a pas reçu de formation appropriée en prévention des maladies — particulièrement en ce qui concerne le lavage des mains, meilleur moyen de défense contre les maladies infectieuses[2]. Et les enfants placés dans des services de garde à but lucratif présentent davantage de risques de maladie que ceux inscrits dans des institutions sans but lucratif[3].

Vous avez tenu compte de ces données lorsque vous avez choisi votre service de garde. Mais même une garderie où l'on respecte religieusement ces règles comptera sa part d'enfants malades. Cela est tout bonnement inévitable. Votre enfant sera sans nul doute l'un d'eux, spécialement au cours de sa première année en garderie.

Les politiques en matière de santé

Lorsque vous avez signé le formulaire d'admission de votre enfant, vous avez probablement reçu un exemplaire des politiques de la garderie en matière de santé. Si elles sont clairement rédigées et intelligemment appliquées, les informations contenues dans ces pages rébarbatives pourraient assurer la santé et la sécurité de votre enfant pendant ses années passées en service de garde. Vous vous faciliterez l'existence si vous vous faites un point d'honneur de les lire et de les bien comprendre.

Le formulaire d'état de santé

Le premier geste du service de garde consistera à se constituer un dossier médical de votre enfant. Mais avant

---

2. Finkel *et al., ibid.*, p. 9.
3. Pickering *et al., ibid.*

toute chose, le service de garde aura besoin que le médecin autorise votre enfant à suivre le programme d'activités proposé, spécialement si ce dernier a des allergies, de l'asthme ou tout autre problème de santé. Cela nécessitera une visite médicale avant son admission. Le service de garde vous fournira un formulaire spécial que le médecin devra remplir et dans lequel seront consignés tous les antécédents médicaux de votre enfant, y compris les vaccins qu'il a reçus.

Les vaccins

Le système immunitaire des enfants se construit graduellement, au fil du temps et de leur exposition à diverses infections. Mais vous préférerez éviter à votre enfant les affres de certaines maladies. La vaccination est un moyen beaucoup plus sûr de consolider ses défenses naturelles. Avant de l'admettre officiellement, plusieurs services de garde exigeront que votre enfant ait reçu tous les vaccins requis en fonction de son âge: contre la diphtérie, le tétanos et la coqueluche (on entreprendra normalement très tôt l'administration de ces injections); contre la poliomyélite (administré par voie orale, en même temps que les vaccins précédents); et enfin contre la rougeole, les oreillons et la rubéole (administrés en une seule injection, à environ 15 mois).

Aujourd'hui, de nombreuses autorités médicales recommandent fortement un vaccin additionnel — contre l'*Haemophilus influenzae* de type b, aussi connu sous l'abréviation Hib. Le Hib, qui s'attaque surtout aux enfants de moins de 6 ans, est une bactérie susceptible de provoquer une maladie grave, parfois fatale, comme la pneumonie et la méningite. Les enfants de moins de 2 ans et ceux qui se trouvent en service de garde y sont particulièrement vulnérables. Si votre médecin ne vous le propose pas, interrogez-le à propos de ce nouveau vaccin qui est présentement disponible en trois doses pour les enfants âgés de 2 mois et plus, et qui est fortement recommandé pour tout enfant susceptible d'être placé en garderie[4].

Il est important de respecter le carnet de vaccinations de son enfant. Au Québec, en 1989, dix mille individus, dont

---

4. Entretien privé avec Julio C. Soto.

presque deux mille enfants de moins de 6 ans — tant au foyer qu'en service de garde — ont contracté la rougeole. Cinq personnes en sont mortes[5]. La vaccination est un instrument vital pour protéger la santé de tous les individus en service de garde et les enfants sans protection ne devraient pas y être admis.

L'exclusion

La garderie a le droit — et le devoir — d'exclure les enfants malades. Il lui faut exercer impartialement et judicieusement cette responsabilité extrêmement délicate et controversée, qui plus souvent qu'autrement la met dans l'eau bouillante.

La garderie a pour mandat de prendre soin des enfants de manière à ce que leurs parents puissent travailler. Dans bien des cas, les enfants malades ont déjà exposé leurs compagnons à leurs germes avant de manifester des symptômes, aussi une politique stricte d'exclusion ne réduira pas notablement l'incidence des maladies infectieuses en garderie[6]. Si un enfant ne se sent pas accablé, il ne nuira pas aux activités du groupe.

Par ailleurs, aucun parent ne souhaite que son enfant se trouve en contact étroit avec un compagnon qui souffre de maux de gorge à streptocoques non traités ou de diarrhée virulente. Quand un enfant fait de la fièvre, qui le transforme en un monstre gémissant qui exige de passer tout la journée sur les genoux de son éducatrice, il ne devrait pas se trouver à la garderie.

Lorsque le personnel du service de garde sera appelé à prendre la décision d'admettre ou d'exclure certains enfants, il ne négligera aucun élément et agira avec autant de jugement et de souplesse que possible.

Tous les enfants n'ont pas le même degré de résistance et d'immunité. Certains sont rarement malades; d'autres attrapent tout ce qui passe et ne peuvent s'en débarrasser. S'il

---

5. Julio C. Soto, «L'impact des maladies infectieuses en garderie pour l'enfant, la famille et la communauté», *Cours d'éducation sanitaire pour le personnel des garderies*, Montréal, Département de santé communautaire de l'hôpital Saint-Luc, 1989, p. 14.

6. Entretien privé avec Julio C. Soto.

peut sembler injuste qu'on éternue devant un enfant comme André — tout juste remis d'un rhume, d'une bronchite et d'une otite — au moment où il franchit la porte de la garderie, on comprendra toutefois que la directrice ne peut tout de même pas renvoyer chez lui tout enfant atteint d'un rhume banal pour la seule raison que le pauvre André est de retour pour la première fois en trois semaines. Mais son personnel et elle pourront se montrer attentifs au moindre éternuement et toussotement, et protéger André de leur mieux en aérant bien les pièces et en rappelant à ses compagnons de se couvrir la bouche et de bien se laver les mains.

En cas de doute, téléphonez à la directrice. Il n'est guère amusant d'être refusé à la porte de la garderie, ou de devoir y retourner deux heures après son arrivée au bureau.

La plupart des garderies ne permettent pas aux enfants malades de les fréquenter; on entend habituellement par là qu'ils ont:

- une fièvre de 39 °C (102 °F);
- de la diarrhée (c'est-à-dire des selles liquides et nombreuses), ou ils ont vomi au cours des dernières vingt-quatre heures;
- de la douleur, comme dans le cas d'une otalgie (maux d'oreilles);
- la varicelle;
- une éruption non diagnostiquée;
- une grave maladie, comme une hépatite ou une méningite infectieuse.

Plusieurs services de garde tolèrent la toux et les écoulements nasaux qui accompagnent le rhume banal, parce que les enfants viennent de toute façon en contact avec ces germes. Les infections de l'oreille, complication douloureuse d'un rhume banal, ne sont pas contagieuses.

Observer les règlements

Personne ne s'objectera à ce qu'on exclue un enfant très malade, qui a une forte fièvre ou vomit abondamment. Il ne fait aucun doute qu'il lui faut alors consulter le pédiatre ou le médecin de famille, se reposer, observer une diète spéciale, boire beaucoup de liquide et recevoir des soins particuliers. Dans ces conditions, il n'est pas concevable qu'un enfant puisse supporter une longue journée active au service de garde.

Les difficultés surgissent généralement lorsqu'un enfant n'est pas très indisposé — au tout début d'une maladie, par exemple, dont personne ne soupçonne encore vraiment la gravité, ou vers la fin de sa maladie, alors qu'il se rétablit. Il pourra vous paraître raisonnablement remis, spécialement si vous comparez son état à sa façon de se traîner dans la maison, la veille; et si le fait de vous absenter du travail pendant une journée risque de vous placer dans une situation difficile, vous pourrez être tentée de le gaver de Tempra et de le renvoyer au service de garde.

Avant d'agir ainsi, pensez-y à deux fois.

Quand les effets du Tempra se seront estompés et que la fièvre et l'apathie feront leur réapparition, se sentira-t-il assez bien pour répondre pleinement aux exigences du programme? Il lui faudra s'adonner à des activités en plein air avec son groupe, qu'il en ait ou non la force. À la maison, il se peut qu'il regorge d'énergie, mais le bruit et le va-et-vient constants de la garderie pourront l'étourdir avant que n'arrive l'heure à laquelle vous passez habituellement le prendre.

Le service de garde dispose-t-il d'un personnel assez nombreux pour consacrer à un enfant souffrant toute l'attention qu'il requiert? Lorsqu'une éducatrice doit donner tout son temps à un seul enfant, le ratio éducatrices-enfants s'en trouve totalement chambardé.

Jusqu'à quel point vous est-il nécessaire de vous rendre au travail? Combien de jours vous en êtes-vous absentée? Pouvez-vous travailler à la maison? Si vous devez absolument envoyer votre enfant au service de garde, pourrez-vous l'y reprendre plus tôt que d'habitude?

Si vous tenez à ce qu'aucun enfant grippé ne communique au vôtre son mal en lui toussant au visage, vous devrez vous assurer que le vôtre ne contamine pas non plus ses petits compagnons. Dans un service de garde, le personnel et les parents doivent travailler main dans la main pour assurer la protection de tous les enfants.

L'administration d'un traitement

Certaines maladies ne sont plus contagieuses dès qu'on a entrepris un traitement. Vingt-quatre heures après le début de l'administration d'un médicament, un enfant atteint d'un mal de gorge à streptocoques pourra retourner à la garderie s'il se sent assez bien. (Mais s'il est encore très léthargique et que vous jugez indiqué de le garder un jour de plus à la maison, fiez-vous à votre instinct, même si le médecin vous a donné le feu vert pour le renvoyer au service de garde.) Les enfants souffrant de conjonctivite, d'impétigo, d'infections de l'oreille, de teigne ou de parasites qui ont été traités et qui se sentent bien pourront aussi retourner en garderie. On pourra y ramener les enfants infestés de poux après avoir traité leurs cheveux et les avoir passés au peigne fin pour les débarrasser des lentes. (On devra laver leurs vêtements et leur literie et vaporiser également un produit spécial sur le mobilier.)

Si votre enfant doit absorber des médicaments pendant plusieurs jours, votre service de garde observera des règles strictes pour leur administration. Aucun médicament ne lui sera administré sans ordonnance du médecin (pas même le Tylenol et l'aspirine — on ne recommande d'ailleurs pas l'aspirine aux enfants placés en service de garde, en raison du risque de syndrôme de Reye, une maladie rare mais dangereuse qu'on lui associe[7]); tous les médicaments seront en outre conservés dans leur flacon original dont l'étiquette de la pharmacie donne les instructions pour leur administration. Lorsque vous faites remplir l'ordonnance, demandez au pharmacien d'étiqueter un deuxième flacon que vous laisserez à votre service de garde. Ce dernier devra aussi disposer de votre autorisation écrite pour administrer le médicament à votre enfant.

Ne déposez pas le médicament dans la boîte à lunch de votre enfant: son attrayante couleur rose ou son goût sucré pourrait l'inciter (ou inciter un autre enfant qui y serait peut-être allergique) à le boire d'une traite, comme s'il s'agissait de jus. Remettez tout médicament en main propre à l'éducatrice de votre enfant. Elle le rangera dans un coffret fermé à clef qu'elle déposera au réfrigérateur (ou hors du réfrigérateur, selon le cas). Assurez-vous de lui préciser par écrit la manière de le conserver et de l'administrer — par exemple, avec un grand verre d'eau, une demi-heure avant le repas, ou

---

7. Entretien privé avec Julio C. Soto.

à l'heure du déjeuner. Au service de garde, on devrait inscrire dans un registre l'heure et la date d'administration du médicament et le nom de l'éducatrice qui s'en est chargée. Même les éducatrices ont parfois des distractions et on ne peut raisonnablement espérer qu'un enfant de 2 ans mentionne avoir déjà reçu sa dose.

Prévenir le service de garde

Bien entendu, chaque fois que votre enfant sera souffrant et ne se présentera pas au service de garde — que ce soit en raison d'un embêtement, comme une infestation de poux ou un rhume banal, ou d'une maladie grave, comme la méningite —, vous en préviendrez les personnes concernées. La directrice pourra alors prendre les dispositions nécessaires pour contenir la maladie, en informer les autres parents et le personnel, consulter le spécialiste de la santé du service de garde et les autorités médicales de la région. Le docteur Soto suggère aux parents d'informer leur médecin que leur enfant fréquente un service de garde. Cette information l'aidera à diagnostiquer et à traiter adéquatement la maladie de l'enfant. Les parents devraient lui demander son diagnostic, précise le docteur Soto. Ils pourront alors relayer cette information importante à la directrice qui la transmettra, si nécessaire, aux services de santé communautaire.

Jetez un coup d'œil au tableau d'affichage et dans le casier de votre enfant pour vous tenir au fait des événements, et prévenez aussi le service de garde si l'un des membres de votre famille est atteint d'hépatite. Bien qu'ils ne souffrent généralement pas de cette grave maladie du foie, les enfants sont parfois porteurs du virus de l'hépatite, spécialement s'ils ne sont pas encore propres. Les études démontrent que les adultes en contact avec des enfants encore aux couches qui fréquentent une garderie courent le risque d'en être atteints[8]. Ceux qui ont été exposés au virus pourraient avoir besoin d'une injection d'immunoglobuline.

Le Hib se répand aussi dans les familles d'enfants placés en service de garde. Il en va de même pour le cytomégalovirus (CMV), dont les enfants sont également des porteurs

---

8. Finkel *et al.*, *ibid.*, p. 9; Kendrick *et al.*, *ibid.*, p. 233, 240-243.

asymptomatiques. L'infection au CMV survient généralement après une exposition à des liquides biologiques conta-
minés (urine, salive...). Parce qu'il représente un danger pour
le fœtus, surtout dans les deux premiers trimestres de la
grossesse, les femmes enceintes, mères d'enfants en service
de garde, devraient songer à demander à leur médecin de leur
faire subir un test pour déceler à quel point elles courent un
risque. Quoi qu'il en soit, votre meilleure protection consiste
à bien vous laver les mains après un contact avec votre
enfant[9].

On a diagnostiqué très peu de cas de sida (syndrome
d'immunodéficience acquise) chez les enfants, au Canada.
Parce que le risque de transmission, de personne à personne,
du sida, ou du VIH (virus d'immunodéficience humaine, son
agent causal), semble extrêmement faible dans les services
de garde, cette maladie ne soulève pas de problème à l'heure
actuelle. Les décisions concernant un enfant atteint du sida,
ou porteur du VIH, devraient être prises par les autorités de
la santé publique, de concert avec le médecin traitant et les
parents de l'enfant concerné[10]. Quelle que soit la maladie, il
est important de collaborer pleinement avec les autorités: les
mesures qu'elles adoptent ne donneront de résultat que si
tous s'y conforment.

Un enfant malade à la maison

«Allô, ici votre service de garde»

Lorsque votre enfant tombe malade pendant la journée,
la responsable du service de garde en milieu familial, l'éducatrice ou la directrice de la garderie vous téléphonera et
vous demandera de passer le prendre. Pendant qu'il attend
votre arrivée, il se reposera ou se distraira calmement sur un
matelas, ou un petit lit, à l'écart des autres enfants, mais où
quelqu'un pourra constamment le surveiller et lui offrir une
boisson et sa couverture.

En pareil cas, trois responsabilités vous incombent en
tant que parent.

---

9. Entretien téléphonique avec Julio C. Soto.
10. Kendrick *et al.*, *ibid.*, p. 265; entretien privé avec Julio C. Soto.

La première est de vous assurer que le service de garde peut vous joindre, ou joindre votre personne ressource, en tout temps. Veillez aussi à demander à votre employeur de vous prévenir dès qu'il reçoit un appel du service de garde et informez la personne ressource chargée de passer prendre votre enfant en cas d'urgence — qu'il s'agisse de votre conjoint, de votre voisine ou de votre belle-mère — de ce que vous attendez d'elle si jamais le service de garde communique avec elle parce qu'il n'y a pas moyen de vous joindre.

Votre deuxième responsabilité est de vous rendre sur place aussi rapidement que possible. Il n'est pas amusant d'être malade et il est encore plus pénible de l'être loin de chez soi. En outre, la garderie n'est pas outillée pour dispenser des soins médicaux à long terme.

Troisièmement, parce que vous n'étiez pas là pour surveiller les premiers symptômes de votre enfant, cherchez à apprendre ce qui s'est exactement passé. À quelle heure votre enfant a-t-il eu un premier vomissement? Combien de fois les vomissements se sont-ils répétés depuis lors? Combien fait-il de fièvre? Combien de selles liquides a-t-il eues? A-t-il dormi? A-t-il bu ou mangé quelque chose? Les parents qui n'ont pas été témoins des symptômes initiaux ne saisissent pas toujours la gravité du mal qui afflige leur enfant. Si l'éducatrice précise qu'il a connu des moments pénibles, on sera bien avisé de garder l'enfant au repos total, à la maison, pendant au moins une journée. Il en aura probablement besoin.

Qui prendra soin de votre enfant?

Maintenant que vous êtes de retour à la maison, il vous faut résoudre le plus difficile problème en matière de service de garde. Que faire quand votre enfant est malade? Qui veillera sur lui?

Au début, vous pourrez vous plonger la tête dans le sable et agir comme s'il n'y avait pas de problème. Il vous sera probablement possible d'improviser avec succès pendant un certain temps, mais vous serez finalement obligée de réfléchir à un moyen de vous en sortir pour de bon. Ce problème est si épineux que vous n'y trouverez peut-être pas de solution parfaite — ni permanente —, même après des heures et des heures de réflexion et de recherche et malgré des trésors d'ingéniosité.

Rester à la maison

La meilleure solution consiste vraisemblablement à rester à la maison. Il est difficile de se concentrer sur son travail quand on se fait du souci pour son enfant, qui se sentira d'ailleurs beaucoup mieux si sa mère, ou son père, est à ses côtés pour prendre soin de lui. Aucun enfant indisposé n'est vraiment prêt à faire l'expérience d'une gardienne.

Au Québec, les parents ont droit à cinq jours de congé sans solde par année pour s'occuper de problèmes concernant leur enfant, y compris la maladie. Certains parents — les plus chanceux — sont membres d'un syndicat qui a obtenu des congés parentaux dans le cadre des négociations d'une convention collective. Ceux qui sont membres des Travailleurs canadiens de l'automobile ont, par exemple, droit à trois jours de congé payé par année pour des raisons d'ordre familial; quant aux membres du Syndicat canadien de la fonction publique, à l'emploi de la Ville de Toronto, ils peuvent utiliser leurs journées de congé de maladie pour prendre soin de leurs enfants malades[11].

Même si vous n'avez légalement droit à aucun congé pour des raisons d'ordre familial, vous pouvez accumuler vos journées de congé de maladie et les utiliser lorsque votre enfant est souffrant. En principe, nous vous recommandons de dire la vérité à votre patron — que vous restez à la maison pour soigner votre enfant — de manière à ce que les employeurs finissent par comprendre l'absolue nécessité des congés pour des raisons de cette nature. Mais ce qui paraît raisonnable en théorie ne l'est pas nécessairement dans la pratique; et si on vous menace alors de mesures disciplinaires, ou de vous soustraire une journée de paye, vous serez bien forcée de vous déclarer malade.

Par mesure de précaution, informez-vous de la politique de votre employeur et de celle de l'employeur de votre conjoint en cette matière. Peut-être le patron de votre

11. Martha Friendly, Gordon Cleveland et Tricia Willis, *Flexible Child Care in Canada*, Toronto, Childcare Resource and Research Unit, 1989, p. 15.

conjoint fait-il preuve, en ce domaine, d'une attitude plus ouverte. Puis discutez entre vous de la question. Si votre conjoint refuse carrément de rester à la maison, la politique de vos employeurs réciproques importe peu.

Les gardiennes

Pour de nombreux parents, il est totalement irréaliste de même songer à rester au foyer pendant une longue période. L'une des solutions consiste alors à embaucher une gardienne. Parfois grand-maman, ou tante Lucie, sera disponible, mais de nos jours elles travaillent probablement elles aussi. Si vous avez la chance d'avoir une amie, une parente ou une voisine disposée à vous donner un coup de pouce à l'occasion, vous devrez être prête à lui rendre la pareille, d'une manière ou d'une autre. Autrement, vos liens ne survivront pas à la première année de vie de votre enfant dans un service de garde.

Votre service de garde conserve-t-il une liste de gardiennes. Informez-vous aussi auprès d'associations communautaires. Un groupe de citoyens du troisième âge de la région se ferait peut-être un plaisir de vous trouver une grand-mère. Une étudiante en nursing, du collège ou de l'université de la région, est peut-être libre un jour ou deux par semaine. Votre curé, ou ministre du culte, pourrait connaître une personne qui serait heureuse d'occuper un emploi occasionnel. Tout en recueillant des noms, demandez des références et vérifiez-les. Puis recevez en entrevue les candidates et laissez à votre enfant le temps de faire connaissance avec elles. Encore une fois, rappelez-vous qu'il n'est pas très rassurant d'être confié à une étrangère quand on est malade. (Pour plus de détails sur les gardiennes, voir le chapitre 4.)

Dans certaines villes, on pourra aussi verser une cotisation pour devenir membre d'une agence qui s'engagera à fournir une gardienne, à vingt-quatre heures d'avis. Ces agences figurent dans les Pages jaunes, sous les rubriques «Garde d'enfants» ou «Soins à domicile». Mais on sera sans doute plus avisé de se fier au bouche à oreille. On demandera à des amis qui ont des enfants, ou à des parents plus âgés, s'ils ont déjà eu recours à une agence. Puis on vérifiera la qualité de leurs services en communiquant avec le Bureau d'éthique commerciale et le centre de référence de la région.

On pourra en trouver le numéro de téléphone dans la première section des pages blanches réservée aux numéros appelés en cas d'urgence. Demandez à l'agence si elle a vérifié les références données par ses gardiennes, si elles sont cautionnées, si elles ont des assurances et si elles accepteront de vous fournir les numéros de téléphone de clients qui ont déjà utilisé leurs services. Même si vous avez réussi à dénicher une gardienne qualifiée, vous n'êtes pas nécessairement au bout de vos peines. Les services de ces agences sont généralement très onéreux et il se peut qu'elles vous envoient une personne différente chaque fois que vous leur faites appel, même si vous insistez pour obtenir la perle rare qui a déjà conquis toute la famille.

Les garderies de convalescence

Aux États-Unis, un nouveau type de service de garde pour enfants malades prolifère comme des champignons. Ces services controversés, qui n'occupent parfois qu'une pièce attenante à la garderie que fréquente normalement l'enfant et qui est spécialement réservée à son «rétablissement», ou qui sont d'autres fois constitués en garderie indépendante — pourvue de salles réservées aux enfants atteints de varicelle, de problèmes de digestion ou de maladies respiratoires, par exemple —, soulèvent l'intérêt des Canadiens, mais n'ont pas encore fait de réelle percée chez nous. En 1987, les hauts fonctionnaires du ministère de la Santé du Manitoba ont refusé un permis à une garderie pour enfants légèrement souffrants qui souhaitait ouvrir ses portes à Portage-la-Prairie, en dépit du fait qu'une infirmière diplômée devait en assumer la direction.

Autres types de services de garde

Si vous avez opté pour une gardienne ou un service de garde en milieu familial, vous ferez face à un problème légèrement différent. D'abord, les enfants gardés seuls, ou en très petits groupes, ne sont habituellement pas aussi souvent malades. Ensuite, parce qu'elles ne s'occupent que de quelques enfants et font preuve de plus de flexibilité, les mères de familles de garde accepteront parfois de garder un enfant peu malade — un avantage certain pour l'enfant qui restera en terrain connu et sera alors soigné par une intervenante qui lui est familière.

Mais il n'y a pas que des avantages: lorsque la responsable du service en question, ou la gardienne, tombera malade (ou lorsque l'enfant sera très souffrant ou contagieux), vous ne pourrez compter sur l'aide d'une directrice pour lui trouver une remplaçante. Dans les services de garde en milieu familial reconnus par une agence, cette dernière trouvera peut-être une remplaçante; quant aux responsables de service de garde en milieu familial membres d'un réseau, elles tiennent parfois des listes de suppléantes ou s'entraident mutuellement dans les cas d'urgence. La plupart des parents ayant recours à des gardiennes et à des services de garde en milieu familial se retrouvent à l'occasion dans la même situation que ceux dont les enfants fréquentent une garderie. Ils devront donc, eux aussi, songer à une solution d'appoint pour les jours où ils recevront à 7 h du matin un appel téléphonique les informant qu'ils seront privés de service de garde pendant toute la journée.

Assurez-vous de bien expliquer à la personne qui s'occupe de votre enfant— quelle qu'elle soit — la maladie dont il souffre et tout traitement spécial qu'il pourrait requérir.

La prévention des maladies

Quand l'enfant est constamment malade

Si votre enfant est fréquemment malade et que des épidémies semblent décimer régulièrement la garderie, il se peut que la politique de cette dernière en matière d'hygiène et de santé ne soit pas adéquate.

Lorsque vous vous trouvez un service de garde, faites-vous un point d'honneur de regarder attentivement autour de vous. Notez particulièrement à quels moments et de quelle manière le personnel et les enfants se lavent les mains. Le lavage des mains peut sembler fastidieux et donner parfois l'impression qu'on passe la moitié de son temps à la salle de bains; mais, comme nous l'avons dit plus tôt, se laver correctement les mains est absolument essentiel à la santé de tous dans un service de garde.

Lorsque vous cherchiez un service de garde, vous avez porté attention aux mesures d'hygiène et au nombre d'enfants, compte tenu de l'espace disponible. Reportez maintenant votre attention sur ces détails. Les bébés ont besoin d'espace qui leur appartienne en propre. Toute la préparation des repas, y compris des collations, doit se faire dans un coin réservé à cette fin (pourvu d'un évier) et distinct de celui où l'on change les couches et où on se lave les mains. Les mêmes membres du personnel ne devraient pas à la fois manipuler des aliments et changer des couches. Il est impératif que le ratio éducatrices-enfants soit satisfaisant et que les groupes soient peu nombreux. Les enfants devraient sortir à l'extérieur tous les jours. Faites-y un saut à 14 h 30 ou 15 h, au moment où se termine la sieste. Votre enfant se trouve-t-il dans sa couchette? Est-elle identifiée à son nom? Les draps en sont-ils propres? Les petits lits sont-ils distants les uns des autres d'au moins un mètre (trois pieds)? Les fenêtres sont-elles ouvertes? Se sert-on du bureau pour isoler les enfants malades, ou les couche-t-on directement au beau milieu de la salle de jeux?

Si vous remarquez que l'on se permet à la garderie des relâchements dans l'un ou l'autre de ces domaines, abordez la question avec la directrice. Peut-être un petit coup de pouce de la part des parents l'aiderait-elle à faire appliquer plus rigoureusement les règlements? Les autorités régionales de la santé publique ou un conseiller en pédiatrie seront vraisemblablement ravis qu'on leur offre ainsi la possibilité de récapituler les techniques de lavage des mains et d'autres mesures d'hygiène avec le personnel — et avec les parents, si ces derniers en font la demande. Si la directrice se montre peu coopérative, confiez vos inquiétudes au comité des parents.

Si le problème paraît insoluble — par exemple, si l'éducatrice ne peut se laver les mains parce qu'elle doit s'occuper de trop nombreux enfants et que la directrice refuse même d'envisager la possibilité d'embaucher davantage de personnel —, trouvez immédiatement un autre service de garde pour votre enfant.

Accidents et blessures

Quel que soit le genre de service que vous avez choisi pour votre enfant, peu importe le soin que le service de garde a mis à prévoir l'imprévisible et aussi sûr que soit son nouvel environnement, il s'y blessera inévitablement, comme cela lui arrivera également parfois à la maison. Les enfants éprouvent le besoin inné de prendre des risques et de mettre à l'épreuve leurs habiletés, et les véritables casse-cou (comme aussi les mal dégourdis) semblent particulièrement prédisposés aux accidents. Mais un équipement bien entretenu, des règlements et des règles de conduite intelligemment conçus minimiseront les risques d'accidents.

Le service de garde devrait vous informer promptement de toute blessure, même si elle est bénigne. Les parents ne devraient jamais découvrir avec étonnement, à l'heure du bain, une ecchymose, une coupure ou une bosse à la tête. S'il s'agit d'une blessure très superficielle, la garderie pourra choisir de ne vous en informer que lorsque vous passerez prendre votre enfant, plutôt que de vous téléphoner au travail. Le personnel devrait aussi vous prévenir de tout accident grave survenu à d'autres enfants. Votre petit pourrait en être tout secoué et souhaiter en parler avec vous.

Comment réagir à une mauvaise nouvelle?

Le cœur vous débattra probablement chaque fois que le service de garde vous téléphonera. Il est particulièrement bouleversant d'apprendre que son enfant a eu un accident. Dans ces cas-là, on imagine toujours le pire et on est assailli par toutes sortes d'appréhensions parfaitement normales.

Tandis que vous vous précipitez au chevet de votre enfant, rassemblez vos esprits. Vous ne lui serez d'aucune utilité si vous vous présentez à la garderie, ou à l'hôpital, dans un état d'hystérie ou de rage folle. Rappelez-vous que vous vous y rendez pour calmer, réconforter et soutenir votre enfant et que vous aurez peut-être à prendre rapidement de difficiles décisions. Prenez de grandes respirations et essayez de garder votre sang-froid.

Christine, âgée de $3^1/2$ ans, s'est coincée les doigts dans la porte de la salle réservée à son groupe à la garderie. Même après application de compresses de glace, ses doigts se sont mis à enfler et à bleuir; la directrice a téléphoné à ses parents pour leur expliquer ce qui était arrivé et leur suggérer un examen aux rayons X. Elle leur a offert de les retrouver à l'hôpital, mais ils ont préféré venir directement à la garderie.

Lorsque son père est arrrivé, Christine, qui avait toujours les doigts enveloppés dans une compresse, était assise sur les genoux de la directrice qui lui faisait la lecture. Sans poser une seule question, il lui retira sa fille des bras. Christine, qui s'était finalement apaisée, se mit à pleurer dès qu'elle aperçut le visage furieux de son père. Et avant qu'ils ne parviennent ensemble à la porte de la garderie, elle était devenue hystérique. La radiographie révéla une fracture à un doigt.

On se surprend facilement à compatir avec ce père. Effrayé et inquiet, il a retourné sa colère contre le personnel de la garderie. Mais les parents doivent comprendre qu'un comportement semblable affecte leur enfant, qui réglera sa conduite sur la leur. Un comportement de ce genre blessera également les éducatrices qui ont fait de leur mieux pour réconforter l'enfant et la soigner.

Lorsque vous arrivez sur les lieux, évaluez soigneusement la situation. Les éducatrices professionnelles des services de garde devraient aussi bien savoir dispenser des premiers soins que des attentions aimantes et réconfortantes. Informez-vous de ce qui est arrivé, du moment et de la manière dont cela s'est produit, pour pouvoir tout répéter au médecin ou à l'urgence de l'hôpital. Pour poser un diagnostic précis, on aura besoin de savoir ce qui s'est passé et ce qu'on a tenté pour soulager la douleur et pour contrôler le saignement et l'enflure.

Dans l'éventualité où le service de garde serait dans l'incapacité de vous joindre, ou que vous ne puissiez vous rendre à l'hôpital aussi vite que vous le souhaiteriez, il est important que ayez signé un formulaire qui autorise l'hôpital à entreprendre le traitement requis sans devoir vous attendre. Au moment de l'admission de votre enfant, tout service de garde devrait vous demander de remplir un formulaire contenant l'information médicale dont l'hôpital pourrait avoir besoin.

Les autres enfants

N'oubliez pas que les enfants témoins d'un accident y ont eux aussi une réaction. Encore une fois, votre comportement pourra les effrayer horriblement ou, au contraire, les aider à traverser cette épreuve.

Âgé de 4 ans, Grégory jouait dans une cage à grimper, au parc du voisinage, quand il a fait un faux mouvement et perdu pied; dans sa chute, il a heurté du front une barre métallique. Au soulagement de ses éducatrices, qui s'inquiétaient déjà des conséquences de sa chute, il s'est mis immédiatement à pleurer. Joannie, son éducatrice, a rapidement ouvert la trousse d'urgence de la garderie — un équipement obligatoire chaque fois qu'on fait une sortie. À l'aide d'une compresse de glace, elle exerça une pression sur l'entaille pour stopper l'hémorragie. Un policier, qui se trouvait par hasard sur les lieux, appela une ambulance; dès leur arrivée, les ambulanciers étendirent Grégory sur une civière qu'ils soulevèrent et déposèrent dans le véhicule. Joannie y monta avec lui.

Les blessures au cuir chevelu sont très impressionnantes parce qu'elles saignent abondamment. La vue de l'ambulance et de la civière — deux mesures de routine en cas de blessure à la tête, au cou ou au dos — avait aussi bouleversé les enfants. Préoccupées par la façon dont les autres enfants réagiraient à l'incident, les trois éducatrices présentes au parc leur expliquèrent, étape par étape, le fil des événements. Les enfants posèrent des tas de questions, mais parce que Grégory était conscient et rassuré et que l'hémorragie avait été stoppée, ils reportèrent toute leur attention sur l'animation qui avait suivi: l'ambulance, les sirènes, les gyrophares.

Malgré cela, il y avait tout lieu de croire que certains d'entre eux seraient encore effrayés à la fin de la journée, lorsqu'ils auraient eu le temps de repenser à ce qui s'était produit. Ils pourraient par exemple se demander: «Qu'est-il donc arrivé à Grégory? Cela m'arrivera-t-il aussi?»

Convoquée d'urgence à l'hôpital par un appel en provenance du service de garde, la mère de Grégory devina ce que les enfants pouvaient ressentir. Lorsque vint le moment de rentrer à la maison, elle ramena Grégory à la garderie pour les rassurer. Il montra fièrement à ses copains ses sept points de suture et leur raconta sa balade en ambulance. Même si les éducatrices discutèrent de l'incident avec les enfants et que le service de garde adressa en ce sens une brève note aux autres parents, la sage décision de la mère de Grégory rassura bien davantage les petits que les deux premières mesures. Si votre enfant se fait du souci pour un de ses compagnons, prenez l'appareil de téléphone et laissez les enfants bavarder ensemble s'ils le souhaitent. Se faire du souci pour ses semblables est une merveilleuse qualité qu'un enfant apprendra généralement à développer en service de garde.

Passer en revue les événements

Après que votre enfant a été traité à la suite d'un accident, il est important pour votre propre tranquillité d'esprit — et pour le bien-être de tous les enfants de la garderie — de passer en revue les événements aussi objectivement que possible. Assurez-vous d'obtenir un rapport écrit de l'accident. Puis demandez-vous pourquoi il est survenu. Aurait-il pu être évité? Est-il la conséquence d'une négligence de la part du personnel, ou du mauvais entretien d'un équipement? A-t-on calmement pris en main la situation, ou tous ont-ils cédé à la panique? Un traitement adéquat a-t-il été immédiatement administré? L'éducatrice a-t-elle appliqué des compresses pour stopper l'hémorragie, ou de la glace pour réduire l'enflure? Est-elle restée aux côtés de votre enfant jusqu'à votre arrivée? L'éducatrice était-elle détendue, capable de réconforter votre enfant et de lui témoigner la compassion dont il avait besoin? Votre enfant se sentait-il calme et rassuré, en dépit de sa blessure? Si votre enfant avait besoin d'un traitement d'urgence à l'hôpital, le service de garde a-t-il réagi avec célérité? Vous en a-t-on immédiatement informé? L'éducatrice peut-elle vous expliquer clairement les événements qui ont précédé l'accident?

S'il ne s'agit pas d'un événement isolé et si on semble souvent, au service de garde, transporter d'urgence des enfants à l'hôpital pour des points de suture ou des rayons X, poussez plus loin votre enquête. Il arrive que des incidents au cours desquels personne n'a été blessé requièrent aussi un examen approfondi — par exemple, quand on a oublié un enfant au parc. Entretenez-vous avec la directrice pour savoir exactement ce qui s'est produit (ne vous en remettez pas aux simples ouï-dire) et connaître les mesures prises pour éliminer les dangers ou réduire la fréquence des accidents. Si votre enfant vous dit qu'un autre enfant a été transporté d'urgence à l'hôpital après être tombé de la même glissoire que lui, peut-être la surveillance ou la sécurité des équipements est-elle en cause. Encore une fois, n'hésitez pas à téléphoner à la famille de l'enfant accidenté, de manière à comparer les situations.

Évaluez de près les dispositions prises par le service de garde. Une bonne surveillance — qui suppose un bon ratio éducatrices-enfants et un personnel attentif — s'impose en tout temps. Les éducatrices doivent bien connaître les enfants — être au fait de leur stade de développement et de leurs capacités individuelles. Elles doivent leur enseigner les règles de sécurité et les leur faire observer rigoureusement. L'environnement physique ne doit présenter aucun danger et l'équipement, être robuste et bien entretenu.

En juillet 1988, un enfant de 2 ans échappa de justesse à la mort quand la glissoire de sa garderie, à Mississauga, se renversa sur lui; et en décembre 1988, un enfant de 3 ans, à Dryden, en Ontario, s'étrangla quand sa tête se coinça entre les barreaux trop rapprochés de la cage à grimper installée dans la cour de récréation de son service de garde. Si vous découvrez qu'un personnel insuffisamment nombreux, une surveillance inadéquate ou des appareils mal ou peu entretenus ont pu causer des accidents à votre service de garde, agissez sans tarder. Retirez votre enfant de ce service et téléphonez aux autres parents, puis communiquez avec l'Office des services de garde à l'enfance et demandez une inspection des lieux. N'y renvoyez pas votre enfant avant d'avoir la certitude que les lieux et les pratiques du service de garde en cause ne présentent aucun danger. Lorsque la sécurité de votre enfant est en jeu, ne déléguez vos responsabilités à personne d'autre.

CHAPITRE 17

Les comités de parents et les conseils d'administration

Quand j'apprends des choses
Je me sens heureuse
Car je sais une chose
Je suis très curieuse.

Bernard Tanguay
«Quand j'apprends des choses»
Passe-Partout

Votre service de garde a besoin de vous! Comme les forces armées, les services de garde recrutent constamment des volontaires. Même dans les garderies qui ne sont pas des coopératives de parents, on juge que ces derniers peuvent apporter une contribution essentielle, et les experts en la matière sont aussi de cet avis.

Il y a des tas de bonnes raisons pour que vous participiez à la vie de la garderie que fréquente votre enfant, mais elles ont toutes le même fondement: votre enfant.

Premièrement, votre enfant bénéficiera directement du fait que vous serez sur les lieux de temps à autre. Lorsque ses parents prennent part à la vie de son service de garde — même brièvement et peu souvent —, l'estime de soi de l'enfant semble s'épanouir, affirme Polly Greenberg, spécialiste en engagement des parents. Les enfants dont les parents participent souvent à la vie de la garderie ont davantage de motivation, d'ambition et d'autodiscipline[1].

---

1. Polly Greenberg, «Parents as Partners in Young Children's Development and Education: A New American Fad? Why Does It Matter?», *Young Children*, mai 1989, p. 62.

Le deuxième bénéficiaire de votre participation sera le service de garde lui-même (et donc, est-il besoin de le rappeler, votre enfant). Bien qu'il n'existe aucune étude spécifiquement consacrée à cette question, plusieurs experts croient que la participation des parents améliore les services de garde. En fait, elle constitue l'un des sept éléments clefs d'un service de garde de haute qualité identifiés par le Groupe d'étude sur la garde des enfants[2]. Plus les parents participent, plus on leur confie de responsabilités, et plus les soins dispensés à leurs enfants répondent à leurs valeurs et sont de haute qualité. Une étude a permis de découvrir que les garderies gérées par des conseils d'administration composés de parents étaient plus susceptibles de répondre aux normes imposées par les gouvernements[3]. Le Québec en est si profondément convaincu qu'il y a fait une place dans sa politique des services de garde: seules les garderies dont les conseils d'administration sont majoritairement composés de parents y sont admissibles à des subventions destinées à leur mise sur pied et à leur exploitation.

Vous tirerez aussi vous-même des avantages de votre participation à la bonne marche du service de garde de votre enfant (et, encore une fois, vous aiderez ainsi votre enfant): vous aurez votre mot à dire sur les soins que reçoit votre enfant quand vous n'êtes pas présente sur les lieux, ce qui vous redonnera confiance dans le service et assurera votre tranquillité d'esprit. Vous deviendrez membre d'une communauté et vous profiterez des liens d'amitié qui s'y tissent tout naturellement. Vous aurez ainsi la chance d'accomplir quelque chose qui en vaut la peine. Et si vous entrez au conseil d'administration, vous exercerez un réel pouvoir — une occasion unique, ou presque, pour la plupart d'entre nous, mais plus spécialement pour les femmes et les jeunes adultes. Bref, vous en retirerez de la satisfaction, des appuis et du pouvoir.

Nous vous recommandons de ne pas rater cette occasion. Sans quoi il vous sera beaucoup plus difficile de vous

---

2. Cooke *et al.*, *ibid.*
3. Sharon W. West, *A Study on Compliance with the Day Nurseries Act at Full-Day Child Care Centres in Metropolitan Toronto*, Toronto, Ontario Ministry of Community and Social Services, 1988, p. 38.

faire entendre lorsque vous devrez affronter le lourd appareil bureaucratique qui gère la plupart des institutions d'enseignement.

Retroussez donc vos manches et mettez les mains à la pâte.

Apporter son aide au service de garde

La liste des tâches est longue, depuis les plus simples jusqu'aux plus spécialisées. Tout dépend du temps dont vous disposez, de votre énergie, de vos intérêts et de votre expérience. Rappelez-vous que vous êtes capable d'une contribution extrêmement importante si vous passez dix minutes avec votre enfant à la garderie, le matin et le soir, et si vous vous montrez très attentive à ses besoins et à ses réactions[4]. Tout ce que nous suggérons dans les pages qui suivent ne saurait y suppléer, mais seulement s'y ajouter!

Ce qu'on peut faire sur les lieux mêmes

Entre autres possibilités, vous pouvez travailler au sein même du service de garde — que ce soit sur une base régulière ou lorsque vous disposez de quelques minutes. Par exemple, en faisant la lecture au groupe lorsque vous venez prendre votre déjeuner avec votre enfant. En cuisant du pain avec les enfants. En les accompagnant dans le cadre d'une visite à la caserne des pompiers. Ou en peinturant une étagère.

Voici quelques tâches dont vous pouvez vous acquitter sur les lieux mêmes de la garderie, si vous en avez le temps:

• Faire la lecture aux enfants

• Aider à la rédaction d'histoires auxquelles les gouaches des enfants serviront d'illustrations

• Faire profiter les autres de ses talents particuliers, par exemple en arts, en couture, en danse

• Cuire du pain avec les enfants

• Assurer l'encadrement des activités de gymnastique

---

4. Richard Cloutier, «Pourquoi des parents à la garderie?», *Petit à petit*, vol. 3, n° 6, mars 1985, p. 22-24.

- Conduire un véhicule lors d'un voyage
- Apporter son concours lors d'un voyage
- Nettoyer les tables et les chevalets
- Laver et gratter les taches de colle
- Mettre de l'ordre dans les rayons de la bibliothèque et réparer les livres qui en ont besoin
- Ranger les blocs et les casse-tête
- Vérifier si les vêtements de mascarade ont besoin d'être rapiécés ou lavés
- Préparer les pots de gouache
- Nettoyer les appuis de fenêtre, les dessus des tables et les pelles et autres jouets qui servent à s'amuser dans le sable
- Participer aux journées spéciales de corvée à la garderie en récurant, peinturant et réparant l'équipement, les murs, etc.

Ce qu'on peut faire à la maison

Si votre travail ne vous permet pas d'apporter votre aide sur les lieux mêmes de la garderie, vous pouvez donner un coup de main depuis la maison. Prenez soin du cochon d'Inde pendant un long week-end. Enregistrez sur magnétophone des disques, dactylographiez des avis, lavez des draps ou cousez des tentures.

Voici des petites tâches dont vous pouvez vous acquitter chez vous ou au travail.

- Agir comme personne ressource dans le cadre de projets spéciaux
- Découper des articles de journaux et de revues concernant un sujet d'actualité
- Enregistrer des disques sur magnétophone
- Enregistrer des contes sur magnétophone
- Dactylographier des avis
- Recueillir des bouts de bois
- Recueillir des objets qui serviront à des activités de bricolage: des journaux, des rouleaux de papier de toilette, des contenants de yogourt, des cartons d'œufs, des bouts de tissu, des boutons, etc.

- Recueillir, au travail, des objets utiles qui autrement se retrouveraient aux ordures (la fin d'un rouleau de papier d'imprimeur, des bouts de carton d'un encadreur, des retailles de moquette, du papier d'imprimante, etc.)
- Envoyer à la garderie des sacs de magasinage en plastique
- Cuire des gâteaux pour les parties d'anniversaire et les ventes de charité qui serviront à recueillir des fonds
- Participer aux levées de fonds
- Coudre des vêtements de poupées
- Réparer les jouets, les meubles, les casse-tête et les livres
- Laver les blouses qui servent aux activités de bricolage
- Laver les draps des couchettes
- Photocopier des avis
- Se porter volontaire pour faire des appels téléphoniques
- Inviter un groupe d'enfants à visiter son lieu de travail, ou sa maison
- Aider à organiser une fête pour les enfants, les parents et le personnel, en dehors des heures d'ouverture du service de garde

Ce qu'on peut faire à l'intérieur ou à l'extérieur de la garderie

- Faire profiter les autres de ses talents, de son expérience et de son héritage culturel en organisant des visites spéciales, en fournissant des accessoires pour une activité spéciale ou en faisant part de ses idées à l'éducatrice de son enfant
- Enregistrer sur vidéo un événement spécial ou ordinaire (les enfants adorent se voir au petit écran)

(Ces suggestions nous viennent des Umbrella Central Day Care Services de Toronto et du McGill Community Family Center de Montréal.)

Relever le défi!

Ou vous pouvez participer à la gestion de la garderie.

Dans une garderie à but lucratif, le propriétaire se réserve tout le pouvoir de prendre les décisions. Il édicte les politiques et, bien que la loi l'oblige à consulter un comité de parents, il aura toujours le dernier mot. Il ne rend de comptes qu'à lui-même. En fait, les parents sont alors parfois fort peu informés de ce qui se passe. Un ancien membre du personnel d'une garderie à but lucratif nous a révélé que son employeur lui avait fortement déconseillé de dire quoi que ce soit de négatif à un parent — ni à propos de son enfant, ni à propos du programme de la garderie. Son travail consistait à s'assurer que les parents — les clients — soient satisfaits. Mais on peut toutefois contourner ce genre de difficulté en s'assurant de connaître les membres du comité de parents. En dépit de ses limites, le comité de parents joue plusieurs rôles importants dans une garderie à but lucratif. En tout premier lieu, votre participation à ce comité profitera à votre enfant. En deuxième lieu, un comité de parents peut talonner un propriétaire de service de garde — à ce propos, la loi québécoise interdit d'ailleurs à un détenteur de permis de poursuivre les parents membres de ce comité! Et troisièmement, ce comité peut s'avérer d'un secours inestimable pour un propriétaire à l'esprit ouvert.

Les garderies sans but lucratif sont différentes. Chacune a sa structure propre et ses propres mécanismes en ce qui a trait aux prises de décisions, dont le conseil d'administration se réservera ultimement la responsabilité.

Dans environ 95 % des garderies sans but lucratif du Québec, le conseil d'administration se compose ou exclusivement de parents, ou de parents et de membres du personnel et de la communauté.

Au premier coup d'œil, siéger au conseil d'administration d'une garderie ou à un comité de parents peut sembler fort simple (bien plus, par exemple, que de faire monter seize enfants d'âge préscolaire dans un autobus public et de les en faire redescendre). De toute façon, vous dites-vous, la directrice fait tout le travail. Vous assistez seulement à une réunion qui dure environ deux heures, une fois par mois; vous placez quelques appels téléphoniques de temps à autre et vous êtes récompensée par le sentiment du devoir accompli.

Disons les choses comme elles sont. Siéger à un conseil d'administration d'une garderie est un *travail exigeant*. Mais ne vous laissez pas rebuter pour autant. Comme le dit le guide Michelin à propos du Mont-Saint-Michel, *ça en vaut le voyage*. En fait, siéger à un conseil d'administration d'une garderie est le travail le plus exigeant, le plus stimulant, le plus frustrant et le plus excitant qui se puisse trouver.

La nature du travail
au sein d'un conseil d'administration

Les responsabilités

D'abord, être membre du conseil d'administration n'est pas un titre honorifique. C'est une lourde responsabilité. Le conseil d'administration est juridiquement chargé de la gestion et de l'administration de la garderie. La directrice de la garderie s'occupe des opérations au jour le jour; mais elle fait rapport au conseil qui édicte les politiques qu'elle met en application. Le conseil doit entretenir avec elle des rapports francs et honnêtes, avoir confiance en elle (comme elle en lui) et lui fournir le soutien dont elle a besoin pour diriger la garderie. S'assurer du bon fonctionnement de la garderie relève de la responsabilité du conseil d'administration.

Paul Schrodt, qui a siégé à des conseils d'administration de garderies sans but lucratif pendant vingt-deux années, raconte comment il a soudain pris conscience de cette réalité à ses premières armes comme membre d'un tel conseil: «À la troisième réunion — où il était question de reporter un déficit à l'exercice de l'année suivante, de la possibilité de devoir remercier un membre du personnel qui avait été impliqué dans un incident de nature délicate, et d'une campagne de levée de fonds qui avait connu des ratés et pouvait nous contraindre à des licenciements — j'ai soudain pris conscience que j'avais d'énormes responsabilités.»

Il y a tant à apprendre et nous savons si peu

Si plusieurs services de garde sont encore de petites entreprises à dimension humaine, qui opèrent à très peu de frais avec quelques employés dans un duplex, d'autres sont des institutions complexes et développées dont le budget atteint le demi-million de dollars. Les petites garderies sont peut-être plus faciles à gérer que les grandes, mais les unes comme les autres poseront des problèmes aux néophytes, contrairement à ce qu'en pensent dans leur inexpérience et leur naïveté la plupart des parents de jeunes enfants. (Plusieurs conseils d'administration comprennent d'ailleurs, jus-

tement pour cette raison, des membres de la communauté plus expérimentés.)
Qu'ignorons-nous au sujet des conseils d'administration de garderies?

1. L'argent.

Le premier (deuxième, troisième et...) problème des conseils d'administration, c'est l'argent. Les garderies tirent leurs revenus non seulement des frais de garde versés par les parents et de leurs campagnes de levée de fonds, mais aussi des divers paliers de gouvernement, des commissions scolaires, d'organisations charitables, d'Églises, de collèges et d'universités, d'hôpitaux et de grandes entreprises. Pourtant, la plupart d'entre elles souffrent de sous-financement chronique et les garderies doivent constamment se battre simplement pour assurer leur subsistance.

Dans ce petit univers, les gens qui s'y connaissent en tenue de livre, en comptabilité et en gestion financière sont aussi précieux que les diamants et, malheureusement, tout aussi rares que ces derniers. Trop fréquemment, on confie à des novices le soin de surveiller les dépenses, d'élaborer des budgets (instrument clef de l'existence du service de garde) et de faire des plans pour l'avenir — un travail quasi impossible à accomplir avec compétence et créativité quand on en ignore jusqu'aux rudiments.

2. Le personnel.

Le conseil d'administration est un employeur: il embauche d'abord une directrice et surveille ensuite la sélection et la qualité du travail de tout le personnel. Il a la responsabilité d'établir et de revoir les politiques et les règlements relatifs au personnel — de veiller à tous les détails, depuis l'embauche et le licenciement, jusqu'à la fixation des salaires, des avantages sociaux et des conditions de travail — et de voir ensuite à ce qu'ils soient rigoureusement appliqués. Parce que le travail en garderie est très exigeant et incroyablement sous-payé, il est parfois difficile de conserver son personnel — une tâche diablement compliquée pour des personnes dont l'unique expérience en matière de relations de travail se limite à leur expérience en tant que travailleurs.

3. La loi.

Il y a aussi des tas de problèmes juridiques qu'il faut débrouiller: se constituer en société, se plier à toutes les exigences des lois qui régissent l'attribution d'un permis de garderie, les assurances, le bail, etc.

4. *Le programme.*

Dernier point, mais certainement pas le moindre, le conseil d'administration doit être au fait des soins qu'il faut prodiguer aux enfants — c'est-à-dire du programme qui leur convient, ou de ce à quoi ils occuperont leurs journées. Malheureusement, le conseil doit se pencher sur tant d'autres questions que le programme ne se retrouve souvent même pas à l'ordre du jour de ses réunions. Conseillère en matière de services de garde à l'enfance au Toronto Board of Education, Janet Davis, qui assiste à des dizaines de réunions de conseils d'administration de garderies, affirme que «le pourcentage de temps alloué aux questions relatives au programme est minime».

Jusqu'à quel point les parents devraient-ils se fier à leurs instincts quand il s'agit de déterminer ce qui est important pour leurs enfants? Bien qu'ils puissent se joindre au conseil pour pouvoir influencer ce qui se passe dans la salle de jeux, ils ne sont pas experts en services de garde à l'enfance. Ils n'ont probablement pas fréquenté la garderie eux-mêmes, aussi n'ont-ils aucune expérience qui puisse les éclairer en ce sens, et le fait de passer une vingtaine de minutes par jour à la garderie, en y déposant puis en y reprenant leur enfant, ne fait pas d'eux, du jour au lendemain, des autorités en ce domaine. La directrice et le personnel sont les vrais experts. Et pourtant, si la garderie veut répondre aux besoins des parents, il faudra qu'elle soit attentive à leurs demandes.

Tout cela est souvent plus affaire d'instinct, de sensibilité, que de logique. Parce que votre enfant vous est si précieux — et parce que vous vous sentez coupable de ne pas rester auprès de lui et de faire appel à des étrangers pour le garder, et que vous voulez ce qu'il y a de mieux pour lui —, votre engagement personnel dans le service de garde sera inévitablement total. La directrice et les éducatrices s'y dévoueront sans doute tout aussi entièrement. Elles choisissent généralement ce genre de travail en raison de leur profond amour des enfants et elles subventionnent pratiquement l'existence des services de garde en acceptant des salaires qui ne reflètent même pas vaguement l'étendue de leurs connaissances et de leur expérience, ni la difficulté de leurs tâches.

À titre de parents d'enfants en service de garde, vous êtes des consommateurs et vous dépendez de directrices et d'éducatrices pour fournir à vos enfants les soins les meilleurs qui soient. À titre de membres du conseil d'administration, vous devenez des employeurs qui fixent les conditions de travail des mêmes directrices et éducatrices. Si vous leur offrez une augmentation de salaire qu'elles méritent, vous pourriez devoir hausser les frais de garde, ce qui pourrait gravement amputer votre budget familial. Si vous leur refusez une augmentation de salaire, parce que les parents ne peuvent se permettre une hausse des frais de garde, elles pourraient n'avoir d'autre choix que de vous remettre leur démission. Lorsque la directrice ou les éducatrices de la garderie sont aussi membres du conseil d'administration (et elles devraient en être parce qu'elles lui apporteront de précieux renseignements et une connaissance intime du milieu), le risque de conflits d'intérêts s'en trouvera accru.

Comme des luttes de pouvoir peuvent s'y déclarer, toute garderie doit avoir élaboré des politiques et des dispositions très précises pour résoudre les conflits et traiter les plaintes et les griefs. Il faudra qu'on s'y entende sur des objectifs communs et les rôles de chacun. Il est tout aussi important de définir les tâches des membres du conseil que celles de la directrice et du personnel. Encore une fois, la présence en son sein de membres de la communauté, à la fois pondérés et sans intérêts personnels à défendre, s'avérera fort utile. Si l'on sait se servir de ces instruments, des discussions serrées conduiront à des décisions bien pesées et novatrices et la garderie en sortira plus forte.

Le changement de personnel
au sein du conseil d'administration

Pour atténuer ces difficultés, tout membre du conseil d'administration d'une garderie ne pourra occuper son poste que pendant une période limitée: les statuts de la garderie, ou l'irrépressible tendance des enfants à grandir, le forceront à mettre fin à son mandat juste au moment où il commençait à saisir la nature de son travail. Ou — mais cette situation est tout aussi frustrante — il pourra choisir de rester à son poste pour un deuxième, ou un troisième mandat, mais des nouveaux venus se pointeront et donneront au vieux routier qu'il est l'impression de vouloir réinventer la roue. Les nouveaux membres d'un conseil, qui défendent des points de vue différents, pourront tenter de rejeter des méthodes éprouvées et valables, ou de réécrire les politiques du service de garde. Pour servir de guide aux nouveaux administrateurs tout en restant en selle, le vieux routier devra pouvoir compter sur un sens de l'organisation développé et beaucoup de temps libre, aussi bien que sur un manuel de procédure concis et des procès-verbaux succincts des réunions de l'année précédente.

Montez à bord et découvrez le monde de la gestion!

Maintenant que vous savez dans quelle galère vous vous embarquez, nous vous exhortons à vous charger de cette mission. Même si votre enfant fréquente une garderie à but lucratif où les parents «conseillent» le propriétaire et n'exercent guère de réel pouvoir, cette expérience profitera à votre rejeton, au service de garde et à vous-même. Et croyez-le ou non, vous en tirerez aussi probablement du plaisir!

Pour devenir un membre efficace d'un conseil d'administration, quelles qualités sont requises?

1. *Le temps.*

Il est bon d'avoir du temps à soi — ce dont ne disposent pas les parents de jeunes enfants qui travaillent à temps plein. Mais il est difficile de préciser de combien de temps il vous faudra disposer. Au strict minimum, vous devrez assister à des réunions mensuelles, mais des projets divers vous occuperont inévitablement entre ces réunions. Si on vous confie un poste de direction au conseil, vous aurez bien entendu des responsabilités additionnelles. Envisagez de rester membre du conseil pour un mandat d'au moins deux années, de manière à ce que vous compreniez bien en quoi consiste cette tâche lorsque vous quitterez votre poste. Si vous êtes déjà engagée dans d'autres organismes, en plus de votre travail, oubliez cela.

2. *L'expertise.*

Comme de raison, on ne demandera pas mieux si vous avez de l'expertise dans l'un des domaines mentionnés plus tôt: finance, loi, direction du personnel ou éducation. Si c'est votre cas, la garderie a définitivement besoin de vos services. Mais sachez que n'importe qui peut améliorer ses connaissances dans au moins un domaine: celui des services de garde à l'enfance.

D'une certaine manière, tout parent est presque automatiquement un surveillant en puissance du service de garde fréquenté par son enfant, mais un membre du conseil doit exercer quotidiennement cette fonction avec plus de rigueur et de sens pratique. Cela fait partie de son engagement en tant que membre du conseil.

Conversez avec la directrice et les éducatrices — ce sont des professionnelles *vraiment* expertes en la matière. Posez-leur des questions à propos de leur travail. Menez vos propres recherches: lisez des livres et des articles sur le développement des enfants et les services de garde à l'enfance et partagez vos découvertes avec les autres membres du conseil d'administration. De temps à autre, repassez en revue vos listes de questions des chapitres 9 et 10, toujours appropriées et qui vous indiqueront comment vous y prendre pour obtenir un service de haute qualité. Gardez l'œil ouvert lorsque vous venez à la garderie, le matin et le soir. Si un rendez-vous avec un médecin vous y amène à une heure inhabituelle, faites le tour des lieux. Le personnel qui accueille si chaleureusement votre enfant, le matin, le traite-t-il toujours avec autant de soin et de patience?

En lisant, en gardant ouverts les yeux et les oreilles, vous comprendrez mieux ce qui est censé se dérouler dans un service de garde de première qualité et vous retrouverez confiance en votre jugement. Vous vous gagnerez aussi le respect des professionnelles dont vous venez de pénétrer le monde. Puis, lorsque vous serez témoin d'incidents qui vous rendent mal à l'aise — des éducatrices qui se regroupent dans un coin de la salle de jeux; des enfants qu'on punit parce qu'ils n'ont rien à faire et trouvent alors le moyen de se mettre dans le pétrin — vous parlerez d'expérience et votre point de vue aura plus de poids. Si vous êtes prête à endosser les responsabilités inhérentes à ce poste, vous serez mieux à même de prendre des décisions avisées.

3. *La fiabilité.*

Un membre du conseil doit être une personne fiable — qui assiste toujours aux réunions et téléphone aux gens qu'elle a promis d'appeler. Paul Schrodt la décrit comme «un héros de la vie quotidienne... une personne qui sait faire avancer les choses au rythme auquel les institutions y parviennent, c'est-à-dire à petits pas».

4. *L'enthousiasme.*

Il est tout aussi essentiel de faire preuve d'enthousiasme. Comme le dit encore Schrodt: «Sans enthousiasme, on ne peut survivre dans ces institutions.» Les parents depuis peu clients d'un service de garde et les parents de nourrissons et de tout-petits — toujours très intéressés à ce qui se passe au service de garde — sont en conséquence des candidats tout désignés pour le conseil.

5. *La diversité.*

Plus la composition d'un conseil d'administration est diversifiée, mieux cela vaut. On devrait y retrouver des parents de chaque groupe d'enfants, des parents de familles unies et des chefs de familles monoparentales, des membres de différentes ethnies, religions et classes économiques, des habitants de différents quartiers et des employés de différents services — s'il s'agit d'une garderie en milieu de travail.

6. *La capacité d'avoir une vue d'ensemble.*

Mais une fois que vous êtes entrée au conseil d'administration, il vous faut mettre de côté vos intérêts personnels et voir à ceux de l'institution dans sa totalité. Ce qui vous semble bon pour votre enfant pourrait ne pas l'être nécessairement pour le reste du service de garde. Si la directrice désire confier à l'éducatrice préférée de votre enfant la garde d'un autre groupe, saurez-vous écouter ses arguments l'esprit ouvert et vous faire une idée en fonction du bien-être de tous les enfants? Parviendrez-vous à prendre la décision la meilleure pour l'ensemble du service de garde et croire, ce faisant, qu'elle sera aussi la meilleure pour votre enfant? Toute personne capable de distinguer ce qui est bien et juste pour l'ensemble de la communauté apportera une inestimable contribution au service de garde.

7. *Le bon sens.*

Parce que le conseil doit abattre beaucoup de travail et que les risques de conflits y sont si élevés, vous devez être capable de garder les pieds sur terre, de penser clairement et de traiter honnêtement et ouvertement avec les autres membres du conseil, la directrice et le personnel. Les individus avides de pouvoir ne pourraient que causer du tort à une garderie.

8. *La discrétion.*

La discrétion est une autre qualité importante. En tant que membre du conseil, vous serez informée des difficultés les plus secrètes de la garderie — comme une baisse du moral du personnel ou une situation financière désespérée. Leur divulgation pourrait provoquer des rumeurs ou entraîner une perte de confiance et aggraver la situation. Si vous apprenez que l'éducatrice de votre enfant prendra un congé de maternité dans trois mois, vous ne pourrez courir à la maison l'annoncer à votre petit pour le préparer à cet événement. Il vous faudra attendre, comme tout autre parent, que votre enfant apprenne la nouvelle de la manière dont l'éducatrice et la directrice l'auront décidé.

9. *Les manifestations d'appréciation.*

En plus d'apporter votre concours au service de garde, il serait merveilleux que vous notiez les contributions d'autres personnes et que vous leur exprimiez de vive voix vos remerciements et votre appréciation. Lorsqu'un membre du conseil dépose un rapport complet et détaillé sur le recyclage à la garderie, ou que la directrice règle un épineux problème de nature personnelle avec tact et diplomatie, dites-leur qu'ils ont fait du travail formidable. C'est ainsi que se construisent des relations, que s'améliore la communication et que tous trouvent un peu plus de courage pour continuer à se battre.

Comment fonctionne un conseil d'administration?

Chaque année, les services de garde sans but lucratif tiennent au moins une réunion, appelée assemblée générale annuelle, à laquelle sont convoqués tous les membres de l'institution, c'est-à-dire les parents et toute autre personne définie comme membre dans les statuts. L'élection du nouveau conseil d'administration est un important point à l'ordre du jour de cette assemblée. Dans bien des garderies, un comité de mises en candidatures présente les candidats qu'il a sélectionnés et dont il soumet les noms à l'assemblée, ou incite les gens à soumettre eux-mêmes leur candidature; dans d'autres garderies, les parents se portent volontaires ou sont élus par acclamation. (Dans un cas comme dans l'autre, les candidats auront présumément réfléchi à la question avant d'annoncer leur intention de briguer un poste.) Demandez à la directrice comment vous porter candidate. Les candidats se présenteront probablement eux-mêmes et expliqueront la contribution qu'ils entendent apporter au conseil d'administration. Puis les membres voteront, choisiront autant de membres du conseil que le stipulent les statuts. Le conseil d'administration élira lui-même son conseil de direction (président, vice-président, secrétaire et trésorier) et ses présidents de comités, puis tiendra des séances d'information à l'intention de ses nouveaux membres.

Les réunions courantes

Le conseil d'administration respecte un ordre du jour, distribué d'avance, de manière à ce que ses membres sachent de quoi ils seront appelés à discuter. Il approuve le procès-verbal de la réunion précédente (qui devrait ensuite être affiché pour que tous ceux qui fréquentent la garderie puissent le lire), entend et approuve les rapports de la directrice et de ses divers comités (le comité des finances tiendra tout le monde au courant de l'état de la trésorerie), discute de sujets brûlants, prend des décisions et établit des politiques en fonction des rapports qui lui ont été soumis et des discussions qui ont suivi leur dépôt.

Il obéit probablement à des règles de procédure parlementaire très assouplies et s'efforce très certainement de ne pas dévier des questions d'importance, en gardant toujours à l'esprit les valeurs et les objectifs du service de garde. Tous devraient avoir également la chance de s'y exprimer — le président du conseil pourra d'ailleurs limiter le temps d'intervention de chacun, ou donner à chacun l'occasion de se faire entendre — et le processus, être parfaitement démocratique.

Les comités

Les comités abattent une grande partie du travail du conseil. Constitués par le conseil d'administration, ils lui font des recommandations, mais n'ont aucun pouvoir exécutif. Les comités permanents du conseil sont chargés d'un domaine spécifique. Les garderies constituent normalement des comités des finances, du personnel, des programmes, des nominations, des levées de fond, de la santé et de la nutrition, des relations publiques et de l'environnement. Le conseil crée aussi des comités spéciaux pour remplir des tâches particulières et précises, comme l'élaboration d'une politique en ce qui a trait à l'usage de vidéos. Une fois qu'un tel comité a présenté son rapport au conseil, son travail est terminé et il est dissous.

Devenir membre d'un comité est un excellent moyen de sonder le terrain. Les membres des comités ne sont pas nécessairement des membres du conseil; on peut donc offrir ses services pour une courte période et en découvrir ainsi le fonctionnement de l'intérieur. Votre participation à un comité vous permettra de mieux mettre à profit vos talents: ainsi, une infirmière est toute désignée pour devenir membre d'un comité chargé de réviser les politiques de la garderie en matière de santé.

Avoir droit au chapitre

Que faire si vous n'êtes pas membre du conseil d'administration et que vous voulez faire une suggestion, déposer une plainte ou exprimer vos vues sur un sujet devant ledit conseil? Maintenant que vous savez quel engagement exige l'accession au conseil d'administration, vous pourriez aussi bien choisir de ne pas en être. Mais cela ne signifie pas pour autant que vous ne puissiez vous faire entendre. Supposons que la garderie propose une excursion dans une ferme voisine et que les enfants voyageront dans un autobus non pourvu de ceintures de sécurité. Cela vous tracasse. Vous pensez que les enfants ne devraient pas faire ce voyage si l'autobus n'est pas muni de ceintures de sécurité et vous confiez vos inquiétudes à la directrice. Elle croit à l'importance des excursions pour les enfants, mais aucun autobus n'est muni de ceintures de sécurité dans votre ville. Au surplus, la garderie ne s'est même pas dotée de politique en cette matière. Mais vous n'êtes pas convaincue et vous jugez cette question trop importante pour renoncer.

Votre instinct vous dicte alors sans nul doute de vous adresser au premier parent que vous croisez le soir même, au vestiaire. Pendant que vous ramassez les lainages et les œuvres d'art de votre enfant, vous l'informez de ce qui se passe et de ce que vous pensez de la situation. Mais vous ne savez pas trop quel devrait être votre prochain geste.

Tout service de garde devrait avoir adopté une politique et une marche à suivre (soigneusement décrites dans le guide à l'intention des parents) pour trouver une solution aux situations de ce genre. Un parent devrait avoir le droit de se rendre devant le conseil, mais en passant par la filière indiquée. Selon la question en cause, il lui faudra probablement d'abord s'adresser à l'éducatrice concernée, puis à la directrice, et tenter un sérieux et honnête effort pour régler le différend. Certaines garderies ont à leur service un agent de liaison avec les parents; il s'agit généralement de la personne qui a la langue la plus déliée sur les lieux et dont le travail consiste à s'entretenir avec les parents, sur une base régulière, de leurs inquiétudes dont elle fera part, si nécessaire, au conseil d'administration.

Demander à être entendu devant le conseil est une mesure de dernier ressort dont on n'usera qu'avec modération parce qu'elle porte atteinte au respect dû à la directrice et qu'elle mine son autorité et sa capacité de diriger la garderie.

Bien que de nombreux conseils tiennent des réunions ouvertes au public (auxquelles tout le monde peut assister), ne vous attendez pas à pouvoir y être entendue du seul fait que vous vous y présentez. Adressez-vous au président du conseil et demandez-lui s'il est possible d'ajouter un point à l'ordre du jour. Il pourrait vous demander de lui transmettre par écrit vos doléances. Si vous souhaitez être présente lorsque le conseil discutera de votre cas — une bonne idée si vous tenez à ce qu'on vous prenne au sérieux —, signifiez-le. Le conseil abordera la question et rendra éventuellement une décision. Dans ce cas, il pourra remettre à plus tard le voyage projeté, créer un comité spécial pour énoncer une politique en matière de ceintures de sécurité, et vous nommer présidente dudit comité! Bien sûr, vous n'y aurez pas le droit de vote. Vous devrez accepter la décision rendue par le conseil, qu'elle vous plaise ou non.

Des ressources

Parce que chaque garderie est une institution indépendante qui fonctionne en vase clos, il arrive que son conseil d'administration ait du mal à trouver de l'aide lorsqu'il est confronté à un problème ou lorsqu'il cherche à connaître d'autres manières de régler une question particulière. L'Office des services de garde à l'enfance pourra lui venir en aide.

L'Office a publié une brochure disponible sur demande, intitulée *Guide à l'intention des membres des conseils d'administration de corporations sans but lucratif — Document de base.*

Nous recommandons aussi la lecture du *Guide de gestion des services de garde — Information générale à l'intention des conseils d'administration* publié par la Coalition ontarienne pour l'amélioration des services de garde d'enfants. Vous pouvez en commander un exemplaire en vous adressant au 500A, rue Bloor Ouest, Toronto (Ontario) M5S 1Y8 (ou en composant le 416-538-0628 au téléphone, et le 416-538-6737 au télécopieur). Il vous en coûtera 40 $, TPS comprise, mais l'ouvrage vaut son pesant d'or.

CHAPITRE 18

Le changement de service de garde

«Mon Dieu! Mon Dieu! Comme tout est bizarre
aujourd'hui! Pourtant, hier, les choses se passaient
normalement. Je me demande si on m'a changée
pendant la nuit?»

Lewis Carroll
Alice au pays des merveilles

Une fois que vous avez placé votre enfant dans un service de garde, vous aimeriez penser qu'il y restera à jamais — ou au moins jusqu'à la maternelle.

Croyez-le ou non, c'est rarement le cas. À eux seuls, nos quatre enfants ont connu un grand total de seize services de garde différents au cours de leurs cinq premières années d'existence: sept gardiennes, trois jardins d'enfants, un service de garde en milieu familial et cinq garderies — soit en moyenne quatre formules différentes par enfant. Des études menées sur plusieurs années démontrent qu'environ la moitié des enfants changent de service de garde au moins une fois l'an et que 30 % d'entre eux y restent moins de six mois[1].

À un moment ou à un autre, pendant votre carrière de parent, vous aussi envisagerez probablement un changement de service de garde. Que ce soit de gré ou de force, vous en changerez.

Il est très difficile d'en venir à cette solution. Vous avez généralement choisi votre service de garde après mûre réflexion et une longue recherche. Votre fierté y est largement

---

1. Clarke-Stewart, *Daycare*, *ibid.*, p. 109.

engagée — après tout, vous êtes une adulte capable de juge-
ments raisonnables et vous avez tendance à vous percevoir
comme un parent exemplaire. Se bercer de la conviction que
tout va pour le mieux est plus facile que de perdre ses illu-
sions. Reconnaître les imperfections de son service de garde
constitue déjà un petit pas; mais admettre qu'il ne convient
pas à son enfant constitue un pas de géant. Il faut beaucoup
de courage et d'ouverture d'esprit pour lâcher prise.

Le changement est-il traumatisant?

Vous craignez aussi que le changement de service de
garde ne nuise à votre enfant. Vous vous l'imaginez totalement bouleversé et effondré, et vous savez qu'il lui faudra
des semaines d'effort pour se réadapter. En réalité, vous
essayez de noyer le poisson en cherchant à évaluer quelle
solution est la pire: l'accommodement que vous avez déjà
trouvé ou le changement de service de garde.

C'est un petit peu comme lorsque vient le moment
d'acheter une nouvelle voiture. Vous connaissez bien votre
vieille automobile. Vous reconnaissez chacun de ses claque-
ments et toussotements, et vous avez une absolue confiance
en votre capacité d'évaluer son état mécanique, même si vous
n'êtes pas assurée qu'elle vous mènera du point A au point B.
Mais au volant d'une autre voiture, vous n'avez aucune idée
de ce qui vous attend. Vous en ignorez les possibles défectuo-
sités. Avant d'entreprendre un long trajet, vous ne savez pas
s'il vous faut vérifier l'eau du radiateur ou les contacts de
l'accumulateur. C'est comme si vous preniez la route sans
carte routière. Même si votre vieille voiture était en bien plus
mauvais état, vous vous y sentiez plus rassurée parce que
vous en connaissiez les défaillances.

Que disent les experts?

Il s'agit d'un terrible dilemme et, sur ce point, les experts en développement de l'enfant ne vous seront pas d'un
grand secours. La recherche sur le sujet n'a produit à ce jour
que des résultats fort contradictoires[2]. D'une part, certaines
études affirment que les jeunes enfants ont grand besoin de
nouer des liens qui les rassurent[3] et qu'ils apprennent mieux

---

2. Phillips et Howes, *ibid.*, p. 10; Clarke-Stewart, *Daycare, ibid.*, p. 109.

3. Phillips et Howes, *ibid.*, p. 10.

d'une personne aimée[4]. La perte d'une éducatrice leur est très douloureuse[5]; s'ils en vivent de trop nombreuses, ils en éprouveront de la tension, ce qui accroîtra chez eux le risque de difficultés d'ordre social et psychologique et, en général, les induira à entretenir de la méfiance à l'égard de leurs semblables[6]. Fredelle Maynard résume ainsi ce point de vue: «Le changement de service de garde est si éprouvant pour l'enfant que vous devriez explorer tous les moyens d'améliorer la situation avant de décréter qu'elle n'est plus acceptable[7].»

D'autres experts considèrent au contraire que les enfants ont suffisamment de ressources et qu'un changement est normal et inévitable[8]. Ils concluent qu'il n'existe aucun rapport entre changements et sociabilité, que l'enfant est apte à tisser des liens avec plus d'une personne et que le changement «peut avoir des effets bénéfiques par la variété et l'enrichissement qu'il assure...[9]» Spécialiste en service de garde, Alison Clarke-Stewart ajoute même: «Il est sans nul doute plus néfaste, pour un enfant, de rester auprès d'une éducatrice de piètre qualité que d'en changer pour être confié à une bonne éducatrice[10].»

En présence de théories aussi diamétralement opposées, comment un simple parent peut-il se faire une idée?

Parce qu'il est très facile de se leurrer, il vous faut réexaminer la situation avec beaucoup d'attention et de détermination. Bien entendu, vous vous sentirez nerveuse. Les changements à répétition *ne sont pas* souhaitables, mais les

---

4. Fredelle Maynard, *The Child Care Crisis: The Thinking Parent's Guide to Daycare*, Markham (Ontario), Penguin Books, 1986, p. 114.

5. Phillips et Howes, *ibid.*, p. 10.

6. Carollee Howes, «Quality Indicators in Infant and Toddler Child Care: The Los Angeles Study», *Quality in Child Care: What Does Research Tell Us?*, sous la direction de Deborah A. Phillips, Washington (D.C.), National Association for the Education of Young Children, 1987, p. 82.

7. Maynard, *ibid.*, p. 212.

8. Alan R. Pence et Hillel Goelman, *The Puzzle of Day-care: Choosing the Right Child Care Arrangement*, Toronto, University of Toronto, Guidance Centre, 1986, p. 46; Clarke-Stewart, *Daycare*, *ibid.*, p. 109.

9. Clarke-Stewart, *Daycare, ibid.*, p. 109-110.

10. Clarke-Stewart, *Daycare, ibid.*, p. 110.

compromis constants le sont encore moins. Ils sont déchirants — tant pour votre enfant que pour vous-même.

Cela en vaut-il le coup?

Mais, vous dites-vous, complètement désespérée, je ne veux pas reprendre à zéro l'interminable et épuisante recherche d'un service de garde. Je travaille à temps plein; comment pourrais-je humainement y arriver? En outre, je ne trouverai probablement rien de mieux, alors pourquoi me donner tout ce mal?

Si vous sentez ces pensées négatives vous envahir, prenez une grande respiration et efforcez-vous de vous en débarrasser. «On n'est jamais complètement dans un cul-de-sac», dit une mère qui a placé son enfant dans trois services de garde différents avant de trouver celui qui répondait à ses besoins. «Votre choix peut ne pas correspondre exactement à ce que vous espériez, mais vous n'êtes jamais, au grand jamais, coincée.» Il vous faudra sans doute travailler d'arrache-pied pour trouver une solution de remplacement supérieure, mais quand vous en constaterez les effets bénéfiques sur votre enfant, vos efforts seront récompensés.

Le changement non impératif

Les raisons à l'origine d'un changement de service de garde sont légion, mais tombent sous l'une des deux catégories suivantes: les urgences et les cas électifs. Plus loin dans ce chapitre, nous vous aiderons à identifier une urgence et à y réagir. Mais examinons d'abord les changements de nature courante — ceux que la plupart d'entre nous connaissons.

Quand faut-il envisager un changement?

Vous serez parfois victime des circonstances: votre gardienne vous quitte sans préavis; on vous offre un emploi que vous ne pouvez refuser dans une autre ville; votre conjoint, ou vous-même, perdez votre emploi, de sorte que votre budget ne vous permet plus de vous payer la garderie; vous divorcez et vous avez besoin d'une place en garderie subventionnée pour survivre avec un seul revenu.

Vous pouvez aussi changer de service de garde, ou de gardienne, pour des raisons de commodité: par exemple, vous avez embauché une personne merveilleuse avec les enfants, mais très peu ponctuelle, ce qui vous gâche souvent votre journée de travail; une place peut se libérer dans une garderie beaucoup plus près de votre lieu de travail ou de votre foyer; vous avez éprouvé tant de difficultés à trouver un service d'appoint quand votre enfant était malade qu'une gardienne vous semblerait bien plus indiquée, vous dites-vous, que la garderie.

À d'autres moments, le développement de votre enfant pourra vous inciter à faire le saut: peut-être votre enfant a-t-il trop vieilli pour sa gardienne actuelle et un changement s'imposerait-il tout naturellement. Âgée de 14 mois, Paula était occasionnellement confiée aux soins de la même gardienne depuis sa naissance. Mais il n'y avait ni enfants ni parc à proximité du petit appartement de ses parents et Paula demandait chaque jour avec plus d'insistance de nouvelles activités et la compagnie d'autres enfants. Ses parents jugèrent qu'il était temps de faire l'essai de la nouvelle garderie de l'hôpital où ils travaillaient tous deux. Après Noël, à 18 mois, Paula se joignit au groupe des tout-petits; elle y trouva des amis avec qui s'amuser et une cour de récréation où courir.

Vous pouvez aussi avoir le sentiment que votre enfant ne reçoit pas suffisamment de stimuli. Émilie, née avec le sourire, adorait la responsable du service de garde en milieu familial qu'elle fréquentait et raffolait de la compagnie d'autres enfants devenus avec le temps sa deuxième famille. C'est Pierre, son père, qui ne se sentait pas heureux. Il savait la responsable très aimante, mais à mesure qu'Émilie grandissait, il s'inquiétait des heures de plus en plus nombreuses qu'elle passait devant la télé, du peu de valeur qu'on accordait à son service de garde aux livres et aux compétences verbo-motrices, mais aussi de la grammaire incorrecte de la mère de famille de garde. Il pressentait que sa fille avait davantage besoin d'encadrement et de stimulation. «Cela peut sembler terriblement snob, dit Catherine, la mère, mais on réagit à ces petits détails de manière instinctive.»

Il arrivera parfois que la personne qui s'occupe de votre enfant et vous-même ne sembliez plus sur la même longueur d'ondes et vous entretiendrez alors des doutes persistants.

Les gouaches que votre enfant rapporte à la maison pourraient être l'œuvre de n'importe qui et ne ressemblent en rien
à ses chefs-d'œuvre antérieurs. Les roues de la poussette ont
l'air neuves, comme si elle n'avait jamais quitté le hall en
dépit de recommandations insistantes pour qu'on conduise
chaque jour votre enfant au parc. Si le sentiment de culpabilité que vous avez ressenti le jour où vous avez conduit votre
enfant pour la première fois à un service de garde ne s'est pas
estompé, il pourrait s'agir d'un indice que ce service ne lui
convient pas — comme le suggèrent Ellen Galinsky et William H. Hooks dans *The New Extended Family*[11].

Que faire maintenant?

Dans tous ces cas, changer de service de garde constitue
certainement une solution, mais il se peut que ce ne soit pas
la seule. Si vous y regardez de près, vous ne trouverez sans
doute rien de terriblement répréhensible la plupart du temps.
Mais vous devez à votre enfant de faire enquête.

Surveiller le service de garde

Passez plus de temps à la garderie, ou au service de
garde en milieu familial, le matin et le soir, et rendez visite à
l'improviste à votre gardienne à la maison. Vous pourriez
découvrir que les activités suggérées sont ennuyeuses et que
votre enfant est puni parce qu'il s'est éloigné du groupe ou
qu'il a interrompu quelqu'un. L'éducatrice pourrait avoir des
chouchous et votre enfant n'en serait pas; elle pourrait l'en-
gueuler, ou un autre enfant lui chercher querelle.

Échanger avec l'éducatrice ou la mère de famille
de garde

Jusqu'à quel point l'éducatrice connaît-elle bien votre
enfant? Peut-elle vous dire quelle genre de journée il a passée? Peut-être le problème découle-t-il d'un manque de communication. Une bonne conversation avec elle, ou avec la
directrice du service, et un peu plus d'attention de votre part
feront sans doute des merveilles. Mais si on ne comprend pas

---

11. Galinsky et Hooks, *ibid.*, p. 249.

vos attentes, ou ne réagit pas à vos inquiétudes, n'écartez pas la possibilité d'un changement.

Échanger avec d'autres parents

Les parents du service de garde en milieu familial que fréquentait Émilie ont mis en commun toutes leurs observations et ont ainsi pris conscience que leurs enfants regardaient la télé presque toute la journée. «Je suis passée prendre ma fille à 10 h, pour l'emmener chez le médecin, et la télé était allumée», rapporte un parent.

«Elle l'était aussi quand je suis venue prendre Carl à 15 h», ajoute un autre.

La situation devient plus claire quand on en a une vue d'ensemble.

Le conseil de famille

Parlez à votre conjoint. Pendant des mois, les parents d'Émilie n'ont pas cessé d'argumenter à propos de la responsable de la famille de garde: Pierre insistait sur la nécessité que sa fille reçoive plus de stimuli et Catherine faisait l'apologie de la stabilité. «Écoute, elle est heureuse là où elle est, disait-elle. Souhaites-tu un changement juste pour le plaisir de la chose? As-tu pensé aux conséquences pour notre fille?» Grâce à ces échanges de vues, Catherine se rangea finalement à l'avis de Pierre.

Observer votre enfant

Observez attentivement votre enfant: son comportement sera probablement votre meilleur guide.

Comme les adultes, les enfants ont souvent plus d'une personnalité — ils sont une personne à la maison et une autre très différente au service de garde. La plupart du temps, cela n'a absolument rien d'anormal. En fait, il s'agit d'une habileté sociale importante que les enfants se doivent d'acquérir. Mais leur comportement doit être approprié à leur environnement. Si un enfant turbulent est calme au service de garde, mais toujours turbulent à la maison, tout va bien — à moins qu'il ne soit deux fois plus insupportable que d'habitude. Quand une petite fille heureuse et normalement volubile cesse de parler à la maison, ou jacasse comme un moulin à paroles de tous ceux qui l'entourent, quelque chose ne va pas.

En d'autres mots, si le comportement d'un enfant reste singulièrement le même où qu'il se trouve, ou si son comportement à la maison est modifié par celui qu'on lui impose au service de garde — spécialement si ce phénomène persiste un bon moment —, c'est un indice que quelque chose ne tourne pas rond. Le service de garde exige sans doute de lui plus qu'il ne peut donner. Avec pour résultat qu'il ne parvient à exprimer ses véritables sentiments que là où il se sent en sécurité et aimé, soit à la maison.

Soupeser soigneusement les risques et les avantages

«Toute situation comporte des avantages et des inconvénients», dit Catherine. Considérez votre enfant comme une personne. Quel effet a sur lui l'accommodement présent? Est-ce qu'il brime l'enfant, ou ce dernier surnage-t-il et s'en tire-t-il? Quel prix lui faut-il payer pour s'adapter? Êtes-vous prête à le voir renoncer à son originalité et à sa créativité? Ignore-t-on totalement votre enfant timide? Votre enfant curieux a-t-il cessé de poser des questions? Comment supporte-t-il le changement? Jusqu'à quel point lui est-il difficile de se faire des amis? «Il ne faut pas cesser de peser le pour et le contre, dit Catherine. Vos réserves sont-elles à ce point graves? Quelles autres solutions s'offrent à vous?»

Trouver un nouveau service de garde

Cette expérience modifiera certainement votre conception de ce qui est *inacceptable* dans un service de garde. Maintenant que vous savez que vous ne supportez pas une gardienne qui laisse la maison en désordre, une responsable d'un service de garde en milieu familial qui vous accueille toujours avec des mauvaises nouvelles ou une garderie où les enfants ne vont pas dehors au moins une fois par jour, vous éliminerez d'emblée tout service de garde qui présente ces caractéristiques.

Mais ne jetez pas le bébé avec l'eau du bain! Votre service de garde présente sans nul doute de merveilleux avantages très importants pour votre enfant. Efforcez-vous de les démêler des sentiments confus qui vous assaillent et rappelez-les-vous lorsque vous vous mettrez en quête d'un nouvel accommodement. Gardez aussi à l'esprit qu'aucun service n'est parfait — essayez de trouver celui qui répond à ce qui est le plus important à vos yeux, et dont vous pourrez supporter les inconvénients[12]. (Revoyez les chapitres 8, 9 et 10 pour vous rafraîchir la mémoire.)

Examiner les solutions de rechange

Le fait de visiter d'autres types de service de garde pourra vous aider à arrêter votre choix. Il s'agit d'une importante démarche lorsque l'on songe à changer de service de garde. Parce que les places dans les bonnes garderies ne restent pas libres longtemps, vous devrez faire des appels téléphoniques, de nombreuses visites et vous inscrire encore sur des listes. Puis il vous faudra attendre votre tour — cela durera peut-être plusieurs mois. En conséquence, vous serez bien avisée d'entamer vos recherches dès que l'idée de changer de service vous effleurera l'esprit.

Si une place se libère, vous n'avez pas à l'accepter, bien entendu, mais il est toujours réconfortant d'avoir le choix. Lorsque le nom d'Émilie se retrouva en tête de liste à la garderie en milieu de travail de Pierre, toute la famille se précipita pour la visiter une nouvelle fois. Tous furent séduits par la jolie cour de récréation, les jouets, l'équipement fabuleux et les aimables éducatrices. On décida d'y tenter sa chance.

Le facteur temps

Lorsque vous décidez d'envoyer votre enfant en garderie, ou attendez d'y obtenir une place, surveillez étroitement votre enfant. Son état s'améliore-t-il, se stabilise-t-il ou empire-t-il? La situation de la personne qui se retrouve sur une liste d'attente en garderie ressemble un peu à celle du patient qui espère une chirurgie non urgente: si on la diffère trop longtemps, ce qui était jadis considéré comme une intervention élective pourra se transformer en une urgence.

La séparation

Presque inévitablement, votre route et celle de la personne qui garde votre enfant se sépareront. Comment gérer cette transition?

---

12. Galinsky et David, *ibid.*, p. 442.

Le préavis

Dans une situation non urgente, il est courtois, équitable et avisé de donner à sa gardienne, à sa responsable de service de garde en milieu familial ou à sa garderie un avis la prévenant qu'on a l'intention de changer de service. Comme vous ne voulez pas que ce soit votre enfant qui lui apprenne la nouvelle, prévenez-la vous-même.

Une gardienne ou une responsable de service de garde en milieu familial aura besoin d'un avis de deux semaines. Vous redouterez peut-être qu'elle reporte sa colère sur votre enfant, mais il est plus probable qu'une gardienne se mette aussitôt à la recherche d'un autre emploi et vous laisse dans l'embarras dès qu'elle aura trouvé du travail ailleurs. Si vos moyens vous le permettent, envisagez de payer à la fois, pour une courte période, votre gardienne actuelle et la personne qui s'occupera désormais de votre enfant. Pendant que l'enfant s'habituera à son nouvel accommodement, la gardienne pourra se chercher du travail.

Une responsable de service de garde en milieu familial pourra se sentir moins attachée à votre enfant et lui accorder moins d'attention pendant cette période de transition.

Une garderie exigera un mois d'avis pour combler la place laissée vacante par ce départ, mais votre enfant ne devrait pas y subir le moindre contrecoup.

Que dire à son enfant?

Avant de dire quoi que ce soit à votre enfant, discutez avec votre conjoint et votre éducatrice (ou gardienne ou mère de famille de garde) de la meilleure manière de lui annoncer la nouvelle. Il y a fort à parier qu'il aura flairé quelque chose: les enfants le sentent toujours. Leurs antennes captent nos signaux de tension et de détresse avec une étonnante acuité. Il est en conséquence sage d'en informer promptement et délicatement l'enfant.

Essayez d'expliquer ce changement en des mots qu'il comprendra et qu'il acceptera et en veillant à ne pas blesser son amour-propre. Assurez-vous de vous sentir à l'aise avec les mots que vous choisissez et de bien évaluer leur portée. (Ne dites pas à votre enfant que sa gardienne doit quitter la ville s'il est possible qu'il la croise au parc en compagnie d'un autre enfant une semaine ou deux plus tard. Il devinera que vous lui mentez et vous perdrez ainsi sa confiance.) Il est également important de préserver le rapport de confiance qui s'est établi entre l'enfant et la personne concernée, aussi longtemps que celui-ci restera sous sa garde. Soyez positive. Demandez à votre enfant ce qu'il aimerait faire ou apprendre, et parlez-lui de l'aventure qui l'attend. Si vous envisagez le changement comme une occasion de grandir et une nouvelle expérience positive, il le percevra de la même manière.

Lorsque vous passez d'un type de service de garde à un autre, la tâche s'en trouvera relativement facilitée. Quand un enfant quitte une gardienne, ou un service de garde en milieu familial, pour aller à la garderie, il franchit une étape. Il est ouvert au plaisir et à l'excitation que lui promettent de nouveaux jeux et de nouveaux amis de son âge. Lorsque Émilie demanda: «Pourquoi ne pouvons-nous plus aller chez Monique?», Pierre et Catherine lui expliquèrent qu'elle irait à «l'école», comme son grand frère et sa grande sœur. Troisième née de la famille, Émilie ne tenait plus en place. Personne n'a mentionné la télévision.

Mais quand une éducatrice, gardienne ou mère de famille de garde aimée et fiable annonce son départ, les mots d'explication ne nous viennent pas aussi facilement. Même si son départ n'a absolument rien à voir avec l'enfant en cause — par exemple, si elle déménage à Sherbrooke pour s'y marier —, ce dernier interprétera son départ comme un geste dirigé contre lui. Il pourra se dire: «Elle ne partirait pas si elle m'aimait vraiment.» En ce qui le concerne, elle l'abandonne tout bonnement. Comme de raison, chaque situation et chaque enfant sont différents, mais dans un certain sens, les parents ne disposent alors d'aucun moyen pour atténuer ce sentiment de perte et le rendre plus supportable. C'est un événement très attristant et très pénible. Une personne qu'il aime quitte votre enfant et vous ne pouvez vraiment pas le garantir contre cette dure réalité.

Survivre à la perte

Chacun de nous a sa propre manière de surmonter les épreuves de ce genre. Nous ne sommes pas tous prêts au même moment à comprendre qu'il nous est impossible d'assurer à nos enfants une vie sans nuages; nous ne sommes pas tous prêts à reconnaître au même moment que nos enfants sont des individus à part entière, différents de nous. Nous évoluons en tant que parents à des rythmes différents. Le départ d'un être aimé confronte l'enfant à un grave problème. Si nous n'avons pas la possibilité de l'en préserver, nous pouvons tout de même aider notre enfant à traverser ce mauvais moment. Si vous êtes présente pour l'écouter et que vous l'aidez à reprendre confiance en lui-même, il survivra à cette perte.

Laissez-lui savoir qu'il n'est pas responsable de ce changement. Un changement de service de garde s'apparente un peu à une demande de divorce, en ce qu'il s'agit d'une décision d'adulte. L'enfant n'a rien fait de mal, mais pour diverses raisons la situation doit changer.

Tout changement entraîne une période de deuil. Ses amis ou ses éducatrices pourront manquer à l'enfant. Laissez-le vous parler de son sentiment de perte, de sa tristesse et de sa colère. Toutes ces personnes sont sorties à jamais de sa vie et ses larmes sont certainement compréhensibles.

Il sera aussi probablement craintif. Écoutez ce qu'il vous dit et n'essayez pas de le distraire de ses émotions. Mais laissez-lui savoir que vous croyez en sa capacité de maîtriser la nouvelle situation.

Ménagez-vous un moment pour faire vos adieux, avec votre enfant, à la personne concernée. Les adieux reconnaissent le fait qu'une partie de la vie de votre enfant vient de prendre fin, qu'il a complété un cycle. Il est très réconfortant de faire alors un geste concret. Une simple étreinte ou une poignée de main suffira. Votre enfant pourra vouloir lui offrir un petit cadeau, la photographier ou lui remettre une photo de lui. Plus tard, s'il le désire, il pourra lui adresser un mot ou un dessin de sa main, lui écrire pour lui rappeler les bons moments qu'ils ont vécus ensemble ou l'entretenir de ce qu'il fait maintenant. Il pourrait l'inviter à venir prendre le thé, un dimanche, ou lui téléphoner de temps à autre. Retraitée de 65 ans, qui a élevé Gabrielle et Philippe, Lydie vient encore prendre soin d'eux chaque fois qu'ils sont malades. Le maintien de liens avec son passé aide à le mieux comprendre.

Lorsque l'éducatrice de votre enfant vous quitte

Par les temps qui courent, il est difficile de trouver une garderie que n'affecte aucun changement de personnel. Les salaires et les conditions de travail des éducatrices sont à ce point lamentables qu'elles changent souvent d'emploi ou abandonnent tout simplement la profession. Une étude américaine récente fait état d'un taux de changement de 41 % (plus élevé dans les garderies à but lucratif) comparé à un taux de 15 % il y a une décennie[13]. Chez les responsables de services de garde en milieu familial, on avance même le taux atterrant de 60 %[14].

Tôt ou tard, presque tout enfant sera confronté à la perte d'une éducatrice ou d'une gardienne bien-aimée. Que ferez-vous lorsque vous apprendrez que l'éducatrice de votre enfant quitte la garderie pour retourner aux études (ou avoir un enfant ou travailler dans l'industrie du textile)?

Une garderie de haute qualité préviendra les parents de la date et de la raison du départ d'une éducatrice.

Après consultation avec votre enfant, vous pourrez décider de lui offrir une carte, une photographie, un petit cadeau ou simplement un baiser. N'oubliez pas que, même dans le cadre d'une garderie, il vous faudra composer avec le sentiment de perte qu'éprouvera votre enfant du fait qu'une personne aimée l'aura délaissé, avec sa tristesse, sa colère et son appréhension devant ce que l'avenir lui réserve. Encouragez-le à vous parler de ce qu'il ressent; répétez-lui qu'il n'est pas responsable de ce départ, et rappelez-lui qu'il est assez fort pour le supporter.

Si la garderie n'a rien prévu pour marquer ce départ, vous êtes justifiée, en tant que parent, d'en demander les raisons, et pour quel motif on ne vous en a pas informée.

L'adaptation à un nouveau service de garde

Lorsque vous vous entretenez avec la personne qui s'occupera dorénavant de votre enfant, ou obtenez une entrevue avec la directrice de votre nouvelle garderie, informez-la des antécédents de votre enfant en service de garde. Parlez sans détour des raisons qui ont motivé le changement, de vos inquiétudes et de vos attentes. Il s'agit après tout du début d'une relation franche et amicale.

---

13. Whitebook, Howes, Phillips et Pemberton, *ibid.*, p. 44, Whitebook, Howes et Phillips, *ibid.*, p. 4

14. Phillips et Howes, *ibid.*, p. 10.

Emmenez votre enfant visiter les lieux. Les parents de Béatrice se sont rendus à sa nouvelle garderie, les week-ends, pour lui montrer la cour de récréation; et pour l'aider à se faire de nouveaux amis, la famille a passé plusieurs dimanches après-midis au terrain de jeux du quartier. Lorsqu'elle est venue visiter les lieux, Béatrice a vu où elle suspendrait son manteau, elle a fait la connaissance de son éducatrice et accepté une invitation pour la collation. Comme l'environnement et les enfants lui étaient déjà familiers, elle s'est facilement adaptée lorsqu'elle est officiellement entrée à la garderie, trois semaines plus tard.

Il est vraisemblablement sage de confier au parent le plus enthousiasmé par le changement le soin de s'occuper de l'intégration de l'enfant. Conscient de sa responsabilité dans cette décision, Pierre emmena Émilie à la garderie, le premier jour. «Je ne voulais pas lui communiquer mon hésitation», avoue Catherine.

Restez sur place avec votre enfant les premiers jours, ou ramenez-le à la maison après une demi-journée, tout comme vous l'avez fait lorsque vous l'avez placé pour la première fois dans un service de garde. Chaque enfant a, bien entendu, des besoins différents, mais un enfant qui a déjà fréquenté un service de garde en connaît la routine bien mieux qu'aucun parent et pourra même vous envoyer paître. L'heureuse expérience qu'elle a connue dans un service de garde en milieu familial a donné à Émilie les instruments dont elle avait besoin pour affronter avec sérénité cette nouvelle situation; elle y est entrée sans hésitation et y est restée toute la journée, comme si elle fréquentait l'endroit depuis toujours.

Un enfant lent à réagir à une nouvelle situation mettra plus de temps, mais il s'adaptera en fin de compte tout aussi bien si vous restez calme et lui laissez l'occasion d'exprimer ses frayeurs. Rappelez-lui qu'il s'est fait des amis auparavant et qu'il y réussira encore. Mettez au point quelques stratégies (après une semaine environ, invitez un compagnon de jeux à passer chez vous le dimanche après-midi). Si vous êtes confiante qu'il s'en tire, votre enfant y parviendra.

Selon les circonstances, sa personnalité et sa manière de venir à bout d'une difficulté, votre enfant pourra ressentir les contrecoups du changement pendant un certain temps. Il pourra être triste, s'accrocher, se replier sur lui-même, ou encore devenir agressif. Ce comportement est parfaitement normal, mais ne devrait pas persister plus de deux ou trois semaines. Encouragez-le à parler de ce qu'il ressent et de ce qui lui manque le plus, et laissez-le ruminer son chagrin si c'est là son désir. Il n'y a pas de mal à ce que vous vous sentiez également triste et que vous l'exprimiez. («Je te comprends; la mère de Dany me manque aussi.») Encore une fois, il pourra faire parvenir une lettre ou un dessin à la personne qui lui manque, ou lui téléphoner.

Rappelez-vous qu'il faut du temps pour s'habituer à un nouveau milieu et que votre enfant et vous-même devrez travailler à nouer des liens solides avec les nouvelles éducatrices. Il s'écoulera peut-être des mois avant qu'elles ne connaissent vraiment bien votre enfant, et des mois avant que votre enfant et vous-même ne vous sentiez vraiment à l'aise avec elles.

Le changement urgent

Est urgente une situation dans laquelle il faut sans délai changer les dispositions prises en matière de service de garde, de manière à assurer le bien-être de l'enfant. Par bonheur, les crises de cette ampleur sont plutôt l'exception — la plupart des parents n'en feront jamais l'expérience.

Il peut arriver que le comportement de votre enfant vous semble étrange et que vous ressentiez instinctivement que quelque chose cloche. Parce que personne ne le connaît mieux que vous, vous saurez mieux que quiconque déceler un problème grave.

Parfois, un détail vous laissera un pressentiment déplaisant. Au fond, vous n'avez pas autant confiance en votre gardienne, ou en votre responsable de famille de garde, que vous le souhaiteriez. Quand elle vous dit qu'elle ne fume pas, mais que vous sentez une odeur de fumée en entrant dans la maison, quand les couches de votre bébé sont toujours si trempées qu'il les perd presque, quand il y a souvent trop d'enfants et trop peu d'éducatrices dans l'aire de jeux, vous n'avez d'autre choix que d'entretenir des doutes.

Il est très difficile d'affronter et de résoudre certaines situations d'urgence, et vous pourrez avoir dans ces cas des réactions d'incrédulité et de surprise. Nous ne voulons surtout pas vous induire à penser que cela sera facile, ni vous accabler de culpabilité si vous réagissez lentement, mais vous devez vous rappeler que vous avez ultimement la responsabilité et le pouvoir de veiller sur votre enfant. Vous n'êtes pas un spectateur impuissant. Il pourra se présenter des situations où vous *devrez* agir — pas nécessairement le jour même, mais néanmoins rapidement.

Comment faire la distinction?

Qu'est-ce qui distingue une situation urgente d'une autre qui ne l'est pas?

Parfois, la différence saute aux yeux: si vous trouvez votre enfant en larmes, attaché dans sa poussette, et que la gardienne lave la vaisselle à un autre étage, il s'agit d'une urgence. Trop souvent, la marge n'est pas aussi nette. Voici quelques indices.

Dans un cas d'urgence, l'enfant perturbera probablement toute la famille. Tous les problèmes qu'il rencontre au service de garde se répercuteront dans son comportement à la maison. Il ne sera plus lui-même. Il ne mangera ni ne dormira normalement. Il refusera de retourner au service de garde. (Un enfant qui joue avec ses frères et sœurs comme à l'ordinaire, avale son dîner et dort des nuits complètes est presque certainement bien, même s'il pleure dès qu'il franchit la porte de la garderie.)

Fiez-vous à votre instinct et à votre connaissance intime de votre enfant. Si on la questionne, une éducatrice, une responsable de famille de garde, une gardienne ou une directrice pourra admettre qu'un enfant n'est pas heureux; mais si elle devait être la cause même du problème, elle pourrait ne pas s'avérer une source d'information particulièrement fiable. Il vaut beaucoup mieux vous en remettre à vos pressentiments.

Dernier point et le plus important: des feux rouges devraient clignoter dans votre tête lorsque surgissent simultanément les symptômes que nous décrivons ci-après — ce qui les transforme instantanément en signes de danger.

Les signes de danger

Voici les signaux d'avertissement auxquels tout parent devrait être attentif.

Les signes physiques

Si votre enfant est blessé, l'éducatrice (ou toute autre personne qui s'en occupe) devrait vous en prévenir sans tarder, sans que vous ayez à le lui demander. Si, lorsque vous donnez son bain à votre enfant, vous remarquez des coupures, des ecchymoses ou des égratignures inexplicables sur quelque partie de son corps, informez-vous à leur sujet dès le lendemain. On vous expliquera probablement l'incident de manière satisfaisante («Il est tombé et nous lui avons appliqué une compresse de glace; et il nous a semblé remis. Je suis vraiment désolée d'avoir oublié de vous le mentionner.») Mais si cela se reproduisait, ou si d'autres enfants semblaient victimes d'accidents, ouvrez bien l'œil. Cet environnement n'est pas sûr pour votre enfant.

Aucune explication ne peut excuser la présence de brûlures ou de traces de doigt sur un bras.

Les modèles de comportement

Tout le monde connaît de temps à autre une mauvaise journée, et de nombreux enfants empruntent à leurs amis certaines habitudes déplaisantes. Ce n'est pas de cela dont il est ici question. Nous parlons d'un modèle de comportement qui peut se manifester à tout âge chez les enfants et qui se traduit par des changements nombreux et persistants.

LES SIGNES CHEZ LES NOURRISSONS

Même un bébé a des moyens de vous signifier que quelque chose ne va pas. Son comportement peut se modifier, et de façon étonnamment rapide. Il peut pleurer beaucoup plus, ou beaucoup moins, que d'ordinaire. Si votre nourrisson qui gazouillait, battait des pieds et poussait sans arrêt de petits rires semble soudain indifférent à votre voix et à votre sourire, si des regards et des sons ordinaires le rendent agité et nerveux, il se peut qu'il soit déprimé.

Ce sont là de graves signaux qui exigent une intervention immédiate. Votre bébé passe peut-être alors la journée seul dans son lit — sans recevoir suffisamment d'attention et d'affection pour survivre. Même s'il mange normalement, un nourrisson gravement déprimé peut perdre la capacité de digérer ses aliments, ce qui avec le temps affaiblira son système immunitaire et le prédisposera aux infections. Cette combinaison de symptômes constitue ce que les médecins appellent le syndrome «de l'arrêt, ou du retard très prononcé, de la croissance», diagnostiqué originellement dans les orphelinats où personne ne parlait aux bébés[15]. Un bébé ne dispose pas de nombreux moyens d'appeler à l'aide. Si ses cris ne lui valent pas de réponse, il pourra simplement abandonner la partie.

LES SIGNES CHEZ LES ENFANTS PLUS ÂGÉS

Les tout-petits et les enfants d'âge préscolaire disposent d'un répertoire plus vaste de comportements pour exprimer leurs émotions. Si votre enfant refuse de temps à autre de se rendre au service de garde, cela peut signifier qu'il couve un rhume, ou que ses jeans préférés sont au lavage. Mais s'il refuse chaque jour de s'y rendre, s'il est pris de panique à la seule mention du service de garde, s'il n'accepte pas que vous partiez lorsque arrive la gardienne, s'il ne peut dormir la nuit ou s'il fait des cauchemars, s'il cesse de manger, s'il mouille son lit ou s'il a de petits accidents pendant la journée — alors qu'il avait l'habitude d'être propre —, s'il est constipé, s'il pleure et s'accroche à vous (ou vous évite), s'il semble plus craintif ou plus inquiet qu'à l'ordinaire, s'il est très calme, ou très agressif, s'il ne fait plus la différence entre compliments et réprimandes, s'il a une perception négative de lui-même, s'il était généralement heureux et devient plutôt maussade, la situation est grave. Encore une fois, si vous notez plusieurs de ces changements chez votre enfant, mieux vaudrait vous pencher attentivement et sans tarder sur ce qui lui arrive.

Que pouvez-vous faire?

D'abord, ne cédez pas à la panique. Lorsqu'on est pressé de toutes parts, on a souvent tendance à prendre de mauvaises décisions. Mais ne vous empêchez pas de regarder sous le tapis pour la seule raison que vous craignez d'y débusquer un monstre hideux.

---

15. Brazelton, *ibid., p. 104.*

Menez votre enquête

Si, pour quelque raison que ce soit, votre bébé ne semble pas dans son état normal, conduisez-le chez le médecin pour un examen complet. Le pédiatre pourrait découvrir qu'il est malade ou déceler un indice de dépression. Si c'est le cas, pour le bien des autres bébés en garderie, téléphonez aux parents et dites-leur ce qui vous est arrivé. Leurs bébés sont-ils aussi souffrants ou déprimés? Quel est exactement le ratio éducatrices-bébés dans ce service de garde? Les éducatrices sont-elles à ce point débordées de travail qu'elles souffrent elles-mêmes de dépression? La gardienne est-elle ivre, ou si lasse qu'elle dort toute la journée?

Parlez à la directrice, à la responsable du service de garde en milieu familial ou à la gardienne et écoutez attentivement tout ce qu'elle vous dit. Une personne consciente qu'elle dispense des soins inadéquats vous répondra évidemment avec la plus grande circonspection.

Les signes de danger perçus chez un tout-petit ou chez un enfant d'âge préscolaire exigent sans tarder une conversation avec celle qui le garde ou la directrice de la garderie qu'il fréquente. Prenez un avant-midi de congé et passez-le à la garderie, aux côtés de votre enfant, ou hors de son champ de vision, mais suffisamment près pour observer son comportement. Vous pourriez découvrir ainsi que l'éducatrice traite votre fils de tous les noms s'il ne reste pas impassiblement assis. Un manque de surveillance pourrait donner aux lieux un air peu rassurant. Votre enfant qui a peur du noir y est peut-être forcé de faire la sieste dans une pièce extrêmement sombre.

Il est possible que vous ne remarquiez rien de particulièrement terrible, ni pénible, et il est peu vraisemblable que vous soyez témoin de quelque forme d'abus physique — votre présence l'interdira en effet. Mais rappelez-vous qu'on pourrait chercher à vous cacher des choses. Mettez-vous à la place de votre enfant. S'il est terrorisé, il faut à tout prix intervenir. (Nous aborderons plus loin les cas d'abus sexuel.)

De quels recours disposez-vous?

Dans une garderie, ou dans un service de garde en milieu familial reconnu, il est entre autres possible de chercher à corriger le comportement de l'éducatrice concernée. Ou encore d'obtenir son renvoi. Mais ces décisions reviennent à la directrice de la garderie (ou à l'agence de services de garde en milieu familial).

Avant de vous adresser à elle, téléphonez à d'autres parents — leurs enfants pourraient aussi connaître des difficultés. Si vous la rencontrez en groupe, vos arguments auront plus de poids.

La directrice de la garderie, ou de l'agence, devra surveiller l'éducatrice, ou la responsable de la famille de garde, et passer en revue tous les recours légaux disponibles — elle ne mettra pas fin à un contrat sur la foi de votre seul témoignage. Vous pourriez être dans l'erreur et elle devrait disposer d'autres moyens pour remédier à la situation. Selon la gravité du problème, elle pourrait normalement, dès le lendemain ou le surlendemain de votre entretien, vous convoquer à son bureau pour vous exposer la manière dont elle entend résoudre le problème.

Si la solution qu'elle suggère ne vous satisfait pas — et si votre enfant souffre vraiment de la situation —, une troisième voie s'offre à vous: le retirer du service de garde, même si vous n'avez pas encore de plan bien arrêté en ce qui le concerne. Une solution temporaire pourrait s'avérer préférable au maintien de l'enfant dans ces lieux. Pour vous en tirer, vous aurez besoin de toute l'aide possible: un adulte qui prendra soin de l'enfant et un autre qui se mettra en quête d'un service de garde. Peut-être votre conjoint — ou vous-même — pourra-t-il prendre quelques jours de congé, travailler à la maison, ou à mi-temps, pendant une certaine période. Si vous avez une amie, une voisine ou une parente qui a de jeunes enfants, il est possible que sa gardienne, ou elle-même, accepte de vous dépanner pendant une semaine ou deux. Grand-mère pourrait peut-être venir de Sept-Îles pour assurer la permanence à la maison. Communiquez aussi avec les personnes — agences et étudiantes — que vous avez contactées lorsque votre enfant était malade. Votre CLSC offre peut-être également des services de garde.

Jérémie, qui déménagea de la campagne à la ville à $3^{1}/2$ ans, haïssait son service de garde. Il se sentait à l'étroit dans ses minuscules pièces et dans sa cour avant bétonnée; et, en quatre mois, il ne s'y était pas fait d'amis. Lorsque sa mère,

Marthe, passait le prendre, elle le trouvait parfois caché sous une table. Bien qu'elle se fût mis en quête d'un autre service de garde dès la deuxième semaine, arriva un moment où elle ne supporta plus la situation. «Il fallait que je réagisse énergiquement, dit-elle, en voyant tout le mal que je lui faisais chaque matin lorsque je l'y emmenais.» Si les solutions de rechange disponibles ne convenaient pas exactement à Jérémie, elles constituaient néanmoins une nette amélioration — elles valaient le choc que provoquerait le changement, jugea-t-elle, même si elles ne répondaient pas à tous ses besoins.

Dans le cas d'une gardienne, il est plus difficile de deviner ce qui se passe. Pour vous faire une idée de la situation, faites un saut à l'improviste à la maison et téléphonez à des moments inhabituels. Si vous avez des doutes sur ce dont vous êtes témoin, mais qu'il s'agit de lacunes mineures auxquelles il est possible de remédier, transmettez vos doléances à la gardienne et élaborez un plan pour faire les correctifs qui s'imposent. Mais s'il s'agit de manquements graves, ou si vous ne faites pas totalement confiance à votre aide, sans trop savoir pourquoi, alors il vaut probablement mieux que vous mettiez fin au contrat qui vous lie à elle.

Procéder au changement

Dans ces conditions, vous ne donnerez pas de préavis — vous retirerez simplement votre enfant du service de garde ou vous congédierez votre gardienne dès que possible. Si vous avez trouvé une solution temporaire, mais ne savez pas encore ce que vous réservera ensuite l'avenir, n'en cachez rien à votre enfant: dites-lui que grand-maman veillera sur lui pendant deux ou trois semaines et que vous êtes à la recherche d'une personne très spéciale qui prendra soin de lui, après son départ. Insistez sur le fait que vous avez la situation bien en main et que vous vous assurerez de son bien-être.

Même lorsque votre enfant n'est pas heureux, il est difficile de lui faire comprendre la nécessité d'un changement. Il est par-dessus tout important de lui faire savoir qu'il n'y est pour rien — qu'il n'est responsable ni du changement opéré ni des malheurs qui le frappent.

Les adieux

Devriez-vous faire des adieux même si vous voulez en finir aussi vite que possible? Oui. Lorsqu'il grandira, votre enfant ne se souviendra, à propos de cet épisode de sa vie, que du fait qu'il est parti comme un voleur et il pourra se demander de quel mauvais coup il s'était rendu coupable pour en arriver là. Les adieux aideront à clore cet épisode. Cela lui donnera le sentiment qu'aucune honte n'est rattachée à son départ, qu'il est parti parce que cela valait mieux pour lui. Vous pouvez lui dire: «Nous nous en allons parce que ce n'est pas un bon endroit pour toi. Ici, les gens n'agissent pas comme ils le devraient.» Si votre enfant refuse de revoir son éducatrice ou de remettre les pieds dans ce service de garde, n'insistez pas. Mais assurez-vous qu'il comprenne bien qu'il n'a rien fait de mal, que cette décision lui appartient et qu'il n'a pas à avoir honte de quoi que ce soit.

Est-ce qu'une mauvaise expérience peut marquer un enfant pour la vie?

Nos enfants nous sont si précieux que nous sommes souvent obnubilés par leur vulnérabilité. Mais ils sont forts aussi et ils ont du ressort. Jusqu'à quel point est-il difficile de se remettre d'une mauvaise expérience de garde?

La recherche sur les conséquences de mauvais services de garde est encore à l'état embryonnaire. Bien que certaines études fragmentaires suggèrent que le comportement social d'un enfant à l'école primaire reflète la qualité des soins de garde qu'il a reçus trois ou quatre années plus tôt, sa capacité de retomber sur ses pieds dépend en grande partie de ses antécédents familiaux[16].

Lorsqu'ils entrent dans un nouveau service de garde, les enfants qui ont connu de mauvaises expériences réagissent de manières très diverses. Certains se contenteront de rester spectateurs, plutôt que de participer, jusqu'à ce qu'ils aient le sentiment d'avoir compris la dynamique du groupe et qu'ils s'y sentent en confiance. Martin est resté assis à l'écart, à observer, pendant plusieurs semaines avant de dire à sa nouvelle éducatrice: «Je t'aime. Tu ne frappes jamais personne et

---

16. E. Vandell, V. Henderson et K. Wilson, «A Longitudinal Study of Children with Day-Care Experience of Varying Quality», *Child Development*, 1988, vol. 59, p. 1286-1292; Carollee Howes, «Relations between Early Child Care and Schooling», *Developmental Psychology*, 1988, vol. 24, n° 1, p. 53-57.

il y a ici plein de merveilleux jouets.» Puis il s'est instantanément mêlé au groupe.

Jérémie, qui s'était senti très malheureux à son service de garde et éprouvait de graves problèmes à la maison, connut plusieurs mois difficiles dans son nouveau service de garde en milieu familial. Bien qu'il ne rechignât jamais quand venait le moment de s'y rendre, il s'y conduisait très mal, frappait les autres enfants et souillait délibérément les lieux. C'était comme s'il lui était enfin possible de se décharger de la colère accumulée pendant les quatre mois précédents au cours desquels il s'était senti impuissant. Un animateur de l'agence aida la responsable du service à comprendre sa colère qui s'estompa graduellement, et son comportement commença à s'améliorer.

Lorsqu'il entra enfin dans une garderie qui répondait réellement à ses besoins — où il y avait des enfants de son âge, autant d'espace et d'activités physiques qu'il en avait connus à la campagne et des éducatrices qui lui accordaient une attention soutenue et le traitaient comme un individu —, il commença à s'épanouir enfin. Sa mère l'observe encore chaque jour, mais il sort maintenant jouer avec des amis et babille joyeusement sur ses activités de la journée pendant le trajet de retour à la maison; elle sait que, pour l'essentiel, il se porte bien désormais. «Ce fut une expérience horrible et il y a réagi fortement, mais il peut maintenant en parler et il s'est débarrassé de ce mauvais souvenir. Il se sent en paix avec lui-même et avec son environnement.»

Une plainte officielle

Si la gravité de la situation vous force à retirer votre enfant d'une garderie ou d'un service de garde en milieu familial reconnu, vous êtes tenue de déposer une plainte auprès de l'Office des services de garde à l'enfance (dont l'adresse figure en appendice). La seule perspective de dénoncer quelqu'un est fort troublante, mais ce geste pourrait très bien constituer l'élément indispensable qui permette de porter secours à un enfant en danger. Les autorités en la matière feront enquête et signifieront à la garderie concernée une échéance pour corriger la situation. Bien qu'elles aient l'autorité de révoquer un permis, elles ne forcent que rarement une garderie à fermer ses portes.

Votre nom ne sera pas rendu public mais, bien sûr, si votre enfant est le seul en cause, et si le cas fait l'objet d'une enquête ou d'un procès, votre identité finira par être révélée. Suivez de près le déroulement de l'affaire pour savoir ce qui a été décidé.

Les garderies et les services de garde en milieu familial de piètre qualité continuent d'accueillir des enfants parce que les parents qui travaillent n'osent pas porter plainte; ils craignent de perdre ainsi leur service de garde. Mais le prix du silence est bien trop élevé quand c'est la sécurité de nos enfants qui est en jeu.

Les abus sexuels

Nous avons gardé pour la fin une situation où changer de service de garde est impératif. Il s'agit de l'abus sexuel. En fait, plusieurs mesures suggérées dans les autres situations d'urgence s'appliquent également dans ce cas-ci, mais nos réactions émotives aux abus sexuels sont beaucoup plus violentes et difficiles à maîtriser, ce qui nous laisse plus désemparés. Dès qu'il y a abus sexuel, nous avons besoin d'une assistance spéciale.

La très grande majorité des gens qui choisissent de s'occuper des enfants sont des adultes responsables, aimants, à qui ne viendrait même pas l'idée de blesser un enfant. Mais au milieu des années 1980, la publication de rapports sur les abus sexuels perpétrés dans les services de garde, au Canada comme au États-Unis, a bouleversé les parents de toute l'Amérique de Nord. Comment ceux à qui est confiée la garde d'innocents enfants peuvent-ils les trahir de cette manière?

Nous savons maintenant qu'aucun enfant n'est à l'abri d'abus sexuels. Ce fléau frappe sans distinction de religion, de culture et de classe, et, la plupart du temps, il est imputable à des parents ou à des amis — des personnes que l'enfant connaît bien. Mais nous avons encore du mal à accepter cette réalité. Nous nous refusons de croire qu'un tel malheur pourrait nous frapper et il faut un effort particulier pour en déceler les indices. Même si les abus contre des enfants commis en service de garde sont de loin moins nombreux que ceux dénombrés au foyer[17], aucun parent ne peut se permettre de fermer les yeux et les oreilles.

Mieux vaut prévenir que guérir

La meilleure arme d'un service de garde contre l'abus sexuel est une politique d'accueil des parents en tout temps. On devrait permettre aux parents de visiter les lieux à l'improviste, à toute heure du jour (et les y inciter). Si le service de garde ferme à clef ses portes pour tenir loin les importuns, comme cela se voit dans plusieurs garderies en milieu urbain, les parents devraient en avoir la clef ou connaître la combinaison de la serrure. Aucune garderie ou service de garde en milieu familial ne devrait se transformer en forteresse.

Si deux adultes se trouvent simultanément et en tout temps auprès des enfants, le risque d'abus sexuels s'en trouvera grandement réduit — tout comme le risque d'abus physique et psychologique. En ce qui a trait à l'usage des toilettes, il faudrait insister sur la nécessaire intimité de l'enfant; en outre, un adulte ne devrait jamais se trouver seul avec un petit dans une pièce fermée. La directrice ou le conseil d'administration d'un service de garde devrait vérifier régulièrement les antécédents de tous les employés, y compris le personnel des cuisines et d'entretien.

Indices d'abus sexuels

Comment saurez-vous qu'on abuse de votre enfant? L'abus n'est pas souvent manifeste sur le corps de l'enfant. Il faut garder l'œil ouvert pour noter tout changement de comportement. Il s'en produira probablement plusieurs simultanément. Dans le cas d'une relation abusive qui perdure, l'enfant développera un comportement anormal: il sera extrêmement replié sur lui-même, excessivement agressif, très manipulateur, et exigera des attentions constantes. Ce comportement pourra devenir si structuré que le parent en oublie-

---

17. David Finkelhor *et al.*, «Sexual Abuse in Day Care: A National Study — Executive Summary», Durham (New Hampshire), University of New Hampshire Family Research Laboratory, 1988, cité dans *Choosing with Care: Selected Literature on Some Aspects of Infants and Toddler Daycare Research* de Alma Estable, Ottawa, Child Care Education Services, 1989, p. 143.

ra parfois à quoi ressemblait auparavant le caractère de son enfant. À l'inverse, après un assaut récent, le comportement changera soudainement et radicalement. Un enfant posé pourra devenir très agressif; un autre qui était agressif se repliera parfois totalement sur lui-même. Un enfant habituellement affectueux s'éloignera peut-être et fuira les caresses et les baisers. Souvent, l'enfant abusé sera excessivement conscient de ses organes génitaux qu'il cherchera à protéger, ou se montrera d'une propreté compulsive. Il pourra ne pas manger ni dormir, faire des cauchemars, ou développer des tics nerveux. Il pourra pleurer plus souvent qu'à l'habitude et devenir très craintif. Il pourra refuser de se rendre au service de garde ou de rester auprès de sa gardienne.

Prêter l'oreille

L'enfant qui agit ainsi émet un signal pour vous prévenir que quelque chose ne va pas. Ne sautez pas à la conclusion qu'il s'agit d'abus sexuel — il pourrait s'agir d'autre chose — mais essayez de découvrir ce qui le tracasse, sans lui faire subir un interrogatoire. Si vous avez déjà établi avec lui un climat de franchise et d'ouverture, s'il sait que vous le soutenez, il se sentira plus libre de se confier.

Si vous soupçonnez que le service de garde est la source du problème, mieux vaut ne pas l'y envoyer. Votre confiance en son éducatrice a été ébranlée et, fait encore plus important, si vous forcez un enfant profondément malheureux à fréquenter le service de garde, il se sentira brimé dans sa liberté. Vous pourriez lui imposer ainsi un comportement d'impuissance qui en ferait plus tard dans son existence un candidat à l'abus. Bien que la recherche d'un autre service de garde, ou d'une autre gardienne, ne soit pas une perspective réjouissante, nous vous la recommandons si vous vous en sentez la force.

Un enfant d'âge préscolaire qui a été assailli ne vous racontera probablement pas d'un bout à l'autre sa mésaventure. Écoutez attentivement et patiemment ce qu'il a à vous dire, sans chercher à interpréter ses paroles. Parce que cette réalité est très pénible à accepter, il pourra agrémenter son récit de fantastique — de monstres, d'animaux et d'autres personnages inhumains — pour expliquer ce qui s'est produit.

Le Centre de prévention des agressions de Montréal suggère d'ailleurs de «laisser savoir à l'enfant qu'on le croit, qu'on tient à lui, qu'il est sain et sauf et hors de danger». Conservez votre calme. Votre réaction à une agression déterminera la manière dont votre enfant la vivra. Si vous vous montrez devant lui très bouleversée et furieuse, il se sentira encore plus mal.

Assurez-le qu'il n'est aucunement responsable de ce qui lui est arrivé. Faites-lui savoir comme vous êtes contente qu'il vous ait tout raconté et dites-lui que vous pouvez lui trouver de l'aide. Mais ne faites pas de promesses que vous ne pourriez tenir.

Les personnes à contacter

Le directeur de la Protection de la jeunesse de votre région administrative, ou votre hôpital régional pour enfants, pourra vous donner le nom d'un conseiller en la matière qui aidera à prendre les mesures nécessaires et fournira une assistance psychologique. Si nécessaire, on vous dirigera vers un médecin qui sait dépister les signes d'abus sexuel. Votre médecin de famille, ou votre pédiatre, ne dispose probablement pas des outils nécessaires pour y parvenir et un spécialiste saura aussi comment recueillir des éléments de preuve susceptibles de servir à une poursuite devant les tribunaux.

Comme les abuseurs s'en prennent souvent à plus d'un enfant, vous pourrez désirer vous entretenir aussi avec d'autres parents. Mais agissez avec circonspection: si vous téléphonez à tous les parents inscrits à la garderie, vous vous retrouverez au milieu d'un attroupement hystérique. Communiquez plutôt avec un ou deux parents que vous croyez capables d'affronter calmement la situation. Ils pourraient vous aider à obtenir plus d'information.

Selon David Singleton, coordonnateur du Centre de prévention des agressions sur les enfants, il n'est d'aucune utilité d'entrer en communication avec la personne en cause. Il est rarement utile de confronter un abuseur. Parce que les abuseurs nient avec tant de conviction ce dont on les accuse, votre confiance en votre enfant pourrait en être ébranlée. Laissez à la Protection de la jeunesse, ou aux officiers de police, le soin de les interroger.

La *Loi de la protection de la jeunesse* oblige d'ailleurs à rapporter jusqu'aux simples soupçons d'abus sexuel sur des enfants, même en l'absence de preuve. Bien que vous puissiez placer un appel tout en préservant votre anonymat, votre cas sera traité avec plus de sérieux si vous consentez à vous identifier. Le bureau de la Protection de la jeunesse gardera confidentielle sa source d'information. David Singleton prévient toutefois qu'une demande d'enquête vous placera dans une situation difficile: les fonctionnaires pourraient alors vous forcer, ainsi que votre enfant, à vous tenir sur la défensive.

CHAPITRE 19

Les services de garde pour les enfants d'âge scolaire

Petite graine de blé
Je te sèm' au printemps
À la fin de l'été
Tu s'ras un épi charmant.

Ronald Prégent
«Petite graine de blé»
Passe-Partout

Selon Statistique Canada, 67 % des mères d'enfants d'âge scolaire occupaient un emploi en 1991. Leurs enfants ne cessent pas, comme par magie, d'avoir besoin d'un service de garde quand ils entrent en maternelle ou en première année; en fait, ils en auront besoin durant toutes leurs années au primaire.

Au cours des vingt dernières années, nous avons consacré la plupart de nos énergies à créer des services de garde pour les enfants plus jeunes. Les besoins des enfants de 5 à 12 ans, après tout occupés par leurs cours pendant une bonne partie de la journée, semblaient beaucoup moins pressants. Jusqu'à récemment, trop peu d'entre nous — parents, éducateurs, écoles, commissions scolaires, communautés, employeurs et gouvernants — se sont vraiment interrogés sur la manière d'assurer des services de garde de qualité aux enfants de cet âge.

Quelles options s'offrent à vous?

Certaines des options vous sont familières: un service de garde pour enfants d'âge scolaire offert dans des écoles ou des centres communautaires, une gardienne d'enfant à la maison, un service de garde en milieu familial. Certains parents ont fait d'autres choix. Le premier consiste en des activités occupationnelles: l'enfant participe alors à des activités sportives, se rend à la bibliothèque ou à des cours de musique, après l'école. Des adultes différents assurent la surveillance dans le cadre de chacune de ces activités et l'enfant doit se rendre par ses propres moyens d'un endroit à l'autre.

La dernière option — si l'on peut parler d'option, dans ce cas — consiste à laisser l'enfant seul à la maison: il assume alors lui-même sa garde, porte sur lui la clef de la maison et se débrouille tout seul.

On ne devrait opter pour ces deux dernières solutions qu'en dernier recours. En effet, nous estimons qu'elles sont insatisfaisantes et inappropriées pour des enfants d'âge scolaire. Vous devriez donc plutôt étudier les trois premières options. Dans ce chapitre, nous vous expliquerons pourquoi, et comment procéder.

Les services de garde en milieu scolaire

Selon la *Loi sur les services de garde à l'enfance*, les commissions scolaires peuvent fournir des services de garde à leurs écoliers lorsque les parents de quinze enfants d'une même école en font la demande.

Selon Luc Rainville, responsable des services de garde à l'enfance à la Commission des écoles catholiques de Montréal, de plus en plus de parents sont à la recherche d'une école qui s'occupera de leur enfant jusqu'à la fin de leur journée de travail[1].

Bien qu'il ne s'en trouve pas partout, il est de plus en plus facile de dénicher au Québec des services de garde en milieu scolaire (le Québec est incontestablement le leader dans ce domaine au pays). En 1991-1992, des services de garde installés dans 732 écoles primaires de la province ont dispensé des soins à plus de 50 000 enfants d'âge scolaire[2]. À

---

1. Entretien privé, 23 avril 1992.
2. La direction centrale des réseaux du ministère de l'Éducation du Québec, «Rapport-synthèse provincial 1991-1992, services de garde en milieu scolaire».

elle seule, la Commission des écoles catholiques de Montréal gérait 119 de ces services, desservant 75 % de ses écoles[3].

Un service de garde en milieu scolaire a plusieurs avantages, mais le plus important est que vous savez toujours où se trouve votre enfant, et vous savez qu'il est en sécurité. Votre enfant est dans un endroit qui lui est familier — son école — et il n'a que quelques pas à faire pour s'y rendre. Dans les meilleurs services, il est surveillé par un personnel hautement qualifié, et il a beaucoup d'espace pour s'ébattre, de nombreux amis avec lesquels jouer et un choix intéressant d'activités organisées. Il pourrait même y terminer ses devoirs, ce qui vous permettra de passer ensemble une soirée plus relaxante à la maison.

Les désavantages qu'on peut rencontrer à utiliser un service de garde pour enfants d'âge scolaire résultent en général du fait que le service en question n'est pas à la hauteur. Si les adultes qui assurent la supervision ne sont pas sensibles aux besoins des enfants et s'ils ne proposent pas des activités stimulantes, les enfants pourraient se chamailler, ou s'ennuyer. Il se pourrait donc qu'à la fin de la journée vous récupériez un enfant fatigué, grognon, qui a encore des devoirs à faire.

Si vous avez choisi d'inscrire votre enfant d'âge préscolaire dans une garderie, vous serez probablement encline à opter pour un type semblable de service de garde lorsqu'il sera en âge de fréquenter l'école[4].

La brochure *Où faire garder nos enfants?*, publiée par l'Office des services de garde à l'enfance, contient la liste exhaustive des services de garde en milieu scolaire du Québec.

Le meilleur moyen de découvrir les possibilités qui s'offrent aux enfants de 5 à 12 ans est de vous rendre directement dans les écoles où vous considérez inscrire votre enfant. Lorsque vous obtiendrez un rendez-vous avec le directeur ou la directrice de l'institution, vous lui demanderez des renseignements sur les services offerts avant et après les heures de cours, de même que sur la surveillance exercée à l'heure du

---

3. Entretien avec Luc Rainville.
4. Entretien privé avec Donna White, 28 septembre 1990.

dîner. On vous présentera probablement alors la responsable du service de garde de l'école. Elle pourra vous donner tous les détails pertinents.

Inutile de dire qu'il n'y a pas meilleur moment qu'après les cours — soit entre 15 h et 18 h — pour observer le fonctionnement du service en question (même le programme offert aux enfants qui fréquentent la maternelle).

Mais avant que vous visitiez un service de garde en milieu scolaire, regardons d'un peu plus près comment ces services fonctionnent.

Qui est responsable?

Contrairement aux services de garde pour des enfants plus jeunes, les services en milieu scolaire ne sont pas des entités indépendantes dirigées par un conseil d'administration formé de parents ou par les propriétaires. Ils ne sont pas non plus soumis aux mêmes réglementations provinciales parce que l'Office des services de garde à l'enfance, qui a toute autorité pour réglementer les services de garde en milieu scolaire (comme il a aussi l'autorité de réglementer tous les autres types de services de garde de la province), n'a pas jusqu'à maintenant exercé ce pouvoir[5]. Au lieu de cela, il a refilé le problème au ministère de l'Éducation qui a fixé des normes absolument minimales concernant le financement, puis s'est déchargé à son tour de cette responsabilité sur les commissions scolaires. Certaines de ces dernières ont couché sur papier des programmes détaillés et complets pour leurs services de garde en milieu scolaire. Mais il s'agit de lignes de conduite, non pas de lois ni de règlements.

Il existe néanmoins quelques garanties inhérentes à ce genre de services, puisque la plupart d'entre eux sont dispensés dans des écoles, qui ont leurs propres règlements concernant la santé et la sécurité, et que les directeurs d'institutions scolaires doivent répondre de presque tout ce qui se passe sur les lieux. Mais, en théorie du moins, un service de garde qui regrouperait vingt enfants dans une même pièce, qui confie-

---

5. *La mise sur pied et le fonctionnement d'un service de garde en milieu scolaire — Guide à l'intention des commissions scolaires et des directeurs et directrices d'école*, Québec, Office des services de garde à l'enfance et ministère de l'Éducation, 1991, p. 5.

rait ceux-ci à une jeune de 18 ans sans formation et qui ne prévoirait pas de remplaçante en cas de besoin n'irait à l'encontre d'aucune réglementation du Québec. Heureusement, une telle situation est loin d'être typique. En 1991-1992, 56 % des éducatrices des services de garde en milieu scolaire du Québec détenaient au moins un diplôme d'études collégiales en éducation; plusieurs détenaient même un baccalauréat[6].

Ce qu'il faut retenir, c'est que la qualité d'un service de garde ne repose sur aucune norme gouvernementale. Elle variera selon la commission scolaire, l'école, le directeur ou la directrice de l'école, le comité de parents. Les gens qui se donnent comme priorité d'établir des services de garde de qualité dans leurs écoles créent effectivement d'excellents programmes. Par contre, si, par exemple, le directeur d'école n'est pas convaincu de l'importance d'un bon service de garde (et qu'il quitte lui-même l'école vers 15 h 30 ou 16 h), le service offert pourrait n'être à peine plus que du gardiennage.

Certains services de garde destinés aux enfants d'âge scolaire ne relèvent d'aucune commission scolaire. Ils peuvent être offerts par une école privée, un centre communautaire ou un organisme à but non lucratif (comme le YMCA); d'autres, à but lucratif, sont dirigés par un propriétaire unique ou par un organisme du quartier. Il faut porter une attention particulière lorsqu'on évalue ces services: les immeubles qui les abritent peuvent ne pas être dotés des strictes mesures de sécurité mises en place dans les institutions scolaires; ils ne reçoivent pas de subventions provinciales; les élèves qui les fréquentent ne sont pas admissibles à des subventions au chapitre de la garde d'enfants; et les services de garde pour les enfants d'âge scolaire à but lucratif soulèvent les mêmes difficultés que toute autre garderie à but lucratif.

Votre enfant ne sera pas alors aussi vulnérable parce qu'il aura vieilli, parce qu'il aura plus de ressort, et parce qu'il y passera moins de temps (une fois qu'il aura complété sa maternelle) qu'à la garderie. Mais la sélection d'un service

---

6. Francine Bédard Hô, «Les services de garde en milieu scolaire 1992», *Recherche et développement*, collection «Études et analyses», ministère de l'Éducation du Québec, 1992, p. 61 et 63.

de garde en milieu scolaire et l'adaptation à un tel service vous forceront à user de toutes les compétences que vous avez su affiner en tant que parent d'enfant inscrit en garderie. Vous devrez examiner de près le service en question avant d'y inscrire votre enfant et garder l'œil bien ouvert à chacune des étapes.

Les questions à aborder

Nous commencerons par des renseignements de nature générale. Puis nous vous entretiendrons du genre de personnes qui devraient composer le personnel des services de garde en milieu scolaire, à quoi devraient ressembler le programme réservé aux enfants inscrits en maternelle et celui destiné aux enfants plus âgés.

Informations générales

Quelles sont les heures d'ouverture?

Votre journée de travail est probablement plus longue que la journée d'école de votre enfant, spécialement s'il fréquente la maternelle. Il vous faudra donc un service de garde qui le prendra en charge pendant les heures où vous n'êtes pas disponible pour veiller sur lui. Il pourra s'agir des heures qui précèdent les cours ou y succèdent, de l'heure du midi, des journées pédagogiques (pendant lesquelles les enseignants mettent à jour leurs connaissances et ne donnent pas de cours), des jours de congé, des vacances du printemps, de celles de Noël et de l'été. Ne vous attendez pas à ce que votre service de garde en milieu scolaire soit ouvert pendant toutes ces périodes. Certains services de garde en milieu scolaire ne sont ouverts que les jours où l'on donne des cours à l'école. Certains n'offrent aucun service de garde avant l'heure des cours. D'autres ferment leurs portes dès 17 h 30. Dans certaines écoles, les services de garde offerts aux enfants de la maternelle se prolongent jusqu'à la fin de la dernière heure de cours. En 1991, seules vingt et une écoles offraient des services de garde pendant l'été, bien que certaines proposaient à leur clientèle un programme semblable à celui d'une colonie de vacances, en collaboration avec la municipalité ou d'autres organismes régionaux. Informez-vous de ce qui est disponible.

Aux enfants de quel âge ce service s'adresse-t-il ?

Bien qu'il soit théoriquement offert jusqu'en sixième année du primaire, les enfants peuvent éprouver, après leur troisième année, des sentiments contradictoires au sujet du service de garde. Lorsque le groupe est très petit et que les plus grands sont forcés de se mêler aux plus jeunes, ils se sentent traités comme des bébés, et ils pourraient refuser de fréquenter le service. Cette réalité pourra ne pas vous inquiéter lorsque vous procéderez à l'admission d'un enfant fréquentant la maternelle, mais nous pouvons vous assurer qu'elle figurera au premier plan de vos préoccupations lorsque votre enfant aura cette réaction. Combien d'enfants de 9 à 12 ans fréquentent le service dans l'école? Les regroupe-t-on avec les plus jeunes ou ont-ils un espace et une éducatrice qui leur sont propres?

Combien en coûte-t-il ?

Bien que le gouvernement du Québec alloue aux services de garde en milieu scolaire une subvention de base destinée à l'achat de matériel et d'équipement, il s'attend à ce qu'ils s'autofinancent. En pratique, cela signifie que les frais de garde facturés aux parents devraient défrayer les salaires versés à la responsable et aux éducatrices et, dans la plupart des cas, le coût des collations, des excursions, etc.

La plupart des services de garde en milieu scolaire exigent des frais très raisonnables; comme on s'en doute, les parents d'enfants inscrits en maternelle, qui y passent de plus longues heures chaque jour, devront toutefois débourser davantage. Le service imposera des frais additionnels dans le cadre des journées pédagogiques et des congés scolaires; s'il offre un programme estival, le prix demandé sera compétitif avec celui facturé dans les colonies de vacances de la région. N'oubliez pas de demander si on vous facturera à l'heure, à la journée, à la semaine ou au mois; si on vous imposera des amendes dans le cas où vous passeriez prendre en retard votre enfant, le soir; et si des frais additionnels vous seront facturés pour des excursions ou toute autre activité spéciale. Vous devrez certainement payer pour les jours où votre enfant ne se présentera pas sur les lieux pour cause de maladie; certains services vous consentiront toutefois une remise si votre enfant doit s'absenter pendant une semaine complète en raison d'une mauvaise grippe.

Les familles qui ne peuvent se payer un tel service sont admissibles à des subventions. Bien que le Québec n'en assumera pas les frais en totalité, toute famille qui se qualifiera recevra une certaine assistance financière.

Conservez vos reçus du service de garde. Vous pourrez vous en servir dans votre déclaration d'impôts sur le revenu, au fédéral comme au provincial, et ce jusqu'à ce que votre enfant ait 14 ans.

Quelle est la politique en cas d'urgence?

On n'échappe pas aux urgences et tout service de garde doit être prêt à y faire face.

Au moins deux membres du personnel devraient être présents sur les lieux en tout temps. Quand survient une urgence, un seul adulte ne peut humainement s'occuper seul de quinze à vingt enfants. Qui conduira un enfant blessé à l'hôpital? Qui veillera sur les autres enfants? En cas de panne d'électricité, qui s'occupera de reloger les enfants et en informera les parents? Le personnel du service de garde ne peut compter sur les directeurs, enseignants, secrétaires ou concierges, parce que ces derniers quittent souvent l'immeuble longtemps avant que le service de garde ne ferme ses portes.

Parce que les services de garde en milieu scolaire doivent s'autofinancer, les plus petits n'ont souvent pas les moyens de se payer les services d'une deuxième éducatrice. De notre point de vue, cela n'est pas acceptable. Cherchez un autre service, ou unissez-vous à d'autres parents pour réclamer cette mesure de sécurité essentielle.

Même si rien n'y oblige, tout le personnel devrait avoir suivi des cours de premiers soins et de réanimation cardiorespiratoire, et une trousse de premiers soins devrait toujours se trouver à portée de la main. Tous les services devraient pouvoir se reloger instantanément, dans l'éventualité où il leur faille quitter abruptement leurs locaux.

Assurez-vous que le service de garde a son propre téléphone: les enfants et le personnel du service de garde en milieu scolaire pourraient en avoir besoin, quand les bureaux administratifs de l'école sont fermés à clef. Une liste des numéros de téléphone à composer en cas d'urgence — hôpitaux, centre antipoison, ambulance, police, pompiers — devrait être affichée à proximité du téléphone. Ce téléphone permettra aussi au service en cause de recevoir des appels des parents qui ont été retardés ou qui désirent prévenir qu'une autre personne passera prendre leur enfant. Si aucun membre du personnel n'est disponible pour répondre aux appels, on devrait faire usage d'un répondeur que l'on vérifiera régulièrement pour prendre bonne note des messages reçus.

Le service aura aussi besoin des numéros de téléphone des deux parents, tant au travail qu'à la maison, du numéro de téléphone d'un ami ou d'un proche — au cas où on ne puisse joindre les parents — et du numéro d'assurance-maladie de l'enfant, ainsi que d'une autorisation écrite pour requérir tout traitement médical nécessaire, en cas de besoin. (Il va sans dire que tout le personnel devrait avoir accès à ces renseignements.)

Aucun parent ne devrait confier son enfant à un service de garde qui n'applique pas ces mesures essentielles de sécurité.

Comment les enfants se rendent-ils à leur service de garde en milieu scolaire?

Il s'agit là d'une autre question de sécurité absolument cruciale. Un membre du personnel devrait passer prendre les plus jeunes enfants dans leurs classes, ou à l'arrêt d'autobus, et les conduire au service de garde. S'ils s'y rendent par leurs propres moyens, ou fréquentent une autre institution scolaire, comment procède-t-on, au service de garde, pour déceler leur absence? Comment y suit-on à la piste leurs allées et venues? Dans un service de garde où l'on accepte des enfants à mi-temps ou sur une base occasionnelle (et c'est le cas dans plusieurs services de garde en milieu scolaire), l'instauration de mesures de contrôle est particulièrement compliquée. Les services de garde sont tenus de prendre les présences, mais ils devraient aussi avoir un système pour vérifier où sont les enfants absents. Les parents doivent-ils informer directement le service de garde si leur enfant a la grippe ou doit se rendre chez le dentiste? Si un enfant est absent, un membre du personnel communique-t-il automatiquement avec les parents? Informez-vous du système de vérification utilisé.

Comme dans tout autre service de garde, chaque parent fournira une liste de personnes autorisées à passer prendre son enfant et informera le personnel que grand-papa, plutôt que maman, se chargera aujourd'hui de cette tâche.

Des questions plus complexes surgissent lorsque les enfants ont grandi et sont prêts à assumer une certaine indépendance. Comment surveille-t-on leurs allées et venues à l'intérieur de l'école? Doivent-ils informer quelqu'un lorsqu'ils quittent une salle et entrent dans une autre? Il n'est pas nécessaire qu'un membre du personnel les accompagne, mais quelqu'un devrait savoir en tout temps où ils se trouvent.

Dans certains services de garde en milieu scolaire, on permet aux enfants de rentrer seuls chez eux, mais à quelles conditions? Il leur est impossible de garantir que le trajet à pied se fera sans danger et ils pourront refuser de laisser partir un enfant, à moins qu'un proche ne soit déjà à la maison, prêt à l'accueillir. En pareils cas, les parents devront signer une autorisation spéciale, pour délimiter clairement la responsabilité du service. (Par exemple, «Les mardis et jeudis, mon enfant devra quitter le service à 16 h pour se rendre au centre sportif. Je reconnais que le service ne l'y escortera pas et qu'il ne sera plus responsable de lui une fois qu'il aura quitté l'école.»)

Quelle est la politique en matière de santé?

Le service de garde en milieu scolaire devrait être en mesure d'isoler un enfant malade, de lui permettre de se reposer et de communiquer avec ses parents pour qu'ils le ramènent à la maison. Y a-t-il un endroit approprié où il pourra rester avec un adulte pendant la période d'attente?

Le service devrait assurer un niveau d'hygiène et de propreté tel que la santé des enfants n'en soit pas menacée. À la fin de la journée, les toilettes de l'école peuvent être assez répugnantes et certains enfants refuseront de les utiliser. Les préposés à l'entretien portent-ils une attention particulière aux toilettes dont se sert le service de garde? Celles-ci sont-elles propres? Le service permet-il aux enfants de les utiliser aussi souvent qu'ils en éprouvent le besoin?

Évidemment, les enfants et le personnel devraient toujours se laver les mains avant de toucher à de la nourriture.

Sert-on des repas ou des collations?

Les enfants d'âge scolaire sont souvent affamés. En ce qui concerne les repas et les collations en service de garde en milieu scolaire, on trouve un peu de tout. Certains services servent des repas complets, d'autres n'offrent que des collations et d'autres encore demandent aux parents de fournir ce que mangera l'enfant. Si le service de garde sert de la nourriture, celle-ci devrait être saine, abondante et pauvre en sucre. La cuisine devrait être propre, et les aliments, conservés au réfrigérateur ou dans les armoires, selon la nécessité.

Quelle est la nature du lien
entre le service de garde et l'école?

Dans les écoles publiques du Québec, le directeur ou la directrice de l'école est responsable de tous les aspects du service de garde en milieu scolaire qu'abrite son institution. C'est cette personne qui prend les décisions, tient les cordons de la bourse et choisit et dirige le personnel, y compris un responsable chargé de la gestion du service. Mais chaque directeur adopte une attitude particulière à l'égard du service de garde en milieu scolaire, qui représente une énorme responsabilité supplémentaire. Certains n'apprécient guère ce surcroît de travail; d'autres accordent sans réserve leur soutien à ce nouveau service et à son personnel. La plupart adoptent probablement une attitude qui se situe entre ces deux extrêmes.

Le directeur ou la directrice est aussi responsable de l'intégration du service de garde en milieu scolaire à la vie de l'institution — parce que l'établissement d'un bon rapport entre ces deux importants milieux de vie d'un enfant est essentiel à son bien-être.

D'un point de vue purement pratique, le service devrait disposer d'un espace qui lui soit propre, que le personnel et les enfants pourront décorer et où ils pourront se sentir chez eux. Dans une école déjà surpeuplée, cela pourra s'avérer impossible et tout le monde se triturera les méninges pour trouver le moyen de transformer une cafétéria, ou un gymnase, en un lieu accueillant — un exercice qui ne va pas de soi. (À cette fin, on pourra, par exemple, déménager en tout, ou en partie, le service hors des murs de l'école et s'associer dans ce processus à une autre institution scolaire, louer un sous-sol d'église, négocier une entente avec la municipalité.

Si vous songez sérieusement à opter pour un service placé dans une situation semblable, assurez-vous de porter encore davantage attention aux mesures de sécurité: les locaux situés hors de l'école ne seront pas nécessairement dotés d'extincteurs automatiques, de sorties en cas d'incendie, ni d'autres dispositifs du même genre.)

L'école devrait permettre au service de garde de se servir sur une base régulière de ses installations: gymnase, bibliothèque, salle des ordinateurs, ateliers d'arts plastiques, auditorium, cuisine et cafétéria. Le personnel professionnel de l'école — psychologues, travailleuses sociales et infirmières — pourrait également apporter sa contribution.

Les enseignantes et les éducatrices devraient aussi se parler régulièrement, de manière à ce que leurs approches éducatives et leurs valeurs se complètent plutôt qu'elles ne se chevauchent ou ne se contredisent. Aucun enfant ne sera enthousiasmé à l'idée de dessiner des Valentins au service de garde s'il vient tout juste de passer la matinée à en faire autant à la maternelle! Enseignantes et éducatrices ne seront d'ailleurs pas non plus ravies que se produise une situation de ce genre.

En fait, il est difficile d'établir de bons moyens de communication: quand les enseignantes sont avec les enfants, les éducatrices ne sont pas au travail — et vice versa. Un groupe de recherche de l'Université de Montréal a constaté que les enseignantes de la maternelle de neuf commissions scolaires du Québec et leurs contreparties dans les services de garde ne se connaissaient que vaguement et ignoraient presque tout de leurs tâches réciproques. En conséquence, elles étaient susceptibles de faire double emploi et d'entretenir des préjugés les unes à l'égard des autres, suscitant ainsi chez certains enfants des comportements agressifs. Ces comportements se résorbaient lorsque s'établissait une meilleure communication entre enseignantes et éducatrices[7].

---

7. Raquel Betsalel-Presser, Marie Jacques, Maryse Joncas, Johanne Phaneuf, Élise Rivest et Céline Brunet, «Pour construire les ponts entre l'école et les services de garde scolaires», *Actes du colloque québécois sur les services de garde à l'enfance*, «Nos enfants, c'est sérieux», Montréal, Comité organisateur d'événements pour le service de garde à l'enfance 1991, 1992, p. 55-56.

Il est aussi important qu'enseignantes et éducatrices échangent entre elles lorsqu'un enfant éprouve des problèmes. En partageant de l'information et en mettant au point une stratégie commune, elles pourront faire des merveilles; ces échanges permettent aussi de dissiper le jugement péjoratif que certains enseignants portent sur les enfants qui fréquentent le service de garde de l'école.

Le personnel

Quel est le ratio éducatrices-enfants?
De quelle dimension sont les groupes?

Vous vous rappelez, bien entendu, que la qualité est étroitement liée à la dimension du groupe et au nombre d'enfants confiés à chaque éducatrice. Le Wellesley College School-Age Child Care Project, mené au Massachussetts, qui se penche sur les services de garde en milieu scolaire depuis 1979, recommande la formation de groupes de 16 à 24 enfants («assez petits pour que chaque enfant reçoive un peu d'attention individuelle, et assez nombreux pour qu'on puisse y jouer une partie de balle molle») et un ratio éducatrice-enfants de 1/10 («personne ne peut donner à plus de dix enfants à la fois toute l'attention individuelle dont ils ont besoin[8]»).

Le ministère québécois de l'Éducation permet un ratio de 1/20, bien que plusieurs services se soient donné pour objectif un ratio inférieur à 1/15 — moins encore dans le cas des enfants fréquentant la maternelle. Les petits groupes et les ratios plus acceptables assurent généralement de meilleurs soins. Un service qui réussit à maintenir un ratio plus adéquat — spécialement s'il compte à son service des éducatrices de formation — vaut sans aucun doute les quelques dollars supplémentaires qu'il en coûtera.

Pris en étau entre la nécessité de respecter des conventions collectives et de s'autofinancer, la plupart des services de garde en milieu scolaire ne sont pas en mesure de se permettre un ratio plus équilibré sans hausser considérablement du même coup les frais de garde facturés.

---

8. Ruth Kramer Baden *et al.*, *School-Age Child Care, An Action Manual*, Dover (Massachussetts), Auburn House Publishing Company, 1982, p. 65-66.

Qui compose le personnel?

Les réglementations actuellement en vigueur au Québec n'exigent pas qu'un service de garde en milieu scolaire embauche des professionnels. Même la personne responsable d'un tel service n'est pas tenue de détenir un diplôme en éducation — mais parce qu'une personne diplômée et employée à temps plein est plus susceptible de gérer un service de haute qualité, certaines commissions scolaires ont imposé de leur propre chef des normes en cette matière. Interrogez la responsable du service de garde sur ses qualifications.

Il ne fait aucun doute qu'une formation en techniques de garde, en développement de l'enfant, en enseignement primaire ou en techniques récréatives, et certaines compétences particulières en danse, en théâtre, en karaté, en beaux-arts, en gymnastique, en sports d'équipe ou en écologie, seront tout à la fois pertinentes et utiles aux éducatrices de services de garde en milieu scolaire. Un personnel qualifié et dévoué créera un environnement où les enfants pourront apprendre et s'amuser; il aidera également à faire le pont entre l'école et le service de garde.

Informez-vous de la formation reçue par chaque éducateur. Le personnel devrait être composé en majorité d'enseignantes ou d'éducatrices diplômées, surtout à la maternelle. Une telle requête de la part des parents est juste et raisonnable, et assez facile à satisfaire. Bien que dans le domaine des services de garde on emploie le terme «préposé», rappelez-vous qu'en 1991 plus de la moitié des personnes oeuvrant auprès d'enfants d'âge scolaire détenaient un diplôme.

Depuis combien de temps les membres du personnel sont-ils à l'emploi du service? Dans les services de garde en milieu scolaire, comme d'ailleurs dans tout autre service de garde, les enfants se développent mieux si le personnel reste stable. Parce que la plupart des éducatrices travaillent à mi-temps et à temps partagé, on pourrait y constater un certain taux de changement de personnel.

Le personnel devrait être sensible aux divers besoins des enfants d'âge scolaire, au désir de chacun de s'intégrer au groupe tout en s'affirmant en tant qu'individu autonome, capable de faire des choix.

Les éducatrices doivent être d'excellentes communicatrices, être aussi capables de communiquer individuellement avec les enfants que de diriger le groupe dans son ensemble. Les enfants qui fréquentent l'école primaire ont beaucoup de mal à se concentrer à la fin de la journée. Si l'éducateur joue avec eux au hockey intérieur et utilise ses connaissances pour que le jeu soit excitant, ils s'amuseront ferme; mais s'il s'éloigne, ou se met à causer avec un autre membre du personnel, ils seront susceptibles de se désintéresser du jeu ou de devenir intenables.

Dès que nos enfants entrent à l'école, nous avons tendance à reporter toute notre attention sur leurs facultés intellectuelles, mais ils ne sont jamais vraiment trop vieux pourmaternés. Le personnel devrait être capable de les consoler lorsqu'ils sont déprimés, ou de s'assurer qu'ils portent chapeaux et bottes quand ils sortent en hiver. Même les «grands» de 11 ans ont besoin d'un habit de neige s'ils doivent jouer dehors pendant une heure, et le personnel doit trouver le moyen de rendre le port de ces vêtements acceptable à leurs yeux.

La maternelle

Bien qu'ils aient l'habitude de la vie en groupe, les enfants qui ont fréquenté les garderies ne manqueront pas de défis à relever à leur arrivée à la maternelle. Dans leur nouvelle institution, ils seront les cadets et non pas les plus aguerris d'un groupe, jusque-là plus restreint. Ils feront la connaissance de nouveaux et de plus nombreux enfants avec qui se lier. Et parce que les groupes de maternelle sont plus nombreux que ceux d'un service de garde, l'enseignante pourrait ne pas avoir autant de temps à consacrer à chaque enfant.

En outre, ils devront aussi s'habituer à un tout nouveau service de garde.

Les cours de maternelle durent en général moins de trois heures. Même un programme soi-disant «à temps plein» fermera ses portes à 14 h 30 ou 15 h. Pendant de nombreuses heures, votre enfant ne sera pas à l'école et vous serez toujours au travail.

Pour un jeune enfant, tous ces changements peuvent être très exigeants et la fréquentation de son nouveau service de garde devrait l'aider à s'y adapter.

De la garderie à la maternelle et vice versa

Il faut de l'ingéniosité, du doigté et beaucoup de sens pratique pour organiser un service de garde destiné aux enfants fréquentant l'école pendant un si petit nombre d'heures. Et ces trois qualités ne se retrouvent pas en proportion égale dans tous les types de services de garde du genre.

Pour acccommoder les enfants qui ont besoin d'un service de garde, certaines écoles tiennent les classes de maternelle le matin. Après les cours de maternelle, les enfants se rendent au service de garde en milieu scolaire jusqu'à ce que leurs parents passent les prendre, en fin d'après-midi. Dans d'autres écoles, les classes de maternelle se tiennent l'après-midi; on y offre un service de garde dans les heures qui les précèdent et y succèdent.

Parfois, tous les écoliers (ou quiconque se trouve dans l'école à l'heure du lunch) se rassembleront pour prendre le repas du midi et les enfants de la maternelle se retrouveront alors au milieu de cette cohue. Et, pour rendre service aux parents qui doivent aller travailler avant que les cours commencent, le service de garde acceptera peut-être en début de journée des enfants de tous âges, y compris ceux de la maternelle.

Quel que soit le contexte — avant ou après l'école, avant ou après la maternelle, pendant l'heure du lunch —, il se peut que l'enfant doive s'adapter à des changements. En effet, les enseignantes, les enfants, les locaux et les règlements pourront varier. L'enfant de 5 ans qui subit de nombreux changements pourrait se sentir désorienté, et si on le joint à un groupe d'enfants plus âgés, il peut même être effrayé.

Cherchez à connaître à combien de changements votre enfant qui fréquente la maternelle devra faire face. Tout en posant ces questions au directeur ou la directrice de l'école et à la responsable du service de garde en milieu scolaire, évaluez aussi les rapports qu'entretiennent éducatrices et enseignantes. Lorsqu'un enfant connaît quatre ou cinq changements dans une seule journée, il est certainement essentiel que les adultes qui veillent sur lui communiquent clairement entre eux!

Selon nous, la solution la plus sensée consiste à réduire le nombre d'adaptations exigées de l'enfant, en l'envoyant dans une école où il pourra suivre les cours de maternelle, le matin, et fréquenter un seul et unique service de garde, l'après-midi, où ses parents passeront le prendre à la fin de la journée. De cette manière, il sera rassuré par une certaine continuité: des éducatrices qui lui sont familières lui donneront son déjeuner, lui liront une histoire, le borderont pour la sieste et organiseront ses jeux dans l'après-midi. Lorsque vous inscrirez votre enfant à l'école, demandez le programme du matin — et rendez-vous dès le début de la période d'inscription pour être certaine qu'il y aura encore de la place pour lui. Notez, cependant, que certaines écoles n'offrent pas cette possibilité.

Comme la maternelle n'est pas obligatoire au Québec, il y a une autre option pour un enfant en âge d'aller en maternelle. Si votre enfant fréquente une garderie qui offre un programme spécial pour les enfants de 5 ans, il peut y demeurer pour son année de maternelle. Certaines garderies ont des programmes qui durent toute la journée tandis que d'autres n'offrent ce service qu'avant ou après les heures de maternelle. Il vous faudra, dans ce cas, résoudre le problème du déplacement de votre enfant entre la garderie et l'école. La province permet un ratio de 1/15 en ce qui concerne les enfants de 5 ans. Ce genre de service pourrait constituer la meilleure solution pour vous sortir de l'embarras si la qualité des soins y est excellente.

Les locaux

Les besoins des enfants en maternelle sont très différents de ceux des enfants plus vieux du primaire. Même les enfants de première et de deuxième année les dépassent d'une tête et ils sont facilement intimidés. Dans la mesure du possible, ils devraient disposer d'une pièce bien à eux. S'ils en partagent l'utilisation avec des enfants plus âgés, il devrait s'y trouver un coin qui leur est réservé, y tenir leurs propres activités et y avoir leurs propres éducatrices.

Le programme

Dans leur service de garde en milieu scolaire, tout comme dans la classe même de maternelle, les enfants ont besoin d'un programme équilibré et stimulant, qui soit à la fois structuré et flexible, et qui réponde au niveau de vivacité d'esprit et d'intérêt de chacun. Ils ont alors encore besoin de quelques moments de repos et ils adorent toujours se déguiser, faire de la gouache, jouer avec de gros blocs, s'amuser avec des casse-tête et de la pâte à modeler; on devrait en outre leur proposer quelques activités auxquelles ils ne se sont pas adonnés en garderie. Bien qu'ils soient prêts à se livrer à des jeux d'entraide et à attendre leur tour, ils ont aussi besoin qu'on leur laisse l'occasion de se décharger de leur trop-plein d'énergie au parc, ou au gymnase, sans compétition ni jeux organisés. Ils sont aussi en mesure de comprendre des instructions, des projets et des discussions plus complexes; ils apprennent à partager leurs idées et leurs sentiments et à écouter les autres. Ils aiment les ordinateurs et ils aiment qu'on leur fasse lecture d'un chapitre d'un livre par jour. Bien qu'ils soient encore très liés aux adultes et nécessitent toujours une surveillance constante, ils ont moins besoin de directives que les plus jeunes enfants. Ils recherchent une oreille attentive, une étreinte, une occasion de choisir eux-mêmes certaines de leurs activités et de se retrouver seuls. Demandez ce qu'ils font pendant la journée et si vous pouvez les observer.

Les enfants de 6 à 12 ans

Les enfants d'âge scolaire grandissent à une vitesse vertigineuse. Ils prennent de l'espace, sont affamés et bruyants, et ils ne restent jamais en place. Ils se jugent et jugent leurs pairs comme les êtres les plus fascinants qui soient et ils sont excessivement sensibles à la critique. Ils veulent acquérir de nouvelles habiletés, planifier et mettre à exécution de vastes projets, visiter des endroits où ils ne sont jamais allés. Ils se veulent des individus indépendants, responsables, autonomes, qui participent de la vraie vie. Par-dessus tout, lorsqu'ils arrivent au service de garde en milieu scolaire, ils sortent tout juste de l'école où ils ont été confrontés, toute la journée durant, à des tas de problèmes et à des sentiments qu'ils démêlent mal, mais dont ils ont besoin de parler. Veiller sur eux constitue pour une éducatrice un défi excitant.

Les locaux

Un service de garde en milieu scolaire a d'abord besoin d'espace — de beaucoup d'espace — pour que ces créatures infatigables, restées assises à se concentrer presque toute la journée, puissent dépenser une partie de leur énergie inépuisable sans se marcher sur les pieds. Les enfants du service de garde ont-ils accès au gymnase et à la cour de récréation, et le personnel les y surveille-t-il adéquatement? Conduit-on les enfants au centre sportif du voisinage pour qu'ils y pratiquent le patin sur glace? Les enfants du service peuvent-ils se joindre aux activités de soccer organisées par le service des sports de la municipalité?

Le service de garde dispose-t-il d'une vaste pièce qui lui est réservée? Bien qu'un personnel imaginatif puisse faire des merveilles dans une cafétéria meublée d'armoires de rangement amovibles, tous se sentiront certainement plus à leur aise dans un local qui leur est «assigné» en permanence.

Comme leurs aînés, les enfants plus jeunes ont besoin d'espaces qui leur appartiennent en propre; on pourra aussi diviser des pièces de manière à ce qu'ils se sentent au moins séparés les uns des autres. Un énorme écart sépare les enfants de 6 ans et ceux de 12 ans, en matière de développement. Ceux de 6 à 8 ans ont encore besoin d'affection et de conseils; et les services de garde qui les accueillent devraient leur permettre de se retrouver comme à la maison. Quant à ceux de 9 à 12 ans, qui se sont sentis enfermés et confinés à l'école, ils ont besoin d'un endroit où se dénouer les membres, où mettre à plein régime leur sono portative et danser. Ils ont particulièrement besoin d'intimité et d'étaler fièrement leurs possessions. À la maison, ils commencent à fermer derrière eux la porte de leur chambre à coucher; au service de garde en milieu scolaire, ils aimeront aussi marquer leur territoire en apposant aux murs des affiches, et en laissant sur une table une partie d'échecs non achevée qu'ils reprendront le lendemain.

Les locaux devraient être aménagés de manière à accueillir équipements et accessoires nécessaires à diverses activités pendant les périodes libres — jeux, matériel d'artiste, mots croisés en damier, magnétophone et cassettes. Des coins et recoins meublés de coussins leur permettront de lire un bon livre, de converser calmement et de consacrer quelques moments à leurs devoirs d'écoliers.

Le programme

Les enfants de 6 à 12 ans ont besoin de temps pour explorer les domaines qui les intéressent et nouer des amitiés. Il est difficile d'apprendre l'autonomie, l'indépendance et le sens des responsabilités quand une personne vous dicte constamment ce qu'il faut faire. Bien qu'un certain degré d'organisation et de surveillance soit toujours nécessaire, il est crucial que les enfants fréquentant un service de garde en milieu scolaire puissent exercer leur capacité de choisir. Les programmes qui remportent le plus de succès font appel à la contribution directe des enfants et leur permettent de décider ce qu'ils veulent faire, qu'il s'agisse de patinage, de gymnastique, de ballon-panier, de ballet jazz, d'un cercle de joueurs d'échec, de ski de randonnée, de la rédaction d'un journal étudiant, de radio étudiante, d'activités théâtrales, de musique, de beaux-arts, de cuisine, d'expériences scientifiques, de tennis de table, de jeux de société comme le Monopoly. (Le plus grand avantage qu'offre la fréquentation d'un service de garde en milieu scolaire, c'est la possibilité de trouver en tout temps, si on le désire, un compagnon de jeu.)

La possibilité de choisir est tout particulièrement importante pour les enfants de 9 à 12 ans, qui sont susceptibles de se rebeller contre la perspective même de fréquenter un service de garde. Ils devraient pouvoir choisir eux-mêmes leurs activités et se sentir aussi autonomes que leurs amis qui rentrent à la maison après les cours, où les attendent un parent ou une gardienne, ou ceux qui fréquentent un service de garde en milieu familial.

Les devoirs

Les devoirs sont un sujet très délicat. Certains parents veulent que leurs enfants fassent leurs devoirs à la maison, de manière à être ainsi tenus au courant de ce qui se passe à l'école. D'autres disent plutôt: «Quand nous rentrons enfin à la maison et avalons notre repas du soir, mon enfant est déjà trop fatigué pour faire ses devoirs, et c'est presque l'heure d'aller au lit. Je veux qu'il fasse ses devoirs au service de garde.»

Mais où, quand et comment devrait-il vaquer à cette occupation?

Dans certains services de garde, rien n'est prévu pour que les enfants puissent faire leurs devoirs.

Dans d'autres, les enfants font leurs devoirs dans une salle d'études. Une éducatrice s'assoit à l'avant de la classe pendant que les enfants sont à leurs pupitres et font leurs travaux individuellement. Quand les enfants ont complété leurs devoirs, on leur permet de jouer dans une autre pièce.

Ailleurs, les écoliers qui ont des devoirs s'assoient à une table, dans la salle de jeux, tandis que leurs compagnons s'amusent autour d'eux. L'environnement est alors bruyant et ne manque pas de distractions; toutefois, si les parents d'un enfant insistent pour qu'il fasse alors ses devoirs, l'enfant devra rester assis à la table jusqu'à ce qu'il ait complété son travail.

Mais la meilleure solution, qu'ont d'ailleurs adoptée plusieurs écoles, est de réserver à l'étude une pièce séparée et calme. Un membre du personnel y circule pour voir qui a besoin de son aide. Les enfants qui sont dans la même classe à l'école pourront trouver amusant et utile de faire ensemble leurs devoirs.

Les enfants disent souvent: «Je n'ai pas de devoir», même si, au contraire, ils en ont. Une éducatrice attentionnée ne mortifiera pas votre enfant en fouillant son sac d'écolier; par un petit mot d'encouragement et d'humour, elle l'aidera plutôt à se rappeler qu'il a un devoir de maths.

En tant que parent, vous devrez examiner soigneusement la politique en vigueur dans chaque institution que vous visitez en ce qui a trait aux devoirs et aux conditions dans lesquelles ils sont faits, tenir compte de la personnalité de votre enfant, de sa manière d'apprendre, de la somme de travaux qui lui sont imposés, de son degré d'énergie (tout autant que du vôtre), et arrêter avec lui la décision la plus appropriée.

Parfois, un compromis donnera de meilleurs résultats, comme l'indique Lise Baillargeon de l'Association des services de garde en milieu scolaire du Québec. Deux jours par semaine, votre enfant pourra faire ses devoirs au service de garde; les autres jours, il pourra consacrer son après-midi à des activités avec des amis et s'occuper de ses devoirs à la maison, à vos côtés. De cette manière, vous serez mieux au fait de ce qu'il apprend et des progrès qu'il accomplit.

Une fois que vous aurez arrêté votre décision, faites-la connaître à la personne responsable du service de garde et assurez-vous que votre enfant comprend le sens de vos attentes et les raisons qui les motivent.

La participation des parents

À mesure que nos enfants grandissent, nous devons les laisser diriger davantage leur vie. Mais cela ne signifie aucunement que nous ne soyons plus désormais d'aucune utilité. Les comités d'école doivent participer à la mise sur pied de tout service de garde en milieu scolaire et le ministère de l'Éducation stipule d'ailleurs que les parents doivent y prendre une part active[9]. Compte tenu de l'absence de réglementation en ce domaine, il nous semble que c'est aux parents qu'incombe l'énorme responsabilité de s'assurer que ce service est sûr, stimulant et amusant.

Examinez de près le service de garde en milieu scolaire que fréquente votre enfant. Bien que le comité de parents n'y ait essentiellement qu'un rôle consultatif — contrairement à ce qui est le cas des conseils d'administration de garderies, le comité de parents ne détient en effet aucun pouvoir de décision —, il y a fort à parier qu'on y ait besoin de votre aide.

Parlez aussi à votre enfant. Demandez-lui ce qui se passe au service de garde et comment il s'y sent. Faites un saut sur place et voyez vous-même ce qui en est. Puis entretenez-vous avec d'autres parents, avec les enseignants de votre enfant et le directeur de l'école, sans oublier la responsable du service de garde et les éducatrices de votre enfant. L'intérêt que vous manifesterez pour leur travail ne pourra qu'améliorer les soins dispensés à votre enfant.

Faites comprendre à votre enfant qu'il ne fréquente pas le service de garde parce que vous le jugez incapable, mais

---

9. *La mise sur pied et le fonctionnement d'un service de garde en milieu scolaire, ibid.,* p. 6

bien parce que vous l'aimez et que vous vous souciez de son bien-être. Si vous vous assurez qu'il a tout ce dont il a besoin pour s'intégrer, si vous rendez visite à ses éducatrices, faites la connaissance de ses amis et vous intéressez à ce qu'il fait sur les lieux, vous lui montrerez ainsi que vous vous préoccupez de son sort, et il se rendra volontiers au service de garde.

Les gardiennes à la maison

Une fois que votre enfant est entré à l'école, votre gardienne n'aura plus suffisamment d'heures de travail chez vous. Mais si votre enfant l'adore, vous pourriez être tentée de lui demander de rester tout de même à votre service. Pouvez-vous vous permettre de lui offrir un tarif horaire légèrement plus élevé? Peut-être accepterait-elle d'apprêter le repas du soir, de s'occuper de la lessive et de l'entretien de la maison pendant les heures où votre enfant n'est pas là. Peut-être une autre famille serait-elle disposée à partager avec vous ses services.

Vous pourriez aussi envisager l'embauche d'une étudiante de cégep (ou d'une adolescente responsable qui terminera bientôt ses études secondaires). Les étudiants sont souvent à la recherche d'emplois à mi-temps et ils apportent à ce travail une énergie et un intérêt rafraîchissants.

On trouvera au chapitre 4 tous les avantages et inconvénients associés à l'embauche des gardiennes; suivent néanmoins certains éléments que vous devriez considérer dans le choix d'une gardienne pour un enfant d'âge scolaire.

Éléments à considérer

La liberté du foyer

Si votre enfant fréquente une école du voisinage, il peut facilement s'y rendre et en revenir à pied ou en autobus, seul ou en compagnie d'amis, et une personne fiable sera présente à la maison pour s'assurer qu'il est arrivé sain et sauf. Les frères et sœurs pourront ainsi s'y retrouver et développer de véritables liens fraternels. Mais le plus grand avantage de la garde au foyer tient au fait que l'enfant *est* à la maison, qu'il peut donc se détendre et être lui-même. Il peut prendre la collation de son choix, regarder la télé pendant une demi-heure, faire ses devoirs en écoutant sa sono portative à plein volume, passer un moment avec un ami, aller à un exercice de l'équipe de soccer, prendre part à la vie du quartier.

Un être spécial

Bien que l'enfant d'âge scolaire se montre de plus en plus indépendant, il aime encore se sentir un être spécial — d'autant plus qu'il n'est maintenant qu'un individu parmi vingt-cinq ou trente autres dans la salle de cours. Il apprécie à n'en pas douter les échanges, sur une base individuelle, avec une personne qui s'intéresse à son sort — qui comprend ce qu'il ressent si un ami ne l'a pas attendu à la sortie de l'école, ou si le professeur l'a tourmenté pendant le cours de maths. Il aime qu'on partage son enthousiasme pour sa collection de cartes de hockey, qu'on lui montre à apprêter une pizza, qu'on le laisse à l'occasion se rendre seul au magasin du coin pour y acheter une friandise.

Mais parce qu'il n'y aura à la maison qu'un seul adulte responsable, il lui faudra se montrer à la hauteur. Si la gardienne ne s'intéresse pas à votre enfant, ou si elle consacre tout son temps à vos plus jeunes enfants, si elle ne comprend pas les enfants d'âge scolaire, si elle se montre trop permissive ou trop stricte et autoritaire, votre enfant pourra se sentir ennuyé, négligé, esseulé, malheureux et colérique.

L'autorité des parents

Si vous optez pour une gardienne, vous pourrez en tant que parent prendre des décisions concernant la vie de votre enfant après les cours — en consultation avec la gardienne, cela va de soi. Quels aliments pourra-t-il manger comme collation? Combien de temps votre enfant pourra-t-il passer au téléphone et devant la télé? Vous vous devez de laisser une marge de manœuvre à votre gardienne (qui devra faire appliquer vos règlements) et à votre enfant (qui a besoin de liberté pour se développer). Mais vous pourrez converser chaque jour avec la gardienne et votre enfant pour vous tenir au fait des événements.

Dans ce cas, le problème découle du fait que ce service de garde n'est pas supervisé. Bien que votre enfant soit en théorie assez vieux pour vous dire ce qui se passe, il pourrait au contraire rester muet parce qu'il est peu communicatif de nature, parce qu'il regarde plus de télé qu'il n'y est autorisé, ou parce qu'il a peur de vous révéler toute la vérité (s'il est abusé, par exemple). Vous devrez en tout temps garder l'œil ouvert.

Les coûts

Maintenant que vous n'avez besoin des services d'une gardienne qu'après les heures de cours et seulement occasionnellement pendant toute la journée, cette solution sera beaucoup plus économique. Elle vous coûtera toutefois encore plus qu'un service de garde en milieu familial, ou en milieu scolaire, et le gouvernement ne vous consentira aucune subvention pour vous aider à défrayer le salaire de votre employée. Demandez-lui des reçus, de manière à pouvoir réclamer des déductions pour frais de garde d'enfants dans votre déclaration d'impôts. (Pour plus de détails, voir le chapitre 3.)

Les heures de travail

Un parent qui travaille tôt le matin, tard le soir, ou dont le quart de travail varie, aura besoin d'un service de garde à des moments inhabituels. Une gardienne est susceptible de faire preuve de plus de souplesse qu'un service de garde en milieu familial, ou en milieu scolaire, mais vous éprouverez peut-être des difficultés à dénicher une personne dont la disponibilité réponde à vos besoins et à ceux de votre enfant. Vous réglerez peut-être facilement le cas des heures qui suivent les cours, l'après-midi, pour découvrir ensuite que votre gardienne ne peut venir le matin, lorsque se tiennent des journées pédagogiques, ou pendant les pauses du printemps et du temps des Fêtes. La période estivale vous posera aussi un problème que bien des familles résolvent en optant pour une colonie de vacances.

Avec de la chance, ou si vous lui consentez un taux horaire un peu plus généreux, vous pourrez peut-être obtenir de votre gardienne qu'elle soit présente toute la journée quand votre enfant est malade — un avantage considérable pour vous comme pour votre enfant, qui jouira ainsi de la compagnie d'une amie lorsqu'il ne se sent pas bien.

Le service d'appoint

Parce que votre gardienne sera sans nul doute indisposée de temps à autre (ou devra étudier pour préparer des examens — ou pire encore, mais cela risque moins de se produire, vous quittera sans préavis), vous aurez besoin d'un service d'appoint. Votre enfant peut-il se rendre chez un ami, un voisin ou un proche, en cas d'urgence?

Le service de garde en milieu familial

Si votre enfant fréquente un service de garde en milieu familial dont la responsable sait prendre soin d'enfants plus âgés, cette solution pourra s'avérer très alléchante. (Pour vous rafraîchir la mémoire sur ce type de service, voyez le chapitre 5.)

Éléments à considérer

Un deuxième foyer

L'enfant placé dans un service de garde en milieu familial se sentira largement comme s'il était à la maison. Dans de bonnes conditions, votre enfant pourra se détendre, s'isoler, jouer avec les plus jeunes (y compris ses frères et sœurs), choisir les activités qu'il aime.

La responsable pourra passer prendre votre enfant à l'école ou aller à sa rencontre à l'arrêt d'autobus. Si elle habite suffisamment près de l'école, il pourra même faire seul le trajet à pied.

La réglementation

Si vous avez réussi à trouver un service de garde en milieu familial reconnu, vous pouvez vous sentir relativement rassurée en ce qui concerne la sécurité, la santé et le bien-être de votre enfant. Une responsable de service de garde en milieu familial reconnu saura ce dont a besoin un enfant à son retour de l'école: une collation nourrissante, la possibilité de décompresser, une oreille sensible à ses difficultés ou à ses succès et quelques activités parmi lesquelles il pourra choisir. (Une responsable d'un tel service qui est elle-même mère d'enfants d'âge scolaire ou d'adolescents sera généralement tout spécialement attentive à ces besoins.)

Le programme

La surveillance est peut-être le sujet le plus crucial qu'il vous faille aborder avec la responsable du service. Votre enfant a besoin d'apprendre de nouvelles habiletés et de prendre seul des décisions. Quelle latitude lui laissera-t-on pour prendre des initiatives et assumer des responsabilités? Quelles limites devrait-on lui fixer? Si les très jeunes enfants monopolisent son attention, si elle s'occupe de plus d'enfants qu'elle n'en peut surveiller ou si elle a peu d'expérience avec les enfants d'âge scolaire, la responsable du service de garde pourra laisser votre enfant à lui-même pendant de longues heures ou lui imposer beaucoup trop de contraintes.

Certaines agences de services de garde en milieu familial exigent parfois que les enfants d'âge scolaire restent chez la responsable du service jusqu'à ce qu'un parent passe les prendre. D'autres permettent aux enfants de se rendre à des exercices de hockey, ou de chant, si la responsable du service détient une police d'assurance responsabilité et si elle a reçu des parents une autorisation écrite en ce sens. Cela ne posera vraisemblablement pas de problème dans le cas d'un écolier de première année, mais si vous songez à recourir à un service de garde pour un enfant plus âgé, assurez-vous de vous informer de ce qui lui sera permis.

Les ratios

Après avoir été plongés dans un groupe nombreux à l'école, certains enfants ne supportent tout simplement pas les foules et préfèrent l'intimité d'un service de garde en milieu familial et l'occasion qui leur est ainsi donnée de servir de modèles aux plus jeunes enfants. Au Québec, les services de garde en milieu familial reconnus sont autorisés à accueillir au total six enfants.

Mais le regroupement d'enfants d'âges variés peut soulever de graves problèmes, à moins que la responsable du service ne soit très expérimentée. La présence d'enfants très jeunes restreint grandement l'éventail des activités possibles; même si un enfant plus âgé adore les petits, il a également besoin de la compagnie d'enfants de son âge. Il devrait s'y trouver au moins un autre enfant d'âge scolaire, bien qu'il soit évidemment impossible de prévoir si ce dernier deviendra un ami cher ou un ennemi mortel. Les règlements en matière de ratio pourront interdire à votre enfant d'inviter des amis à lui rendre visite.

Les locaux

Tout enfant a besoin d'espace — tant physique que mental — après une longue journée passée assis à l'école. Il lui faut un endroit où il puisse être bruyant et actif, et un autre où il puisse trouver du calme — où il pourra se retrouver seul, faire ses devoirs, écouter de la musique. Un service de garde en milieu familial sera peut-être trop à l'étroit et trop orienté vers les besoins des très jeunes enfants pour offrir à votre enfant d'âge scolaire tout ce dont il a envie.

Les coûts

Bien qu'un service de garde en milieu familial coûtera moins cher qu'une gardienne, il pourra s'avérer plus onéreux qu'un service de garde en milieu scolaire. Informez-vous des coûts.

Au Québec, dans les services de garde en milieu familial reconnus, des subventions sont disponibles pour les parents qui répondent aux critères d'admissibilité; la responsable du service leur remettra en outre des reçus officiels.

Les heures d'ouverture

Une responsable d'un service de garde en milieu familial qui se considère comme une professionnelle fournira un service toute l'année durant (exception faite des vacances qu'elle prendra et dont elle vous précisera d'avance les dates). Elle sera certainement disposée à veiller sur votre enfant pendant les journées pédagogiques et les jours de congé; et bien qu'elle sera peut-être désireuse de s'occuper de lui pendant tout l'été, il vaudra probablement mieux l'envoyer en colonie de vacances.

Si votre travail vous oblige à travailler tard le soir ou à changer de quart, elle pourra peut-être vous accommoder — mais cela est davantage affaire de chance.

La disponibilité

Comme de très nombreux parents choisissent maintenant un service de garde en milieu familial pour leurs nourrissons et leurs tout-petits, il sera peut-être plus difficile de trouver dans votre ville un service du genre où l'on accepte des enfants d'âge scolaire. Dans les régions rurales et les petites villes provinciales, le service de garde en milieu familial reste toutefois une solution populaire et pratique. Dans les faits, il pourrait s'agir de la seule option pour un écolier qui doit parcourir de longues distances à bord d'un autobus scolaire.

Le service d'appoint

Le taux de changement du personnel parmi les responsables de services de garde en milieu familial est stupéfiant. Le service que fréquente votre enfant peut fermer ses portes à n'importe quel moment; votre agence de services de garde en milieu familial vous aidera cependant alors à trouver une autre famille de garde. Encore une fois, là où tout le monde se connaît — c'est-à-dire en dehors des grandes villes — les responsables de services du genre tiennent peut-être le coup plus longtemps.

La participation des parents

Comme toujours, vous devrez superviser les soins que reçoit votre enfant, spécialement si le service en cause n'est pas reconnu. Soyez attentive à ce que vous dit votre enfant et à son comportement, entretenez-vous fréquemment avec la responsable de son service de garde, restez en rapport avec les autres parents, téléphonez souvent sur place et faites-y un saut de temps à autre.

La garde autonome (l'enfant laissé à lui-même) et les activités occupationnelles

Un très grand nombre de familles n'ont pas réussi à trouver le moindre service de garde pour leurs enfants d'âge scolaire. Elles ont probablement fait l'essai de gardiennes et de services de garde en milieu familial, et jugé que ces solutions leur causaient plus de souci qu'elles ne leur étaient utiles. Leur enfant ne voulait peut-être plus fréquenter le service de garde en milieu scolaire, en troisième ou quatrième année; et à un moment donné, il leur a sans nul doute servi un argument très valable pour rester seul à la maison.

Désabusés par l'absence d'alternative et épuisés par des années de tribulations en matière de service de garde, les parents capitulent souvent[10].

Les enfants laissés à eux-mêmes, dont l'âge s'échelonne de 5 à 12 ans, portent à l'insu de tous la clef du foyer parental autour du cou (ou la mettent dans leur poche, leur bourse ou leur sac d'écolier): ils ne veulent pas que quiconque devine qu'ils rentrent dans une maison vide. Ils sont de toutes les classes socio-économiques[11]; au cours des deux dernières décennies, à mesure que de plus en plus de mères grossissaient les rangs des femmes au travail, leur nombre s'est constamment accru: on les compte vraisemblablement par centaines de milliers, bien qu'il soit virtuellement impossible d'obtenir des statistiques exactes à ce propos[12].

La garde autonome

Quels sont les effets de la garde autonome?

À ce jour, aucune réponse définitive n'a été apportée à cette question difficile.

Certains chercheurs croient que ce type de garde n'exerce aucun effet pernicieux sur les enfants de 9 ans et plus. En fait, il pourrait les aider à développer le sens de la débrouillardise et la capacité de résoudre des problèmes, de même qu'à assumer davantage de responsabilités. Mais, préviennent les experts, cela est plus susceptible de se produire s'ils habitent un voisinage sûr, où vivent des amis vers qui ils peuvent se tourner dans les moments difficiles[13].

D'autres experts dénoncent vigoureusement ce point de vue. Selon eux, même l'expression «garde autonome», qui implique l'absence d'un adulte, sert d'excuse à la négligence. Ils ont constaté que les enfants laissés à eux-mêmes, qu'ils

10. Donna S. Lero, «Balancing Work, Family and Child Care», atelier tenu dans le cadre du colloque «Grandir avec toi».

11. Helen L. Swan et Victoria Houston, *Alone After School: A Self-Care Guide for Latchkey Children and Their Parents*, Englewood Cliffs (New Jersey), Prentice-Hall Inc., 1985, p. vii.

12. Jake Kuiken, *Latchkey Children*, Rapport remis au Comité spécial de la Chambre des Communes sur la garde d'enfants, Calgary, 1987, p. 9; Martha Friendly, entretien privé, novembre 1990.

13. Kuiken, *Latchkley Children, ibid.*, p. 26.

aient 6 ou 12 ans, souffrent de peur exacerbée et de blocage au niveau du développement social. L'imposition précoce de trop grandes responsabilités leur cause un énorme stress et crée chez eux de l'angoisse, ce qui se traduira inévitablement plus tard par des problèmes psychologiques et sociaux[14]. Jugeant «dangereux, illégaux et injustes» les soins non supervisés, les spécialistes en matière de service de garde d'enfants d'âge scolaire résument ainsi leur point de vue: «Les parents ne doivent pas se bercer de l'illusion qu'il est bon pour leur enfant d'être laissé sans directive, sans protection, ni surveillance[15].»

Quels dangers attendent les enfants laissés à eux-mêmes?

Selon les études menées, 8 % des enfants en cause font face à une grave situation d'urgence[16]. Voici quelques-uns des problèmes très réels qu'ils doivent affronter seuls.

La crainte. Les parents d'enfants laissés à eux-mêmes souffrent d'un mal qu'on appelle le «syndrome de 3 h de l'après-midi». Jusqu'à ce que leur enfant leur ait téléphoné au travail pour leur annoncer qu'il est arrivé sain et sauf à la maison, ils ne réussissent guère à travailler vraiment[17]. Les enfants en souffrent aussi. Chaque jour, ils se demandent s'ils pourront rentrer sans problème à la maison.

Les enfants laissés à eux-mêmes redoutent également ce qui pourrait leur arriver une fois revenus au foyer: ils craignent les incendies, les accidents et les blessures, les effractions, les assauts et les enlèvements.

Si un frère ou une sœur plus âgé veille sur eux — une solution à laquelle ont recours bien des familles, bien que

14. Nancy P. Alexander, «School-Age Child Care: Concerns and Challenges», *School-Age Child Care*, Washington (D.C.), National Association for the Education of Young Children, sans date, p. 14-15.

15. Judith Bender, Barbara Schuyler-Haas Elden et Charles H. Flatter, *Half a Childhood: Time for School-Age Child Care*, Nashville (Tennessee), School-Age Notes, 1984, p. 12.

16. Swan et Houston, *ibid.*, p. 26.

17. Margie I. Mayfield, «School-aged Child Care Programs Outside Québec», communication présentée au colloque «Grandir avec toi», Montréal, 27-29 octobre 1989.

l'aîné ne soit généralement pas assez vieux, ni assez mûr, pour se charger de cette responsabilité —, ils ont souvent peur de se retrouver seuls avec lui parce qu'il leur cherche querelle ou abuse même parfois d'eux.

Répétons-le: il s'agit là d'appréhensions bien réelles. Et les enfants laissés seuls à la maison affrontent dans les faits des situations semblables.

La solitude. Après qu'il a refermé à clef la porte derrière lui, l'enfant qui se retrouve seul à la maison, sans la présence d'un adulte, est presque totalement isolé. Il n'est censé répondre à la porte sous aucun prétexte et ses parents ne lui permettent probablement pas d'aller dehors: ils jugent sans doute qu'il est plus sûr pour lui de rester à la maison, une fois qu'il y est revenu. Il ne peut inviter ses amis chez lui, parce qu'il ne s'y trouve aucun adulte pour assurer la surveillance. Quand il répond au téléphone, il doit surveiller chacune de ses paroles et dissimuler le fait qu'aucun adulte n'est présent. Il n'a personne à qui confier ses problèmes ou à qui demander de l'aide pour ses devoirs. À cet âge où les enfants sont plutôt des êtres grégaires, il se sent rejeté et seul, privé à la fois des conseils d'un adulte et de la compagnie de ses pairs, qui lui est si nécessaire pour se faire de bons amis.

L'ennui. Son compagnon le plus cher est probablement le téléviseur: les études démontrent que les enfants laissés à eux-mêmes passent en moyenne quatre ou cinq heures par jour devant la télé[18]. Ses muscles manquent gravement d'exercice, et son cerveau, de stimuli intellectuels. Mais sans un adulte pour le guider, ou des amis avec qui partager ses intérêts — et parce que le fascinant téléviseur lui obéit à la moindre pression du doigt —, il lui est difficile de trouver une occupation intéressante.

Les activités occupationnelles

Il s'agit d'une variation sur le thème de l'enfant laissé à lui-même, à une seule différence près: au lieu de rentrer à la maison après l'école, l'enfant dans ce cas se rend à des cours de ballet, à des exercices de hockey, de théâtre ou de karaté. Parfois, ces activités se tiennent à l'école; d'autres fois, non.

---

18. Swan et Houston, *ibid.*, p. 17.

L'enfant s'y rend alors par ses propres moyens: à pied, à vélo ou en autobus. À certains égards, ce type de garde est identique à la garde autonome. Quand ont pris fin ses activités (et les jours où elles n'ont pas lieu), l'enfant rentre encore dans une maison vide. Il n'y passe tout simplement pas autant de temps.

Laisser seul son enfant à la maison est potentiellement dangereux — que ce soit pendant une heure ou quatre heures, qu'il ait 6 ou 10 ans. On se dit toujours que rien ne peut arriver chez soi, que le malheur ne peut pas frapper sa famille. Mais c'est pourtant possible. Il suffit d'un étranger dérangé, d'un moment d'inattention à la cuisinière.

Les activités occupationnelles
peuvent-elles faire l'affaire?

Cinq conditions sont absolument requises, avant même que vous ne considériez cette solution pour votre enfant.

1. Le voisinage est-il sûr?

D'abord, le voisinage doit être sûr, pour que votre enfant puisse s'y promener seul. L'enfant doit aussi être capable de se débrouiller dans la circulation, de retrouver son chemin et d'affronter l'obscurité en hiver (rappelez-vous que la nuit tombe très tôt en décembre et en janvier). Et votre enfant et vous-même devez être assurés qu'il a suffisamment l'expérience de la rue pour se tirer de toute situation imprévue.

2. À quoi l'enfant peut-il s'occuper?

Si vous habitez une banlieue dortoir où le centre commercial est la seule installation récréative, votre enfant n'aura pas de quoi se tenir occupé. Une municipalité dotée d'un service des sports, d'une bibliothèque, d'un anneau de glace intérieur, d'une piscine, d'une fanfare, d'une chorale ou d'associations de jeunes offrira par contre des lieux de réunions qu'un parent pourra sérieusement considérer.

Vous devrez toutefois d'abord jeter un coup d'œil aux activités en question. Elles ne requièrent probablement pas de permis. Sont-elles supervisées par des professionnels, ou par des collégiens sans formation et peu expérimentés? Quel y est le ratio adultes-enfants? Les services récréatifs n'embauchent parfois qu'un moniteur pour contenir de trente à trente-cinq gamins.

Détail tout aussi important: votre enfant est-il intéressé à ce genre d'activité? L'inscrivez-vous à un cours de joaillerie parce c'est le seul qui soit offert les lundis? Ou en a-t-il lui-même fait le choix?

3. Un adulte ressource

Votre enfant devrait toujours pouvoir compter sur une personne qu'il peut appeler en cas d'urgence. En cette époque des téléphones à bouton pression, il lui suffira, pour entrer en communication avec cette personne ressource en cas d'urgence, d'appuyer du doigt sur un seul bouton. Il est aussi important qu'il puisse téléphoner à une personne dans le seul but de converser avec elle, s'il se sent triste, seul ou préoccupé.

4. Pas trop souvent ni trop longtemps

Il ne faut pas laisser seul votre enfant trop souvent ni pendant de trop longues heures. Il y a toute la différence du monde entre le fait de s'occuper un moment sans compagnie et la nécessité de se débrouiller régulièrement tout seul.

5. Votre enfant est-il prêt?

Enfin, votre enfant doit être prêt à assumer cette responsabilité, être désireux et capable de le faire. Ce qui se produit rarement avant l'âge de 12 ans, et souvent plus tard[19]. Il est atrocement difficile pour un parent d'évaluer si c'est le cas et il devrait toujours lui être possible de revenir sur sa décision. Vous devez être prête à admettre que vous avez commis une erreur: les risques encourus sont vraiment beaucoup trop importants.

Les enfants tentent souvent des choses au-delà de leurs forces, dans le seul but de nous plaire, de nous aider, de se faire valoir à nos yeux. Comment les rassurez-vous sur leur capacité de s'en tirer tout seul, tout en leur laissant savoir qu'il est normal d'avoir peur?

Présentez d'abord cette solution comme une expérience. Prévenez votre enfant que cela sera difficile pour vous deux

---

19. Kuiken, *Latchkey Children, ibid.*, p. 85; Alexander, *ibid.*, p. 14.

et que personne n'aura failli si ça ne marche pas. Vous pourrez toujours renouveler l'expérience l'an prochain.

Si, en rentrant à la maison, vous trouvez un enfant terrorisé et en larmes, vous saurez qu'il faut trouver une autre solution. Mais bien des enfants dissimulent leur frayeur derrière des fanfaronnades ou des accès de colère. N'attendez pas jusqu'au week-end pour en parler. Dès que vous rentrez à la maison, demandez à votre enfant: «Comment ça va? Comment cela s'est-il passé aujourd'hui?» Puis écoutez, écoutez vraiment ses réponses et continuez d'observer son comportement. Agit-il normalement?

Avec le temps, si ce n'est pas cette année ni la suivante, il sera vraiment assez vieux pour rentrer seul à la maison, se préparer une collation, faire ses devoirs, retrouver un ami.

Conclusion

... et vécurent heureux jusqu'à la fin de leur vie.

Conte de fées

Vous avez trouvé dans ces pages les instruments nécessaires pour dénicher un service de garde de haute qualité pour votre enfant. Mais contrairement aux contes de fées, votre aventure n'aura pas connu une fin heureuse par magie. Sa conclusion aura été le fruit de vos efforts et de vos recherches. En consommateur averti, vous aurez acheté un meilleur produit.

Tous les services de garde et les éducatrices ne se ressemblent pas. Une fois que vous aurez consacré du temps à cette recherche — que ce soit pour trouver une gardienne, une garderie, un service de garde en milieu familial ou un service de garde en milieu scolaire — vous saurez pertinemment à quel point un service de garde de haute qualité est une denrée rare et à quel point il est important que votre enfant en fréquente un. Si vous ne savez pas l'exiger ni ne le reconnaître, vous ne le dénicherez probablement pas.

Avez-vous seulement pensé aux autres?

Même si vous trouvez un bon service de garde pour votre enfant, plusieurs autres enfants en sont encore privés. Comment obtiendront-ils ce à quoi tout enfant devrait avoir droit?

Nous pouvons apporter notre concours en ce sens. Si les parents de jeunes enfants ne s'intéressent pas au sort des tout-petits, qui s'en préoccupera? Qui expliquera aux autres ce qui importe vraiment? Nous gaspillons une ressource nationale précieuse. Les enfants sont notre richesse à tous et les services de garde à l'enfance sont la responsabilité de tous — pas seulement des parents. Le sort d'une génération entière est en jeu, aussi aucun d'entre nous ne peut se payer le luxe de détourner les yeux. Les grands-parents et les futurs grands-parents, restés à la maison pour élever leurs enfants, doivent comprendre que les services de garde sont une nécessité pour leurs petits-enfants. Les municipalités et les commissions scolaires doivent prêter leurs immeubles et leurs ressources pour veiller sur les enfants qui ont besoin d'elles. Les employeurs se doivent de comprendre que l'octroi d'avantages sociaux — un généreux congé de maternité, des horaires de travail assouplis, des jours de congé destinés à permettre aux parents de veiller sur un enfant malade, des garderies en milieu de travail, des services d'information et de références en la matière — profitera aussi bien aux enfants qu'au pays, aux employés qu'à l'entreprise.

Le manque de fonds et l'épuisement du personnel

Mais il est presque vain de parler de qualité, à moins d'avoir l'argent nécessaire pour se la payer. Les frais de garde vous obligent probablement, à l'heure actuelle, à étirer votre budget jusqu'aux limites du possible, mais les services de garde ne semblent pas figurer très haut dans la liste des priorités de nos gouvernements. Pour cette raison, votre garderie, ou votre service de garde en milieu familial ou en milieu scolaire, essuie crise après crise, incapable de trouver les fonds qui résoudraient le problème.

Peut-être la plus grave de ces crises concerne-t-elle les travailleurs de ces mêmes services. Ils sont la pierre angulaire d'un bon service de garde, puisqu'ils traitent directement avec les enfants. Sans personnel suffisamment formé et attentif, le système ne peut tout simplement pas fonctionner adéquatement. Notoirement sous-payés, ces travailleurs ont toujours subventionné les services de garde par leurs bas salaires. Bien que plusieurs d'entre eux soient qualifiés, ils gagnent à peine assez pour survivre, et la société dans son ensemble ne leur accorde ni le prestige ni la reconnaissance qu'ils méritent.

En conséquence, la profession d'éducatrice éprouve des difficultés à recruter et à attirer des jeunes gens talentueux et intéressés. Parce que les besoins en éducatrices qualifiées excèdent de loin leur nombre, les programmes de formation doivent se contenter de candidates dont l'unique qualification est de s'y inscrire. Les rares personnes passionnées par ce métier, prêtes à renoncer à la gloire et à la fortune pour poursuivre leur rêve, tendent à considérer le service de garde comme un tremplin, plutôt que comme une carrière pour la vie. Elles s'épuisent ou acceptent des postes plus prestigieux et mieux rémunérés dans d'autres sphères d'activités.

Les études ne laissent pas de doute à ce propos. Seuls des éducatrices formées, un excellent ratio éducatrices-enfants, la constitution de petits groupes et un taux minimal de changement de personnel peuvent assurer des services de garde de qualité supérieure. Les éducatrices non qualifiées, le manque d'éducatrices, les groupes d'enfants trop nombreux et un taux élevé de changement de personnel produisent de mauvais services de garde et des enfants malheureux.

Les gouvernements doivent montrer la voie

Ultimement, les gouvernements doivent indiquer la voie à suivre et s'engager, au nom de tous, à venir en aide aux services de garde. Aussi dévoués et résolus qu'ils soient, les parents ne peuvent résoudre seuls un problème de cette ampleur. Des personnes intéressées, bien informées et compétentes doivent dresser des plans, définir des priorités et allouer des fonds pour donner suite à des politiques, au lieu de laisser régner la confusion. En ce moment, d'importantes différences séparent les provinces en ce domaine et le système est si complexe que presque personne ne sait à qui s'adresser, ni quel en est le fonctionnement. Les passe-droits y sont la règle.

Les gouvernements pourraient, entre autres, appliquer avec plus de fermeté leurs propres règlements. Si des ascenseurs ne passent pas l'inspection, on les ferme pour les réparer. Mais si un service de garde n'est pas sûr — si le ratio éducatrices-enfants ne se situe pas dans la moyenne acceptable, si l'équipement est endommagé et dangereux —, per-

sonne n'en avise les parents et le service continue d'opérer.
Bien que les gouvernements tentent de faire en sorte que les
services en faute se plient aux règles, ils hésitent à les fermer
de crainte que les parents qui y envoient leurs enfants ne
perdent ainsi des heures de travail. On semble alors oublier
que la violation des normes imposées pour l'obtention d'un
permis met en danger la santé des enfants. En bout de piste,
la qualité des services de garde doit l'emporter sur la quantité.

Dans bien des pays européens, le service de garde est un
droit et non pas un privilège. Un service de garde de première
qualité y est accessible à tout enfant, parce que les gouvernements en assurent la planification, accordent les permis et ont
décrété comme objectif national le développement et l'épanouissement des enfants. L'argent qu'ils investissent aujour-
d'hui dans des services de garde de qualité est de l'argent
économisé pour plus tard — en écoles, en services sociaux et
en recours devant les tribunaux.

En tant que parents et citoyens, nous devons continuer à
croire en des services de garde de haute qualité et nous battre
pour en obtenir, même si nos enfants ont passé l'âge de les
fréquenter. Nous devons apporter notre soutien aux groupes
de promotion des services de garde dans notre communauté,
en parler à des amis et à des voisins, écrire des lettres aux
journaux et à nos représentants politiques, à tous les paliers
de gouvernement — fédéral, provincial, municipal et scolaire
— pour leur dire ce que nous exigeons, et exercer notre droit
de vote dans le même sens.

Les enfants d'aujourd'hui sont notre avenir. Ils méritent
qu'on leur donne une chance. Tout enfant devrait avoir la
possibilité de fréquenter un service de garde de haute qualité.

Appendice

Où trouver de l'information

Sur la réglementation des services de garde et la liste des garderies au Québec

Office des services de garde à l'enfance
100, rue Sherbrooke Est
Montréal (Québec)
H2X 1C3
(514) 873-2323 ou 1-800-363-0310

L'Office publie une liste des garderies, des agences de services de garde en milieu familial et des services de garde en milieu scolaire de la province, de même que plusieurs brochures utiles. On peut obtenir des subventions par l'entremise des garderies, des services de garde en milieu familial reconnus ou des services de garde en milieu scolaire.

On peut acheter un exemplaire de la réglementation en matière de services de garde en s'adressant à:

Les Publications du Québec
3, Complexe Desjardins
Montréal (Québec)
H5B 1B8
(514) 873-6101

Sur les services de garde en milieu familial au Québec

Les études démontrent que les responsables de services de garde en milieu familial dont le travail est évalué et surveillé par une agence (comme au Québec), ou qui sont membres d'une association (comme dans certaines provinces), offrent habituellement de meilleurs soins.

L'Office des services de garde à l'enfance (voir ci-haut) tient une liste de toutes les agences qui chapeautent des services de garde en milieu familial reconnus. Les agences sélectionnent les foyers de garde et en assurent la surveillance. Elles vous aideront à trouver un service du genre dans votre région.

Les agences de services de garde en milieu familial ont aussi constitué une association:

Regroupement des agences de services de garde
en milieu familial du Québec
100 A, rue Giguère
Lac-Etchemin (Québec)
G0R 1S0
(418) 625-3853

Exemples de lettres d'entente types

Avec une gardienne

Voici un exemple de lettre d'entente que vous pourriez rédiger à l'intention de votre gardienne. Vous pouvez, bien entendu, en modifier les termes à votre convenance et à celle de la personne que vous embaucherez. Vous pourriez souhaiter, par exemple, écourter ou allonger les périodes de temps consacrées à regarder la télé, y ajouter ou en retrancher des tâches ménagères. Rédigez-en le texte en deux exemplaires que vous signerez toutes deux: l'un vous reviendra, l'autre ira à votre gardienne.

Numéro et rue de l'employeur
Ville et province
Date

Nom de la gardienne
Adresse de la gardienne

Chère (son nom),

Nous sommes ravis que vous acceptiez de veiller sur nos enfants ...., à compter de ....

Vous travaillerez de ...... du matin à ...... du soir, du lundi au vendredi inclusivement. Votre salaire s'établira à ...... par semaine, et vous sera payée par chèque, chaque vendredi. Je travaillerai parfois tard les mercredis et les jeudis, et je vous laisserai savoir chaque lundi si je prévois avoir besoin de vos services certains soirs de la semaine. Lorsque cela sera nécessaire, vous vous rendrez disponible jusqu'à ...... du soir. Nous paierons toutes les heures supplémentaires au tarif horaire de ...... dollars.

Nous nous engageons à faire remise de vos contributions à la Régie des rentes du Québec, à l'Assurance-chômage et aux ministères du Revenu fédéral et provincial. Vous nous remettrez des reçus pour toutes les sommes que vous recevrez de nous.

Si vous êtes malade, ou devez vous absenter pour quelque raison que ce soit, vous nous en préviendrez d'avance (la veille, dans la mesure du possible), de manière à ce que nous puissions prendre les dispositions nécessaires pour la garde des enfants. ...... journées de congé de maladie par année et les congés fériés vous seront payés.

Vous aurez droit à ...... semaines de vacances payées que vous devrez prendre en même temps que nous. Nous nous engageons à choisir des dates acceptables aux deux parties.

La garde des enfants devra constituer en tout temps votre absolue priorité. Une description détaillée de vos tâches figure en annexe, mais, en résumé, vous serez chargée de voir à tous leurs besoins pendant la journée: c'est-à-dire de les éduquer, de les nourrir, de les changer de couches, de les mettre au lit pour la sieste, de même que d'assurer et de stimuler leur développement physique, intellectuel et social. Quand la température le permettra, vous les conduirez en plein air pour qu'ils y jouent, vous leur lirez aussi des histoires et vous planifierez quotidiennement à leur intention des activités de bricolage et, une fois la semaine, vous les conduirez au centre sportif du quartier pour qu'ils s'y adonnent à la natation.

Lorsque les enfants sont réveillés, la télé devra rester fermée, sauf pour le visionnement, une fois par jour, de l'émission «Passe-Partout».

Vous respecterez notre conception de l'éducation et de la discipline et vous vous efforcerez de vous y conformer; vous encouragerez et complimenterez les enfants plutôt que de les critiquer. Les châtiments physiques, ou l'humiliation, ne seront tolérés en aucune circonstance et seront considérés comme un motif de renvoi immédiat.

Vous servirez chaque jour aux enfants deux collations et un déjeuner nourrissants. Aucun bonbon ni gomme à mâcher ne sont autorisés, à moins d'avis contraire préalable.

En cas d'urgence, nous vous avons remis nos numéros de téléphone au travail, celui d'un ami au cas où vous ne pourriez nous joindre, et d'autres numéros de téléphone pour les urgences, de même que les numéros d'assurance-maladie des enfants. Sauf pendant la sieste des enfants, vous n'utiliserez le téléphone que pour des urgences ou pour organiser des sorties qui leur sont destinées.

En plus de prendre soin des enfants, vous aurez la responsabilité de l'entretien de leurs vêtements et de la remise en ordre des lieux après leurs repas et leurs jeux. Vous préparerez chaque jour une salade pour le repas familial du soir.

Vous serez à l'essai pendant deux mois, au cours desquels l'une ou l'autre partie pourra mettre fin à cette entente à deux semaines d'avis. Une fois complétée la période d'essai, vous vous engagez à rester à notre service pendant au moins une année, à la fin de laquelle nous négocierons le renouvellement du présent contrat. Nous vous accorderons une hausse de salaire dans six mois.

Nous nous faisons une fête de travailler avec vous et nous savons que les enfants s'épanouiront sous vos bons soins.

Veuillez apposer votre signature ci-dessous pour signifier que vous acceptez les termes de ce contrat.

_____   _____
Signature de la gardienne   Signature du parent

_____
Date

La gardienne logée et nourrie

Si votre gardienne résidera chez vous (on parle parfois de gouvernante dans ce cas), vous pourriez souhaiter ajouter un autre paragraphe ou annexer en appendice la liste des règlements de la maison. Qu'est-ce qui constitue à votre sens un comportement approprié pour une jeune femme indépendante qui habite chez vous? N'oubliez pas de discuter d'abord avec elle de ces règles et n'en imposez pas que vous ne pourriez faire respecter.

Au début, votre gardienne sera pour vous une étrangère, et ce contrat est conçu pour vous protéger et sauvegarder votre mode de vie: vous ne voulez pas, par exemple, que son petit ami dévalise chaque soir votre réfrigérateur. Après quelques mois, lorsque vous aurez appris à mieux la connaître et à vous apprécier l'une l'autre, vous pourrez toujours relâcher la bride.

Exemple d'addendum

Vous disposerez d'une chambre et d'une salle de bains privées, d'un appareil de télé et de l'usage du téléphone familial. Les enfants n'auront pas le droit d'entrer dans votre chambre sans votre permission expresse. De grâce, sentez-vous libre d'utiliser toutes les pièces communes de la maison, y compris la cuisine, et prenez vos repas et regardez la télé avec nous. Vous pouvez recevoir des visiteurs dans votre chambre, le soir et les week-ends, mais ils devront quitter les lieux à 23 h, sur semaine, et à minuit, les week-ends.

Avec une responsable de service de garde en milieu familial

Voici un exemple de lettre d'entente que vous pourriez rédiger à l'intention de la responsable de votre service de garde en milieu familial. Lorsque les services de garde en milieu familial sont reconnus par des agences (comme au Québec), ces dernières vous remettront leur contrat. Mais dans le cas où la responsable de votre service de garde ne vous en propose pas un de son propre chef, l'exemple qui suit vous donnera une idée de la manière de le rédiger. Inutile de dire que la lettre en question devra stipuler toutes les conditions dont vous êtes convenues lorsque vous avez conclu l'accord.

Rédigez le texte en deux exemplaires que vous signerez toutes deux; l'un vous reviendra, l'autre ira à la responsable du service.

Numéro et rue du parent
Ville et province
Date

Nom de la responsable du service de garde
Adresse de la responsable

Chère (son nom),

Comme il a été convenu, à compter de la semaine prochaine vous prendrez soin chez vous de notre enfant (ou nos enfants) ...., du lundi au vendredi, de .... du matin à .... du soir.

Nous vous paierons .... dollars par semaine, chaque vendredi. Il est entendu que les congés fériés et les jours où notre enfant s'absentera de votre service vous seront également payés. Nous acceptons aussi, si nous venons prendre en retard notre enfant, de verser une prime pour les heures supplémentaires au tarif horaire de ...... dollars. Vous nous remettrez des reçus signés pour toute somme reçue.

Nous acceptons que vous preniez des vacances de trois semaines en juillet. Nous ne vous paierons pas pendant cette période. Si nous prenons nos vacances en d'autre temps, nous vous verserons le tarif habituel.

Si quelque autre personne devait passer prendre notre enfant chez vous, nous vous en préviendrions.

Nous n'enverrons pas notre enfant chez vous s'il est malade — par exemple s'il souffre de fièvre, de vomissements, de diarrhée ou d'une maladie infectieuse — et nous nous attendons à ce que les autres parents en fassent autant. Si notre enfant tombe malade chez vous, vous nous en aviserez par téléphone et nous passerons le prendre aussitôt que possible.

Nous vous avons remis nos numéros de téléphone au travail et les numéros d'amis avec qui communiquer dans l'éventualité où vous ne pourriez nous joindre, en cas d'urgence. Nous vous avons aussi remis un formulaire signé autorisant l'administration de soins médicaux; y figurent le numéro d'assurance-maladie de notre enfant et le nom et le numéro de téléphone de son médecin.

Si vous êtes dans l'impossibilité de fournir des soins à notre enfant, vous nous en aviserez douze heures à l'avance et nous aurons la responsabilité de trouver une solution d'appoint.

Comme il a été convenu, vous servirez à notre enfant deux collations et un déjeuner nourrissants qui ne comprennent aucune friandise. Il fera la sieste chaque après-midi. (S'il s'agit d'un bébé, vous pouvez écrire: Comme il a été convenu, vous permettrez à l'enfant, dans la mesure du possible, d'établir lui-même son propre horaire, en le laissant dormir et se nourrir lorsqu'il en manifeste le besoin. Vous le tiendrez dans vos bras lorsque vous lui donnez le biberon et le promènerez en plein air chaque jour.)

L'une des raisons pour lesquelles nous vous avons choisie pour prendre soin de notre enfant tient à ce que vous comprenez l'importance d'offrir à notre enfant un environnement stimulant: ce qui suppose chaque jour des jeux en plein air, la lecture d'histoires et des activités de bricolage. (S'il s'agit d'un nourrisson, vous pourrez écrire: des exercices musculaires et des stimulations sensorielles). Nous sommes aussi totalement en accord avec votre conception de l'éducation, fondée sur l'amour, et votre façon d'inculquer la discipline aux enfants en les complimentant et en les encourageant plutôt qu'en les critiquant et en les contraignant. Nous endossons votre politique qui leur interdit de regarder la télé, à l'exception de l'émission «Passe-Partout», une fois par jour.

Nous considérons toutes deux que les châtiments physiques, ou l'humiliation, constituent un motif d'annulation immédiate du présent contrat. Par ailleurs, il est entendu que chacune des parties peut mettre fin à ce contrat à deux semaines d'avis.

En apposant nos signatures au bas de cette lettre, nous nous engageons mutuellement à en respecter tous les termes.

Nous nous faisons une fête de vous avoir comme mère de famille de garde de nos enfants.

_____   _____
Signature de la responsable   Signature du parent
du service de garde

_____
Date

Exemple de formulaire autorisant l'administration de soins médicaux

Assurez-vous que votre gardienne ou la responsable de votre service de garde en milieu familial vous téléphonera si une urgence médicale survient, et que vous pourrez retrouver dès que possible votre enfant à l'hôpital. Pour pouvoir agir en votre nom, elle devra présenter ce formulaire dûment rempli. Si vous projetez vous absenter vingt-quatre heures ou plus, le formulaire devrait avoir été adéquatement légalisé, de manière à ce que la personne concernée puisse signer à l'hôpital des formulaires de consentement à une anesthésie et à une chirurgie.

Nom de l'enfant .... Tél. ....

Date de naissance ....

Numéro d'assurance-maladie ....

L'enfant est-il titulaire d'une carte d'hôpital? ....

Nom de l'hôpital ....

Numéro de carte de l'hôpital ....

Nom de la mère .... Tél. au travail ....

Nom du père .... Tél. au travail ....

Personnes à prévenir si on ne peut joindre les parents:

Nom .... Tél. ....

Nom .... Tél. ....

Médecin de l'enfant .... Tél. ....

J'autorise ma gardienne (ou responsable de famille de garde), ...
....
à obtenir, en cas d'urgence et en mon absence, le traitement jugé nécessaire pour mon enfant, y compris de le conduire à l'hôpital et d'y entamer un traitement avant mon arrivée.

Date _____ Signature du parent _____

Glossaire

Dans le domaine des services de garde à l'enfance, le vocabulaire employé pour décrire les différents intervenants et services pose parfois problème. Par exemple, dans leurs conversations de tous les jours les parents utilisent indifféremment les mots «gardienne» et «éducatrice», quel que soit le contexte, quel que soit le service de garde concerné. Mais, comme en toute chose, il existe un mot juste pour nommer les services et les gens qui les rendent. Ce court glossaire vous aidera à les différencier.

Agence de services de garde en milieu familial: organisme sans but lucratif qui a un permis de l'Office des services de garde à l'enfance et qui sélectionne et supervise les familles de garde dans une région géographique donnée et met en contact les parents nécessitant des services de garde et les responsables de services de garde en milieu familial.

Bonne d'enfants: personne qui s'occupe d'enfants au domicile des parents, sur une base régulière; synonyme de gardienne.

Éducatrice: personne qui s'occupe d'enfants dans une garderie, un jardin d'enfants ou un service de garde en milieu scolaire. Elle a souvent un diplôme d'études collégiales en techniques d'éducation en services de garde.

Garderie: établissement où plus de six enfants de moins de six ans bénéficient de services de garde pendant quatre heures ou plus par jour. Au Québec, toutes les garderies sont soumises à la réglementation de l'Office des services de garde à l'enfance qui établit des normes concernant la santé, la sécurité, le programme, le ratio éducatrices/enfants, les qualifications des éducatrices, etc.

Gardienne: personne qui s'occupe d'enfants au domicile des parents.

Gouvernante: personne, logée chez ses employeurs, qui s'occupe de leurs enfants; mot rarement employé; synonyme de gardienne.

Halte-garderie: définie par la loi comme un établissement qui offre un service de garde à au moins sept enfants et que ceux-ci ne fréquentent qu'occasionnellement, pour des périodes de temps pouvant aller jusqu'à vingt-quatre heures. Les haltes-garderies, qu'on retrouve souvent dans les centres commerciaux, ne sont régies par aucun organisme gouvernemental.

Jardin d'enfants: établissement qui accueille au moins sept enfants âgés de 2 à 5 ans, sur une base régulière et pour pas plus de quatre heures par jour. Bien que les jardins d'enfants ne soient pas réglementés, les éducatrices sont souvent diplômées et les programmes offerts, éducatifs. Dans le présent ouvrage, synonyme de prématernelle.

Maternelle: programme qui s'adresse aux enfants qui auront atteint l'âge de 5 ans avant le 30 septembre. Les maternelles ont un permis du ministère de l'Éducation du Québec et le programme est enseigné par des enseignantes. Les maternelles logent en général dans des écoles primaires mais on peut aussi offrir le programme dans une garderie ou un jardin d'enfants, dans une classe à part.

Office des services de garde à l'enfance: organisme gouvernemental responsable d'accorder les permis à tous les services de garde reconnus du Québec.

Prématernelle: établissement qui accueille plus de six enfants âgés de 2 à 5 ans, sur une base régulière et pendant un maximum de quatre heures par jour. Les prématernelles ne sont pas réglementées, mais souvent leur personnel est diplômé et les programmes, éducatifs. Dans le présent ouvrage, synonyme de jardin d'enfants. Peut aussi décrire un programme qui prépare les enfants de 4 ans à la maternelle.

Responsable de service de garde en milieu familial (aussi appelée mère de famille de garde): personne qui s'occupe d'enfants dans sa propre maison. Selon la loi, elle peut prendre soin d'un maximum de six enfants, incluant deux enfants de moins de 18 mois.

Service de garde en milieu familial (aussi appelé famille de garde): service de garde dans une maison privée, pour pas plus de six enfants, dont deux peuvent avoir moins de 18 mois. Ce type de service de garde peut être reconnu ou non.

Service de garde en milieu familial reconnu: service de garde en milieu familial dont la responsable et sa maison satisfont aux normes provinciales en matière de santé, de sécurité, de programme, etc. Ces maisons sont supervisées régulièrement par une agence.

Service de garde en milieu scolaire: service de garde, dans une école, pour enfants âgés de 5 à 12 ans.

Techniques d'éducation en services de garde: formation offerte au cégep pour les personnes qui veulent travailler dans un service de garde.

Bibliographie

Agence de services de garde en milieu familial L'Envol. *Guide de première rencontre entre parents et R.F.G.*, Saint-Apollinaire, [s.d.].

Alexander, Nancy P. «School-Age Child Care: Concerns and Challenges», *School-Age Child Care*, NAEYC Resource Guide, Washington (D.C.), National Association for the Education of Young Children, [s.d.].

Ariey-Jouglard, Daniel, Monique Daviault et Antoine F. Pierre. *Une expérience à partager*, Montréal, Agence de services de garde en milieu familial du Montréal métropolitain, 1990.

Association des services de garde en milieu scolaire du Québec, *Rapport annuel 1990-1991,* Longueuil.

Baden, Ruth Kramer, Andrea Genser, James A. Levine et Michelle Seligson. *School-Age Child Care, An Action Manual*, Dover (Massachussetts), Auburn House Publishing Company, 1982.

Baillargeon, Lise. *Aperçu historique des services de garde en milieu scolaire au Québec*, Longueuil, Association des services de garde en milieu scolaire du Québec, 1989.

Bartlett, A. V. *et al.* «Diarrheal Illness among Infants and Toddlers in Day Care Centers. I: Epidemiology and Pathogens», *Journal of Pediatrics*, vol. 107, 1985, p. 495-502.

Bates, Hélène Blais. «Normes régissant la garde d'enfants au Canada», *Études servant de base au rapport du groupe d'étude sur la garde des enfants*, Ottawa, Condition féminine Canada, 1986, vol. 3.

Bédard Hô, Francine. «Les services de garde en milieu scolaire 1992», *Recherche et développement*, coll. «Études et analyses», ministère de l'Éducation du Québec, 1992.

Belsky, Jay. «Infant Day Care: A Cause for Concern?», *Zero to Three*, septembre 1986.

Bender Judith, Barbara Schuyler-Haas Elden et Charles H. Flatter. *Half a Childhood: Time for School-Age Child Care*, Nashville (Tennessee), School Age Notes, 1984.

Bertrand, Jane. *C-PET Key Informant Survey: A Survey of Key Informants Involved with Parent/Community Boards of Directors for Non Profit Child Care Services in Ontario, 1989*, Toronto, Ontario Coalition for Better Child Care, 1989.

Bertrand, Jane. *Guide de gestion des services de garde — Information générale à l'intention des conseils d'administration*, Toronto, Coalition ontarienne pour l'amélioration des services de garde d'enfants, 1991.

Betsalel-Presser, Raquel. Entretien personnel, 1er mai 1992.

Betsalel-Presser, Raquel, Marie Jacques, Maryse Joncas, Johanne Phaneuf, Élise Rivest et Céline Brunet. «Pour construire les ponts entre l'école et les services de garde scolaires», *Actes du colloque québécois sur les services de garde à l'enfance*, «Nos enfants, c'est sérieux», Montréal, Comité organisateur d'événements pour le service de garde à l'enfance 1991, 1992, p. 55-56.

Bilodeau, Michèle. *Un regard sur le métier de gardienne d'enfants*, Lac-Etchemin, Regroupement des associations de services de garde en milieu familial du Québec, 1988.

Black, Robert E. *et al.* «Handwashing to Prevent Diarrhea in Day-Care Centres», *American Journal of Epidemiology*, vol. 113, 1981, p. 445-451.

Brazelton, T. Berry. *Working and Caring*, Reading (Massachussetts), Addison-Wesley Publishing Company, Inc., 1985.

Bredekamp, Sue (sous la direction de). *Developmentally Appropriate Practice in Early Childhood Programs Serving Children From Birth Through Age 8*, édition augmentée, Washington (D.C.), National Association for the Education of Young Children, 1987.

Breese, Charlotte et Hilaire Gomer. *The Good Nanny Guide: The Complete Low-down on Nannies, Au Pairs and Mother's Helps*, London, Century, 1988.

Caplan, Frank (sous la direction de). *Les douze premiers mois de votre enfant*, Les Éditions de l'Homme, 1986.

Caplette, Johanne. *Liste des garderies situées en milieu de travail*, Montréal, Office des services de garde à l'enfance, janvier 1992.

Centre national d'information sur la garde de jour. *Situation de la garde de jour au Canada 1990*, Ottawa, Santé et Bien-être social Canada, 1991.

Chenier, Nancy Miller, recherche de Hélène Blais Bates. «Le marché des services de garde d'enfants: Politique sur la garde d'enfants en milieu familial», *Études servant de base au rapport du groupe d'étude sur la garde des enfants*, Ottawa, Condition féminine Canada, 1986, vol. 3.

Childcare Resource and Research Unit. *Information Sheets*, Toronto, Centre for Urban and Community Studies, 1991.

Childcare Resource and Research Unit and City Planning and Development Department. *Children at Child Care, Parents at Work*, Toronto, Ontario Ministry of Community and Social Services and City of Toronto, [s.d.].

Clarke-Stewart, Alison. *Daycare*, coll. «The Developing Child Series», Cambridge (Massachussetts), Harvard University Press, 1982.

Clarke-Stewart, Alison. «Predicting Child Development from Child Care Forms and Features: The Chicago Study», *Quality in Child Care: What Does Research Tell Us?*, sous la direction de Deborah A. Phillips, Washington (D.C.), National Association for the Education of Young Children, 1987.

Cloutier, Richard. «Pourquoi des parents à la garderie?», *Petit à petit*, vol. 3, n° 6, mars 1985, p. 22-24.

«Comité de parents communautaire», *La garde d'enfants — Orientations*, Toronto, ministère des Services sociaux et communautaires, juillet 1988.

Cooke, Katie, Jack London, Renée Edwards et Ruth Rose-Lizée. *Rapport du groupe d'étude sur la garde des enfants*, Ottawa, Condition féminine Canada, 1986.

Darragh, Colleen. *The Perfect Nanny*, Toronto, Window Editions, 1988.

Day Care and the Canadian School System: A CEA Survey of Child Care Services in Schools, Toronto, Canadian Education Association, 1983.

De Gagné, Carole et Marie-Patricia Gagné. «Garderies à but lucratif et garderies sans but lucratif subventionnées... Vers une évaluation de la qualité» (document de travail), Montréal, Office des services de garde à l'enfance, mars 1988.

Deller, June. *Family Daycare Internationally: A Literature Review*, Toronto, Ontario Ministry of Community and Social Services, 1988.

De Serres, Margaret et Louise Gélinas. Entretien personnel, 24 avril 1992.

Dittman, Laura L. (sous la direction de). *The Infants We Care For*, édition revue, Washington (D.C.), National Association for the Education of Young Children, 1973 et 1984.

Doxey, Isabel et Anne Ellison. *School-Based Childcare: Where Do We Stand?*, Canadian School Trustees' Association, [1990].

Estable, Alma. *Choosing with Care: Selected Literature on Some Aspects of Infant and Toddler Daycare Research*, Ottawa, Child Care Education Services, 1989.

Fillion, Kate. «The Daycare Decision», *Saturday Night*, janvier 1989.

Finkel, Ken *et al.* «Report of the Canadian Pediatric Society Task Force on Quality Out-of-home Child Care», *Canadian Children*, vol. 14, 1989, p. 1-22.

The First Man, New York, Time-Life Books, 1973.

Fraiberg, Selma H. *The Magic Years: Understanding and Handling the Problems of Early Childhood*, New York, Charles Scribner's Sons, 1959.

Freeman, Derek. *Margaret Mead and Samoa: The Making and Unmaking of an Anthropological Myth*, Cambridge (Massachussetts), Harvard University Press, 1983.

Frenette, Lyse. *Enquête réalisée auprès des parents québécois sur les modes de garde préférés et utilisés — faits saillants*, Montréal, Office des services de garde à l'enfance, mars 1990.

Friendly, Martha. *Daycare for Profit: Where Does the Money Go?*, Report to the House of Commons Special Committee, Toronto, Childcare Resource and Research Unit, 1986.

Friendly, Martha. Entretien personnel, novembre 1990.

Friendly, Martha, Gordon Cleveland et Tricia Willis. *Flexible Child Care in Canada*, Toronto, Childcare Resource and Research Unit, 1989.

Galinsky, Ellen. *The Six Stages of Parenthood*, Reading (Massachussetts), Addison-Wesley Publishing Company, Inc., 1987.

Galinsky, Ellen et Judy David. *The Preschool Years*, New York, Times Books, 1988.

Galinsky, Ellen et William H. Hooks. *The New Extended Family*, Boston, Houghton Mifflin, 1977.

Gélinas, Louise. Entretien téléphonique, 11 juin 1992.

Genser, Andrea et Clifford Bedan (sous la direction de). *School-Age Child Care: Programs and Issues*, Papers from a June 1979 conference at Wheelock College, Urbana (Illinois), ERIC Clearinghouse on Elementary and Early Childhood Education, 1980.

Godwin, Annabelle et Lorraine Schrag (sous la direction de). *Setting Up For Infant Care: Guidelines for Centres and Family Day Care Homes*, Washington (D.C.), National Association for the Education of Young Children, 1988.

Goelman, Hillel, et Alan R. Pence. «Effects of Child Care, Family, and Individual Characteristics on Children's Language Development: The Victoria Day Care Research Project», *Quality in Chid Care: What Does Research Tell Us?*, sous la direction de Deborah A. Phillips, Washington (D.C.), National Association for the Education of Young Children, 1987.

«Grandir avec toi», quatrième colloque sur les services de garde en milieu scolaire, Montréal, 27-29 octobre 1989.

Greenberg, Polly. «Parents as Partners in Young Children's Development and Education: A New American Fad? Why Does It Matter?», *Young Children*, mai 1989.

Henri, Linda. Entretien personnel, 8 mai 1992.

Howes, Carollee, «Quality Indicators in Infant and Toddler Child Care: The Los Angeles Study», *Quality in Child Care: What Does Research Tell Us?*, sous la direction de Deborah A. Phillips, Washington (D.C.), National Association for the Education of Young Children, 1987.

Howes, Carollee, «Relations between Early Child Care and Schooling», *Developmental Psychology*, vol. 24, n° 1, 1988, p. 53-57.

Johnson, Laura C. et Janice Dineen. *The Kin Trade: The Day Care Crisis in Canada*, Toronto, McGraw-Hill Ryerson Limited, 1981.

Kagan, Sharon Lynn et James W. Newton. «For-Profit and Nonprofit Child Care: Similarities and Differences», *Young Children*, novembre 1989.

Kendrick, Abby Shapiro, Roxane Kaufmann et Katherine P. Messenger (sous la direction de). *Healthy Young Children*, Washington (D.C.), National Association for the Education of Young Children, 1988.

Kuiken, Jake. *Latchkey Children*, Report to the House of Commons Special Committee on Child Care, Calgary, 1987.

Kuiken, Jake. *La garde des enfants d'âge scolaire*, Ottawa, Santé et Bien-être social Canada, 1985.

Leach, Penelope. *Votre enfant de la naissance à l'école*, Paris, Albin-Michel, 1980.

Leblanc, Marie-Thé. Entretien personnel, 7 mai 1992.

Lero, Donna S. «Balancing Work, Family and Child Care», atelier de travail tenu dans le cadre de «Grandir avec toi», colloque sur les services de garde en milieu scolaire, Montréal, 27-29 octobre 1989.

Lero, Donna S. et Irene Kyle. «La qualité des services de garde des enfants: normes et qualité», *Études servant de base au rapport du groupe d'étude sur la garde des enfants*, Ottawa, Condition féminine Canada, 1986, vol. 3.

Loi sur les services de garde à l'enfance, L.R.Q., chapitre S-4.1, Québec, Éditeur officiel du Québec, 1991.

Marshall, Hermine H. «The Development of Self-Concept», *Young Children*, juillet 1989.

Mayfield, Margie I. *Les services de garderies subventionnées par l'employeur au Canada,* Ottawa, Santé et Bien-être social Canada, 1985.

Mayfield, Margie I. «School-aged Child Care Programs Outside Québec», communication présentée au colloque «Grandir avec toi», Montréal, 27-29 octobre 1989.

Mayfield, Margie I. *Les garderies en milieu de travail au Canada,* Ottawa, Bureau de la main-d'œuvre féminine, Travail Canada, 1990.

Maynard, Fredelle. *The Child Care Crisis: The Thinking Parent's Guide to Daycare,* Markham (Ontario), Penguin Books, 1986.

McIntosh, Andrew et Ann Rauhala. «Who's Minding the Children?», série de cinq articles, *Globe and Mail,* 3-7 février 1989.

Ministère de l'Éducation du Québec. *Rapport-synthèse provincial 1991-1992. Services de garde en milieu scolaire,* rapport inédit.

La mise sur pied et le fonctionnement d'un service de garde en milieu scolaire — Guide à l'intention des commissions scolaires et des directeurs et directrices d'école, Québec, Office des services de garde à l'enfance et ministère de l'Éducation, 1991.

National Centre for Clinical Infant Programs. «Consensus on Infant/Toddler Day Care Reached by Researchers at NCCIP Meeting», communiqué de presse, Washington (D.C.), 23 octobre 1987.

Office des services de garde à l'enfance. *Rapport annuel 1990-1991,* Québec, Les Publications du Québec, 1991.

Pence, Alan R. et Hillel Goelman. «Parents of Children in Three Types of Day Care. The Victoria Day Care Research Project», Ottawa, Conseil de recherches en sciences humaines du Canada, 1985.

Pence, Alan R. et Hillel Goelman. *The Puzzle of Day-care: Choosing the Right Child Care Arrangement,* Toronto, University of Toronto, Guidance Centre, 1986.

Phillips, Deborah A. (sous la direction de). *Quality in Child Care: What Does Research Tell Us?,* Washington (D.C.),

National Association for the Education of Young Children, 1987.

Phillips, Deborah A. et Carollee Howes. «Indicators of Quality Child Care: Review of Research», *Quality in Child Care: What does Research Tell Us?*, sous la direction de Deborah A. Phillips, Washington (D.C.), National Association for the Education of Young Children, 1987.

Phillips, Deborah, Kathleen McCartney, Sandra Scarr et Carollee Howes. «Selective Review of Infant Day Care Research: A Cause for Concern!», *Zero to Three*, février 1987.

Pickering, Larry L., Alfred V. Bartlett et William E. Woodward. «Acute Infectious Diarrhea Among Children in Day Care: Epidemiology and Control», *Research in Infectious Diseases*, vol. 8, 1986, p. 539-547.

Pineault, Lucie. «Les Garderies et les agences de A à Z», *Petit à Petit*, août 1991, p. 14-15.

Provence, Sally, Audrey Naylor et June Patterson. *The Challenge of Daycare*, New Haven et London, Yale University Press, 1977.

Rainville, Luc. Entretien personnel, 23 avril 1992.

Ross, Kathleen Gallagher. *A Parents' Guide to Day Care: Finding the Best Alternative for Your Child*, Vancouver, Self-Counsel Press Ltd., 1984.

Ross, Kathleen Gallagher (sous la direction de). *Good Day Care: Fighting For It, Getting It, Keeping It*, Toronto, The Women's Press, 1978.

Rothman Beach Associates. «Étude sur les garderies en milieu de travail au Canada», *Études servant de base au rapport du groupe d'étude sur la garde des enfants*, Ottawa, Condition féminine Canada, 1986. vol. 4.

Roy, Simone St-Germain. *Résultats de l'enquête menée auprès des jardins d'enfants à l'automne 1990*, Montréal, Office des services de garde à l'enfance, mai 1991.

Scarr, Sandra. *Mother Care/Other Care*, New York, Warner Books Inc., 1984.

Secor, Christine Dimock (sous la direction de). *A Handbook for Day Care Board Members*, New York, Day Care Council of New York, Inc., 1984.

«Services de garde d'enfants patronnés par l'employeur«, *La garde d'enfants — Orientations«,* Toronto, ministère des Services sociaux et communautaires d'Ontario, octobre 1988.

Situation de la garde de jour au Canada, Ottawa, Santé et Bien-être social Canada, 1991.

Soto, Julio C. «L'impact des maladies infectieuses en garderie pour l'enfant, la famille et la communauté», *Cours d'éducation sanitaire pour le personnel des garderies,* Montréal, Département de santé communautaire de l'hôpital Saint-Luc, 1989.

Soto, Julio C. *Un modèle de surveillance épidémiologique pour le contrôle des maladies infectieuses en garderie,* thèse doctorale, Université de Montréal, 1990.

Soto, Julio C. Entretien personnel, 14 février 1990.

Soto, Julio C. Entretien téléphonique, 19 avril 1993.

Soto, Julio C. (sous la direction de). *La santé... ça se garde,* colloque sur la prévention des infections en garderie, Montréal, Département de santé communautaire de l'hôpital Saint-Luc, [1988].

SPR Associates Inc. *An Exploratory Review of Selected Issues in For-Profit Versus Not-For-Profit Child Care,* Report to the House of Commons Special Committee on Child Care, Toronto, 1986.

Stahlberg, M. «The Influence of Form of Day Care on Occurrence of Acute Respiratory Tract Infections among Young Children», *Acta Paediatr. Scan.,* supplément 282, 1980, p. 1-87.

Stanwick, Richard. «Safety in Day Care is no Accident», *Interaction,* hiver 1989.

Strangert, K. «Respiratory Illness in Preschool Children with Different Forms of Day Care», *Pediatrics,* vol. 57, 1976, p. 191-195.

Summary Report: A Survey of Private Home Day Care Services in Ontario, 1988, Toronto, Ontario Ministry of Community and Social Services, 1989.

Swan, Helen L. et Victoria Houston. *Alone After School: A Self-Care Guide for Latchkey Children and Their Parents,* Englewood Cliffs (New Jersey), Prentice-Hall, Inc., 1985.

Tougas, Jocelyne. Entretien personnel, 8 mai 1992.

Townson, Monica. «Care for Sick Children: The Issues, the Responsibilities and the Cost», présentation dans le cadre de la conférence «Financing Sick Child Care», Waterloo Region Branch, Victorian Order of Nurses, 19 février 1990.

Umbrella Board Manual, Toronto, Umbrella Central Day Care Services, 1990.

Vandell, E., V. Henderson et K. Wilson. «A Longitudinal Study of Children with Day-Care Experience of Varying Quality», *Child Development*, vol. 59, 1988, p. 1286-1292.

Weissbourd, Bernice et Judith Musick (sous la direction de). *Infants: Their Social Environments*, Washington (D.C.), National Association for the Education of Young Children, 1981.

West, Sharon M. *A Study on Compliance with the Day Nurseries Act at Full-Day Child Care Centres in Metropolitan Toronto*, Toronto, Ontario Ministry of Community and Social Services, 1988.

White, Burton L. et Michael K. Meyerhoff. «What *Is* Best for the Baby?», *The Infants We Care For*, sous la direction de Laura L. Dittmann, Washington (D.C.), National Association for the Education of Young Children, 1973 et 1984.

White, Donna. Entretien personnel, 28 septembre 1990.

Whitebook, Marcy, Carollee Howes et Deborah Phillips. *Who Cares? Child Care Teachers and the Quality of Care in America*, Executive Summary National Child Care Staffing Study, Oakland (Californie), Child Care Employee Project, 1989.

Whitebook, Marcy, Carollee Howes, Deborah Phillips et Caro Pemberton. «Who Cares? Child Care Teachers and the Quality of Care in America.», *Young Children*, novembre 1989.

Who Cares... A Study of Home-Based Child Caregivers in Ontario, vol. 1, Ottawa, Independent Child Caregivers Association, 1990.